Fluwelen begeerte

Ander werk van Sarah Waters:

Affiniteit

Sarah Waters

Fluwelen begeerte

VERTALING EUGÈNE DABEKAUSSEN & TILLY MATERS

NIJGH & VAN DITMAR
AMSTERDAM 2002

Eerste druk februari 2002
Tweede druk juni 2002

De vertalers ontvingen voor deze vertaling een werkbeurs van de Stichting
Fonds voor de Letteren

Oorspronkelijke titel *Tipping the Velvet*. Virago Press, Londen
Copyright © Sarah Waters 1998
Copyright © Nederlandse vertaling Eugène Dabekaussen & Tilly Maters /
Nijgh & Van Ditmar 2002
Omslag Nanja Toebak
Foto omslag MonoMania Picture Library
Foto auteur Sally O.J.
NUR 302 / ISBN 90 388 8417 6

Deel een

I

Hebt u ooit een oester uit Whitstable geproefd? Als dat zo is, zult u het zich vast herinneren. Een of andere kronkel in de Keltische kustlijn zorgt ervoor dat de *Whitstable natives* – zoals ze eigenlijk heten – de grootste en sappigste, de smakelijkste, maar ook de fijnste oesters van heel Engeland zijn. De oesters van Whitstable zijn terecht beroemd. De Fransen, die bekendstaan om hun verfijnde smaak, steken er regelmatig het Kanaal voor over. Ze worden in tonnen ijs verscheept naar de eettafels van Hamburg en Berlijn. Niemand minder dan de koning schijnt speciaal naar Whitstable te reizen, met mevrouw Keppel, om in een privé-hotel oestermaaltijden te nuttigen. En wat de oude koningin betreft: als middagmaal gebruikte ze iedere dag een native (althans, naar verluidt) tot op de dag dat ze stierf.

Bent u ooit in Whitstable geweest en hebt u daar de oestersalons gezien? Mijn vader dreef er een. Ik ben erin geboren – herinnert u zich een smal huis van gepotdekselde planken met blauwe bladderende verf erop, halverwege de High Street en de haven? Herinnert u zich het bobbelige uithangbord boven de deur, waarop stond dat 'Astley's Oesters, de beste van Kent' daarbinnen te verkrijgen waren? Bent u misschien door de deur gegaan en de schemerige, geurige kamer met het lage plafond daarachter binnengestapt? Kunt u zich de tafels herinneren, met hun geblokte kleedjes – het menu in krijt op een bord – de petroleumlampen, de zwetende kluiten boter?

Werd u bediend door een meisje met roze wangen, vlotte manieren en krullen? Dat was mijn zus Alice. Of was het een man, tamelijk lang en gebogen, met een hagelwit schort van de knoop in zijn stropdas tot de strik in zijn schoenen? Dat was mijn vader. Zag u, als de keukendeur open- en dichtzwaaide, een dame die fronsend in de stoomwolken van een pruttelende pan oestersoep of een sissend rooster stond te kijken? Dat was mijn moeder.

En stond er naast haar een tenger, bleek, onopvallend meisje met de mouwen van haar jurk opgestroopt tot haar ellebogen, eeuwig een lok sluik en kleurloos haar in haar ogen en lippen die voortdurend bewogen op de woorden van een straatliedje of variévénummer?

Dat was ik.

Net als Molly Malone in het oude volksliedje was ik een visverkoopster, omdat mijn ouders het waren. Ze hadden een restaurant en de kamers erboven. Ik werd grootgebracht als oestermeisje en doordrenkt van alle geuren van het vak. Mijn eerste kinderpasjes zette ik rond vaten met slapende oesters en tonnen met ijs. Nog voor ik een stukje krijt en een lei in handen kreeg, werd mij een oestermes overhandigd en geleerd hoe het te gebruiken. Terwijl ik als kleintje mijn alfabet nog brabbelde, kon ik de hele inhoud van de keuken van een oesterkok opsommen – kon ik vis keuren met een blinddoek voor en u zeggen welke soort het was. Whitstable was de hele wereld voor me, Astley's Salon mijn eigen land, oestervocht mijn element. Hoewel ik niet lang geloof heb gehecht aan het verhaal dat mijn moeder me vertelde – dat ze me als kindje in een oesterschelp hadden gevonden en een gulzige klant me bijna had opgegeten als middagmaal – heb ik achttien jaar lang niet getwijfeld aan mijn oesterse sympathieën, keek ik voor bezigheid of liefde nooit veel verder dan mijn vaders keuken.

Het was een merkwaardig soort leven, mijn leven, zelfs naar de maatstaven van Whitstable, maar het was niet onaangenaam of vreselijk zwaar. Onze werkdag begon om zeven uur en eindigde twaalf uur later. En al die uren had ik dezelfde taak. Terwijl moeder kookte en Alice en mijn vader bedienden, zat ik op een hoge kruk naast een vat natives en schrobde en spoelde en hanteerde het oestermes. Sommige mensen eten hun oesters graag rauw, en voor hen is het werk het makkelijkst, want je hoeft alleen maar een dozijn oesters uit het vat te nemen, hun brijn weg te spoelen en ze met een toefje peterselie of waterkers op een schaal te leggen. Maar voor degenen die hun oesters gestoofd of gefrituurd – of gebakken of gegratineerd of in een pastei – wilden, was mijn werk ingewikkelder. Dan moest ik elke oester openmaken, ontbaarden en in moeders kookpot doen zonder het smakelijke vlees te beschadigen of iets van het vocht te verspillen of bederven. Aangezien er een dozijn oesters op een bord kan, oestermaaltijden goedkoop zijn en onze salon druk bezocht werd, met plaats voor vijftig klanten – nou, dan kunt u zelf wel uitrekenen hoe gigantisch veel oesters er iedere dag bij mij onder het mes kwamen. En misschien kunt u zich ook voorstellen hoe rood en pijnlijk en van zilt doorweekt mijn vingers waren aan het eind van iedere middag. Nog altijd – nu ik meer dan twintig jaar geleden mijn oestermes heb neergelegd en mijn vaders keuken voor eeuwig heb verlaten – voel ik van de weeromstuit een spookachtige steek in mijn pols en vingergewrichten als ik het vat van een visverkoper zie of de roep van een oesterman hoor, en ik geloof dat ik soms nog de geur van vocht en brijn onder mijn duimnagel en in de plooien van mijn hand kan ruiken.

Ik zei dat er in mijn jeugd niets anders dan oesters in mijn leven was, maar dat is niet helemaal waar. Ik had vrienden en neven en nichten, zoals ieder meisje dat opgroeit in een kleine stad in een grote, oude familie. Ik had mijn zus Alice – mijn allerliefste vriendin – met wie ik een slaapkamer en een bed deelde en die al mijn geheimen kende en mij al haar geheimen vertelde. Ik had zelfs een soort vrijer: een jongen die Freddie heette en werkte op een oestersmak in de Whitstable Bay, samen met mijn broer Davy en mijn oom Joe.

En ten slotte had ik een liefde – je zou kunnen zeggen een soort passie – voor het variété en vooral voor variétéliedjes en het zingen ervan. Als u in Whitstable bent geweest, weet u dat dit geen al te handige passie was, want het stadje heeft een variététheater noch een schouwburg – slechts één eenzame lantaarnpaal voor het Hotel Duke of Cumberland, waar zo nu en dan een groepje black minstrels kwam zingen en in augustus de poppenkast was. Maar Whitstable ligt slechts vijftien minuten per trein van Canterbury, en daar was wel een variététheater – het Canterbury Palace of Varieties – waar de voorstellingen drie uur duurden en de entreekaartjes zes penny kostten.

Het Palace was een heel klein en, naar ik aanneem, tamelijk vervallen theater. Maar ik zie het nog voor me met mijn oestermeisjesogen – ik zie nog het spiegelglas langs de wanden, het rode pluche op de stoelen, de vergulde gipsen cupido's die boven het doek zweefden.

Net als ons oesterhuis had het een specifieke geur – de geur, zo weet ik nu, die variététheaters overal hebben – een combinatie van de geur van hout, schmink en gemorst bier, van gas, van tabak en van haarolie. Het was een geur waarvan ik als meisje onvoorwaardelijk hield. Naderhand hoorde ik die geur door theaterdirecteuren en artiesten beschrijven als de geur van gelach, het pure aroma van het applaus. Nog later kwam ik erachter dat het niet de essence van de vreugde was, maar van het verdriet.

Maar nu loop ik vooruit op mijn verhaal.

Ik was meer dan de meeste meisjes vertrouwd met de geuren en kleuren van het Canterbury Palace – althans in de periode waaraan ik denk, die laatste zomer in mijn vaders huis, toen ik achttien werd – want Alice had een vrijer die er werkte, een jongen genaamd Tony Reeves, die ons voor heel weinig geld of voor niets plaatsen kon bezorgen. Tony was de neef van de directeur van het Palace, de befaamde Tricky Reeves, en dus een heel goede partij voor onze Alice. Aanvankelijk wantrouwden mijn ouders hem, vonden hem 'snel' omdat hij in een theater werkte, sigaren achter zijn oor droeg en gladde praatjes verkocht over contracten, Londen en champagne. Maar Tony nam iedereen voor zich in, zo sympathiek en ongedwongen en goed was hij. En net als iedere andere jongen die met haar vrijde, verafgoodde hij mijn zus, en was hij bereid om voor haar aardig tegen ons allemaal te zijn.

Zo kwam het dus dat Alice en ik op zaterdagavond vaak in het Canterbury Palace te vinden waren, onze rokken onder onze stoelen proppend en de refreinen van de leukste liedjes meezingend. Net als de rest van het publiek waren we kieskeurig. We hadden onze favoriete nummers – artiesten naar wie we uitkeken en om wie we riepen, liedjes waar we om smeekten en die almaar herhaald moesten worden tot de keel van de zangeres – want meestal vonden Alice en ik de zangeressen het best – droog was en ze niet meer kon zingen en alleen nog maar glimlachen en buigen.

En als de voorstelling voorbij was en wij Tony in zijn bedompte kantoortje achter het loket van de kaartjesverkoopster gedag hadden gezegd, namen we de wijsjes mee naar huis. We zongen ze in de trein naar Whitstable – en soms zongen anderen, die even vrolijk als wij van dezelfde voorstelling naar huis terugkeerden, ze met ons mee. We zongen ze fluisterend in de duisternis als we in bed lagen, we droomden onze dromen op het ritme van de regels, en als we de volgende ochtend wakker werden, neurieden we ze nog steeds. Dan serveerden we een beetje van de variétésfeer bij onze oestermaaltijden – Alice floot terwijl ze schotels droeg en bracht een glimlach op het gezicht van de klanten. Ik, zittend op mijn hoge kruk naast mijn kom met brijn, zong voor de oesters die ik schrobde, openwrikte en ontbaardde. Moeder zei dat ik zelf op het podium hoorde te staan.

Maar als ze dat zei, moest ze lachen, en ik ook. De meisjes die ik zag in de gloed van de voetlichten, de meisjes wier liedjes ik graag leerde en zong, die waren niet zoals ik. Ze waren meer als mijn zus: ze hadden kersenrode lippen en krullen die rond hun schouders dansten, ze hadden borsten die vooruitstaken, ellebogen met kuiltjes en enkels – als ze die lieten zien – zo slank en sierlijk als bierflesjes. Ik was groot en heel mager. Mijn borst was plat, mijn haar slap, mijn ogen saai en van een onbestemd blauw. Mijn teint, dat moet ik toegeven, was volmaakt egaal en fris, en mijn tanden waren hagelwit. Maar dit werd – althans in onze familie – niet bijzonder gevonden: aangezien we allemaal onze dagen doorbrachten in de dampen van sudderend brijn, waren we allemaal zo gebleekt en smetteloos als inktvis.

Nee, meisjes als Alice waren voorbestemd om te dansen op een verguld podium, gehuld in satijn en begroet door cupido's. En meisjes als ik waren gemaakt om in de engelenbak te zitten, in het donker en de anonimiteit, en naar hen te kijken.

Althans, dat dacht ik toen.

De dagelijkse routine die ik heb beschreven – van openwrikken, ontbaarden, koken en opdienen, en zaterdagavond naar het variété – is wat ik me nog het best herinner uit mijn jeugd. Maar dat speelde zich natuurlijk alleen 's winters af. Van mei tot augustus, als de Britse natives met rust gelaten moeten worden om zich voort te planten, streken de smakken hun zeilen of voeren de zee op voor andere vangst. Daarom waren de oestersalons in heel Engeland gedwongen hun menu aan te passen of hun deuren te sluiten. Mijn vader deed weliswaar van najaar tot voorjaar goede zaken, maar niet zo goed dat hij zich kon veroorloven de zaak in de zomer te sluiten en vakantie te nemen. Net als veel gezinnen in Whitstable die leefden van de vruchten der zee, hoefden we in de warme maanden minder hard te werken, schakelden we over op een langzamer, losser, vrolijker tempo. Het restaurant werd minder druk. We serveerden krab, schol, tarbot en haring in plaats van oesters, en het fileren was minder zwaar werk dan het eindeloze borstelen en ontschelpen in de wintermaanden. We hielden onze ramen omhooggeschoven en de keukendeur open. We werden niet levend gekookt in de stoom van de kookpotten, en we raakten evenmin verkleumd of bevroren door de tonnen oesterijs, als in de winter, maar we werden aangenaam verkoeld door de briesjes en vertroost door het geluid van wapperend zeildoek en snorrende katrollen dat van de Whitstable Bay onze keuken kwam binnendrijven.

De zomer waarin ik achttien werd was warm, en werd steeds warmer naarmate de weken verstreken. Dagen achtereen liet vader het restaurant over aan moeder en verkocht hij kokkels en wulken in een kraam op het strand. Als we dat wilden, konden Alice en ik iedere avond naar het Canterbury Palace, maar net zoals niemand in die julimaand gebakken vis of kreeftensoep in onze bedompte salon wilde eten, zo kregen wij het Spaans benauwd alleen al bij het idee om een paar uur met handschoenen aan en hoed op door te moeten brengen onder de flakkerende gaskronen van Tricky Reeves' broeierige theater.

Er zijn meer overeenkomsten tussen het werk van een visverkoper en een variétédirecteur dan u misschien denkt. Als vader van assortiment wisselde om tegemoet te komen aan de afgestompte en oververhitte tong van zijn klanten, deed Tricky dat ook. Hij ontsloeg de helft van zijn artiesten en kwam met een massa nieuwe van de variététheaters in Chatham, Margate en Dover. En het slimst van al was dat hij een contract voor één week afsloot met een echte beroemdheid, uit Londen: Gully Sutherland – een van de beste komische zangers in het vak en een gegarandeerde publiekstrekker, zelfs in de allerheetste Kentse zomer.

Alice en ik gingen al de eerste avond van Gully Sutherlands week naar het Palace. Inmiddels hadden we een afspraak met de dame achter het loket: we knikten en glimlachten naar haar als we binnenkwamen, kuierden vervolgens langs haar raam en kozen in de zaal achter haar welke plaats we maar wilden. Meestal was dit ergens in de engelenbak. Het voordeel van de stallesplaatsen heb ik nooit begrepen: het leek me onnatuurlijk om onder het podium te gaan zitten en van een niveau ergens ter hoogte van de enkels naar de artiesten omhoog te moeten turen door het troebele, trillende waas van de hitte die opsteeg boven de voetlichten. Vanaf het balkon had je een beter zicht, maar vanaf de engelenbak, die weliswaar verder van het podium af lag, had je volgens mij het beste zicht. En er waren daar twee plaatsen, precies in het midden op de voorste rij van de engelenbak, waar Alice en ik het liefst zaten. Daar had je het gevoel niet alleen een voorstelling bij te wonen, maar echt in een theáter te zijn: je zag de vorm van het toneel en de curve van de rijen, en je keek verbaasd naar de gezichten van je buren, in het besef dat jouw gezicht er al net zo uitzag: geheimzinnig verlicht door de gloed van de voetlichten, vochtig bij de lip en met een grijns als dat van een demon in de een of andere helse revue.

Het was minstens zo heet als de hel op de première van Gully Sutherlands optreden in het Canterbury Palace – zo heet dat toen Alice en ik ons over de leuning van de engelenbak bogen om naar het publiek beneden te kijken, we duizelig werden en moesten hoesten van de walm van tabak en zweet die ons in het gezicht sloeg. De zaal was, zoals Tony's oom had voorzien, bijna vol, maar er hing een vreemde stilte. De mensen spraken zachtjes of helemaal niet. Als je van de engelenbak naar het balkon en de stalles keek, zag je alleen het gewapper van hoeden en programma's. Het gewapper hield niet op toen het orkest de paar openingsmaten inzette en de lichten in de zaal uitgingen, maar het werd iets minder en de mensen gingen wat rechter in hun stoel zitten. De vermoeide stilte veranderde in een verwachtingsvol zwijgen.

Het Palace was een ouderwets variététheater en had, zoals veel van dat soort theaters in de jaren tachtig van de negentiende eeuw, nog een presentator. Dat was natuurlijk Tricky zelf. Hij zat aan een tafel tussen de stalles en het orkest en introduceerde de nummers, riep om stilte als het publiek te luidruchtig werd en ging ons voor in heildronken op de koningin. Hij had een hoge hoed, een voorzittershamer – ik heb nog nooit een presentator zonder voorzittershamer gezien – en een pul bier. Op zijn tafel stond een kaars; die bleef branden zolang er artiesten op het toneel stonden, maar werd gedoofd tijdens de pauze en aan het eind van de voorstelling.

Tricky had een alledaags gezicht en een heel mooie stem – een stem die klonk als een klarinet, vloeiend en doordringend tegelijk, en heerlijk om naar te luisteren. Op de avond van Sutherlands eerste optreden heette hij ons welkom bij zijn voorstelling en beloofde hij ons een avond amusement die we nooit zouden vergeten. Hadden we longen? vroeg hij. Dan zouden we die nu gaan gebruiken! Hadden we handen en voeten? Dan zouden we ermee gaan stampen en klappen! Hadden we een buik? Dan zouden we die moeten vasthouden! Tranen? We zouden emmers vol vergieten! Ogen?

'Kijk ze dan uit! Orkest, alstublieft. Belichters, kan het alstublieft.' Hij sloeg met de hamer op de tafel – *bang!* – zodat de kaarsvlam flakkerde. 'Hier zijn de fantastische, muzikale, vreselijk, vreselijk vrolijke *Merry*' – hij gaf nog een klap op de tafel – '*Randalls!*'

Het doek trilde en ging toen op. Er was een achterdoek met een gezicht op zee en op de planken lag echt zand, waar vier vrolijke figuren in vakantiekleding overheen kuierden: twee dames – één donkere, één blonde – met parasols, en twee lange heren, één met een ukelele aan een riem. Ze zongen 'All the Girls are lovely by the Seaside', heel mooi; toen speelde de ukelele een solo en tilden de dames hun rok op voor een nummertje tapdansen op zachte schoenen op het zand. Voor een openingsnummer waren ze goed. We juichten ze toe en Tricky bedankte ons heel hoffelijk voor onze waardering.

Het volgende nummer was een komiek, en het daaropvolgende een mentaliste – een dame in avondjurk en met handschoenen die geblinddoekt op het podium stond, terwijl haar echtgenoot met een lei tussen het publiek liep en mensen vroeg daar met een stukje krijt getallen en namen op te schrijven die zij moest raden.

'Stel u voor dat het getal door de lucht zweeft in rode vlammen,' zei de man op doordringende toon, 'die zich een weg branden in de hersenen van mijn vrouw, door haar voorhoofd heen.' We fronsten onze wenkbrauwen en tuurden naar het podium, en de dame wankelde enigszins en bracht haar handen naar haar slapen.

'De energie,' zei ze, 'is heel sterk vanavond. O! Ik voel haar branden!'

Hierna kwam er een groep acrobaten – drie mannen in glinsterpakken die door hoepels heen salto-mortales maakten en op elkaars schouders stonden. Het hoogtepunt van hun nummer was het moment dat ze een soort menselijke lus vormden en over het podium buitelden op de klanken van het orkest. We klapten, maar het was te warm voor acrobatiek en tijdens dit hele nummer werd er geschuifeld en gefluisterd, terwijl jongens naar de bar werden gestuurd om terug te keren met flesjes en glazen en pullen die onder veel rumoer via de rijen moesten worden doorgegeven, langs hoofden, buiken en grijpende vingers. Ik wierp een blik op Alice: ze had haar hoed af gedaan en wuifde zich daarmee koelte toe; en haar wangen waren knalrood. Ik duwde mijn eigen hoedje achter op mijn hoofd, leunde met mijn kin op mijn knokkels over de balustrade voor me en sloot mijn ogen. Ik hoorde Tricky opstaan en met zijn hamer om stilte roepen.

'Dames en heren,' schreeuwde hij, 'nu een kleine traktátie voor u. Een klein beetje chic en stijl. Als u champagne in uw glas hebt' – hierop klonk een ironisch gejoel – 'hef dat dan nu. Als u bier hebt – nou, in bier zitten ook bubbels, nietwaar? Hef dat ook! Maar verhef vooral uw stemmen, want ik bied u, rechtstreeks uit het Phoenix Theater in Dover, onze allereigenste Kentse dandy, onze piepkleine charmeur uit Faversham... Kitty' – klap! – 'Butler!'

Er volgden een klaterend applaus en een paar gedempte kreten. Het orkest hief een vrolijk nummer aan en ik hoorde het gekraak en geruis van het opgaande doek. Met grote tegenzin opende ik mijn ogen – toen opende ik ze wijder en hief mijn hoofd. De hitte, mijn vermoeidheid waren direct vergeten. Eén bundel rozig licht doorboorde de schaduwen van het lege podium en in het midden daarvan stond een meisje: het meest fantastische meisje – zo wist ik meteen! – dat ik ooit had gezien.

Natuurlijk hadden we in het Palace wel eerder mannenimitaties gezien; maar in 1888 waren de charmeurnummers in de provinciezalen niet wat ze tegenwoordig zijn. Toen Nelly Power zes maanden eerder 'The Last of the Dandies' voor ons had gezongen, had ze een maillot en goudkleurige ruches gedragen, net als een ballerina – het jongensachtige kwam uitsluitend van een stok en een bolhoed. Kitty Butler droeg geen maillot of glitter. Ze zag eruit zoals Tricky haar op de affiches had gezet, een soort perfecte West End-dandy. Ze droeg een pak – een mooi mannenpak, op maat gesneden, en bij de manchetten en de zakken afgezet met glimmende zijde. Ze droeg een roos in haar knoopsgat en uit haar zak staken lavendelkleurige handschoenen. Vanonder haar vest lichtte een sneeuwwit overhemd op met gesteven voorkant en een vijf centimeter hoog opstaande boord. Om de boord zat een witte vlinderdas en op haar hoofd droeg ze een witte hoge hoed. Als ze die hoed afnam – wat ze nu deed om het publiek te begroeten met een vrolijk 'Hallo!' – zag je dat ze heel kortgeknipt haar had.

Het was, denk ik, het haar dat me het meest aansprak. Als ik al ooit vrouwen met zulk kort haar had gezien, was dat omdat ze in het ziekenhuis of de gevangenis waren geweest, of omdat ze gek waren. Ze hadden er nooit zo uit kunnen zien als Kitty Butler. Haar haar paste op haar hoofd als een mutsje dat speciaal voor haar was genaaid door een hoedenmaakster met behendige vingers. Ik zou het bruin noemen, maar bruin is een te saai woord ervoor. Het was meer het soort bruin waarover je hoorde zingen – een hazelnootbruin of roodbruin. Het was bijna chocoladekleurig misschien – maar chocolade glanst niet zo, en dit haar lichtte in de gloed van de schijnwerpers op als tafzijde. Het krulde licht bij haar slapen en boven haar oren, en toen ze haar hoofd een beetje draaide om haar hoed weer op te zetten, zag ik, waar de boord ophield en de haarlijn begon, een strook blote lichte huid van haar nek die me – ondanks de hitte in de snikhete zaal – deed huiveren.

Ze zag er, neem ik aan, uit als een heel knappe jongen, want haar gezicht was volmaakt ovaal, haar ogen waren groot en donker bij de wimpers en haar lippen rozenrood en vol. Ook haar figuur was jongensachtig en tenger – zij het vaag maar onmiskenbaar gewelfd bij de boezem, de buik en de heupen, zoals bij een echte jongen nooit voorkwam. En haar schoenen, zo zag ik even later, hadden hakken van vijf centimeter. Maar ze beende rond als een jongen en stond als een jongen, met haar voeten wijd uiteen en haar handen achteloos in haar broekzakken, en ze hield brutaal haar hoofd schuin, helemaal vooraan op het podium. En als ze zong, deed ze dat met een jongensstem – aangenaam en heel zuiver.

Ze had een fantastisch effect op die oververhitte zaal. Net als ik gingen alle mensen in mijn buurt recht zitten en keken met glanzende ogen naar haar. Haar liedjes waren allemaal goedgekozen – dingen als 'Drink Up, Boys!' en 'Sweethearts and Wives', die al beroemd waren dankzij mensen als G.H. Macdermott en die wij dan ook allemaal konden meezingen – al was het bijzonder spannend om ze niet door een kerel, maar door een meisje met een broek en een vlinderdas te horen zingen. Na elk liedje sprak ze het publiek toe op een stoere, vertrouwelijke toon en wisselde gekkigheidjes uit met Tricky Reeves aan zijn presentatorstafel. Haar spreekstem was net als haar zangstem – sterk en natuurlijk – en klonk heerlijk warm in het oor. Haar accent was nu eens dat van het Londense variété, dan weer geaffecteerd, dan weer zuiver plat Kents.

Haar optreden duurde niet langer dan de gebruikelijke vijftien minuten of zo, maar daarna werd ze toegejuicht en twee keer op het podium teruggeroepen. Haar laatste toegift was een lieflijk liedje – een smartlap over rozen en een verloren liefde. Onder het zingen deed ze haar hoed af en hield die tegen haar borst. Toen trok ze de bloem uit haar knoopsgat, legde die tegen haar wang en leek een beetje te huilen. Daarop slaakte het publiek één diepe collectieve zucht en beet zich op de lippen toen het haar jongensachtige tonen plotseling zo gevoelig hoorde worden.

Ineens sloeg ze echter haar ogen op en keek ons aan over haar knokkels heen. We zagen dat ze helemaal niet huilde, maar lachte – en toen gaf ze plotseling een geweldige, kwajongensachtige knipoog. Heel vlug stapte ze opnieuw naar voren en speurde de stalles af naar het knapste meisje. Toen ze dat ontdekte, hief ze haar hand en vloog de roos over het schijnsel van de voetlichten en over de orkestbak heen, om te belanden op de schoot van het knappe meisje.

Op dat moment raakten we buiten zinnen. We brulden en stampten, en zij, een en al charme, hief haar hoed naar ons, zwaaide en ging af. We riepen om haar, maar er kwam geen toegift meer. Het doek viel, het orkest speelde. Tricky sloeg met zijn hamer op tafel, blies zijn kaars uit en het was pauze.

Ik tuurde met knipperende ogen naar de stoelen beneden, probeerde een glimp op te vangen van het meisje dat de bloem toegeworpen had gekregen. Ik kon me op dat moment niets mooiers voorstellen dan een roos uit Kitty Butlers hand te krijgen.

Ik was net als iedereen die avond naar het Palace gegaan om Gully Sutherland te zien, maar toen die uiteindelijk opkwam – zijn voorhoofd wissend met een enorme gestippelde zakdoek, zich beklagend over de hitte in Canterbury en het publiek zweterige lachstuipen bezorgend met zijn komische liedjes en bekkentrekkerij – vond ik hem toch niet je ware. Ik wilde alleen maar dat Kitty Butler weer het podium zou betreden om ons met haar charmante, arrogante blik te fixeren – om voor ons te zingen over champagne en over 'Hoera!' roepen bij de paardenrennen. De gedachte maakte me rusteloos. Ten slotte bracht Alice – die even hard als de anderen moest lachen om Gully's grimassen – haar mond naar mijn oor: 'Wat is er met jou?'

'Ik heb het warm,' zei ik, en vervolgens: 'Ik ga naar beneden.' En terwijl zij de rest van het nummer uitzat, ging ik langzaam de trap af naar de lege hal – stond daar met mijn wang tegen het koele glas van de deur en zong in mezelf opnieuw Kitty Butlers liedje 'Sweethearts and Wives'.

Al snel waren het gebrul en gestamp te horen dat het einde van Gully's optreden aankondigde. En even later verscheen Alice, die zich nog steeds koelte toewuifde met haar hoed en naar de klamme krullen blies die aan haar roze wangen kleefden. Ze knipoogde naar me: 'Kom, we gaan nog even bij Tony langs.' Ik volgde haar naar zijn kamertje, ging zitten en draaide doelloos rond in de stoel achter zijn bureau, terwijl hij zijn arm om haar middel sloeg. Er werd wat gepraat over Sutherland en diens gespikkelde zakdoek, toen: 'En, wat vonden jullie van die Kitty Butler?' vroeg Tony. 'Fantastisch, hè? Als ze het publiek zo blijft vermaken als vanavond, weet ik zeker dat mijn oom haar contract verlengt tot Kerstmis.'

Daarop stopte ik met rondtollen. 'Zij is de beste artiest die ik ooit heb gezien,' zei ik, 'hier of waar dan ook! Tricky zou gek zijn als hij haar liet schieten: zeg hem dat maar van mij.' Tony lachte en zei dat hij dat zeker zou doen. Maar terwijl hij dat zei, zag ik hem naar Alice knipogen en zijn blik verkikkerd over haar knappe gezicht gaan.

Ik keek de andere kant op, zuchtte en zei nogal naïef: 'O, wat zou ik Kitty Butler graag nog eens zien!'

'Dat zul je ook,' zei Alice, 'zaterdag.' We waren van plan zaterdagavond met z'n allen naar het Palace te gaan – vader, moeder, Davy, Fred, iedereen. Ik plukte aan mijn handschoen.

'Dat weet ik,' zei ik. 'Maar zaterdag lijkt nog zo ver weg...'

Tony lachte opnieuw. 'Nou, Nance, wie zegt dat je zo lang moet wachten? Als je wilt, kun je morgenavond komen – en wat mij betreft elke avond die je maar wilt. En als er geen zitplaats voor je in de engelenbak is, nou dan stoppen we je in een loge aan de zijkant van het podium en kun je vandaar naar hartenlust naar Kitty Butler staren!'

Ik weet zeker dat hij dit zei om mijn zus te imponeren, maar mijn hart maakte een vreemd sprongetje bij zijn woorden. Ik zei: 'O, Tony, meen je dat echt?'

'Natuurlijk.'

'En echt in een loge?'

'Waarom niet? Onder ons gezegd, de enige klanten die we ooit voor die plaatsen krijgen zijn de familie Hout en de familie Pluche. Jij zit in een loge en zorgt ervoor dat het publiek je ziet: misschien krijgen ze het ervan in hun bol.'

'Misschien krijgt Nancy het ervan in haar bol,' zei Alice. 'Dat kunnen we niet hebben.' Ze lachte toen Tony zijn greep om haar middel verstevigde en voorover leunde om haar te zoenen.

Voor stadsmeisjes was het misschien niet betamelijk om onbegeleid naar variététheaters te gaan, maar in Whitstable deden de mensen daar niet zo moeilijk over. Toen ik het er de volgende dag over had om weer naar het Palace te gaan, reageerde moeder slechts met een frons en een zwak zou-je-dat-nou-wel-doen. Alice lachte en verklaarde me voor gek: zij had geen zin, zei ze, om de hele avond in de rook en de hitte te zitten voor een glimp van een meisje in een broek – een meisje dat we nog geen vierentwintig uur geleden hadden zien optreden en horen zingen.

Ik was geschokt door haar onverschilligheid, maar heimelijk heel blij bij het vooruitzicht dat ik weer naar Kitty Butler kon kijken, helemaal alleen. Ik was ook veel opgetogener dan ik liet blijken over Tony's belofte dat ik in een loge mocht zitten. De avond tevoren had ik voor mijn bezoek aan het theater een tamelijk gewone jurk gedragen, maar nu – het was een rustige dag geweest in de Salon en we mochten van vader om zes uur sluiten – trok ik mijn zondagse jurk aan, de jurk die ik gewoonlijk droeg als ik uit wandelen ging met Freddy. Davy floot toen ik op mijn paasbest naar beneden kwam en de hele weg naar Canterbury probeerden twee jongens mijn blik te vangen. Maar ik wist dat ik – althans voor deze ene avond! – onbereikbaar was voor hen. Bij het Palace knikte ik zoals altijd naar de kaartjesverkoopster. Maar toen liet ik iemand anders zweten op mijn favoriete plaats in de engelenbak en liep naar de zijkant van het podium, naar een vergulde stoel met scharlaken pluche. En daar – angstig zichtbaar, zo bleek, voor de terloopse, nieuwsgierige of jaloerse blikken van de hele ongedurige zaal – daar zat ik, terwijl de Merry Randalls op dezelfde liedjes schuifelden als daarvoor, de komiek zijn grappen vertelde, de mentaliste wankelde, de acrobaten buitelden.

Toen verzocht Tricky ons, opnieuw, onze hoogst eigen Kentse dandy welkom te heten, en ik hield mijn adem in.

Dit keer beantwoordde het publiek haar 'Hallo!' met een geweldig, joviaal gebrul: het nieuws van haar succes moest de ronde hebben gedaan. Ik zag haar nu natuurlijk van opzij en uit een tamelijk vreemde hoek, maar toen ze net als de vorige avond naar de voorkant van het podium beende, leek haar pas me lichter toe – alsof de bewondering van het publiek haar vleugels gaf. Ik leunde in haar richting, mijn vingers hard op het fluweel van mijn onvertrouwde zitplaats. De loges in het Palace waren heel dicht bij het podium: de hele tijd dat ze zong was ze minder dan vijf meter van me vandaan. Ik kon al de prachtige details van haar kostuum onderscheiden – de horlogeketting, in een lus rond de knopen van haar vest, de zilveren manchetknopen – die ik vanaf mijn oude plaats in de engelenbak niet had gezien.

Ook zag ik haar gezicht nu duidelijker. Ik zag haar oren, tamelijk klein en zonder gaatjes. Ik zag haar lippen – zag nu dat ze niet van zichzelf rozenrood waren, maar voor de voetlichten natuurlijk knalrood gestift waren. Ik zag dat haar tanden roomwit waren en haar ogen, net als haar haren, chocoladebruin.

Omdat ik wist wat haar optreden zou brengen – en omdat ik meer naar haar keek dan naar haar luisterde – leek het in een oogwenk voorbij. Ze werd weer teruggeroepen voor twee toegiften en ze eindigde net als eerder met een smartlap en het werpen van de roos. Ditmaal zag ik wie die opving: een meisje op de derde rij, een meisje met een strohoed met veren op en in een geelsatijnen jurk met blote schouders, die haar armen zichtbaar liet. Een mooier meisje had ik nooit gezien, maar op dat moment verfoeide ik haar!

Ik keek weer naar Kitty Butler. Ze had haar hoed geheven en bracht haar laatste, zwierige groet. Kijk naar me, dacht ik. Kijk naar me! Ik spelde het woord in rode letters in mijn hoofd, zoals de man van de mentaliste had aangeraden en stuurde ze brandend haar voorhoofd in, als een brandmerk. Kijk naar me!

Ze draaide zich om. Haar ogen schoten één keer mijn kant op, als om alleen maar te constateren dat de loge die gisteravond leeg was, nu bezet was; en toen dook ze onder het vallende karmozijn van het doek en was verdwenen.

Tricky blies zijn kaars uit.

'En,' vroeg Alice een tijdje later, toen ik onze huiskamer – onze eigen salon, niet de oestersalon beneden – binnenstapte, 'hoe was Kitty Butler vanavond?'

'Precies hetzelfde als gisteravond, zou ik denken,' zei vader.

'Helemaal niet,' zei ik, mijn handschoenen uittrekkend. 'Ze was nog beter.'

'Nog beter, nee maar! Als ze zo doorgaat, hoe moet ze zaterdag dan wel niet zijn!'

Alice staarde me aan, haar mond tuitend. 'Denk je dat je zo lang kunt wachten, Nancy?' vroeg ze.

'Heus wel,' zei ik met geveinsde achteloosheid, 'maar ik weet niet of ik dat wel zal doen.' Ik richtte me tot mijn moeder, die zat te naaien naast de lege haard. 'U vindt het toch wel goed,' zei ik luchtig, 'als ik morgenavond weer ga?'

'Weer?' zei iedereen geamuseerd. Ik keek alleen naar moeder. Ze had haar hoofd opgeheven en keek me nu aan met een enigszins peinzende frons.

'Ik zou niet weten waarom niet,' zei ze traag. 'Maar ja, Nancy, dat hele eind voor één nummer... En nog helemaal in je eentje ook. Kun je Fred niet vragen of hij je meeneemt?'

Fred was wel de laatste die ik naast me wilde hebben als ik weer naar Kitty Butler ging. Ik zei: 'O, die wil zoiets niet zien! Nee, ik ga alleen.' Ik zei het heel resoluut, alsof ik opdracht had gekregen om iedere avond naar het Palace te gaan en grootmoedig had besloten dat met zo weinig mogelijk gezeur en geklaag te doen.

Een moment viel er een haast pijnlijke stilte. Toen zei vader: 'Je bent een gekke meid, Nancy. Dat hele eind naar Canterbury in de drukkende hitte – en niet eens wachten om een glimp van Gully Sutherland op te vangen!' En hierop lachte iedereen, en het pijnlijke moment was voorbij en het gesprek ging verder over andere dingen.

Er volgden echter nog meer kreten van ongeloof en nog meer gelach, toen ik terugkwam van mijn derde bezoek aan het Palace en verlegen aankondigde dat ik nog een vierde en een vijfde keer wilde gaan. Oom Joe was bij ons op bezoek: hij was bezig voorzichtig een fles bier uit te schenken in een schuin gehouden glas, maar keek op bij het gelach.

'Wat is er aan de hand?' vroeg hij.

'Nancy is gecharmeerd van die Kitty Butler in het Palace,' zei Davy. 'Stel u voor, oom Joe – gecharmeerd van een charmeur!'

Ik zei: 'Hou je kop.'

Moeder keek streng. 'Hou jíj je kop, alsjeblieft, dame.'

Oom Joe nam een slokje van zijn bier en likte toen het schuim van zijn snor. 'Kitty Butler?' zei hij. 'Dat is die meid in mannenkleren, toch?' Hij trok een gezicht. 'Jesses, Nancy, is een echte man niet meer goed genoeg voor je?'

Vader leunde naar hem toe. 'Nou, wij hebben gehóórd dat ze om Kitty Butler gaat,' zei hij. 'Maar als je het mij vraagt,' – en hierbij knipoogde hij en wreef over zijn neus – 'heeft ze een oogje op een jonge vent in de orkestbak...'

'Aha,' zei Joe veelbetekenend. 'Laten we dan maar hopen dat die arme Frederick het niet doorheeft...'

Op dat moment keek iedereen in mijn richting en ik bloosde – en leek daarmee, neem ik aan, mijn vaders woorden te bevestigen. Davy snoof. Moeder, die eerst nog had gefronst, glimlachte nu. Ik liet haar – ik liet hen allemaal denken wat ze wilden – en zei niets, en net als eerder spraken ze algauw weer over andere dingen.

Ik kon mijn ouders en mijn broer om de tuin leiden met mijn zwijgen, maar voor mijn zuster Alice kon ik niets verborgen houden.

'Is er in het Palace inderdaad een vent waar je een oogje op hebt?' vroeg ze me naderhand, toen de rest van het huis stil was en sliep.

'Natuurlijk niet,' zei ik kalm.

'Je gaat dus alleen om Kitty Butler?'

'Ja.'

Er volgde een stilte, die alleen werd verbroken door het verre geratel van wielen, het zachte geklepper van hoeven op de High Street en het nog zachtere, kabbelende geruis van de zee op het kiezelstrand van de baai. We hadden onze kaars gedoofd, maar het raam wijdopen en ongeblindeerd gelaten. Ik zag in het schijnsel van de sterren dat Alice haar ogen open had. Ze keek naar me met een dubbelzinnige uitdrukking, half geamuseerd en half afkeurend.

'Je bent nogal weg van haar, niet?' zei ze toen.

Ik keek de andere kant op en antwoordde niet direct. Toen ik ten slotte sprak was het helemaal niet tegen haar, maar tegen de duisternis.

'Als ik haar zie,' zei ik, 'is het alsof... ik weet niet wat het is. Het is alsof ik nog nooit iets gezien heb. Het is alsof ik volloop, als een wijnglas dat gevuld wordt met wijn. Ik kijk naar de nummers voor haar en die lijken nergens op – die zijn waardeloos. Dan komt zij het podium op gelopen en... ze is zo knap, en haar pak is zo prachtig, en haar stem is zo mooi... Ze maakt me aan het lachen en het huilen tegelijk. Ze maakt dat ik hier pijn voel.' Ik legde een hand op mijn borst, op mijn borstbeen. 'Ik heb nog nooit zo'n meisje gezien. Ik wist niet dat er zulke meisjes bestonden...' Mijn stem ging toen over in een trillend gefluister en ik merkte dat ik niets meer kon zeggen.

Er viel weer een stilte. Ik opende mijn ogen en keek naar Alice – en wist meteen dat ik niets had moeten zeggen, dat ik tegenover haar net zo zwijgzaam en op mijn hoede had moeten zijn als tegen de rest. Er was een blik op haar gezicht – en die was nu allerminst dubbelzinnig – een blik waaruit een mengeling van schrik, zenuwachtigheid en gêne of schaamte sprak. Ik had te veel gezegd. Het was alsof mijn bewondering voor Kitty Butler een baken in mij had ontstoken en mijn onnadenkend geopende mond een bundel licht in de donkere ruimte had gestuurd die alles verlichtte.

Ik had te veel gezegd – maar het was dat of niets zeggen.

Alice' ogen hielden de mijne nog heel even vast, toen begonnen haar wimpers te trillen en vielen dicht. Ze zei niets; ze rolde alleen van me weg, haar gezicht naar de muur gewend.

Het bleef die week extreem warm weer. De zon bracht dagjesmensen naar Whitstable en naar onze salon, maar de hitte verdreef hun eetlust. Ze bestelden nu even vaak thee en limonade als schol en makreel, en dan liet ik moeder en Alice uren aan een stuk alleen achter in de zaak en holde naar het strand om in vaders kraam kokkels, krab en wulken op beboterde boterhammen te scheppen. Het was weer eens iets anders, thee serveren op het kiezelstrand, maar het was ook zwaar om in de zon te staan, met azijn van je polsen tot aan je ellebogen en prikkende ogen van de damp. Voor iedere middag dat ik daar werkte, gaf vader me een halve kroon extra. Ik kocht een hoed versierd met een lavendelkleurig lint, maar de rest van het geld legde ik opzij; als ik genoeg had, zou ik daarmee een abonnement voor de trein naar Canterbury kopen.

Want die hele week maakte ik 's avonds mijn treinrit om – zoals Tony het uitdrukte – bij de familie Pluche te gaan zitten en naar de zingende Kitty Butler te staren, en niet één keer verveelde ze me. Het was alleen maar heerlijk, altijd weer heerlijk, om in mijn kleine scharlaken loge te stappen en te staren naar de zee van gezichten, de gouden boog boven het toneel, de fluwelen gordijnen en kwastjes en het hele stuk stoffige vloerplanken met de rij lampen – als open kokkels, dacht ik altijd – waarvoor ik algauw Kitty heen en weer zou zien benen en paraderen en met haar hoed zwaaien... O! En als ze dan eindelijk het toneel op stapte, kwam die roes van blijdschap zo snel en hevig over me dat ik mijn adem inhield om hem te voelen, en duizelig werd.

Zo was het wanneer ik alleen ging. Maar op zaterdag ging natuurlijk, zoals afgesproken, mijn familie mee – en toen was het heel anders.

Alles bij elkaar waren we bijna met z'n twaalven – nog met meer tegen de tijd dat we bij het theater kwamen en op onze plaatsen zaten, want in de trein en aan het loket troffen we vrienden en buren die als eendenmossels aan ons vrolijke groepje vastkleefden. Er was niet genoeg plaats om in één lange rij te gaan zitten: we verdeelden ons in groepjes van drie en vier, zodat als er iemand vroeg of we zin hadden in een kers, of moeder haar eau de cologne bij zich had, of waarom Millicent Jim niet had meegebracht, de boodschap moest worden doorgegeven, gegild of gefluisterd, de hele engelenbak door, van neef naar nicht, van tante naar zuster naar oom naar vriend, tot ongenoegen van alle rijen daartussen.

Dat leek mij, althans. Ik zat tussen Fred en Alice in, met Davy en zijn meisje, Rhoda, links van Alice, en moeder en vader achter ons. De zaal was stampvol en nog steeds heel warm – zij het koeler dan op die voorafgaande, snikhete maandagavond. Maar ik, die een week lang een loge voor mij alleen had gehad, in de verkoelende tocht van het podium, scheen de hitte meer dan wie ook te voelen. Freds hand op de mijne, of zijn lippen op mijn wang, vond ik ondraaglijk, meer stoomwolken dan liefkozingen. Zelfs de druk van Alice' mouw tegen mijn arm en de warmte van mijn vaders gezicht in mijn nek, als hij vooroverboog om onze mening over de voorstelling te vragen, deden me ineenkrimpen en zweten en heen en weer schuiven op mijn stoel.

Het was alsof ik gedwongen werd de avond tussen vreemden door te brengen. Hun plezier in de details van de voorstelling – die ik zo vaak, zo ongeduldig, had uitgezeten – kwam me onbegrijpelijk, idioot, voor. Toen ze het refrein meezongen met de weerzinwekkende Merry Randalls en gierden van het lachen bij de grappen van de komiek, toen ze met grote ogen naar de wankelende mentaliste staarden en de menselijke lus terugriepen op toneel voor nog een buiteling, zat ik op mijn nagels te bijten. Naarmate het optreden van Kitty Butler dichterbij kwam, voelde ik me onrustiger en ellendiger. Ik wilde niets liever dan dat ze weer het toneel op stapte, maar tegelijkertijd wilde ik ook alleen zijn – alleen in mijn kleine loge met de deur stevig dicht achter me – in plaats van midden tussen een groep mensen te zitten voor wie ze niets betekende, en die mijn passie voor haar alleen maar vreemd en verdacht vonden.

Ze hadden me duizendmaal 'Sweethearts and Wives' horen zingen; ze hadden alle details van haar kostuum, haar haar en haar stem van me gehoord; de hele week had ik ernaar gehunkerd dat ze haar zouden zien en geweldig zouden vinden. Maar nu ze hier bij elkaar waren, vrolijk en zorgeloos, verhit en luidruchtig, verfoeide ik hen. Ik kon nauwelijks verdragen dat ze zelfs maar naar haar keken, erger nog, ik dacht dat ik er niet tegen kon dat ze naar míj keken terwijl ik naar haar keek. Ik kreeg weer het gevoel dat er een lantaarn of baken in mij was gegroeid. Ik was ervan overtuigd dat het, als ze het podium op stapte, zou zijn alsof er een lucifer bij de kous werd gehouden en ik zou opvlammen, goud en lichtgevend, maar ook pijnlijk en schandelijk fel, en mijn familie en mijn vrijer zouden ontzet van me weg deinzen.

Toen ze eindelijk voor het voetlicht trad, gebeurde er natuurlijk niets van dat al. Ik zag Davy mijn kant op kijken en knipogen, en hoorde vader fluisteren: 'Daar is dan eindelijk dat meisje.' Maar toen ik ging gloeien en fonkelen, was dat kennelijk met een donkere, geheime vlam die niemand – behalve Alice misschien – verwachtte of zag.

Zoals ik echter al had gevreesd, voelde ik me die avond gruwelijk ver van Kitty Butler verwijderd. Haar stem was even krachtig, haar gezicht even mooi als tevoren, maar ik was gewend haar tussen de frasen te horen ademhalen, gewend de glinstering van de schijnwerpers op haar lip, de schaduw van haar wimpers op haar bepoederde wang te zien. Nu had ik het gevoel dat ik haar zag door glas, of hoorde met oren die waren dichtgestopt met was. Toen ze klaar was met haar nummer, juichte mijn familie en Freddy stampte met zijn voeten en floot. Davy riep: 'Potverdorie, ze is precies zo geweldig als Nancy haar heeft afgeschilderd!' Daarna leunde hij over de schoot van Alice om te knipogen en eraan toe te voegen: 'Maar niet zo geweldig dat ik een shilling per week aan treinkaartjes zou uitgeven om haar iedere avond te zien!' Ik gaf hem geen antwoord. Kitty Butler was teruggekomen voor haar toegift en had de roos al van haar revers getrokken. Maar het gaf me helemaal geen voldoening dat mijn familie haar goed vond – integendeel, ik voelde me er alleen maar ellendiger door. Ik tuurde weer naar de gedaante in de lichtbundel en dacht heel bitter: Jij zou altijd geweldig zijn, of ik nu hier ben of niet. Jij zou ook geweldig zijn zonder mijn bewondering. Ik zou net zo goed thuis kunnen zijn, krab in een papieren puntzak stoppen, jij kent me immers niet!

Maar op het moment dat ik dit dacht, gebeurde er iets merkwaardigs. Ze was aan het slot van haar lied – daar had je het gedoe met de bloem en het mooie meisje, en daarna draaide ze zich om naar de coulisse. En terwijl ze dat deed, zag ik haar hoofd omhooggaan – en ze keek – kéék, ik zweer het – naar de lege stoel waarin ik altijd zat, liet daarna haar hoofd zakken en liep verder. Was ik vanavond maar in mijn loge geweest, dan zouden haar ogen op mij gericht zijn geweest! Was ik maar in mijn loge geweest, in plaats van hier...!

Ik wierp een blik op Davy en vader: ze waren allebei overeind gekomen en riepen om meer, maar lieten hun geroep wegsterven en begonnen zich uit te rekken. Naast me glimlachte Freddy nog steeds naar het toneel. Zijn gepommadeerde haar plakte op zijn voorhoofd, zijn lip was donker waar hij zijn snor liet staan, zijn wangen waren rood en er zat een puist op. 'Wat een dotje,' zei hij tegen mij. Toen wreef hij in zijn ogen en riep naar Davy dat hij bier wilde. Achter me hoorde ik moeder vragen: 'Hoe kón die dame in de avondjurk nou al die getallen lezen met een blinddoek voor?'

Het gejuich verstomde, Tricky's kaars was uit; de gaskronen flakkerden, zodat we met onze ogen moesten knipperen. Kitty Butler had mij gezocht – had haar hoofd opgeheven en mij gezocht; en ik was verdwenen en zat tussen vreemden.

De volgende dag, zondag, bracht ik door in de kokkelkraam, en toen Freddy me die avond mee uit wandelen vroeg, zei ik dat ik te moe was. Die dag was het koeler en 's maandags leek het weer echt omgeslagen. Vader kwam weer voor hele dagen terug naar de Salon en ik stond in de keuken te wammen en te fileren. We werkten tot bijna zeven uur; tussen sluitingstijd en het vertrek van de trein naar Canterbury had ik net genoeg tijd om me te verkleden, in een paar laarsjes met elastieken stroken te stappen en aan te schuiven voor een haastige maaltijd met vader, moeder, Alice, Davy en Rhoda. Ik wist dat ze het uiterst vreemd vonden dat ik opnieuw naar het Palace ging; vooral Rhoda leek het verhaal van mijn charmeur geweldig amusant te vinden. 'Vindt u het goed dat ze gaat, mevrouw Astley?' vroeg ze. 'Mijn moeder zou me nooit alleen zo ver laten gaan, en ik ben twee jaar ouder. Maar ja, Nancy is zo'n degelijk meisje, nietwaar.' Ik was altijd een degelijk meisje geweest; mijn ouders maakten zich doorgaans zorgen om Alice – uitdagende Alice. Maar bij Rhoda's woorden zag ik dat mijn moeder me opnam en moest nadenken. Ik had mijn zondagse jurk aan en droeg mijn nieuwe hoed versierd met het lavendelkleurige lint; en ik had een lavendelkleurige strik in mijn vlecht en van hetzelfde lint een strik op allebei mijn witlinnen handschoenen. Mijn schoenen glansden prachtig zwart. Ik had een vleugje van Alice' parfum – eau de rose – achter mijn oren gedaan, en mijn wimpers zwart gemaakt met kasterolie uit de keuken.

Moeder zei: 'Nancy, vind je echt...?' Maar toen ze dat zei, tinkelde de klok op de schoorsteenmantel. Het was kwart over zeven, ik zou mijn trein nog missen.

Ik zei: 'Daag! Daag!' En vluchtte voor ze me tegen kon houden.

Ik miste mijn trein toch en moest op het station wachten op de volgende. Bij mijn aankomst in het Palace was de voorstelling al begonnen: toen ik ging zitten, waren de acrobaten al op het toneel hun lus aan het vormen, met glinsterende lovertjes, hun witte pakken stoffig bij de knieën. Er werd geklapt. Tricky stond op om te zeggen – wat hij iedere avond zei, zodat het halve publiek lachte en het met hem mee zei: *Van die gaan er weinig in een pond*. Daarna omklemde ik – als hoorde het bij de opening van haar nummer en kon ze anders niet werken – mijn stoel en hield mijn adem in, terwijl hij zijn hamer hief om Kitty Butlers naam eruit te slaan.

Ze zong die avond als – ik kan niet zeggen als een engel, want haar liedjes gingen allemaal over champagnesoupers en flaneren in de Burlington Arcade; misschien dus als een gevallen engel – of anders als een vallende: ze zong zoals een vallende engel zou kunnen zingen, de banden met de hemel juist verbroken en de hel nog ver en onvermoed. En de hele tijd zong ik met haar mee – niet luid en achteloos zoals de rest van het publiek, maar zacht, haast heimelijk, alsof ze me beter kon horen als ik fluisterde in plaats van brulde.

En misschien was dat uiteindelijk ook zo. Toen ze het toneel op kwam, dacht ik dat ze een blik in mijn richting had geworpen – alsof ze wilde zeggen: de loge is weer bezet. Nu ze voor de voetlichten wervelde, dacht ik dat ik haar weer naar mij zag kijken. Het was een bizar idee – en toch leek haar blik, telkens als hij de volle zaal langsging, de mijne te ontmoeten en er iets langer dan nodig bij te toeven. Ik hield op met mijn fluisterende gezang en staarde alleen maar, en slikte. Ik zag haar het podium verlaten – opnieuw ontmoette haar blik de mijne – en terugkomen voor haar toegift. Ze zong haar smartlap, trok de roos uit haar knoopsgat en hield die tegen haar wang, zoals we allemaal verwachtten. Maar aan het slot van haar liedje speurde ze niet de stalles af naar het knapste meisje zoals anders. In plaats daarvan deed ze een stap naar links, naar de loge waarin ik zat. En toen deed ze er nog een. In een oogwenk had ze de hoek van het podium bereikt en stond ze tegenover mij; ze was zo dicht bij me dat ik de glinstering van haar boordknoopje zag, het kloppen van haar hart in haar keel, het roze in haar ooghoek. Ze leek daar een kleine eeuwigheid te staan. Toen kwam haar arm omhoog, de bloem flitste een tel in het licht van de schijnwerper – en mijn eigen hand rees trillend omhoog om de bloem op te vangen. De menigte reageerde met een luid en welwillend gejuich en gelach. Ze hield mijn nerveuze blik vast met haar eigen meer zelfverzekerde blik en maakte een buiginkje voor me. Toen stapte ze plotseling achteruit, wuifde naar de zaal en verliet ons.

Een moment lang zat ik als verdoofd, mijn ogen op de bloem in mijn hand, die nog zo kortgeleden zo dicht bij Kitty Butlers wang was geweest. Ik wilde hem naar mijn eigen gezicht brengen – en stond op het punt dat te doen, denk ik – toen het geroezemoes van de zaal ten slotte tot me doordrong en me deed rondkijken, zodat ik de nieuwsgierige, welwillende blikken in mijn richting zag en de knikjes, lachjes en knipoogjes die mijn opgeslagen ogen ontmoetten. Ik bloosde en kroop weg in de schaduwen van de loge. Met mijn rug naar de zee van spiedende ogen stak ik de roos tussen de ceintuur van mijn jurk en trok mijn handschoenen aan. Mijn hart, dat was gaan bonzen toen Kitty Butler over het toneel op mij toe stapte, klopte nog steeds heftig, maar terwijl ik mijn loge uit ging en mijn weg zocht naar de drukke hal en de straat daarachter, begon het licht en blij te worden en wilde ik gaan glimlachen. Ik moest een hand voor mijn lippen houden om er niet uit te zien als een idioot die naar zichzelf glimlachte om niets.

Net toen ik de straat op wilde stappen, hoorde ik mijn naam roepen. Ik draaide me om en zag Tony door de hal lopen, met zijn arm omhoog om mijn aandacht te trekken. Het was een opluchting dat er eindelijk een vriend was om naar te lachen. Ik nam de hand weg en grijnsde als een aap.

'Hè, hè,' zei hij buiten adem toen hij bij me was, 'iemand is vrolijk en ik weet waarom! Waarom kijken meisjes nooit zo blij als ík ze rozen geef?' Ik bloosde weer en bracht opnieuw mijn vingers naar mijn lippen, maar zei niets. Tony grinnikte.

'Ik heb een boodschap voor je,' zei hij toen. 'Iemand die je wil ontmoeten.' Ik trok mijn wenkbrauwen op; misschien was Alice of Freddy hier, dacht ik, om me af te halen. 'Kitty Butler,' zei hij, 'zou je graag willen spreken.'

Mijn eigen grijns verdween meteen. 'Spreken?' zei ik. 'Kitty Butler? Met mij?'

'Zo is dat. Ze vroeg aan Ike, de toneelmeester, wie dat meisje was dat iedere avond in haar eentje in de loge zat en Ike zei dat je een maatje van mij was en dat ze het aan mij moest vragen. Dat heeft ze gedaan. En ik heb het haar gezegd. En nu wil ze je zien.'

'Waarom? O, Tony, waarom in hemelsnaam? Wat heb je tegen haar gezegd?' Ik greep zijn arm en kneep er hard in.

'Niets dan de waarheid...' Ik gaf een ruk aan zijn arm. De waarheid was verschrikkelijk. Ik wilde niet dat ze iets te weten kwam over het huiveren en het fluisteren, de vlam en het stromende licht. Tony trok mijn vingers van zijn mouw en hield mijn hand vast. 'Alleen dat je haar leuk vindt,' zei hij eenvoudig. 'Kom je nog mee of hoe zit dat?'

Ik wist niet wat ik moest zeggen. Dus zei ik niets, maar liet me door hem wegvoeren van de grote glazen deuren met de blauwe, koele Canterbury-nacht daarachter, langs de galerij die naar de stalles voerde en de trap naar de engelenbak, in de richting van een alkoof aan de andere kant van de hal, met een gordijn ervoor, een touw en een aan het touw bungelend bordje waarop PRIVÉ stond.

2

Ik was in het Palace al een paar keer met Tony achter de coulissen geweest, maar alleen overdag, als de zaal schemerig en totaal verlaten was. Nu waren de gangen waar ik met hem doorheen liep vol licht en geluid. We passeerden één deuropening die, zo wist ik, naar het toneel zelf voerde. Ik ving een glimp op van ladders, touwen en gasbuizen; van jongens met petten op en voorschoten aan die manden voortrolden en met lampen in de weer waren. Ik had toen het gevoel – en in de daaropvolgende jaren had ik dat steeds wanneer ik een dergelijk uitstapje achter de coulissen maakte – dat ik in het mechaniek van een reusachtige klok was gestapt, dat ik door de sierkast in de stoffige, vettige, rusteloze machinerie stapte die daarachter lag, volledig verborgen voor het oog van het publiek.

Tony voerde me door een gang die ophield bij een gietijzeren trap en daar bleef hij staan om drie mannen te laten passeren. Ze hadden een hoed op en een overjas aan en droegen tassen; ze hadden vale gezichten en zagen er arm uit, als een soort oplichters – ik dacht dat het misschien handelsreizigers waren, met monsterkoffers. Pas toen ze waren doorgelopen en ik hen een grapje hoorde maken tegen de portier aan de artiesteningang, besefte ik dat het de drie acrobaten waren die het pand verlieten en dat hun glinsterpakken in hun tassen zaten. Plotseling was ik bang dat Kitty Butler uiteindelijk precies zo zou zijn als zij, gewoon, onopvallend, in niets meer lijkend op het knappe meisje dat ik in de gloed van de voetlichten had zien paraderen. Bijna had ik naar Tony geroepen dat hij me terug moest brengen, maar hij was de trap al af, en toen ik hem in de gang beneden inhaalde, stond hij bij een deur en had de klink al omgedraaid.

De deur was er één uit een rij en alleen van de andere te onderscheiden door een koperen nummer 7, heel oud en bekrast, dat op ooghoogte op het middenpaneel was geschroefd, en door een erachter gestoken handgeschreven kaartje. JUFFROUW KITTY BUTLER, stond erop.

Toen ik binnenkwam, zat ze aan een tafeltje voor een spiegel; ze had zich half omgedraaid – om te antwoorden op Tony's kloppen, neem ik aan – maar bij mijn nadering stond ze op en stak haar hand uit om die van mij te schudden. Ze was iets kleiner dan ik, zelfs op haar hoge hakken, en jonger dan ik me had voorgesteld – misschien even oud als mijn zus, een- of tweeëntwintig.

'Aha,' zei ze, nadat Tony ons alleen had gelaten – haar stem had nog een zweem van de theatertoon – 'mijn mysterieuze bewonderaarster! Ik was ervan overtuigd dat u voor Gully kwam. Toen zei iemand dat u nooit blijft na de pauze. Blijft u echt voor mij? Ik heb nog nooit een fan gehad!' Terwijl ze sprak, leunde ze heel ongedwongen tegen de tafel – die vol stond, zag ik nu, met potjes crème en staafjes schmink, met speelkaarten, half opgerookte sigaretten en vuile theekopjes –, kruiste haar benen bij de enkels en vouwde haar armen over elkaar. Haar gezicht zat nog onder een dikke laag poeder en haar lippen waren heel rood; haar wimpers en oogleden waren zwart geverfd. Ze droeg nog steeds de broek en schoenen van haar optreden, maar ze had zich ontdaan van het jasje, het vest en natuurlijk de hoed. Haar gesteven hemd werd strak tegen de welving van haar boezem gedrukt door een stel bretels, maar stond open bij de hals, waar ze haar vlinderdasje had losgemaakt. Achter het hemd zag ik een randje crèmekleurige kant.

Ik keek weg. 'Ik vind uw nummer heel mooi,' zei ik.

'Dat moet haast wel, u komt zo vaak kijken!'

Ik lachte. 'Nou, Tony laat me er voor niets in, snapt u...'

Daar moest ze om lachen: haar tong zag heel roze, haar gebit buitengewoon wit tegen haar geverfde lippen. Ik voelde dat ik bloosde. 'Ik bedoel,' zei ik, 'dat Tony me in de loge laat. Maar ik zou wel betalen voor de engelenbak als het moest. Want ik vind uw nummer zo mooi, juffrouw Butler, zo vreselijk mooi.'

Nu lachte ze niet, maar hield haar hoofd een beetje schuin. 'O ja?' vroeg ze vriendelijk.

'Nou!'

'Wat vindt u dan zo mooi?'

Ik aarzelde. 'Uw kostuum,' zei ik ten slotte. 'Uw liedjes en de manier waarop u ze zingt. De manier waarop u met Tricky praat. Uw haar...' Hier haperde ik, en nu leek zíj te blozen. Er viel even een bijna pijnlijke stilte – toen klonk er plotseling, alsof het van heel dichtbij kwam, muziek – een stoot op een hoorn en een roffel op een trommel – en een gejuich als het bulderen van de wind in een reusachtige zeeschelp. Ik sprong op en keek om me heen, en zij lachte. 'De tweede helft,' zei ze. Een ogenblik later stopte het gejuich, maar de muziek ging roffelend en stampend door als een enorme hartslag.

Ze leunde nu niet meer tegen de tafel en vroeg of ik er bezwaar tegen had als zij rookte? Ik schudde mijn hoofd en schudde het opnieuw toen ze tussen de vuile kopjes en speelkaarten een pakje sigaretten pakte en me dat voorhield. Tegen de wand siste een gasvlam in een gaasje, en ze bracht haar gezicht ernaartoe om de sigaret aan te steken. Met dat saffie in haar mondhoek en haar ogen dichtgeknepen tegen de vlam, zag ze er weer uit als een jongen. Maar toen ze de sigaret uit haar mond nam, zat er een rode vlek op de filter. Toen ze dat zag, mompelde ze: 'Kijk mij nou, met al mijn schmink nog op! Vindt u het erg om te gaan zitten terwijl ik mijn gezicht schoonmaak? Het is wel niet erg beleefd, maar ik moet tamelijk snel klaar zijn, want mijn kamer is zo nodig voor een ander meisje...'

Ik deed wat ze vroeg en ging zitten om te kijken hoe ze haar wangen met crème insmeerde en ze toen met een doek schoonveegde. Ze werkte snel en zorgvuldig, maar was er niet met haar hoofd bij. En terwijl ze over haar gezicht wreef, hield ze mijn blik vast in de spiegel. Ze keek naar mijn nieuwe hoed en zei: 'Wat een mooi hoedje!' Toen vroeg ze hoe ik Tony kende – was hij mijn vrijer? Ik was geschokt en zei: 'O, nee! Hij gaat met mijn zus.' En zij lachte. Waar woonde ik, was wat ze me toen vroeg. Wat voor werk deed ik?

'Ik werk in een oesterhuis!'

'Een oesterhuis!' Het idee leek haar te amuseren. Nog steeds over haar wangen wrijvend, begon ze te neuriën en toen heel zachtjes te zingen:

'Ik liep een keer het Kerkplein op
Waar ik een oestermeisje trof...'

Een veeg over het rood op haar lippen, het zwart op haar wimpers.

'Ik wierp toevallig een blik in haar mand
Om te zien of ze er oesters in had...'

Ze zong verder, opende toen één oog heel wijd en leunde voorover naar de spiegel om een koppige kruimel zwartsel te verwijderen – met van de weeromstuit haar mond wijd opengesperd, terwijl de spiegel besloeg door haar adem. Een moment lang leek ze mij volkomen vergeten. Ik bestudeerde de huid van haar gezicht en haar keel. Die was roomkleurig tevoorschijn gekomen vanachter het masker van poeder en schmink – de kleur van het kant aan haar hemd. Maar op de neus en wangen – en zelfs bij haar lip, zo zag ik – was de huid donker van de sproeten, bruin als haar haar. Ik had die sproeten niet verwacht. Ik vond ze prachtig en om een onverklaarbare reden ontroerend.

Toen veegde ze de wasem van de spiegel, gaf me een knipoog en vroeg me meer over mezelf te vertellen. En omdat het op de een of andere manier gemakkelijker was om tegen haar spiegelbeeld te praten dan tegen haar gezicht, begon ik ten slotte heel ongedwongen met haar te kletsen. Eerst antwoordde ze zoals ik dacht dat een actrice zou antwoorden – op haar gemak, een beetje plagerig, lachend als ik bloosde of iets doms zei. Maar geleidelijk aan – alsof ze de verf niet alleen van haar gezicht, maar ook van haar stem haalde – werd haar toon milder, minder brutaal en nadrukkelijk. Ten slotte gaapte ze en wreef met haar knokkels in haar ogen – en ten slotte was haar stem gewoon die van een meisje: melodieus, krachtig en helder, gewoon de stem van een Kents meisje, zoals die van mij.

Het maakte haar, net als de sproeten – niet onopvallend, wat ik had gevreesd, maar grandioos en schrijnend echt. Toen ik die stem hoorde begreep ik eindelijk mijn opwinding van de zeven voorgaande dagen. Ik dacht: Wat raar! – en toch, wat vreselijk gewoon: Ik ben verliefd op je.

Al snel was haar gezicht helemaal schoon en haar sigaret tot de filter opgerookt, en toen stond ze op en strekte haar vingers naar haar haar. 'Ik moest me maar gaan verkleden,' zei ze bijna verlegen. Ik begreep de wenk en zei dat ik moest gaan, en zij liep de paar passen met me mee naar de deur.

'Dank u, juffrouw Astley,' zei ze – ze wist mijn naam al dankzij Tony – 'dat u bij me langskwam.' Ze strekte haar hand naar me uit en ik hief daarop die van mij – herinnerde me toen mijn handschoen – mijn handschoen met de lavendelkleurige strik erop die paste bij mijn mooie hoed – en trok die snel uit en reikte haar mijn blote vingers. Plotseling was ze weer de galante jongen van de voetlichten. Ze rechtte haar rug, maakte een buiginkje voor me en bracht mijn knokkels naar haar lippen.

Ik bloosde van genoegen – tot ik haar neusvleugels zag trillen en plotseling wist wat ze rook: die scherpriekende zeegeuren van visvocht en oestervlees, krab en wulken, die mijn vingers en die van mijn familie al zoveel jaren lang hadden doen geuren dat we het allemaal absoluut niet meer merkten. Nu had ik ze onder Kitty Butlers neus geduwd! Ik kon wel sterven van schaamte.

Ik wilde mijn hand meteen wegtrekken, maar zij hield die stevig vast in de hare, nog steeds tegen haar lippen gedrukt, en lachte naar me over de knokkels heen. Ze had een blik in haar ogen die ik niet helemaal kon duiden.

'U ruikt,' begon ze traag en verwonderd, 'als...'

'Als een haring!' zei ik bitter. Mijn wangen gloeiden nu en waren knalrood; de tranen stonden haast in mijn ogen. Ik denk dat ze mijn verwarring zag en medelijden met me had.

'Helemaal niet als een haring,' zei ze vriendelijk. 'Maar misschien wel als een zeemeermin...' En ze drukte nu een echte kus op mijn vingers, en dit keer liet ik haar begaan. En ten slotte trok mijn blos weg en glimlachte ik.

Ik deed mijn handschoen weer aan. Mijn vingers leken te tintelen tegen de stof. 'Komt u nog eens langs, juffrouw Zeemeermin?' vroeg ze. Haar toon was luchtig, maar hoe ongelooflijk ook, ze leek het te menen. Ik zei: 'O ja, dat zou ik heel fijn vinden', en zij knikte met iets als voldoening. Toen maakte ze nog een buiginkje voor me en we wensten elkaar goedenacht. Ze sloot de deur en was verdwenen.

Ik bleef stokstijf staan, met mijn gezicht naar de kleine 7, het handgeschreven kaartje, JUFFROUW KITTY BUTLER. Ik was niet in staat ervan weg te gaan – alsof ik echt een zeemeermin was en geen benen had om op te lopen, maar een staart. Ik knipperde met mijn ogen. Ik had gezweet, en het zweet en de rook van haar sigaret hadden ingewerkt op de kasterolie van mijn wimpers, zodat mijn oogleden er erg pijn van deden. Ik legde mijn hand erop – de hand die zij had gekust. Toen hield ik mijn vingers onder mijn neus en rook door het linnen wat zij had geroken, en bloosde weer.

In de kleedkamer was alles stil. Toen klonk ten slotte, heel zacht, het geluid van haar stem. Ze zong weer het liedje over het oestermeisje en het mandje. Maar het lied klonk nu heel onregelmatig, en ik realiseerde me natuurlijk dat ze tijdens het zingen bukte om de veters van haar laarsjes los te maken en zich weer oprichtte om haar bretels van zich af te schudden en misschien haar broek uit te schoppen...

Dat allemaal, en er was slechts één dunne deur tussen haar lichaam en mijn zere ogen!

Door die gedachte hervond ik ten slotte mijn benen en kon ik bij haar weggaan.

Het was een vreemde ervaring, tegelijk meer en minder spannend dan tevoren, om Kitty Butler op het toneel te zien nadat ik met haar had gesproken, door haar was toegelachen en haar lippen op mijn hand had gevoeld. Haar bekoorlijke stem, haar elegantie, haar zwierige loopje: ik had het gevoel alsof ik daar een soort geheim aandeel in had gekregen, en telkens als de menigte haar met gebrul verwelkomde of terugriep voor een toegift, blikte ik zelfvoldaan om me heen. Ze gooide me geen rozen meer toe; ze gingen allemaal weer naar de knappe meisjes in de stalles. Maar ik wist dat ze me zag in mijn loge, want als ze zong voelde ik soms haar ogen op me. En iedere keer als ze het podium verliet, was er die zwaai van haar hoed naar de zaal, en een knikje of een knipoog of de zweem van een glimlach alleen voor mij.

Maar hoe zelfvoldaan ik ook was, ik was ook ontevreden. Ik had verder gekeken dan het poeder en het loopje. Het was vreselijk moeilijk om tussen het gewone publiek te zitten als ze zong en niet meer van haar te hebben dan de rest van de zaal. Ik brandde van verlangen om weer bij haar langs te gaan, maar was er ook bang voor. Ze had me gevraagd, maar ze had niet gezegd wanneer, en ik was in die tijd vreselijk bang en verlegen. Dus al ging ik zo vaak ik kon naar mijn loge in het Palace, keek en applaudisseerde voor haar liedjes, en ontving die geheime blikken en tekens, het duurde nog een volle week voor ik me weer achter de coulissen waagde en doodsbleek, zwetend en onzeker voor haar kleedkamerdeur stond.

Maar toen ontving ze me zo vriendelijk, berispte me zo oprecht dat ik haar zo lang niet was komen opzoeken en raakten we weer zo vanzelfsprekend aan de praat over haar leven in het theater en het mijne als oestermeisje in Whitstable, dat ik al mijn twijfels kwijtraakte. Ten slotte was ik ervan overtuigd dat ze me mocht en ging ik weer bij haar langs – en toen weer, en weer. Ik ging die maand nergens anders heen dan naar het Palace, zag niemand anders – Freddie niet, mijn neven en nichten niet, zelfs Alice nauwelijks – dan haar. Moeder had het aangezien met een frons, maar toen ik thuiskwam en vertelde dat ik op uitnodiging van juffrouw Butler achter de coulissen was geweest en door haar was behandeld als een vriendin, was ze onder de indruk. Ik werkte harder dan ooit in de keuken. Ik fileerde vis, waste aardappels, hakte peterselie, stopte krabben en kreeften in pannen stomend water – en dat allemaal zo vlot dat ik amper adem had voor een liedje om hun gegil te overstemmen. Alice zei soms gemelijk dat mijn manie voor een zeker persoon in het Palace me saai maakte, maar ik praatte in die tijd niet veel met Alice. Iedere werkdag eindigde voor mij nu in een bliksemsnelle verkleedpartij, een haastig avondmaal en een draf naar het station om de trein naar Canterbury te halen. En iedere reis naar Canterbury eindigde in de kleedkamer van Kitty Butler. Ik bracht meer tijd door in haar gezelschap dan dat ik naar haar optreden op het podium keek, en zag haar vaker zonder haar schmink, haar pak en haar toneelstijl dan met.

Want hoe hechter onze vriendschap werd, hoe vrijer en vertrouwelijker ze werd.

'Je moet me "Kitty" noemen,' zei ze in het begin, 'dan noem ik je... hoe? Niet "Nancy", want zo noemt iedereen je. Hoe noemen ze je thuis? "Nance", hè? Of "Nan"?'

'"Nance",' zei ik.

'Dan noem ik je "Nan"... als dat mag?' Of ze dat mocht! Ik knikte en lachte als een imbeciel: alleen al om de sensatie door haar te worden aangesproken zou ik met alle plezier heel mijn oude naam overboord hebben gegooid en een nieuwe hebben aangenomen of volledig naamloos door het leven zijn gegaan.

Dus algauw was het: 'Nou, Nan...!' dit en 'Mijn god, Nan...!' dat. En steeds vaker was het: 'Wees eens lief, Nan, en pak mijn kousen eens voor me...' Ze was nog steeds te verlegen om zich in mijn bijzijn te verkleden, maar op een avond zag ik dat ze een klein vouwscherm had opgesteld, en sinds die tijd ging ze daar altijd achter staan terwijl we praatten en overhandigde me onderdelen van haar kostuum die ze uittrok en liet me haar dameskleren van de haak halen waaraan ze die voor de voorstelling had opgehangen. Ik vond het heerlijk om haar zo te helpen. Met trillende vingers borstelde ik haar kostuum en vouwde het op, en drukte de verschillende stoffen – het gesteven linnen van het overhemd, de zijde van het vest en de kousen, de wol van het jasje en de broek – stiekem tegen mijn wang. Elk kledingstuk was warm van haar lichaam en had zijn eigen, specifieke geur; leek geladen met een vreemd soort energie en tintelde of gloeide (dat verbeeldde ik me althans) onder mijn hand.

Haar onderrokken en jurken waren koud en tintelden niet; maar toch bloosde ik als ik ze vastpakte, want onwillekeurig dacht ik aan alle zachte en geheime plekken die ze algauw zouden omhullen of aanraken of warm en vochtig maken, als ze ze eenmaal aanhad. Iedere keer als ze achter het scherm vandaan stapte, als meisje gekleed, klein en slank en goedgevormd, met een valse vlecht die de bekoorlijke rafelranden van haar korte kapsel verhulde, had ik hetzelfde gevoel: een steek van teleurstelling en spijt die meteen weer omsloeg in vreugde en schrijnende liefde, een verlangen om aan te raken, te omhelzen en strelen, zo hevig dat ik me moest afwenden of mijn armen over elkaar moest slaan uit angst dat ze om haar heen zouden vliegen en haar dicht tegen me aan drukken.

Ten langen leste werd ik zo handig met haar kostuums dat ze me voorstelde vóór haar optreden te komen, om haar te helpen zich voor haar nummer te kleden, als een echte kleedster. Ze zei het met een bestudeerd soort achteloosheid, alsof ze bang was dat ik het niet zou willen. Ze had niet kunnen weten, denk ik, hoe lang de uren voor mij duurden die ik zonder haar moest doorbrengen... Al snel kwam ik nooit meer in de zaal, maar begaf me iedere avond een halfuur voor ze op moest, rechtstreeks achter de coulissen, om haar te helpen het overhemd, het vest en de broek die ik de avond tevoren van haar had aangenomen weer aan te trekken, om de poederdoos op te houden terwijl zij de sproeten wegpoederde, de borstels te bevochtigen waarmee ze haar krulhaar glad trok en de roos in haar knoopsgat te steken.

De eerste keer dat ik dit allemaal deed, liep ik daarna met haar mee naar het podium en stond in de coulissen terwijl zij haar nummer opvoerde, met mijn ogen vol verbazing op de belichters die lenig als acrobaten over de lampenbalken van de toneelzolder beenden en niets meer van de zaal, niets meer van het podium zagen dan een strook stoffige planken met een jongen aan het uiteinde ervan, zijn arm op een hendel waarmee het doek werd neergelaten. Ze was zenuwachtig geweest, zoals alle artiesten, en ze had mij aangestoken. Maar toen ze aan het eind van haar laatste nummer de coulissen in stapte, achtervolgd door gestamp, gegil en 'hoera's!', was ze uitgelaten en vrolijk en triomfantelijk. Om eerlijk te zijn vond ik haar op dat moment minder leuk. Ze greep me bij mijn arm, maar zag me niet. Ze was als een vrouw onder invloed van een verdovend middel of in de eerste roes van een omhelzing, en ik voelde me een dwaas naast haar, heel stil en nuchter, en jaloers op het publiek dat haar minnaar was.

Sindsdien bracht ik het twintigtal minuten dat ze iedere avond weg was alleen door in haar kamer, door het plafond en de muren luisterend naar het ritme van haar liedjes, want ik hoorde de toejuichingen van het publiek liever van een afstand. Dan maakte ik thee voor haar – ze had hem graag gekookt in een pan met gecondenseerde melk, zo donker als een walnoot en zo dik als siroop. Aan het veranderende tempo van haar nummers hoorde ik precies wanneer ik de ketel op de haard moest zetten, zodat de kop klaar was als ze terugkwam. Terwijl de thee stond te pruttelen, veegde ik haar tafeltje schoon, leegde haar asbakken en stofte de spiegel af. Ik ordende het oude, gebarsten en verkleurde sigarenkistje waarin ze haar staafjes schmink bewaarde. Het waren daden van liefde, deze nederige karweitjes, en van genot, misschien zelfs van een soort zelfbevrediging, want ik kreeg er een vreemd en warm en bijna beschamend gevoel bij. Terwijl zij zich overgaf aan de bewondering van de menigte, beende ik haar kleedkamer op en neer en keek naar haar bezittingen of streelde ze, of streelde ze bijna – met mijn vingers een paar centimeter ervandaan, alsof ze een aura hadden, en niet alleen een oppervlak dat je kon strelen. Ik hield van alles dat ze achterliet – haar onderrokken en parfums en de parels die ze aan haar oorlellen bevestigde, maar ook van de haren in haar kammen, de oogharen die aan haar staafjes mascara kleefden, zelfs de deuken van haar vingers en lippen in haar sigarettenpeukjes. Mijn wereld leek volkomen veranderd sinds Kitty Butler erin was gestapt. Voordien was die wereld gewoon geweest; nu was ze vol zonderlinge, opwindende plekken, die zij galmend van muziek of gloeiend van licht achterliet.

Tegen de tijd dat ze naar haar kleedkamer terugkeerde, had ik alles netjes op orde. Haar thee stond, zoals ik al zei, klaar; soms had ik ook een sigaret voor haar aangestoken. Dan was ze haar felle, verdwaasde blik kwijt en gewoon vrolijk en lief. 'Wat een publiek!' zei ze dan. 'Ze wilden me niet laten gaan!' Of: 'Een trage zaal vanavond, Nan. Volgens mij drong het pas halverwege mijn "Good Cheer, Boys, Good Cheer!" tot hen door dat ik een meisje was!'

Dan maakte ze haar strikje los en hing haar jasje en hoed op, nam een slokje van haar thee, rookte haar saffie en – aangezien het optreden haar kletserig maakte – praatte ze met me en luisterde ik, heel goed. En zo hoorde ik iets over haar geschiedenis.

Ze zei dat ze geboren was in Rochester, in een artiestenfamilie. Haar moeder (ze had het niet over een vader) was overleden toen ze nog heel klein was en ze was grootgebracht door haar grootmoeder. Voorzover ze zich kon herinneren had ze geen broers, geen zussen, neven of nichten. Ze had op haar twaalfde haar eerste applaus in ontvangst genomen als 'Kate Straw, het kleine zangwonder', en had een beetje succes gekend in tingeltangels en cafés en in de kleinere zalen en theaters. Maar het was een ellendig soort leven, zei ze, 'en al snel was ik zelfs niet klein meer. Iedere keer als er een plaats vrijkwam, stond er een drom meisjes voor de artiesteningang, allemaal precies zoals ik, of mooier, of brutaler – of hongeriger en dus des te bereidwilliger de presentator te zoenen als die een baantje beloofde voor een seizoen of een week of zelfs maar een avond.' Haar grootmoeder was overleden, en zij was bij een dansgroep gegaan, op tournee langs de kuststeden van Kent en de Zuidkust, waar ze driemaal per avond een voorstelling op de pier gaven. Als ze het had over die tijd, fronste ze haar wenkbrauwen en sprak met bittere of trieste stem. Dan legde ze een hand onder haar kin, liet haar hoofd erop rusten en sloot haar ogen.

'O, wat was dat zwaar,' zei ze dan, 'zo zwaar... En je maakte helemaal geen vrienden, want je was nooit lang genoeg op één plek. En alle sterren vonden zichzelf te belangrijk om met je te praten, of waren bang dat je hun nummers zou imiteren. En het publiek was hard en maakte je aan het huilen...' Bij de gedachte aan een huilende Kitty kreeg ik zelf tranen in de ogen, en toen ze zag hoe het me aangreep, glimlachte en knipoogde ze, rekte zich uit en zei met haar fatterigste accent: 'Maar die dagen liggen nu allemaal achter me, dat weet je toch, en ik ben op weg naar roem en rijkdom. Sinds ik mijn naam heb veranderd en een charmeur ben geworden, houdt de hele wereld van me. En Tricky Reeves houdt het meest van me, en betaalt me vorstelijk om dat te bewijzen!' En dan lachten we samen, want we wisten allebei dat als ze een echte charmeur was geweest, Tricky's loon niet genoeg was om champagne van te kunnen drinken. Maar mijn lach was niet helemaal vrij van zorgen, want ik wist dat haar contract aan het einde van augustus afliep en dat ze dan naar een ander theater moest verhuizen – Margate, misschien, zei ze, of Broadstairs, als die haar wilden hebben. Ik durfde er niet aan te denken wat ik moest doen als ze weg was.

Wat mijn familie dacht van mijn uitstapjes achter de coulissen, mijn fantastische nieuwe positie als Kitty Butlers maatje en inofficiële kleedster, weet ik niet. Zoals ik zei, waren ze onder de indruk, maar ze maakten zich ook zorgen. Ze vonden het een geruststelling dat het een echte vriendschap was en niet zomaar een bakvissenliefde die me zo vaak naar het Palace deed afreizen en al mijn spaargeld aan treinkaartjes uitgeven. En toch hoorde ik hen zich afvragen, zo dacht ik, wat voor soort vriendschap dat kon zíjn tussen een knappe, intelligente variétéartieste en het meisje uit het publiek dat haar bewonderde? Toen ik zei dat Kitty geen vriend had (want dat had ik al snel opgemaakt uit de flarden van haar levensverhaal), zei Davy dat ik haar mee naar huis moest nemen en voorstellen aan mijn knappe broer – al zei hij dat alleen als Rhoda in de buurt was, om haar te plagen. Toen ik vertelde dat ik pannen thee voor haar zette en haar tafel opruimde, kneep moeder haar ogen dicht: 'Zo te horen vaart ze er wel bij. We zouden hier thuis wel wat meer hulp bij het eten en de tafels van jou kunnen gebruiken...'

Het was wel waar dat ik mijn taken in huis verwaarloosde vanwege mijn uitstapjes naar het Palace. Ze kwamen op mijn zus neer, al klaagde die er zelden over. Ik geloof dat mijn ouders het grootmoedig van haar vonden dat ze haar eigen vrijheid opgaf voor de mijne. De waarheid was volgens mij dat ze het niet meer over Kitty durfde te hebben – en om die reden alleen al wist ik dat zij zich meer zorgen maakte dan de anderen. Ik had haar niets meer verteld over mijn passie. Ik had niemand iets verteld over mijn nieuwe, vreemde, hartstochtelijke verlangen. Maar zij zag me natuurlijk als ik in bed lag, en zoals iedereen die heimelijk verliefd is geweest u kan vertellen, heb je in bed je dromen – in bed, in het donker, waar je niet kunt zien dat je wangen rood worden, laat je de mantel van zelfbeheersing, die overdag je passie verhult, afglijden en haar een beetje opgloeien.

Wat zou Kitty hebben gebloosd, als ze wist welke rol ze speelde in mijn wilde dromen – als ze wist hoe schaamteloos ik mijn herinneringen aan haar misbruikte ten bate van mezelf! Iedere avond in het Palace gaf ze me een afscheidszoen; in mijn dromen bleven haar lippen op mijn wang – waren heet, zacht – gingen naar mijn voorhoofd, mijn oor, mijn hals, mijn mond... Ik was gewend dicht bij haar te staan om haar boordknoopjes vast te maken of haar revers te borstelen; nu, in mijn dromerijen, deed ik waar ik dan naar verlangde: ik boog voorover om mijn lippen op de randen van haar haar te drukken, ik schoof mijn handen onder haar jas naar waar haar borsten warm tegen haar stijve herenoverhemd duwden en zich oprichtten naar mijn strelingen...

En dit alles – dat ik vol verbijstering en genot onderging – met mijn zus naast me! Dit alles met Alice' adem op mijn wang of haar warme ledematen tegen de mijne aangedrukt, of haar ogen koud en mat glanzend, van sterrenlicht en achterdocht.

Maar ze zei niets; ze vroeg me niets; en voor de rest van de familie werd mijn blijvende vriendschap met Kitty op den duur iets waarover ze zich niet zozeer verwonderden, maar waarop ze trots waren. 'Bent u al in het Palace in Canterbury geweest?' hoorde ik vader aan klanten vragen als hij hun borden pakte. 'Ons jongste dochter is dik bevriend met Kitty Butler, de ster van de voorstelling...' Eind augustus, toen het oesterseizoen weer was aangebroken en we de hele dag in de zaak waren, begonnen ze er bij me op aan te dringen Kitty mee naar huis te nemen, zodat zij haar ook eens konden ontmoeten.

'Je zegt altijd dat je zulke goede maatjes met haar bent,' zei vader op een keer tijdens het ontbijt. 'En bovendien – het zou onvergeeflijk zijn dat ze zo dicht bij Whitstable is zonder een echt oestermaal te proeven. Breng haar eens mee voordat ze vertrekt.' Het leek me een afschuwelijk idee om Kitty te vragen bij mij thuis te komen eten; en omdat vader zo luchthartig zei dat ze algauw naar een nieuwe zaal zou verhuizen, gaf ik hem een bijtend antwoord. Even later nam moeder me apart. Was het huis van mijn vader niet goed genoeg voor juffrouw Butler, vroeg ze, dat ik haar niet kon uitnodigen? Schaamde ik me voor mijn ouders en hun beroep? Haar woorden maakten me somber. Die avond bij Kitty was ik stil en triest, en toen ze me na de voorstelling vroeg waarom, beet ik op mijn lip.

'Mijn ouders willen dat ik je uitnodig,' zei ik, 'voor het avondeten morgen. Je hoeft niet te komen, en ik kan zeggen dat je niet kan of ziek bent. Maar ik heb ze beloofd dat ik het je zou vragen, en nu,' eindigde ik met een ellendig gevoel, 'heb ik dat gedaan.'

Ze nam mijn hand. 'Maar Nan,' zei ze verwonderd, 'ik wil heel graag komen! Je weet hoe saai het voor me is in Canterbury, met alleen mevrouw Pugh en Sandy om mee te praten!' Mevrouw Pugh was de hospita van Kitty's pension; Sandy was de jongen bij haar op de overloop; hij speelde in het orkest in het Palace, maar hij dronk, zei ze, en was soms onnozel en vervelend. 'O, wat zou het heerlijk zijn,' ging ze verder, 'om weer eens in een echte huiskamer te zitten, met een echte familie – niet alleen een kamer met een bed erin, een smerig vloerkleed en als tafelkleed een stukje krant! En wat heerlijk om te zien waar je woont en werkt, en jouw trein te nemen en de mensen te ontmoeten die van je houden en je de hele dag om zich heen hebben...'

Ik kreeg de zenuwen en moest slikken als ik haar zo hoorde zeggen, zo ongekunsteld, hoe aardig ze me vond. Maar vanavond had ik kans niet om zelfs maar te blozen, want terwijl ze sprak, klonk er een klop op de deur – een krachtige, opgewekte, gezaghebbende klop, waarvan ze met haar ogen knipperde, verstijfde en verrast opkeek.

Ik schrok ook op. Al de avonden die ik bij haar had doorgebracht, had ze geen ander bezoek gehad dan de toneeljongen – die haar kwam zeggen wanneer ze op moest – en Tony, die soms zijn hoofd om de deur stak om ons allebei goedenacht te wensen. Zoals ik al zei had ze geen vrijer en ook geen andere 'fans' – helemaal geen andere vrienden dan mij, zo leek het; en daar was ik altijd heel blij om geweest. Nu zag ik haar naar de deur lopen en beet op mijn lippen. Ik had graag gezegd dat ik iets van een voorgevoel had, maar dat was niet zo. Ik was alleen geïrriteerd dat onze tijd samen – die ik al zo kort vond! – nog meer werd bekort.

De bezoeker was een heer: duidelijk een vreemde voor Kitty, want ze begroette hem beleefd maar afwachtend. Hij had een zijden hoed op die hij – toen hij haar zag en vervolgens mij achter haar verscholen in de kleine kamer – afnam en voor zijn borst hield. 'Juffrouw Butler, neem ik aan,' zei hij; en toen ze knikte, maakte hij een buiging: 'Walter Bliss, mevrouw. Uw dienaar.' Hij had een diepe, warme en heldere stem, net als Tricky. Onder het spreken haalde hij een kaartje uit zijn zak en stak haar dat toe. In het korte moment dat Kitty nodig had om ernaar te kijken en een klein 'O!' van verrassing te slaken, nam ik hem op. Hij was heel lang, zelfs zonder zijn hoed, en tamelijk modieus gekleed in een geruite broek en een elegant vest. Over zijn buik hing een gouden horlogeketting, zo dik als de staart van een rat; en aan zijn vingers, zo zag ik, blonk nog meer goud. Hij had een groot hoofd, met dof rossig haar; ook rossig – en op de een of andere manier imposant en nogal komisch tegelijk – waren de bakkebaarden die van zijn oren tot zijn bovenlip liepen, zijn wenkbrauwen en de haren in zijn neus. Zijn huid was zo gaaf en glanzend als die van een jongen. Hij had blauwe ogen.

Toen Kitty hem zijn kaartje teruggaf, vroeg hij of hij haar een momentje kon spreken, en ze deed meteen een stap opzij om hem door te laten. Met hem erin leek het kamertje heel vol en warm. Ik stond aarzelend op, trok mijn handschoenen aan, zette mijn hoed op en zei dat ik zou gaan, waarop Kitty me voorstelde – 'Mijn vriendin, juffrouw Astley,' noemde ze me, waardoor ik me weer iets opgewekter voelde –, en meneer Bliss schudde mijn hand.

'Zeg tegen je moeder,' zei Kitty toen ze me uitliet, 'dat ik morgen kom, wanneer het haar schikt.'

'Kom maar om vier uur,' zei ik.

'Goed, vier uur.' Ze pakte nog even mijn hand en gaf me een zoen op mijn wang.

Over haar schouder zag ik de opzichtig geklede heer aan zijn bakkebaarden friemelen, maar met zijn ogen beleefd van ons afgewend.

Ik kan nauwelijks omschrijven met wat voor merkwaardig gemengde gevoelens ik Kitty ontving toen ze ons zondagmiddag in Whitstable kwam bezoeken. Ze betekende alles voor me; dat ze me in mijn eigen huis kwam bezoeken en met mijn familie eten, leek te mooi om waar te zijn en tegelijk een enorme, verschrikkelijke last. Ik hield van haar, en kon alleen maar verlangen naar haar komst; maar ik hield van haar, en geen sterveling mocht dat weten – zijzelf niet eens. Het zou een marteling zijn, dacht ik, om aan mijn vaders tafel naast haar te moeten zitten met die liefde in mij, stom en rusteloos als een knagende worm. Ik zou moeten glimlachen als moeder vroeg waarom Kitty geen vrijer had, en opnieuw glimlachen als Davy de hand van Rhoda vasthield of Tony onder de tafel mijn zuster in haar knie kneep – terwijl mijn schat de hele tijd naast me zou zitten, onaanraakbaar.

Bovendien was ons huis zo klein en sjofel – en rook het onmiskenbaar naar vis. Zou Kitty het armoedig vinden? Zou ze de scheuren in het tafelkleed zien, de vetvlekken op de wanden; zou ze zien dat de leunstoelen doorgezakt en de vloerkleden vaal waren, dat de omslagdoek die moeder aan de schoorsteenmantel had bevestigd, zodat die wapperde in de tocht van de schoorsteen, stoffig en gescheurd was, rafelde aan de randen? Ik was met die dingen opgegroeid en had ze achttien jaar nauwelijks opgemerkt, maar nu zag ik ze zoals ze echt waren, als door haar ogen.

Ook mijn familie zag ik met andere ogen. Ik zag mijn vader – een lieve man, maar een beetje saai. Zou Kitty hem saai vinden? En Davy: die kon nogal brutaal zijn; en Rhoda – verschrikkelijke Rhoda – zou zeker vrijpostig zijn. Wat zou Kitty van hen denken? Wat zou ze denken van Alice – tot een maand geleden mijn beste vriendin? Zou ze haar koel vinden en zou ze zich afvragen waarom ze zo koel deed? Of zou ze – en dat was een vreselijke gedachte – haar knap vinden en leuker dan mij? Zou ze wensen dat ze Alice de roos in de loge had kunnen toewerpen, achter de coulissen vragen en een zeemeermin noemen...?

Terwijl ik die middag op haar wachtte, was ik om beurten nerveus, opgewekt en somber – maakte me druk over het dekken van de eettafel, viel uit naar Davy en mopperde op Rhoda, kreeg van iedereen uitbranders omdat ik zo lastig en klagerig was en veranderde wat een blije dag voor mij had moeten zijn in een sombere dag voor ons allemaal. Ik had mijn haar gewassen en het was raar opgedroogd; ik had een nieuwe volant aan mijn mooiste jurk genaaid, maar die zat scheef en wilde niet plat liggen. Ik stond boven aan de trap met een veiligheidsspeld te klungelen aan de zijde, op het punt in huilen uit te barsten omdat Kitty's trein in aantocht was en ik moest hollen om haar af te halen, toen Tony uit ons keukentje kwam met flessen Bass voor bij het eten. Hij stond naar mijn gefriemel te kijken. Ik zei: 'Ga weg,' maar hij keek alleen maar zelfingenomen.

'Je wilt mijn nieuwtje dus niet horen.'

'Wat voor nieuwtje?' Eindelijk zat de volant plat. Ik pakte mijn hoed van de kapstok aan de wand. Tony grijnsde en zei niets. Ik stampvoette. 'Tony, zeg het nou. Ik ben al laat en door jou kom ik nog later.'

'Tja, eigenlijk helemaal niets. Juffrouw Butler zal het je zelf wel vertellen...'

'Wat dan?' Nu stond ik met mijn hoed in de ene hand en een hoedenspeld in de andere. 'Wát dan, Tony?'

Hij wierp een blik over zijn schouder en dempte zijn stem. 'Je moet het nog niet verder vertellen, want het is nog niet officieel. Maar jouw maatje – Kitty – die gaat toch over een week of zo weg uit het Palace?' Ik knikte. 'Nou, ze gaat nog niet – nog lang niet. Oom heeft haar een brandnieuw contract aangeboden, tot nieuwjaar – zei dat ze te goed was om kwijt te raken aan Broadstairs.'

Nieuwjaar! Dat duurde nog maanden, maanden en maanden, weken en weken; ik zag ze allemaal voor me liggen, stuk voor stuk vol van avonden in Kitty's kleedkamer, nachtzoenen en dromen.

Ik slaakte een kreet, geloof ik, en Tony nam zelfvoldaan een slok Bass. Toen verscheen Alice, die wilde weten waarover op de trap zo gefluisterd en gegild werd... Ik wachtte niet op Tony's antwoord, denderde naar beneden naar de deur en de straat op en rende als een wildebras naar het station, met mijn hoed klapperend om mijn oren – want uiteindelijk was ik toch vergeten hem goed vast te spelden.

Ik had niet echt verwacht dat Kitty naar Whitstable zou komen paraderen in haar pak met hoge hoed en lavendelkleurige handschoe-nen, maar toen ze uit de trein stapte en ik zag dat ze was gekleed als een meisje en liep als een meisje, met haar vlecht vastgemaakt aan de achterkant van haar hoed en een parasol over haar arm, voelde ik toch een vleugje teleurstelling. Maar dat veranderde, zoals altijd, snel in verlangen en vervolgens in trots, want ze zag er verschrikkelijk fleurig en knap uit op dat stoffige perron van Whitstable. Ze kuste me op de wang toen ik naar haar toe liep, nam mijn arm en liep met me mee van het station naar ons huis over de strandboulevard. Ze zei: 'Zo! En hier ben je dus geboren en getogen?'

'Nou en of! Kijk, dat gebouw naast de kerk is onze oude school. Daar – zie je dat huis met die fiets bij het hek? Daar wonen mijn neven en nichten. Hier, kijk, op deze stoep ben ik ooit gevallen en heb ik een snee in mijn kin opgelopen, en toen heeft mijn zus haar zakdoek ertegen gehouden, de hele weg naar huis...' Zo praatte en wees ik, en Kitty knikte en beet op haar lippen. 'Wat een geluksvogel ben jij!' zei ze ten slotte, en terwijl ze het zei, leek ze een zucht te sla-ken.

Ik was bang geweest dat het een rampzalige en zware middag zou worden, maar in feite was het een heel vrolijke middag. Kitty gaf ie-dereen een hand en zei tegen iedereen iets persoonlijks, zoals: 'Jij moet Davy zijn, die werkt op een smak,' en: 'Jij moet Alice zijn, waar Nancy het zo vaak over heeft en waar ze zo trots op is. Nu begrijp ik waarom' – waarop Alice bloosde en naar de grond keek.

Tegen mijn vader deed ze vriendelijk. 'Zo, zo, juffrouw Butler,' zei hij, toen hij haar hand nam, met een knikje naar haar rokken, 'dat is me nogal een verschil, hè, met uw gewone uitrusting?' Ze glimlachte en beaamde het, en toen hij er met een knipoog aan toevoegde: 'En een hele verbetering ook, als u het niet erg vindt dat uit de mond van een heer te horen,' lachte ze en zei dat ze, aangezien de heren dat meestal vonden, eraan gewend was en het helemaal niet erg vond.

Alles bijeen was ze zulk aangenaam gezelschap en beantwoordde ze hun vragen over haarzelf en het variété zo charmant en schrander, dat niemand – zelfs Alice niet, of hatelijke Rhoda – een hekel aan haar kon hebben. En toen ik haar uit het raam naar Whitstable Bay zag kijken, of haar hoofd schuin zag houden om een verhaal van mijn vader op te vangen, of mijn moeder zag complimenteren met een ornament of een schilderij (ze vond de omslagdoek boven de haard mooi!), werd ik weer helemaal opnieuw verliefd op haar. En mijn liefde was natuurlijk des te vuriger omdat ik op de hoogte was van die speciale, geheime informatie over Tricky, het contract en de extra vier maanden.

Ze was gekomen voor het avondeten, en algauw gingen we allemaal aan tafel – Kitty net als wij vol bewondering voor de tafel. De tafel was gedekt voor een echt oestermaal, met een linnen kleed en een kleine spirituslamp waarop een bordje boter stond om te smelten. Aan weerszijden daarvan stonden borden met brood, in vier partjes verdeelde citroenen, azijnflesjes en peperstrooiers – twee of drie van elk. Bij ieder bord lagen een vork, een lepel, een servet en het onmisbare oestermes. En in het midden van de tafel stond het oestervat zelf, met een witte doek rond de hoogste hoepel gebonden en het deksel een vingerbreedte geopend – 'Net genoeg,' zoals mijn vader altijd zei, 'om de oesters een beetje ruimte te geven'; maar niet zover dat hun schelp openging en ze bedierven. We zaten tamelijk dicht opeen aan tafel, want we waren in totaal met z'n achten en hadden extra stoelen uit het restaurant beneden moeten halen. Kitty en ik zaten dicht naast elkaar, met onze ellebogen bijna tegen elkaar aan, en onze schoenen naast elkaar onder de tafel. Toen moeder riep: 'Schuif eens wat op, Nancy, en geef juffrouw Butler wat ruimte!' zei Kitty dat ze prima zat, mevrouw Astley, prima; en ik ging een halve centimeter naar rechts, maar hield mijn voet tegen de hare gedrukt en voelde haar been, heel warm, tegen het mijne.

Vader deelde de oesters rond en moeder schonk bier of limonade in. Kitty pakte een schelp met één hand en haar oestermes met de andere en bracht ze onverrichterzake bij elkaar. Vader zag het en slaakte een kreet.

'Ho, ho, juffrouw Butler, zo doen we dat niet. Davy, pak jij dat mes en laat de dame eens zien hoe het moet – anders snijdt ze zich nog lelijk in haar hand.'

'Ik doe het wel,' zei ik snel, en ik pakte haar oester en haar mes voor mijn broer ze in zijn vingers kon krijgen.

'Je moet het zo doen,' zei ik tegen haar. 'Je moet de oester in je handpalm houden met de platte schelp naar boven – zo.' Ik deed het voor en zij staarde er heel ernstig naar. 'Dan ga je met het lemmet van je mes niet tussen de twee helften, maar in het scharnier, hier. En dan houd je hem stevig vast en wríkt.' Ik draaide het mes voorzichtig rond en de schelp ging open. 'Je moet hem goed vasthouden,' vervolgde ik, 'want de schelp zit vol vocht, en daar moet je geen druppeltje van verspillen, want dat is nu juist het lekkerste.' Het zeevruchtje lag op mijn palm in zijn bad van oesternat, naakt en glibberig. 'Dit hier,' zei ik, wijzend met mijn mes, 'heet de baard; die moet je wegsnijden.' Ik maakte een beweging met het mes en de baard was doorgesneden. 'Dan hoef je alleen nog maar je oester los te snijden... En nu kun je hem eten.' Ik schoof de schelp voorzichtig in haar hand en voelde haar vingers warm en zacht tegen die van mij toen ze die kromde om de oester aan te nemen. Onze hoofden waren heel dicht bij elkaar. Ze bracht de oester naar haar lippen en hield hem een moment lang voor haar mond, haar ogen zonder te knipperen op die van mij gericht.

Ik was me er niet van bewust, maar ik had zacht gesproken en de anderen waren verstomd om te luisteren. Nu was het doodstil aan tafel. Toen ik mijn ogen van die van Kitty losmaakte, zag ik een kring van op mij gerichte gezichten en bloosde.

Eindelijk zei iemand iets. Het was vader en zijn stem klonk heel luid. 'Niet in één keer doorslikken, juffrouw Butler,' zei hij, 'zoals de *goermets*. Dat doen we niet aan deze tafel. Kauw er eerst maar eens lekker op.' Hij zei het vriendelijk, en Kitty lachte. Ze tuurde in de schelp in haar hand.

'Leeft hij nou écht?' zei ze.

'Levend en wel,' zei Davy. 'Wanneer u goed luistert, kunt u hem horen gillen als u hem doorslikt.'

Hierop volgden protesten van Rhoda en Alice. 'Het arme kind wordt er nog misselijk van,' zei moeder. 'Trekt u zich maar niets van hem aan, juffrouw Butler. Eet nu maar gewoon uw oester en geniet ervan.'

Dat deed Kitty. Zonder verdere blikken naar mij, gooide ze de inhoud van de schelp in haar mond, kauwde er stevig en snel op en slikte hem door. Daarna veegde ze haar lippen af aan haar servet en glimlachte naar vader.

'En nu,' zei hij vertrouwelijk, 'moet u eerlijk zijn: hebt u ooit zo'n oester geproefd?'

Kitty zei van niet, en Davy riep hoera en een tijdlang was er helemaal geen ander geluid dan de heerlijke, gedempte geluiden van een goed oestermaal: het kraken van de scharnieren, het neerpletsen van de weggegooide baarden, het druppelen van vocht, boter en bier.

Ik maakte geen schelpen meer open voor Kitty, want ze kon het zelf. 'Kijk deze eens!' zei ze, toen ze een half dozijn of zo had afgewerkt. 'Wat een beest, zeg!' Toen keek ze er nauwkeuriger naar. 'Is het wel een hij? Dat zullen ze allemaal wel zijn, met hun baarden?'

Vader schudde kauwend zijn hoofd. 'Mooi niet, juffrouw Butler, mooi niet. Laat u zich niet van de wijs brengen door die baarden. Want de oester, moet u weten, is wat je zou kunnen noemen vlees noch vis – nu eens een hij, dan weer een zij, zoals het uitkomt. In feite een echte morfodiet.'

'O ja?'

Tony tikte op zijn bord. 'Dan heb je zelf ook iets van een oester, Kitty,' zei hij met een grijns.

Ze keek even onzeker, maar glimlachte toen. 'Inderdaad, ik denk het ook,' zei ze. 'Stel je voor! Dat is voor het eerst dat ik met een vis word vergeleken.'

'U moet het niet verkeerd opvatten, juffrouw Butler,' zei moeder, 'want in dit huis is dat zoiets als een compliment.'

Tony lachte, en vader zei: 'En of, en of!'

Kitty glimlachte nog steeds. Daarna kwam ze half overeind om een peperstrooier te pakken, en toen ze weer ging zitten, trok ze haar voeten onder haar stoel en voelde ik mijn dij afkoelen.

Toen het oestervat helemaal leeg was en de limonade en de Bass finaal op, en Kitty verklaarde dat ze nog nooit van haar leven zo lekker had gegeten, schoven we onze stoelen achteruit, staken de mannen een sigaret op en zetten Alice en Rhoda kopjes op tafel voor de thee. Er werd nog meer gepraat en nog meer aan Kitty gevraagd. Had ze Nelly Power ooit ontmoet? Kende ze Bessie Bellwood of Jenny Hill of Jolly John Nash? En toen, over een andere boeg: Was het waar dat ze geen knul had? Ze zei dat ze er geen tijd voor had. En had ze familie in Kent en wanneer zag ze die? Ze had helemaal niemand meer, zei ze, sinds haar grootmoeder was gestorven. Moeder zei ach jee en dat dat heel erg was. Davy zei dat ze wel een paar familieleden van ons kon overnemen, als ze dat wilde, want wij hadden er meer dan genoeg.

'O ja?' zei Kitty.

'Ja,' zei Davy. 'U kent het liedje wel:

Je hebt d'r oom en d'r broer en d'r zuster en d'r moer,
En d'r tante en dat wicht dat de dochter is van d'r nicht...'

Hij was nog niet klaar met het rijmpje of daar klonk inderdaad het geluid van de voordeur die openging en een roep van onder aan de trap, en er verschenen drie neven en nichten van ons, gevolgd door oom Joe en tante Rosina – allemaal in hun zondagse kleren en allemaal kwamen ze alleen maar even langs, zeiden ze, voor een 'glimp' van juffrouw Butler, als juffrouw Butler daar geen bezwaar tegen had.

Er werden nog meer stoelen en kopjes naar boven gehaald, er volgde een nieuwe ronde van voorstellen en de kleine kamer raakte benauwd van de warmte, de rook en het gelach. Iemand zei hoe jammer het was dat we geen piano hadden zodat juffrouw Butler een liedje voor ons kon zingen. Toen zei George, mijn oudste neef: 'Is een mondharmonica ook goed?' en haalde er een uit zijn jaszak. Kitty bloosde en zei dat ze dat niet kon. En iedereen riep: 'O, alstublieft, juffrouw Butler, doe het toch!'

'Wat vind jij, Nan,' zei ze tegen mij, 'moet ik me te schande zetten?'

'Je weet best dat dat niet gebeurt,' zei ik, gestreeld dat ze zich eindelijk tot mij had gericht en mijn speciale naam gebruikte waar iedereen bij was.

'Goed dan,' zei ze. Er werd wat ruimte voor haar vrijgemaakt, en Rhoda rende naar haar huis om haar zussen te halen om te komen kijken.

Ze zong 'The Boy I love is Up in the Gallery' en 'The Coffee Shop Girl' – toen weer 'The Boy' voor Rhoda's zussen, die net waren gearriveerd. Toen fluisterde ze iets tegen George en mij, en ik haalde een hoed van vader en een wandelstok voor haar, en ze zong een stel charmeursliedjes voor ons en eindigde met de smartlap waarmee ze haar optreden in het Palace beëindigde, over het liefje en de roos.

We juichten haar vervolgens toe, schudden haar de hand en klopten op haar rug, wel tienmaal. Aan het eind van dit alles zag ze er heel rood en warm uit, en doodmoe. Davy zei. 'En nu jij een liedje, Nance?' Ik wierp hem een kwade blik toe.

'Nee,' zei ik. Ik wilde niet voor hen zingen waar Kitty bij was, voor geen goud.

Kitty keek nieuwsgierig naar me. 'Zing jij dan?' vroeg ze.

'Nancy heeft,' zei een van de nichten, 'de mooiste stem die u ooit hebt gehoord.'

'Ja, Nance, toe nou, wees sportief!' zei een andere.

'Nee, nee, nee!' riep ik weer – zo resoluut dat moeder haar wenkbrauwen fronste en de anderen lachten.

Oom Joe zei: 'Nou, het is gewoonweg zonde. U moest haar eens horen in de keuken, juffrouw Butler. Het is dan een echte zangvogel, dat is ze, een echte leeuwerik. Je hart slaat er een slag van over als je haar hoort.' Er ging een instemmend gemompel op in de kamer en ik zag Kitty met knipperende ogen naar mij kijken. Toen fluisterde George tamelijk hard dat ik vast mijn stem spaarde voor een serenade aan Freddy, en er volgde een nieuwe ronde gelach die me blozend naar mijn schoot deed kijken. Kitty keek verbaasd.

Toen vroeg ze: 'Wie is Freddy?'

'Freddy is Nancy's vriend,' zei Davy. 'Een heel knappe vent. Ze zal toch wel over hem hebben opgeschept?'

'Nee,' zei Kitty, 'dat heeft ze niet.' Ze zei het luchtig, maar ik keek op en zag dat haar ogen vreemd en bijna triest stonden. Ik had Fred inderdaad nooit genoemd tegen haar. Ik beschouwde hem in die tijd eigenlijk niet meer als mijn vrijer, want sinds haar komst in Canterbury had ik geen avond meer voor hem overgehad. Hij had me kort daarvoor een brief geschreven om te vragen of ik nog om hem gaf – en ik had de brief in een la gestopt en vergeten te beantwoorden.

Daarna werd ik nog even met Freddy geplaagd en ik was blij toen een van Rhoda's zussen heibel maakte door de mondharmonica van George af te pakken en er zo'n verschrikkelijk deuntje op te spelen, dat alle jongens naar haar schreeuwden en aan haar haar trokken om haar te laten ophouden.

Terwijl zij herrie schopten en scholden, leunde Kitty naar mij over en zei zacht: 'Kun je me meenemen naar je kamer, Nan, of ergens

anders waar het rustig is, een tijdje alleen, jij en ik?' Ze keek plotseling zo ernstig dat ik bang was dat ze flauw zou vallen. Ik stond op
en baande een weg voor haar door de volgepakte kamer, en zei tegen
mijn moeder dat ik haar mee naar boven nam. En moeder – die met
een frons naar Rhoda's zus keek, niet wetend of ze moest lachen of
boos worden – knikte afwezig naar ons, en wij vluchtten weg.

De slaapkamer was koeler dan de huiskamer en schemeriger, en –
hoewel we nog steeds geschreeuw en gestamp en gejengel van de
harmonica hoorden – heerlijk rustig vergeleken met de kamer die we
net hadden verlaten. Het raam was omhooggeschoven, en Kitty liep
er meteen naartoe en plantte haar armen op de vensterbank. Haar
ogen sluitend tegen de bries die vanaf de baai waaide, haalde ze een
paar keer diep en dankbaar adem.

'Voel je je niet goed?' vroeg ik. Ze draaide zich naar mij om, schudde haar hoofd en glimlachte, maar ook nu weer leek haar glimlach
triest.

'Alleen maar moe.'

Mijn kan en kom stonden klaar. Ik schonk wat water uit en bracht
het haar om haar handen te wassen en haar gezicht nat te maken.
Het water maakte vlekken op haar jurk en donkere vochtplekjes op
de rand van haar haar.

Aan haar middel bungelde een tasje waar ze nu haar vingers in
stak en een sigaret en doosje lucifers uit haalde. Ze zei: 'Ik weet
zeker dat je moeder dit zou afkeuren, maar ik snak naar een sigaret.'
Ze stak de sigaret aan en nam een diepe trek.

We staarden elkaar aan zonder iets te zeggen. Toen gingen we,
omdat we moe waren en nergens anders konden zitten, naast elkaar
op het bed zitten, heel dicht bij elkaar. Het was ontzettend vreemd
om met haar in dezelfde kamer – op dezelfde plek! – te zijn waar ik
zoveel uren zulke onfatsoenlijke dromen over haar had gehad. Ik zei:
'Gek eigenlijk...' Maar terwijl ik het zei, sprak zij ook, en we moesten
lachen. 'Jij eerst,' zei ze en ze nam weer een trek van haar saffie.

'Ik wou net gaan zeggen hoe grappig het is om je hier te hebben.'

'En ik,' zei ze, 'wou gaan zeggen hoe grappig het is om hier te zijn!
En dit is echt jouw kamer, van Alice en jou? En jouw bed?' Ze keek
om zich heen, alsof ze verbaasd was – alsof ik haar naar de kamer
van een vreemde had gebracht en net deed alsof het die van mij was

– en ik knikte. Toen zweeg ze weer, en ik ook. En toch had ik het gevoel dat ze meer wilde zeggen en alleen maar moed verzamelde om het te zeggen. Ik dacht met een lichte opwinding dat ik wist wat het was. Maar toen ze weer sprak, was dat niet over het contract, maar over mijn familie – hoe aardig ze waren en hoeveel ze van me hielden en hoe blij ik met ze moest zijn. Ik herinnerde me dat ze een soort wees was, verbeet mijn tegenwerpingen en liet haar praten. Maar mijn zwijgen leek haar alleen maar neerslachtiger te maken.

Ten slotte, toen haar sigaret op was en ze die in de haard had gegooid, haalde ze diep adem en zei waar ik op had zitten wachten. 'Nan, ik moet je iets vertellen – goed nieuws, en je moet beloven dat je blij voor me zult zijn.'

Ik kon mezelf niet meer inhouden. Ik had er de hele middag al om willen lachen, en nu lachte ik en zei: 'O, Kitty, ik weet je nieuws al!' Ze leek haar wenkbrauwen te fronsen, dus ging ik snel verder: 'Wees niet kwaad op Tony, maar hij heeft het me al verteld – vandaag.'

'Je wat verteld?'

'Dat Tricky wil dat je blijft, in het Palace; dat je zeker tot Kerstmis zult blijven!'

Ze keek me heel vreemd aan, sloeg toen haar ogen neer en liet een verlegen lachje horen. 'Dat is mijn nieuws niet,' zei ze. 'En ik ben de enige die het weet. Tricky wil inderdaad dat ik blijf, maar ik heb nee gezegd.'

'Nee gezegd?' Ik staarde haar aan. Ze wilde me nog steeds niet aankijken, maar kwam overeind en kruiste haar armen voor haar middel.

'Weet je nog die meneer die gisteravond bij me op bezoek kwam?' vroeg ze. 'Meneer Bliss?' Ik knikte. Ze had het vandaag niet over hem gehad, en in al mijn opwinding over haar bezoek had ik het vergeten te vragen. Ze ging nu verder: 'Meneer Bliss is een impresario – geen theaterdirecteur, zoals Tricky, maar een agent voor artiesten. Hij heeft me zien optreden en – o, Nan!' Onwillekeurig was zij nu ook opgewonden. 'Hij heeft me zien optreden en vond me zo goed dat hij me een contract voor een variététheater in Londen heeft aangeboden!'

'Londen!' Ik kon het slechts vol ongeloof herhalen. Dit was niet in woorden uit te drukken, zo verschrikkelijk. Als ze was verhuisd naar

Margate of Broadstairs, had ik haar zo nu en dan nog kunnen bezoeken. Als ze naar Londen ging, zou ik haar nooit meer zien. Ze kon net zo goed naar Afrika of naar de maan vertrekken.

Ze bleef doorpraten, vertelde dat meneer Bliss vrienden had bij de Londense theaters en haar een seizoen in allemaal had beloofd. Dat hij had gezegd dat ze te goed was voor het provinciale toneel, dat ze beroemd zou worden in de stad, waar alle grote namen werkten en al het geld zat... Ik luisterde nauwelijks, maar voelde me steeds ellendiger. Ten slotte legde ik een hand over mijn ogen en boog mijn hoofd, en zij viel stil.

'Je bent niet blij voor me, merk ik,' zei ze zachtjes.

'Dat ben ik wel,' zei ik met schorre stem, 'maar ik ben helemaal niet blij voor mezelf.'

Toen volgde er een stilte, slechts verbroken door het geluid van gelach en geschuif met stoelen uit de huiskamer beneden en de kreten van de zeemeeuwen door het open venster. De kamer leek donkerder geworden sinds we er waren binnengekomen en ik had het plotseling kouder dan ik het de hele zomer gehad had.

Ik hoorde haar een stap doen. In een seconde zat ze weer naast me en had mijn hand voor mijn ogen weggenomen. 'Moet je horen,' zei ze. 'Ik wil je iets vragen.' Ik keek naar haar. Haar gezicht was bleek, op de zwerm sproeten na, en haar ogen leken groot. 'Vind je dat ik er vandaag mooi uitzie?' vroeg ze. 'Vind je dat ik vriendelijk en prettig en goed gezelschap ben geweest? Denk je dat je ouders me aardig vinden?' Haar woorden leken onsamenhangend. Ik zei niets, maar knikte slechts verbaasd. 'Ik kwam,' zei ze, 'om ze voor me te winnen. Ik heb mijn chicste jurk aangetrokken, zodat ze me voornamer zouden vinden dan ik ben. Ik dacht, ook al is het de rotste en naarste familie in heel Kent, ik zal me zo goed gedragen dat ze me vertrouwen als een dochter. Maar Nan, ze zijn helemaal niet rot of naar, en ik hoefde helemaal niet te doen of ik aardig ben! Het is de liefste familie die ik ken, en jij bent alles voor ze. Ik kan je niet vragen ze op te geven...'

Mijn hart leek stil te staan, en toen tekeer te gaan als een zuiger.

'Hoe bedoel je?' vroeg ik. Zij keek de andere kant op.

'Ik wou je vragen met me mee te gaan. Naar Londen.'

Ik knipperde met mijn ogen. 'Met je meegaan? Maar hoe?'

'Als mijn kleedster,' zei ze, 'mocht je dat willen. Als mijn... wat dan ook, het doet er niet toe. Ik heb met meneer Bliss gesproken; hij zegt dat er in eerste instantie niet veel geld voor jou zal zijn – maar wel genoeg, als je mijn kamers deelt.'

'Waarom?' vroeg ik toen. Ze sloeg haar ogen naar me op.

'Omdat ik... je mag. Omdat je goed voor me bent en me geluk brengt. En omdat Londen vreemd zal zijn en meneer Bliss misschien niet helemaal is wat hij lijkt en ik niemand zal hebben om...'

'En dacht je echt,' zei ik langzaam, 'dat ik nee zou zeggen?'

'Vanmiddag wel, ja. Gisteravond en vanmorgen geloofde ik... O, het was zo anders in de kleedkamer, toen we met z'n tweeën waren! Toen wist ik nog niet hoe je het hier had. Toen wist ik nog niet dat je een... een vent had.'

Haar woorden gaven me moed. Ik trok mijn hand uit de hare en stond op. Ik liep naar het hoofdeinde van het bed waar een kastje met een la stond. Die trok ik open, en ik haalde er iets uit en liet haar dat zien. 'Weet je wat dit is?' vroeg ik, en zij glimlachte.

'Het is de bloem die ik je heb gegeven.' Ze nam haar van me over en hield haar vast. Ze was droog en slap en de blaadjes waren bruin aan de randen en lieten los; en ze was tamelijk platgedrukt, want ik had heel wat nachten met die bloem onder mijn kussen geslapen.

'Toen je me deze toe gooide,' zei ik tegen haar, 'veranderde mijn leven. Ik denk dat ik tot dat moment in slaap was – in slaap of dood. Sinds ik jou heb ontmoet, ben ik wakker – leef ik! Denk je dat ik dat nu zomaar kan opgeven?'

Ze schrok van mijn woorden – wat begrijpelijk is, want ik had nog nooit eerder zo gepraat, tegen haar noch tegen iemand anders. Ze keek de andere kant op, de kamer rond, en ging met haar tong over haar lippen. 'En zij beneden dan allemaal?' vroeg ze, naar de deur knikkend. 'Je moeder en vader, je broer, Alice, Freddy?' Terwijl ze sprak, klonk er een schreeuw, en het geluid van luide stemmen in een vriendschappelijke kibbelpartij.

Die betekenen niets voor me, wilde ik zeggen, *vergeleken met jou...* Maar ik haalde slechts mijn schouders op en lachte.

Toen lachte zij ook. 'Ga je dus echt mee? We moeten namelijk zondag vertrekken – zondag over een week. Je hebt niet veel tijd meer.'

Ik zei dat het tijd genoeg was, en zij legde de verbleekte roos op het bed, greep mijn handen en drukte ze stevig.

'O Nan! Mijn lieve Nan! We zullen het geweldig hebben samen, dat beloof ik je!' Terwijl ze sprak, wierp ze mijn handen opzij, greep me vast in een heftige omhelzing en lachte van plezier, zodat ik haar lichaam voelde schudden in mijn armen.

Toen, te snel, deed ze een pas opzij en omklemde ik slechts lucht.

Van beneden klonk nog meer lawaai en toen het geluid van een opengaande deur, gevolgd door het gebonk van voetstappen op de trap en een kreet: 'Nancy!' Het was Alice. Ze bleef staan voor de slaapkamerdeur, maar was te beleefd – of te bang – om de deurknop om te draaien. 'Iedereen gaat weg,' riep ze. 'Moeder vraagt of juffrouw Butler alsjeblieft even naar beneden kan komen, zodat ze haar goedendag kunnen zeggen.'

Ik keek naar Kitty. 'Ga jij maar,' zei ik, 'zonder mij, dan kom ik wel over een minuutje. En geen woord,' zei ik zachter, 'over onze plannen. Ik zal het er later met ze over hebben.'

Ze knikte en drukte nogmaals mijn hand. Toen opende ze de deur om zich bij Alice op de overloop te voegen, en ik hoorde hen samen naar beneden gaan.

Ik stond in de toenemende schaduwen en hield mijn trillende vingers voor mijn gezicht. Sinds ik Kitty Butler kende, schrobde ik mijn handen altijd goed schoon, en als er nu in de plooien nog vlekjes zaten, was dat evenzeer van de schmink, het zwartsel en blanc-de-perle als van azijn. Toch roken ze nog naar oesters, en er zat een smal sliertje – misschien een sprietje van de rug van een kreeft of van een garnaal – onder een van mijn nagels. Hoe zou het zijn, dacht ik, om mijn familie, mijn thuis en al mijn oestermeisjesmanieren op te geven?

En hoe zou het zijn om naast Kitty te leven, boordevol van een liefde zo hartstochtelijk en toch ook zo geheim dat ik ervan huiverde.

3

Ik wilde – vanwege de sensatie – dat ik kon zeggen dat mijn ouders me na één woord over Kitty's voorstel absoluut verboden er nog een keer over te praten; dat ze, toen ik bleef aandringen, vloekten en schreeuwden; dat mijn moeder huilde, mijn vader me sloeg; en dat ik uiteindelijk bij zonsopgang uit een raam moest klimmen met mijn kleren in een lap aan het uiteinde van een stok, een betraand gezicht en een briefje op mijn kussen waarin stond: *Probeer me niet te volgen*... Maar als ik dat zei, zou ik liegen. Mijn ouders waren redelijke, geen emotionele mensen. Ze gaven om me. Ze wisten dat het gekkenwerk was om hun jongste dochter onder de hoede van een actrice en een impresario te laten vertrekken naar de gevaarlijkste en zondigste stad van Engeland, iets dat ouders die bij hun volle verstand waren, geen moment zouden overwegen. Maar omdat ze zoveel van me hielden, konden ze niet verdragen dat ik verdriet had. Iedereen die ook maar met een half oog keek, kon zien dat mijn hart nu volledig bij Kitty Butler lag. Iedereen kon weten dat ik, nu me eenmaal de kans op een toekomst naast haar was geboden en me die kans werd ontzegd, nooit zou kunnen terugkeren naar mijn vaders keuken en daar even gelukkig als tevoren zijn.

Dus toen ik ongeveer een uur na Kitty's vertrek haar plan zenuwachtig voorlegde aan mijn ouders, en argumenteerde en pleitte voor hun toestemming, luisterden ze verwonderd maar goed naar me. En toen vader me de volgende dag staande hield op mijn weg naar de keuken beneden om me de huiskamer in te trekken, waar het rustig en stil was, stond zijn gezicht triest en ernstig, maar vriendelijk. Hij vroeg me eerst of ik niet van gedachten was veranderd. Ik schudde van nee, en hij zuchtte. Hij zei dat als ik vastbesloten was, moeder en hij me niet konden tegenhouden; dat ik een volwassen vrouw was, bijna, en oud genoeg om te weten wat ik wilde; dat ze hadden gedacht dat ik met een jongen uit Whitstable zou trouwen en dichtbij zou komen wonen, zodat zij deel zouden hebben aan mijn geluk en zorg, maar dat ik nu wel een of andere Londense vent aan de haak zou slaan, die hun manier van doen helemaal niet zou begrijpen.

Maar kinderen, zo besloot hij, waren niet gemaakt om hun ouders te plezieren, en geen enkele vader kon verwachten dat zijn dochter altijd bij hem zou blijven... 'Kortom, Nance, ook al ging je naar de duivel zelf, je moeder en ik zien je liever vrolijk van ons wegvliegen dan treurig bij ons blijven om ons op den duur misschien te gaan haten omdat we je je gang niet lieten gaan.' Ik had hem nog nooit zo ernstig meegemaakt, of zo welbespraakt. Ik had hem ook nog nooit zien huilen, maar nu hij sprak, glinsterden zijn ogen, knipperde hij twee- of driemaal om zijn tranen te onderdrukken en haperde zijn stem. Ik legde mijn hoofd tegen zijn schouder en liet mijn eigen tranen de vrije loop. Hij sloeg een arm om mij heen en klopte me op de rug. 'Ons hart breekt bij het idee je kwijt te raken, liever,' ging hij verder. 'Dat weet je. Beloof ons alleen dat je ons niet helemaal vergeet. Dat je ons schrijft en bezoekt. En dat je, als de dingen niet helemaal zo gaan als je zou willen, niet te trots zult zijn om terug te komen naar degenen die van je houden...' Hier liet zijn stem hem helemaal in de steek, en hij beefde. En ik kon slechts knikken tegen zijn hals en zeggen: 'Dat zal ik doen, dat zal ik doen, ik beloof het u, dat zal ik doen.'

Maar, o! hardvochtige dochter die ik was. Hij was nog niet weg of mijn tranen waren plotseling verdwenen en ik voelde me weer even blij als de nacht ervoor. Ik was buiten mezelf van vreugde en danste door de huiskamer – maar voorzichtig, op mijn tenen, zodat ze me niet zouden horen in de eetzaal daaronder. Toen, heel snel, voordat ik gemist zou worden, rende ik naar het postkantoor en stuurde een kaart naar Kitty in het Palace – een afbeelding van een oestersmak uit Whitstable, en op het zeil daarvan zette ik in inkt: 'Naar Londen' en op het dek tekende ik twee meisjes met tassen en koffers en overmaatse lachende gezichten. 'Ik mag mee!!!' schreef ik op de achterkant, en voegde daaraan toe dat ze het een paar avonden zonder haar kleedster moest stellen terwijl ik alles klaarmaakte... en ik eindigde met 'Liefs' en tekende met 'Je Nan'.

Ik kon die dag slechts bij vlagen blij zijn, want het tafereel dat zich na het ontbijt had afgespeeld tussen vader en mij, moest ik nogmaals doormaken met moeder, die me tegen zich aan drukte en jammerde dat ze gek waren om me te laten gaan. En met Davy, die absurd genoeg zei dat ik te klein was om naar Londen te gaan en op het Trafalgar Square overreden zou worden door een tram zodra ik er een voet zou zetten. En met Alice, die helemaal niets zei toen ze het nieuws hoorde, maar in tranen naar de keuken rende en pas tegen het middageten weer te bewegen was in de Salon aan het werk te gaan. Alleen mijn neven en nichten leken blij voor me – en ze waren meer jaloers dan blij, ze noemden me een geluksvogel en zwoeren dat ik mijn fortuin zou maken in de stad en hen allemaal zou vergeten. Of dat ik totaal aan lagerwal zou raken en in schande naar hen terug sluipen.

Die week ging snel voorbij. De avonden gebruikte ik om vrienden en familie vaarwel te zeggen en om mijn jurken te wassen, te verstellen en in te pakken en uit te zoeken welke dingetjes ik mee wilde nemen en welke ik achterliet. Ik ging maar één keer naar het Palace, en dat was in gezelschap van mijn ouders, die zich ervan wilden vergewissen of juffrouw Butler nog bij haar volle verstand was en om verdere details over de schimmige Walter Bliss te vragen.

Ik had Kitty niet langer dan een minuut voor mezelf, terwijl vader na de voorstelling stond te kletsen met Tony en Tricky. Ik was de hele week bang geweest dat ik me de woorden die ze zondagavond had gezegd, had ingebeeld of helemaal verkeerd begrepen. Bijna iedere nacht was ik badend in het zweet ontwaakt uit dromen waarin ik voor haar deur stond, bepakt en bezakt en met mijn hoed op, en ze vol verbazing naar me keek, haar wenkbrauwen fronste of honend lachte. Of dat ik te laat op het station kwam en langs het spoor achter de trein aan moest hollen, terwijl Kitty en meneer Bliss uit hun rijtuigraampje naar me keken en niet naar buiten wilden leunen om me naar binnen te trekken... Maar die avond in het Palace nam ze me apart en drukte mijn hand, en was even lief en opgewonden als altijd.

'Ik heb een brief van meneer Bliss ontvangen,' zei ze. 'Hij heeft kamers voor ons gevonden in een huis in een plaats die Brixton heet – een plaats met zoveel variétémensen en acteurs, zegt hij, dat ze haar "Schmink Boulevard" noemen.'

Schmink Boulevard! Ik had er direct een beeld van en dat was geweldig, een straat ingericht als een schminkdoos, met smalle, vergulde huizen, allemaal met daken in verschillende kleuren. En ons huis zou nummer 3 zijn – met een schoorsteen in de kleur van Kitty's knalrode lippen!

'We moeten zondag de trein van twee uur nemen,' vervolgde ze, 'en dan komt meneer Bliss ons zelf van het station halen met een koets. En de volgende dag ga ik meteen al beginnen in de Star Music Hall, in Bermondsey.'

'De Star,' zei ik. 'Dat is een naam die geluk brengt.'

Ze lachte. 'Laten we het hopen. O, Nan, laten we het hopen!'

Mijn laatste ochtend thuis was – zoals iedere laatste ochtend in de geschiedenis, neem ik aan – een treurige ochtend. We ontbeten samen, wij allevijf, en waren heel vrolijk, maar er hing een naargeestige sfeer van verwachting in huis, waardoor je niets anders leek te kunnen doen dan zuchten en doelloos werkjes opknappen. Tegen elf uur voelde ik me zo opgesloten en benauwd als een rat in een doos, en haalde Alice over mee naar het strand te gaan en mijn schoenen en kousen vast te houden, terwijl ik voor de laatste keer aan de rand van het water stond. Maar ook dit kleine ritueel liep uit op een teleurstelling. Ik schermde mijn ogen af met mijn hand en staarde naar de glinsterende baai, naar de velden en heggen van Sheppey in de verte, naar de lage, geteerde huizen van de stad en de masten en kranen van de haven en de scheepswerf. Het was me allemaal even vertrouwd als de lijnen van mijn eigen gezicht – als je gezicht in de spiegel – fascinerend en saai tegelijk. Hoe goed ik het ook bestudeerde, hoe vurig ik ook dacht: Ik zal je in geen maanden meer zien, het zag eruit als altijd; en uiteindelijk wendde ik mijn blik af en liep triest naar huis.

Maar daar was het al net zo: niets dat ik bekeek of aanraakte was zo bijzonder als het naar mijn idee moest zijn of in enig opzicht veranderd omdat ik wegging. Dat wil zeggen, niets behalve de gezichten van mijn familie, en die waren zo ernstig, of zo gemaakt vrolijk en onaangedaan dat ik de aanblik van hen allen nauwelijks kon verdragen.

Daarom was ik haast blij toen ik eindelijk kon zeggen dat het tijd was om afscheid te nemen. Vader wilde niet dat ik het treintje naar Canterbury nam, maar vond dat ik gereden moest worden en huurde een sjees van de stalknecht van het Duke of Cumberland Hotel, om me zelf te kunnen brengen. Ik zoende moeder en Alice en liet mijn broer me op de plaats naast vader helpen en mijn bagage aan mijn voeten zetten. Zoveel bagage was er niet: een oude leren koffer met een riem eromheen waarin mijn kleren zaten; een hoedendoos voor mijn hoeden; en een kleine, zwarte blikken kist voor al het andere. Het kistje was een afscheidscadeau van Davy. Hij had het nieuw gekocht en in bibberige gele kapitalen mijn initialen op het deksel geschilderd. Aan de binnenkant had hij een kaart van Kent geplakt en Whitstable aangegeven met een pijl – om me eraan te herinneren, zei hij, waar thuis was, voor het geval ik het zou vergeten.

We zeiden niet veel, vader en ik, tijdens de rit naar Canterbury. Op het station zagen we dat de trein er al was en stoomde, en dat Kitty, met naast zich haar eigen koffers en manden, fronsend op haar horloge keek. Het ging helemaal niet zoals in mijn angstdromen: ze wuifde uitbundig toen ze ons zag en lachte.

'Ik dacht dat je op het allerlaatste moment van gedachten was veranderd,' riep ze. En ik schudde mijn hoofd – verwonderd dat ze zoiets nog kon denken na alles wat ik had gezegd!

Vader was heel aardig. Hij begroette Kitty hoffelijk en toen hij mij vaarwel zoende, zoende hij haar ook en wenste haar geluk en het allerbeste. Op het laatste moment, toen ik uit het rijtuig leunde om hem te omhelzen, haalde hij een zeemleren buideltje uit zijn zak, legde dat in mijn hand en sloot mijn vingers erover. Er zaten munten in – soevereinen – zes, wat meer was, zo wist ik, dan hij zich kon veroorloven. Maar tegen de tijd dat ik de buidel had opengetrokken en het goud erin had zien fonkelen, was de trein al in beweging gekomen en kon ik ze niet meer teruggeven. Ik kon alleen nog maar bedankt roepen en hem kushandjes toewerpen, en zien hoe hij zijn hoed af nam en ermee wuifde. En toen hij uit het zicht verdwenen was, legde ik mijn wang tegen het vensterglas en vroeg me af wanneer ik hem weer terug zou zien.

Dat vroeg ik me niet lang af, ben ik bang, want mijn verdriet week al snel voor de opwinding bij Kitty te zijn – haar weer te horen praten over de kamers die we zouden delen en het soort leven dat we samen zouden gaan leiden in de stad waar zij haar fortuin zou maken. Mijn familie zou me hardvochtig hebben gevonden, dat is waar, om me zo te zien lachen terwijl zij bedroefd thuis zaten zonder mij, maar ach! Niet lachen die middag was net zoiets geweest als niet ademen of niet zweten.

En algauw had ik ook Londen om naar te staren en me over te verbazen, want in een uur waren we op Charing Cross. Daar vond Kitty een kruier om ons te helpen met onze tassen en kisten, en terwijl hij ze op een karretje laadde, keken we zenuwachtig rond naar meneer Bliss. Eindelijk riep Kitty: 'Daar is hij!' En ze wees naar iemand die het perron op beende, met wapperende bakkebaarden en jaspanden en een heel rood gezicht.

'Juffrouw Butler!' riep hij toen hij ons bereikte. 'Een waar genoegen! Een waar genoegen! Ik was al bang dat ik te laat zou zijn, maar daar bent u, precies zoals we hadden afgesproken, en zelfs nog charmanter dan toen.' Hij wendde zich tot mij, nam toen zijn hoed af – de zijden, weer – en maakte een diepe, overdreven buiging voor me. '"Hoedje af voor een oestermeisje"' zei hij nogal luid. 'Juffrouw Astley – tot voor kort uit Whitstable, geloof ik?' Hij pakte mijn hand en hield die even vast. Toen knipte hij met zijn vingers naar de kruier en bood ons allebei een arm.

Hij had een rijtuig laten wachten op de Strand. De koetsier tikte met zijn zweep tegen zijn pet toen we naderden en sprong van zijn bok om onze bagage op het dak te leggen. Ik keek om me heen. Het was zondag en de Strand was tamelijk rustig – maar dat wist ik niet; het had voor mij net zo goed de renbaan van Derby kunnen zijn, zo oorverdovend en duizelingwekkend was het kabaal van het verkeer en zo snel draafden de paarden langs. Ik voelde me weliswaar veiliger in het rijtuig, maar ook nogal vreemd, zo naast een heer die ik niet kende, op weg naar ik wist niet waarheen, in een stad die uitgestrekter, rokeriger en alarmerender was dan ik voor mogelijk had gehouden.

Er was natuurlijk heel wat te zien. Meneer Bliss had voorgesteld om eerst wat bezienswaardigheden te gaan bekijken voor we naar Brixton gingen, dus nu reden we het Trafalgar Square op – naar Nelson op zijn zuil, de fonteinen, de mooie, ivoorkleurige façade van de National Gallery en het uitzicht langs Whitehall op de Houses of Parliament.

'Mijn broer,' zei ik, met mijn gezicht tegen het raampje gedrukt om niets te missen, 'zei dat ik, als ik ooit naar Londen ging, op het Trafalgar Square door een tram overreden zou worden.'

Meneer Bliss keek ernstig. 'Het was heel verstandig van uw broer om u te waarschuwen, juffrouw Astley – maar hij had het helaas bij het verkeerde eind. Er rijden geen trams op het Trafalgar Square – alleen bussen en aapjes, en coupés als die van ons. Trams zijn voor gewone mensen. Ik ben bang dat u helemaal naar Kilburn moet, of Camden Town, om door een tram te worden geraakt.'

Ik glimlachte onzeker. Ik wist niet zo goed wat ik moest denken van meneer Bliss, aan wie nog maar zo kortgeleden en zo onverwachts mijn toekomst en mijn geluk waren toevertrouwd. Terwijl hij zich tot Kitty wendde en ons van tijd tot tijd wees op een tafereel of een figuur op straat, bestudeerde ik hem. Hij was iets jonger, zag ik, dan ik aanvankelijk had gedacht. Die avond in Kitty's kleedkamer dacht ik dat hij bijna van middelbare leeftijd was; nu schatte ik hem hoogstens een- of tweeëndertig. Hij was meer een imposante dan een knappe man, maar in tegenstelling tot zijn bravoure en praatjes nogal alledaags: volgens mij had hij een vrouwtje dat van hem hield en een kindje, en als hij die niet had – wat het geval bleek te zijn – zou hij ze moeten hebben. Ik wist toen nog niets van zijn achtergrond, maar hoorde later dat hij stamde uit een oude, achtenswaardige theaterfamilie (zijn echte naam was natuurlijk net zomin Bliss als Kitty's naam Butler was), dat hij toen hij nog jong was het echte toneel had verlaten om als zangkomiek in het variété te gaan, en dat hij nu impresario van een tiental artiesten was, maar bij gelegenheid nog steeds voor het voetlicht trad – als 'Walter Waters, Karakterbariton' – uit pure liefde voor het vak. Daar wist ik allemaal niets van, die dag in de coupé – maar iets ervan begon tot me door te dringen. Want we waren op de Pall Mall en draaiden de Haymarket op, het begin van de theaters en variétés, en terwijl we erlangs ratelden, hief hij zijn hand en kantelde de rand van zijn hoed in een soort saluut. Ik heb ooit een oude Ierse vrouw iets dergelijks zien doen toen ze langs een kerk liep.

'Her Majesty's,' zei hij, met een knik naar een fraai gebouw links van hem, 'mijn vader heeft daar Jenny Lind, de Zweedse Nachtegaal, haar debuut zien maken. Het Haymarket: directeur de heer Beerbohm Tree. Het Criterion, of Cri: een wonder van een theater, helemaal onder de grond gebouwd.' Theater na theater, zaal na zaal, en hij kende de geschiedenis van allemaal. 'Vóór ons het London Pavilion. Daar' – we gluurden door de Great Windmill Street – 'het Trocadero Palace. Rechts van ons het Prince's Theatre.' We kwamen op het Leicester Square; hij haalde diep adem. 'En ten slotte,' zei hij – en nu nam hij zijn hoed helemaal af en hield hem op zijn schoot – 'ten slotte het Empire en het Alhambra, de mooiste varíététheaters van Engeland, waar iedere artiest een ster is en het publiek zo gedistingeerd dat zelfs de meisjes van plezier – excusez le mot, juffrouw Butler, juffrouw Astley – in de engelenbak bont en parels en diamanten dragen.'

Hij tikte tegen het plafond van de coupé, en de koetsier hield stil bij een hoek van het plantsoentje in het midden van het plein. Meneer Bliss opende de deur van het rijtuig en bracht ons naar het midden. Hier staarden we alledrie, met William Shakespeare op zijn marmeren sokkel achter ons, naar de prachtige façades van het Empire en het Alhambra – het Empire met zijn zuilen en zijn fonkelende lantaarns, zijn gebrandschilderd glas en zachte elektrische gloed; het Alhambra met zijn koepel, zijn minaretten en fontein. Ik wist niet dat er dergelijke theaters bestonden op de wereld. Het bestaan van de plek alleen al was nieuw voor me – een plek zo smerig en zo magnifiek, zo lelijk en zo grandioos, waar alle denkbare soorten mensen naast elkaar stonden, slenterden of rondhingen.

Er waren dames en heren die uit rijtuigen stapten. Er waren meisjes met bladen vol bloemen en fruit; en koffieventers, limonadeventers en soepmannen.

Er waren soldaten in scharlakenrode jasjes; er waren winkelbedienden die pauze hielden, met bolhoeden en strohoeden op en in geruite kleding. Er waren vrouwen met omslagdoeken en vrouwen met stropdassen; en vrouwen in korte rokken van wie de enkels te zien waren.

Er waren zwarte mannen, Chinezen, Italianen en Grieken. Er waren nieuwkomers in de stad die net zo verbijsterd en verdwaasd om zich heen staarden als ik. En er waren mensen die ineengerold op stoepen en banken lagen, mensen in gekreukte en gevlekte kleren die eruitzagen alsof ze hier als het licht was al hun uren doorbrachten – en ook als het donker was.

Ik staarde Kitty aan en de verbazing zal wel van mijn gezicht af te lezen zijn geweest, want ze lachte, streek over mijn wang, greep toen mijn hand en hield die vast.

'We zijn in hartje Londen,' zei meneer Bliss toen ze dat deed, 'mídden in het hart. Daar' – hij knikte naar het Alhambra – 'en overal om ons heen' – en hierbij zwaaide hij met zijn hand in de richting van het hele plein – 'zien jullie wat dat machtige hart doet kloppen: variété! Variété, juffrouw Astley, dat niet door ouderdom verwelkt of door gewoonte verdort.' Nu wendde hij zich tot Kitty. 'We staan,' zei hij, 'voor de grootste Variététempel in het hele land. Morgen, juffrouw Butler – morgen of misschien volgende week of volgende maand, maar snel, heel snel, dat beloof ik u – staat u erín, met uw voeten op het podium. Dan bent ú het voor wie het hart van Londen sneller klopt! Dan bent ú het voor wie uit alle kelen van de stad "Brava!" klinkt.'

Tijdens het spreken nam hij zijn hoed af en sloeg ermee in de lucht; een of twee voorbijgangers draaiden hun gezicht naar ons en draaiden hun hoofd toen weer onverschillig af. Het waren geweldige woorden, vond ik – en ik wist dat Kitty dat ook vond, want bij het horen ervan omklemde ze mijn hand en ging er een lichte huivering van verrukking door haar heen; en ze bloosde net als ik en keek met grote, stralende ogen net als ik.

Daarna draalden we niet lang meer op het Leicester Square. Meneer Bliss riep een jongen en gaf hem een shilling om drie bruisende glazen bij de limonadeventer voor ons te halen, en een minuut lang zaten we in de schaduw van Shakespeare aan onze drankjes te nippen en naar de voorbijgangers en naar de aankondigingen bij het Empire te staren, waar Kitty's naam vast en zeker binnenkort in letters van een meter hoog zou worden aangeplakt. Maar toen onze glazen leeg waren, klapte hij in zijn handen en zei dat we ervandoor moesten, want Brixton en mevrouw Dendy – onze nieuwe hospita – wachtten, en hij bracht ons terug naar de coupé en hielp ons instappen. Ik voelde mijn ogen, die zo groot van verbijstering waren geweest, weer klein worden in het halfduister van het rijtuig en begon niet zozeer opgewonden, als wel nerveus te worden. Ik vroeg me af wat voor soort onderdak hij voor ons gevonden had en wat voor soort dame mevrouw Dendy zou zijn. Ik hoopte dat ze allebei niet te chic zouden zijn.

66

Ik had me geen zorgen hoeven maken. Toen we het West End eenmaal uit waren en de rivier waren overgestoken, werden de straten grauwer en heel saai. De huizen en mensen hier waren wel netjes, maar allemaal hetzelfde, alsof ze allemaal waren gemaakt door dezelfde fantasieloze hand: er was niets meer van die vreemde glans, die heerlijke rare mengelmoes van het Leicester Square. En algauw waren de straten ook niet meer netjes maar enigszins armoedig; elke hoek die we passeerden, elke kroeg, elke rij huizen en winkels leek smeriger dan de vorige. Naast me waren Kitty en meneer Bliss in gesprek geraakt; ze hadden het alleen maar over theaters en contracten, kostuums en liedjes. Ik hield mijn gezicht tegen het venster gedrukt en vroeg me af wanneer we die treurige buurten toch achter ons zouden laten en aankomen op de Schmink Boulevard, ons thuis.

Eindelijk, toen we een straat met hoge huizen met platte daken waren ingeslagen, allemaal met een bladderend hek ervoor en een stel beroete jaloezieën en gordijnen voor de ramen, hield meneer Bliss op met praten, tuurde naar buiten en zei dat we er bijna waren. Toen moest ik wegkijken van zijn vriendelijke en glimlachende gezicht om mijn teleurstelling te verbergen. Ik wist dat mijn eerste, overspannen beeld van Brixton – die rij gouden schminkstaafjes, ons huis met het knalrode dak – dwaas was geweest, maar deze straat zag er wel erg grauw en vervallen uit. In feite was er waarschijnlijk weinig verschil met de gewone straten die ik achter me had gelaten in Whitstable; het was alleen vreemd – en daarom enigszins luguber.

Toen we uit het rijtuig stapten, keek ik naar Kitty om te zien of ik bij haar ook tekenen van teleurstelling zag. Maar ze had nog steeds de hoogrode kleur en vochtig glanzende ogen van daarvoor; ze keek slechts nieuwsgierig naar het huis waar onze begeleider ons nu naartoe voerde, glimlachend van voldoening. Plotseling begreep ik – wat daarvoor slechts half tot me was doorgedrongen – dat ze haar hele leven in dergelijke lelijke, anonieme huizen had doorgebracht en niet beter wist. Die gedachte schonk me weer wat moed – en gaf me, zoals gewoonlijk, een schrijnend gevoel van genegenheid en liefde.

Bovendien was het huis vanbinnen wat vrolijker. We werden bij de deur ontvangen door mevrouw Dendy zelf – een grijze, tamelijk gezette dame die meneer Bliss begroette als een vriend, hem 'Wal' noemde en haar wang liet kussen – en haar huiskamer binnengeloodst. Daar moesten we gaan zitten, onze hoed afnemen en doen alsof we thuis waren. En er werd een meisje geroepen, toen weer snel weggestuurd om wat kopjes te brengen en thee voor ons te zetten.

Toen de deur achter haar dichtging, glimlachte mevrouw Dendy naar ons. 'Welkom, lieverds,' zei ze – haar stem was zo week en fruitig als een stuk kerstkoek – 'welkom op de Ginevra Road. Ik hoop van harte dat jullie hier een aangename en gelúkkige tijd zullen hebben.' Hierbij knikte ze naar Kitty. 'Ik hoor van meneer Bliss dat er onder mijn dak een echt sterretje zal schitteren, juffrouw Butler.'

Kitty zei bescheiden dat ze dat zo net nog niet wist, en mevrouw Dendy lachte met een gegniffel dat omsloeg in een hese hoest. Een lang moment leek ze te blijven in die hoest, en Kitty en ik gingen rechtop zitten en keken elkaar geschrokken en ontzet aan. Maar toen de aanval voorbij was, leek de dame even kalm en opgewekt als tevoren. Ze trok een zakdoek uit haar mouw en veegde daarmee over haar lippen en ogen. Toen nam ze een pakje Woodbines dat bij haar elleboog op tafel lag, bood ons beiden een sigaret aan en pakte er zelf een. Ik zag dat haar vingers helemaal geel waren van de tabak.

Even later verschenen de theespullen, en terwijl Kitty en mevrouw Dendy zich bezighielden met het dienblad, keek ik om me heen. Er was veel te zien, want de huiskamer van mevrouw Dendy was tamelijk bijzonder. De kleden en meubels waren heel gewoon, maar de wanden waren fantastisch, want ze hingen allemaal vol prenten en foto's – zelfs zo vol dat er tussen de lijsten nauwelijks genoeg ruimte was om de kleur van het behang eronder te kunnen onderscheiden.

'Ik zie dat je nogal onder de indruk bent van mijn kleine verzameling,' zei mevrouw Dendy terwijl ze me mijn theekopje gaf, en ik bloosde toen ik merkte dat alle ogen ineens op mij waren gericht. Ze lachte naar me en hief haar vergeelde vingers om te friemelen aan de kristallen oorbel die aan een koperen draadje in het gaatje van haar oor hing. 'Allemaal oude huurders van mij,' zei ze, 'en sommigen, zoals jullie wel zullen zien, heel beroemd.'

Ik keek weer naar de prenten. Nu zag ik dat het allemaal portretten waren – de meeste gesigneerd – van artiesten uit de theaters en de variétés. Zoals mevrouw Dendy al had gezegd, waren er verschillende gezichten die ik kende – zo stond er een foto van de Great Vance op de schoorsteenmantel, en naast hem was Jolly John Nash in de pose van 'Rackity Jack'. En boven de sofa hing een ingelijst liedje met een opdracht in grote, onregelmatige letters: 'Voor lieve ma Dendy. Vriendelijke groeten. Beste wensen. Bessie Bellwood.' Maar er waren er veel meer die ik níet herkende, mannen en vrouwen met lachende gezichten, in vrolijke, professionele poses, met kostuums en namen zo nietszeggend, bizar of duister – Jennie West, Captain Largo, Shinkaboo Lee – dat ik er niets uit kon afleiden over de aard van hun optreden. Ik vond het een fantastische gedachte dat ze allemaal hier hadden gewoond, aan de Ginevra Road, met die aardige mevrouw Dendy als hun hospita.

We praatten tot de thee op was en onze hospita nog twee of drie sigaretten had gerookt. Toen gaf ze een klapje op haar knieën en kwam langzaam overeind.

'Jullie zullen je kamers wel willen zien en je gezicht een beetje opfrissen,' zei ze vriendelijk. Ze wendde zich tot meneer Bliss, die beleefd was opgestaan toen zij opstond. 'Als jij nu eens een behulpzame hand uitstak naar de dozen en spullen van de dames, Wal...' Daarna ging ze ons voor de huiskamer uit en de trap op. We gingen drie trappen op, waarbij het trappenhuis donkerder werd naarmate we hoger kwamen, daarna weer lichter. De laatste trap was smal en had geen loper, maar erboven was een klein daklicht, vier ruitjes vol vegen roet en duivenpoep, waar het blauw van de septemberlucht onverwacht sterk en helder doorheen scheen – alsof de hemel zelf een plafond was waar we al klimmend dichterbij waren gekomen.

Boven aan die trap was een deur en daarachter was een heel kleine kamer – geen zit-slaapkamer, zoals ik had verwacht, maar een piepkleine zitkamer, met een stel oeroude, doorgezakte leunstoelen voor een haard en een ondiep ouderwets buffet. Naast het buffet was nog een deur naar een tweede vertrek dat door een schuin dak nog kleiner was dan het eerste. Kitty en ik gingen naast elkaar in de deur staan en staarden naar wat erachter lag: een wastafel, een stoel met een liervormige rug, een alkoof met een gordijn ervoor, en een bed – een ijzeren ledikant met een hoge, dikke matras en een nachtspiegel eronder – een bed dat nog smaller was dan het bed dat ik thuis met mijn zus deelde.

'Jullie vinden het natuurlijk niet erg om het bed te delen,' zei mevrouw Dendy, die ons naar de slaapkamer was gevolgd. 'Jullie zitten hier wel op elkaars lip, ben ik bang – maar niet zo erg als de jongens beneden, die maar één kamer hebben. Maar meneer Bliss wilde per se een beetje een behoorlijke ruimte voor jullie tweeën.' Ze glimlachte naar me, en ik keek de andere kant op. Maar Kitty zei heel monter: 'Het is uitstekend, mevrouw Dendy. Juffrouw Astley en ik zullen het hier zo knus hebben als twee figuurtjes in een poppenhuis – hè, Nan?'

Ik zag dat haar wangen een lichtroze kleur hadden gekregen – maar dat kwam misschien door de klim vanaf de huiskamer. Ik zei: 'Vast', en sloeg toen mijn blik weer neer, liep naar meneer Bliss om een doos aan te nemen.

Meneer Bliss zelf bleef daarna niet lang meer – alsof hij het niet kies vond om in een damesvertrek te blijven hangen, ook al betaalde hij het zelf. Hij wisselde een paar woorden met Kitty over haar afspraak de volgende dag in het Bermondsey Star – want ze moest 's ochtends kennismaken met de directeur en repeteren met het orkest ter voorbereiding op haar eerste optreden die avond – toen schudde hij haar en mij de hand en nam afscheid. Plotseling maakte de gedachte dat hij ons ging verlaten me even zenuwachtig als een paar uur geleden het vooruitzicht hem te ontmoeten.

Maar toen hij weg was – en toen ook mevrouw Dendy de deur achter ons had dichtgedaan en piepend en hoestend achter hem aan naar beneden was gegaan – zeeg ik neer in een van de leunstoelen, sloot mijn ogen en huiverde van vreugde en opluchting, omdat ik eindelijk alleen kon zijn met iemand die meer voor me was dan een vreemde. Ik hoorde Kitty over de bagage heen stappen en toen ik mijn ogen opende, stond ze naast me, hief een hand en trok aan een lok haar die was losgeraakt uit mijn vlecht en over mijn voorhoofd viel. Ik verstijfde bij haar aanraking: nog steeds was ik niet gewend aan de achteloze strelingen, vastgehouden handen en aaien over de wang, van onze vriendschap, en iedere keer week ik een beetje terug, en bloosde licht van begeerte en verwarring.

Ze glimlachte, bukte toen om aan de riemen te trekken van de mand aan haar voeten. En na even in de leunstoel werkeloos te hebben toegekeken hoe zij bezig was met jurken, boeken en hoeden, stond ik op om haar te helpen.

Het kostte ons een uur om alles uit te pakken. De weinige arm-zalige jurken, schoenen en onderkleren van mij namen nauwelijks ruimte in en waren in een oogwenk opgeborgen, maar Kitty moest natuurlijk niet alleen haar dagelijkse kleren en schoenen uitpakken, borstelen en gladstrijken, maar ook haar pakken en hoge hoeden. Toen ze daar aan toe was, wilde ik ze haar uit handen nemen. Ik zei: 'Laat mij nou voor je kostuums zorgen. Kijk die boorden eens! Ze moeten allemaal gebleekt. En die kousen! We moeten één la apart houden voor de schone, en een andere voor de kousen die nog moe-ten worden versteld. En deze manchetknopen doen we in een doos, anders raken ze zoek...'

Ze deed een stap opzij en liet mij redderen met de knoopjes en handschoenen en frontjes, en een paar minuten lang werkte ik zwijg-end door, volledig in beslag genomen door mijn bezigheid. Ten slot-te keek ik op en zag dat zij naar me keek, en toen onze blikken elkaar kruisten, knipoogde en bloosde ze tegelijk. 'Je hebt geen idee,' zei ze toen, 'hoe verschrikkelijk voldaan ik me voel. Iedere tweederangs zangkomiek wil graag een kleedster, Nan. Iedere ambitieuze, ver-moeide kleine actrice die ooit op een provinciaal podium heeft ge-staan, brandt van verlangen om in de Londense theaters te spelen – om twee fijne kamers te hebben, in plaats van één belabberde – 's avonds met een koets naar het theater te gaan en na afloop weer thuisgebracht te worden, terwijl andere, armere artiesten met de tram moeten.' Ze stond onder het schuine plafond, haar gezicht in de schaduw en haar ogen donker en groot. 'En nu heb ik ineens al die dingen waarvan ik al zo lang heb gedroomd! Weet je hoe dat voelt, Nan, als je hartenwens in vervulling gaat?'

Dat wist ik. Het was een heerlijk gevoel – maar ook eng, want je had de hele tijd het gevoel dat je je geluk niet verdiende, dat het een vergissing was en dat het voor iemand anders bedoeld was – en dat het je kon worden afgenomen als je even niet oplette. En je had er alles voor over, dacht ik, geen offer was je te veel, om die hartenwens te behouden nu hij eenmaal in vervulling was gegaan. Ik wist dat Kitty en ik precies hetzelfde voelden – alleen over verschillende din-gen natuurlijk.

Ik had daaraan moeten denken, later.

We waren, zoals ik al zei, een uur bezig met uitpakken en intussen hoorde ik uit de rest van het huis het geluid van allerlei roepende stemmen en bewegingen. Nu – het was ongeveer zes uur – was het gekraak te horen van voetstappen op de overloop onder die van ons en een roep: 'Juffrouw Butler, juffrouw Astley!' Het was mevrouw Dendy die ons kwam vertellen dat er, als we dat wilden, wat eten voor ons klaarstond in de huiskamer beneden – en 'bovendien een heel gezelschap dat jullie wil leren kennen'.

Ik had honger, maar ik was ook moe, en het handen schudden en glimlachen naar vreemden beu. Maar Kitty fluisterde dat we maar beter naar beneden konden gaan, anders zouden de andere huurders ons trots vinden. Dus riepen we naar mevrouw Dendy dat we er zo aankwamen, en terwijl Kitty zich verkleedde, kamde ik mijn haar en vlocht het opnieuw, sloeg het stof van de zoom van mijn rok in de haard en waste mijn handen; en toen gingen we naar beneden.

De huiskamer zag er nu heel anders uit dan toen we er thee hadden zitten drinken bij onze aankomst. De tafel was uitgetrokken, naar het midden van de kamer geschoven en gedekt voor de maaltijd. Maar belangrijker nog, hij was omringd met gezichten die allemaal opkeken toen wij binnenkwamen en zich plooiden tot een glimlach – dezelfde snelle, geoefende glimlach die van alle afbeeldingen op de wanden straalde. Het was alsof een zestal van de portretten tot leven was gekomen en vanachter hun stoffige ruitjes weggestapt om bij mevrouw Dendy aan te schuiven voor de maaltijd.

Er was voor acht personen gedekt – twee plaatsen waren leeg en duidelijk bedoeld voor Kitty en mij, en de rest was ingenomen. Mevrouw Dendy zelf zat aan het hoofd van de tafel en was bezig plakken koud vlees rond te delen van een schaal. Maar toen ze ons zag, kwam ze half overeind om ons te zeggen dat we net moesten doen of we thuis waren en met haar vork te gebaren naar de andere eters – eerst naar een oudere heer in een fluwelen vest die tegenover haar zat.

'Professor Emery,' zei ze, zonder een zweem van gêne. 'Buitengewoon mentalist.'

Daarop stond de professor op om een kleine buiging voor ons te maken.

'Buitengewoon mentalist, ach, buiten dienst,' zei hij met een blik naar onze hospita. 'Mevrouw Dendy is te aardig. Het is al heel wat jaren geleden dat ík voor het laatst voor een muisstil, starend publiek stond om de inhoud van een damestasje te raden.' Hij glimlachte en ging toen nogal log zitten. Kitty zei dat ze het erg prettig vond hem te leren kennen. Vervolgens wees mevrouw Dendy naar een magere, roodharige jongen, rechts van de professor.

'Sims Willis,' zei ze. 'Black minstrel...'

'Buitengewoon black minstrel, natuurlijk,' zei hij snel, voorover leunend om ons een hand te geven. 'Ín dienst. En dit' – met een knik naar een andere jongen tegenover hem aan tafel – 'dit is Percy, mijn broer die op de castagnetten speelt. Hij is ook buitengewoon.' Terwijl hij dat zei, gaf Percy een knipoogje, en als om zijn broers woorden te bevestigen pakte hij een paar lepels van naast zijn bord en gaf er een prachtige roffel mee op het tafelkleed.

Mevrouw Dendy schraapte haar keel boven het geluid uit en gebaarde toen naar het knappe, rozelippige meisje dat naast Sims zat. 'En niet te vergeten, juffrouw Flyte, onze ballerina.'

Het meisje grijnsde. 'Noem me maar Lydia,' zei ze, een hand uitstekend, 'zoals ik bekend sta in – hou op, Percy! – zoals ik bekend sta in het Pav. Of Monica, als jullie dat liever hebben, zo heet ik namelijk echt.'

'Of Tootsie,' voegde Sims eraan toe, 'zoals al haar vrienden haar noemen – en als jullie *Ally Slopers* gelezen hebben, mogen jullie raden waarom. Ik zeg alleen, juffrouw Butler, dat ze bijna in paniek was toen Walter vertelde dat hij u hier onderbracht, voor het geval u een of ander opzichtig revuemeisje was, met een taille van dertig centimeter. Toen ze hoorde dat u een mannenimitator was, nou, toen werd ze van de opluchting heel aardig.'

Tootsie gaf hem een duw. 'Let maar niet op hem,' zei ze tegen ons, 'hij is altijd aan het plagen. Ik ben heel blij met nog een meisje in huis – twéé meisjes, moet ik zeggen – opzichtig of niet.' Onder het praten wierp ze een snelle, voldane blik op mij, waaruit duidelijk sprak wat voor soort ze míj vond. Terwijl Kitty naast haar ging zitten – voor mij bleef Percy over als buurman – vervolgde ze: 'Walter zegt dat u heel groot wordt, juffrouw Butler. Ik hoorde dat u morgenavond begint in de Star. Ik herinner me dat als een heel fijne zaal.'

'Dat heb ik gehoord. Noem me maar Kitty...'

'En u, juffrouw Astley?' vroeg Percey, terwijl zij verder babbelden.

'Bent u allang kleedster? U lijkt me nog erg jong.'

'Ik ben eigenlijk helemaal geen kleedster. Kitty is me nog aan het opleiden...'

'Je aan het opleiden?' Dit was Tootsie weer. 'Ik raad je aan haar niet te goed op te leiden, Kitty, want dan pakt een andere artiest haar van je af. Dat heb ik vaker gezien.'

'Van me afpakken?' zei Kitty met een glimlach. 'O, dat zou ik niet kunnen hebben. Nan brengt me geluk...'

Ik keek naar mijn bord en voelde dat ik rood werd, tot mevrouw Dendy, nog steeds in de weer met haar schaal, me een stuk lillend vlees voorhield en kuchte: 'Een stukje tong, juffrouw Astley, lieverd?'

Het tafelgesprek was natuurlijk allemaal theaterroddel en klonk mij heel onbegrijpelijk en vreemd in de oren. Er was niemand in dat huis, zo leek het, die niet op de een of andere manier met het vak te maken had. Zelfs de alledaagse kleine Minnie – het achtste lid van ons gezelschap, het meisje dat ons bij onze aankomst thee had gebracht en nu was teruggekomen om mevrouw Dendy te helpen opdienen, serveren en afruimen – zelfs zij hoorde bij een balletgroep en had een contract bij een concertzaal in Lambeth. Sterker nog, zelfs de hond, Bransby, die al snel de huiskamer kwam binnengesnuffeld, om restjes bedelde en zijn kwijlende bek tegen professor Emery's knie legde – zelfs de hond was een voormalig artiest, had ooit als dansende hond een tournee langs de Zuidkust gemaakt en had een toneelnaam: 'Archie'.

Het was zondagavond en na het eten hoefde niemand naar een theater; eigenlijk leek niemand iets te doen te hebben, behalve roken en roddelen. Om zeven uur werd er op de deur geklopt en kwam er een meisje 'hallo' roepend het huis binnen met een jurk van tule en satijn en een vergulde diadeem. Het was een vriendin van Tootsie uit het ballet in het Pav en ze kwam mevrouw Dendy vragen wat ze van haar kostuum vond. Terwijl de jurk over het huiskamertapijt werd uitgespreid, werden de etensspullen weggebracht, en toen de tafel was afgeruimd, ging de professor eraan zitten en legde een spel kaarten klaar. Percy ging fluitend naast hem zitten. Zijn wijsje werd overgenomen door Sims, die de klep van mevrouw Dendy's piano optilde en er de melodie op begon te spelen. Het was een vreselijke piano – 'Wat een waardeloos ding, verdomme!' schreeuwde Sims, terwijl hij erop los sloeg. 'Je kunt er Wagner op spelen en dan klinkt het geheid als een zeemanslied of een horlepiep!' – maar het was een vrolijk deuntje dat een glimlach op Kitty's lippen bracht.

'Ik ken dit,' zei ze tegen mij, en omdat ze het kende, moest ze wel zingen en was ze al snel over de glinsterende jurk op de vloer heen gestapt om naast Sims haar stem te verheffen voor het refrein.

Ik zat op de bank met Bransby en schreef een briefkaart naar mijn familie. 'Ik zit in de raarste huiskamer die er bestaat,' schreef ik, 'en iedereen is heel erg vriendelijk. Er is hier een hond met een toneel-naam! Mijn hospita laat jullie bedanken voor de oesters...'

Het was heel gezellig op de sofa met al die vrolijke mensen om me heen, maar tegen half elf geeuwde Kitty – en toen schrok ik op, kwam overeind en zei dat het bedtijd voor mij was. Ik bracht een snel bezoekje aan het privaat op het achtererf, holde toen naar boven en trok bliksemsnel mijn nachthemd aan – je zou bijna denken dat ik een week lang niet had geslapen en ongeveer doodging van ver-moeidheid. Maar ik had helemaal geen slaap, ik wilde alleen maar veilig en wel in bed liggen voordat Kitty verscheen – veilig stil en rus-tig en klaar voor het moment dat al snel zou komen, als zij naast me in het donker zou komen liggen en haar warme ledematen slechts van de mijne gescheiden zouden zijn door de twee flinterdunne lap-jes van onze katoenen nachthemden.

Ze kwam ongeveer een halfuur later. Ik keek niet naar haar en zei haar naam niet, en zij groette mij niet, bewoog zich alleen heel stil door de kamer – in de veronderstelling, neem ik aan, dat ik sliep, want ik lag kaarsrecht op mijn zij en hield mijn ogen stijf dicht. Er kwam wat geluid uit de rest van het huis – een lach, het sluiten van een deur en het geruis van water door verre leidingen. Maar toen was alles weer rustig en al snel waren alleen de zachte geluiden van haar uitkleden te horen: het amper hoorbare salvo van plofjes terwijl ze de knoopjes van haar lijfje lostrok, het geritsel van haar rok en toen van haar onderrok, het zuchten van de rijgveters door de oogjes van haar korset. Ten slotte kwam de klets van haar voeten op de vloerplanken en ik nam aan dat ze helemaal naakt was.

Ik had de gaslamp uitgedraaid, maar een kaars voor haar laten branden. Als ik nu mijn ogen opende en mijn hoofd schuin draaide, wist ik dat ik haar zou zien, gekleed in niets dan schaduwen en de ambergele gloed van de vlam.

Maar ik draaide me niet om en al snel volgde er weer een geruis wat betekende dat ze haar nachtjapon had aangetrokkken. Even later was het licht gedoofd, het bed kraakte en steunde, en ze lag naast me, heel warm en verschrikkelijk echt.

Ze zuchtte. Ik voelde haar adem tegen mijn nek en wist dat ze naar me lag te kijken. Weer kwam haar adem en toen nog eens, toen: 'Slaap je?' fluisterde ze.

'Nee,' zei ik, want ik kon niet langer net doen alsof. Ik rolde op mijn rug. De beweging bracht ons nog dichter bij elkaar – het was wel een heel erg smal bed – dus schoof ik nogal haastig naar links, totdat ik niet verder kon schuiven zonder eruit te vallen. Nu was haar adem op mijn wang, nog warmer dan voorheen.

Ze zei: 'Mis je thuis, en Alice?' Ik schudde mijn hoofd. 'Niet een klein beetje?'

'Nou...'

Ik voelde haar glimlachen. Heel voorzichtig – maar alsof het de gewoonste zaak van de wereld was – schoof ze haar hand naar mijn pols, trok mijn arm boven het beddengoed en dook met haar hoofd eronderdoor om haar slaap tegen mijn sleutelbeen te leggen, mijn arm om haar hals. De hand die voor haar keel bungelde, drukte ze en hield ze vast. Haar wang tegen mijn platte borst voelde heter dan een strijkbout.

'Wat bonst je hart!' zei ze – en daardoor bonsde het natuurlijk nog harder. Ze zuchtte weer – ditmaal was haar mond bij de opening van mijn nachtjapon en voelde ik haar adem tegen de blote huid eronder – ze zuchtte en zei: 'Zo vaak heb ik in die saaie kamer van mevrouw Pugh liggen denken aan jou en Alice in jullie kleine bed bij de zee. Was het net zoals dit, samen met haar?'

Ik antwoordde niet. Ook ik dacht terug aan dat kleine bed. Hoe zwaar het was om naast de slapende Alice te liggen, mijn hart en mijn hoofd vervuld van Kitty. Hoeveel zwaarder zou het niet zijn met Kitty zelf naast me, zo dichtbij en zo onwetend. Het zou een marteling zijn. Ik dacht: Ik pak morgen mijn koffer. Ik sta heel vroeg op en neem de eerste trein terug...

Kitty praatte door, zonder zich iets aan te trekken van mijn zwijgen. 'Jij en Alice,' zei ze weer. 'Weet je wel, Nan, hoe jalóérs ik was...?'

Ik slikte. 'Jaloers?' Het woord klonk verschrikkelijk in de duisternis.

'Ja, ik...' Ze leek te aarzelen, vervolgens: 'Je moet weten dat ik nooit een zus heb gehad, zoals andere meisjes...' Ze liet mijn hand los en legde haar arm over mijn middel, boog haar vingers rond de holte van mijn taille. 'Maar wij zijn nu als zussen, nietwaar, Nan? Je zult een zus voor me zijn – toch?'

Ik klopte stijfjes op haar schouder. Toen draaide ik mijn gezicht af – verbouwereerd, met een mengeling van opluchting en teleurstelling. Ik zei: 'O ja, Kitty,' en zij omklemde me vaster.

Toen viel ze in slaap en haar hoofd en arm werden slap en zwaar.

Maar ik lag wakker – precies zoals ik altijd naast Alice lag. Alleen droomde ik nu niet. Ik sprak mezelf heel streng toe.

Ik wist dat ik uiteindelijk de volgende morgen toch niet mijn koffers zou pakken en Kitty vaarwel zeggen. Ik wist dat ik dat niet zou kunnen, nu ik eenmaal zover was gekomen. Maar als ik bij haar wilde blijven, dan moest het zo zijn zoals ze zei. Ik moest leren mijn rare en hinderlijke lusten te onderdrukken en haar 'zuster' noemen. Want Kitty's zuster zijn was beter dan Kitty's niets zijn, Kitty's niemand. En als mijn hoofd en hart – en dat hete, kronkelende binnenste van me – schreeuwden hoe vreselijk dat was, dan moest ik die het zwijgen opleggen. Ik moest leren van Kitty te houden zoals Kitty van mij hield, of helemaal nooit in staat zijn om van haar te houden.

En dat zou vreselijk zijn, wist ik.

4

De Star bleek, toen we er de volgende middag aankwamen, bij lange na niet zo chic als die prachtige theaters in het West End waarvoor we hadden gestaan, samen met meneer Bliss, om over Kitty's triomf te dromen. Maar dan nog was het verontrustend mooi en groots. De directeur destijds was meneer Ling. Hij kwam ons tegemoet bij de artiesteningang en nam ons mee naar zijn kantoor, om de voorwaarden van Kitty's contract voor te lezen en haar dat te laten ondertekenen. Maar toen stond hij op, schudde ons de hand en riep om de toneeljongen, die ons in een vlot tempo het toneel toonde. Hier wachtte ik, verlegen en opgelaten, terwijl Kitty met de dirigent praatte en haar liedjes doornam met het orkest. Eén keer kwam er een man naar me toe met een bezem over zijn schouder die me tamelijk onbehouwen vroeg wie ik was en wat ik daar te zoeken had.

'Ik wacht op juffrouw Butler,' zei ik, mijn stem zo iel als een fluitje.

'Is dat zo?' zei hij. 'Nou, schat, dan zul je ergens anders moeten wachten, want ik moet het hier vegen en je staat me in de weg. Wegwezen nu.' En ik ging weg, vreselijk blozend, en ik moest in een gang staan terwijl jongens met manden en ladders en emmers zand langs me sjokten, me van boven tot onder opnamen of vloekten als ik in de weg stond.

Maar toen we 's avonds terugkeerden was het gemakkelijker, want we gingen linea recta naar de kleedkamer, waar ik mijn rol een beetje beter kende. Toch zonk de moed me in de schoenen toen we daar binnengingen, want ze leek in niets op het gezellige kamertje in het Canterbury Palace, dat Kitty helemaal voor zichzelf had gehad en dat ik altijd zo keurig en netjes had gehouden. In plaats daarvan was het een schemerige en stoffige ruimte met banken en haken voor een tiental artiesten en één vettige gootsteen die door iedereen moest worden gedeeld en een deur die door een stut moest worden dichtgehouden of anders openviel, zodat iedere toneelknecht of bezoeker die rondhing in de gang erachter naar binnen kon kijken. We kwamen laat aan en ontdekten dat de meeste haken al waren ingenomen en dat verschillende banken waren bezet door meisjes en vrouwen in allerlei stadia van ontkleding. Ze keken op toen we arriveerden en de meesten glimlachten. En toen Kitty haar pakje Weights en een lucifer tevoorschijn haalde, riep iemand: 'Goddank, een vrouw met een sigaret! Geef er eens een, liefje? Ik ben helemaal blut tot betaaldag.'

Kitty stond die avond geboekt in het begin van de eerste helft van de voorstelling. Terwijl ik haar hielp met haar boord, haar strikje en haar roos, voelde ik me heel kalm. Maar toen we naar de coulissen liepen om te wachten tot ze op moest en uit de schaduw naar het onbekende theater en het immense, onverschillige publiek keken, merkte ik dat ik begon te trillen. Ik keek naar Kitty. Haar gezicht was wit onder de laag schmink – maar of dat was van angst of pure eerzucht, wist ik niet. Met geen ander motief, dat zweer ik, dan haar gerust te stellen – zozeer hield ik me aan dat nieuwe voornemen haar zuster te spelen en niets meer – nam ik haar hand en drukte die.

Maar toen de toneelmeester haar ten slotte zijn knikje gaf, moest ik mijn ogen afwenden. Er was in dit theater geen presentator om het publiek tot de orde te roepen, en het nummer waarna Kitty op moest was populair – een komiek die viermaal was teruggeroepen en die op het laatst het publiek moest smeken om het toneel te mogen verlaten. Ze hadden met tegenzin toegestemd. Nu waren ze teleurgesteld en afgeleid toen het orkest de eerste noten van Kitty's openingsliedje inzette. Toen Kitty zelf in het felle schijnsel van de voetlichten stapte om met haar hoed te wuiven en 'Hallo!' te roepen, werd ze niet begroet met een gebrul van het balkon, maar slechts met een lauw golfje van applaus van de loges en stalles – voor haar kostuum, neem ik aan. Toen ik mezelf ten slotte dwong de zaal in te kijken, zag ik dat het publiek onrustig was – dat er mensen rondliepen op weg naar de bar of het toilet, dat jongens met hun rug naar ons toe op de balkonleuning zaten, dat meisjes naar vriendinnen drie rijen verder riepen of zaten te kletsen met de mensen naast hen en overal naar keken behalve naar het podium, waar Kitty – lieve, mooie Kitty – zong en paradeerde en zweette.

Maar langzaam, heel langzaam sloeg de stemming in het theater om – niet helemaal, maar genoeg. Toen ze klaar was met haar eerste liedje, leunde een man van het balkon en riep: 'En nu Nibs weer terug!' – dat wil zeggen Nibs Fuller, de komiek van het nummer vóór Kitty. Kitty gaf geen krimp. Terwijl het orkest de opmaat tot haar volgende nummer speelde, hief ze haar hoed naar de man en riep: 'Hoezo, krijgt u nog geld van hem?' Het publiek lachte, en luisterde met meer aandacht naar haar volgende nummer en klapte met meer enthousiasme na afloop. Toen even later een andere man om Nibs begon te roepen, maanden zijn buren hem tot zwijgen. En tegen de tijd dat Kitty toe was aan haar smartlap en haar gedoetje met de roos, was de zaal een en al oor.

Van mijn post aan de zijkant van het toneel keek ik vol bewondering naar haar. Toen ze de coulissen in stapte, vermoeid en blozend, en haar plaats werd ingenomen door een zangkomiek, legde ik mijn hand op haar arm en kneep erin. Toen verscheen meneer Bliss met meneer Ling, de directeur. Ze hadden gekeken vanuit de zaal en zagen er heel tevreden uit. De eerste nam Kitty's hand in allebei zijn handen, schudde die en riep: 'Een triomf, juffrouw Butler! Als dit geen triomf is!'

Meneer Ling was wat gematigder. Hij knikte naar Kitty en zei toen: 'Goed gedaan, liefje. Een moeilijk publiek en je hebt ze voortreffelijk aangepakt. Als het orkest eenmaal het tempo van je bewegingen en je passen heeft opgepikt – nou, dan zul je fantastisch zijn.'

Kitty fronste alleen maar. Ik had uit de kleedkamer een handdoek meegebracht, en die nam ze nu aan en drukte ze tegen haar gezicht. Daarna trok ze haar jasje uit, overhandigde dat aan mij en maakte het strikje bij haar keel los. 'Het was niet zo goed,' zei ze, 'als ik wel gewild zou hebben. Het miste... pít, sprankeling.'

Meneer Bliss snoof en spreidde zijn handen. 'M'n beste, uw eerste avond in de hoofdstad! U hebt nog nooit voor zo'n grote zaal gestaan! Het publiek zal u leren kennen, het zal de ronde doen. U moet geduld hebben. Binnen de kortste keren kopen ze kaartjes alleen voor u!' Hierop kneep de directeur zijn ogen tot spleetjes, zag ik, maar Kitty was in ieder geval bereid tot een glimlach. 'Dat is beter,' zei meneer Bliss toen. 'En nu, als u me toestaat, dames, geloof ik dat een licht soupeetje op zijn plaats zou zijn. Een licht soupeetje – en misschien een groot glas met iets van die sprankeling, juffrouw Butler, waar u zo gek op lijkt te zijn.'

Het restaurant waar hij ons mee naartoe nam, was een restaurant voor theaterlui, niet ver weg, en vol heren in elegante vesten als hijzelf en met jongens en meisjes als Kitty, met vegen schmink op hun manchetten en korreltjes zwartsel in hun ooghoeken. Aan iedere tafel leken vrienden van hem te zitten, die hem allemaal groetten toen hij voorbijliep. Maar hij bleef niet staan om een praatje met hen te maken, zwaaide alleen met zijn hoed in een algemene groet, en voerde ons toen naar een leeg zitje en riep de ober om het menu op te sommen. Toen dit was gebeurd en we onze keuze hadden gemaakt, wenkte hij de man wat dichterbij en prevelde iets tegen hem. De ober trok zich terug en verscheen even later met een champagnefles, die meneer Bliss omstandig ontkurkte. Daarop ging er aan de andere tafels een gejuich op, en onder veel gelach en geklap begon een vrouw te zingen dat *ze geen sherry wilde en geen bier en dat ze geen champie wilde want dan ging ze aan de zwier...*

Ik dacht aan de briefkaart die ik zou schrijven als ik thuiskwam: 'Ik heb gesoupeerd in een theaterrestaurant. Kitty heeft haar debuut gemaakt in de Star en men spreekt van een triomf...'

Intussen zaten meneer Bliss en Kitty te keuvelen, en toen ik daarna mijn aandacht op hun gesprek richtte, besefte ik dat het heel serieus was.

'Nu ga ik u iets vragen,' zei meneer Bliss, 'waarvoor ik me diep zou schamen als ik niet een theateragent was geweest maar een willekeurige andere meneer. Ik ga u vragen om rond te lopen in de stad – en u moet haar daarbij helpen, juffrouw Astley,' voegde hij eraan toe toen hij mij zag kijken – 'u moet allebei in de stad gaan rondlopen en *de mannen observeren!*'

Ik staarde naar Kitty en knipperde met mijn ogen, en zij glimlachte onzeker terug. 'De mannen observeren?' zei ze.

'*Ze grondig bestuderen!*' zei meneer Bliss, zagend aan een stuk kotelet. 'Hun karakter doorgronden, hun eigenaardigheden, hun hebbelijkheden en manier van lopen. Wat hebben ze meegemaakt? Wat zijn hun geheimen? Hebben ze ambities? Hebben ze dromen en verwachtingen? Hebben ze verloren liefdes? Of hebben ze alleen pijnlijke voeten en lege magen?' Hij zwaaide met zijn vork. 'U moet dat weten en u moet ze imiteren, en dan moet u het uw publiek op zijn beurt laten weten.'

'Wilt u,' vroeg ik, niet-begrijpend, 'Kitty's nummer veranderen?'

'Ik wil, juffrouw Astley, Kitty's repertoire verbreden. Haar charmeur is een enige kerel, maar ze kan niet eeuwig met lavendelkleurige handschoenen aan door de Burlington Arcade lopen.' Hij blikte weer naar Kitty, veegde toen zijn mond af met een servet en sprak op vertrouwelijker toon. 'Wat dacht u van een politiejasje? Of een matrozenkiel? Wat dacht u van een heupbroek of een met pareltjes bestikte jas?' Hij wendde zich tot mij. 'Stelt u zich al die elegante herenkleren eens voor, juffrouw Astley, die op dit moment ergens onder in een costumiersmand liggen te verkommeren, liggen te wachten, gewoon liggen te wachten tot Kitty Butler erin stapt en ze tot leven wekt! Denkt u zich al die uiterst elegante stoffen eens in, dat ivoorkleurig kamgaren, die ruisende zijde, dat karmozijnen fluweel en die scharlaken serge. Hoort u niet al het knippen van de kleermakersschaar, het prikken van de naaistersnaald. Stel u eens voor wat een succes ze zal hebben, uitgedost als soldaat of straatventer of prins...'

Eindelijk zweeg hij, en Kitty lachte. 'Meneer Bliss,' zei ze, 'ik geloof warempel dat u een eenarmige man nog een goochelnummer kunt aanpraten, als ik u zo hoor.'

Hij lachte en gaf een klap op de tafel zodat het bestek rammelde: het bleek dat hij een eenarmige goochelaar als klant hád en hem – met groot succes – afficheerde als 'De Tweede Cinquevalli: half het vermogen, dubbel zo handig!'

En het ging allemaal precies zoals hij had beloofd en geregeld. Hij stuurde ons naar costumiers en kleermakers en liet Kitty uitdossen in een tiental verschillende herengedaanten. En toen de kostuums klaar waren, stuurde hij ons naar fotografen om haar te laten portretteren met een politiefluitje aan haar lip, een geweer op haar schouder of een matrozentouw. Hij vond liedjes bij de kostuums en kwam er zelf mee naar de Ginevra Road, waar hij ze voorspeelde op de verschrikkelijke oude piano van mevrouw Dendy, zodat Kitty ze kon proberen en de rest van ons ze kon horen en beoordelen. Maar het belangrijkste van alles was dat hij voor contracten zorgde, in zalen in

Hoxton en Poplar, Kilburn en Bow. Binnen veertien dagen was Kitty's Londense carrière echt begonnen. Ze verkleedde zich nu na haar optreden in de Star niet meer in haar gewone meisjeskleren, maar ik stond klaar met haar jas en haar mand en, zodra ze uit het licht van de schijnwerpers was, renden we samen naar de artiesteningang, waar onze coupé wachtte om in vliegende vaart met ons door het stadsverkeer naar het volgende theater te bolderen. Ze droeg nu niet meer het hele optreden één kostuum, maar wel drie of vier. En ik was haar kleedster in de ware zin van het woord, hielp haar haar knopen en manchetknopen los te trekken, terwijl het orkest een intermezzo speelde en het publiek met iets dat het midden hield tussen verwachting en ongeduld op haar terugkeer zat te wachten.

We leidden nu natuurlijk een ongeregeld leven, want zolang Kitty twee, drie of vier zalen per avond deed, waren we pas om half een of half twee terug aan de Ginevra Road, moe en uitgeput, maar nog licht in het hoofd en warm van onze maanverlichte tochten kriskras door de stad, ons gespannen wachten in kleedkamers en coulissen. We troffen daar dan Sims, Percy en Tootsie en haar vrienden en vriendinnen, allemaal even fris, uitgelaten en vrolijk als wij, die in mevrouw Dendy's keuken thee en chocola, tosti's en flensjes aan het maken waren. Dan verscheen mevrouw Dendy zelf – want ze had nu al zo lang theaterlui op kamers dat zij ook theateruren maakte – en stelde een spelletje kaarten, een liedje of een dansje voor. Het kon in dat huis niet lang geheim gehouden worden dat ik graag zong en een aardige stem had, en soms hief ik dan, samen met Kitty, een of twee liedjes aan. Ik lag nu nooit meer voor drieën in bed en werd 's ochtends nooit wakker voor negen of tien uur – zo snel en volledig was ik mijn oude oestermeisjesgewoonten vergeten.

Natuurlijk vergat ik mijn familie en mijn thuis niet. Als gezegd stuurde ik hun kaarten. Ik stuurde hun recensies van Kitty's voorstellingen en roddels uit de theaterwereld. Zij stuurden mij brieven terug, en pakketjes – en natuurlijk vaatjes oesters, die ik doorgaf aan mijn hospita voor het avondeten van ons allemaal. Maar op de een of andere manier ging ik steeds minder brieven naar huis sturen, gaf ik steeds trager en korter antwoord op hun kaarten en cadeautjes. 'Wanneer kom je weer eens naar huis?' eindigden ze hun brieven. 'Wanneer kom je terug naar Whitstable?' En dan antwoordde ik: 'Binnenkort, binnenkort...' Of: 'Wanneer Kitty me kan missen...'

Maar Kitty kon me nooit missen. De weken gingen voorbij, het seizoen wisselde, de nachten werden langer en donkerder en koud. Het was niet zozeer dat het beeld van Whitstable vervaagde, maar het werd overschaduwd. Ik dacht nog wel aan vader en moeder, aan Alice, Davy en mijn neven en nichten – alleen dacht ik meer aan Kitty en mijn nieuwe leven...

Want er was zo verschrikkelijk veel om over na te denken. Ik was Kitty's kleedster, maar ik was ook haar vriendin, haar raadsvrouw, haar kameraad in alles. Als ze een lied leerde, hield ik het blad vast, om haar te souffleren als ze haperde. Als kleermakers haar kleding aanmaten, keek ik toe en knikte, of schudde mijn hoofd als de snit verkeerd was. Als ze op advies van die schrandere meneer Bliss – eigenlijk moet ik hem 'Walter' noemen, want dat was hij inmiddels voor ons geworden, net zoals wij 'Kitty' en 'Nan' voor hem waren – als ze op advies van Walter uren doorbracht in winkels en op marktpleinen en stations om de mannen te observeren, ging ik met haar mee. En we leerden beiden de kuierpas van de politieman, de vermoeide gang van de straatventer, de kwieke pas van de soldaat met verlof.

En al doende leerden we als het ware de zeden en gewoonten van de hele woelige stad kennen. En op het laatst was ik met Londen net zo vertrouwd als met Kitty – vertrouwd en er even oneindig door gefascineerd. We gingen naar de parken – die geweldige, fraaie parken en tuinen, zo bijzonder en zo groen te midden van zoveel stof, met toch iets van de haast van de stoepen. We dwaalden door het West End; we zagen al de fantastische bezienswaardigheden – niet alleen de grote, beroemde bezienswaardigheden van Londen, de paleizen, monumenten en musea, maar ook de kleinere, snellere drama's: een koets die kantelde, een aal die ontsnapte uit de kar van een palingverkoper, een zak die werd gerold, een beurs die werd gegapt.

We gingen naar de rivier – we stonden op de London Bridge, de Battersea Bridge en alle bruggen ertussenin, alleen maar om met verbazing de hele, stinkende breedte ervan te aanschouwen. Het was de Theems, zo wist ik, die breed uitliep in het estuarium dat de goedgunstige, heldere, oesterdragende zee vormde waaraan ik was opgegroeid. Ik voelde een vreemd rillinkje als ik stond te kijken naar de plezierboten onder de Lambeth Bridge en bedacht dat ik tegen de stroom in was gereisd, de tocht van de kloppende metropool naar het kleine, ongecompliceerde Whitstable in omgekeerde richting had gemaakt. Als ik schuiten zag die uit Kent vis aanvoerden, moest ik alleen maar glimlachen – het bezorgde me nooit heimwee. En als de schuitenvoerders keerden voor de terugreis over de rivier, benijdde ik hen helemaal niet.

En terwijl we wandelden, onze ogen uitkeken en steeds zusterlijker en tevredener werden, liep het jaar ten einde. We bleven het optreden bijschaven en Kitty zelf werd een waar succes. Nu gold ieder contract dat Walter voor haar afsloot voor een langere periode en leverde meer geld op dan het voorgaande; en algauw was ze overboekt en moest ze aanbiedingen afslaan. Nu had ze bewonderaars – heren die haar bloemen stuurden en voor etentjes uitnodigden (die ze, tot mijn heimelijke opluchting, alleen maar met een lachje terzijde legde), jongens die haar portret vroegen, meisjes die bij de artiesteningang samendromden om haar te vertellen hoe mooi ze was – waarbij ik niet wist of ik die meisjes nu moest beklagen, betuttelen of benijden, zoveel leken ze op mij, zo gemakkelijk had hun rol de mijne kunnen zijn en die van mij de hunne.

Maar ondanks dit alles werd ze niet wat ze zo graag wilde, wat Walter haar beloofd had: een ster. Ze bleef werken in de variétés van de voorsteden en de iets betere van het West End (en een- of tweemaal in de minder goede – Foresters en het Sebright, waar het publiek smeet met schoenen en varkenspoten als de nummers hun niet bevielen). Haar naam kwam nooit hoger of groter te staan op de variétéaffiches. Haar liedjes werden nooit op straat geneuried of gefloten. Dat lag niet aan Kitty zelf, zei Walter, maar aan de aard van haar nummer. Ze had te veel concurrenten. Mannenimitaties – ooit net zo'n specialisme als borddraaien – waren plotseling, op onverklaarbare wijze, vreselijk afgezaagde nummers geworden.

'Waarom wil iedere jongedame die zo nodig de planken op moet, dat tegenwoordig in een broek doen?' vroeg hij ons geïrriteerd, toen de zoveelste mannenimitator haar debuut maakte in het Londense circuit. 'Waarom wil iedere doodnormale comédienne en tragikomiek ineens haar optreden wijzigen – een broek met wijde pijpen aantrekken en de horlepiep dansen? Kitty, jij bent geboren om de jongen te spelen, een gek kan dat zelfs zien. Als je actrice op het echte toneel was, zou je Rosalind of Viola of Portia zijn. Maar die waardeloze imitators – Fannie Leslie, Fanny Robina, Bessie Bonehill, Millie Hylton – die zien er in hun smokings even geloofwaardig uit als ik in een hoepelrok met queue. Het maakt me rázend' – hij zat in ons zitkamertje toen hij dit zei en gaf daarbij een klap op de armleuning van zijn stoel, zodat de oeroude naden ervan een scheet van stof en haar lieten – 'het maakt me rázend om te zien dat meisjes met nog geen tiende van jouw talent alle engagementen krijgen die jij zou moeten krijgen – en erger nog, alle roem!' Hij stond op en legde zijn handen op Kitty's schouders. 'Je staat op de drempel van de roem,' zei hij, haar een zetje gevend, zodat ze zijn armen moest grijpen om niet te vallen. 'Er moet íets zijn, er moet toch íets zijn waarmee we je eroverheen kunnen duwen – iets dat we kunnen toevoegen aan jouw nummer om het te onderscheiden van dat van al die andere huppelende schoolmeisjes.'

Maar hoe we ook ons best deden, we konden het niet vinden. En intussen bleef Kitty optreden in de mindere theaters, in de slechtere buurten – Islington, Marylebone, Battersea, Peckham, Hackney – en op haar avondlijke tochten van zaal naar zaal om het Leicester Square heen cirkelen en het West End doorkruisen, zonder ooit die paleizen van haar en Walters dromen te betreden: het Alhambra en het Empire.

Eerlijk gezegd vond ik het niet zo erg. Het speet me voor Kitty dat haar grootse nieuwe Londense carrière niet zo groots was als ze had gehoopt, maar heimelijk was ik ook opgelucht. Ik wist hoe slim, charmant en lief ze was, en terwijl ik, net als Walter, die wetenschap wel wilde delen met de wereld, wilde ik haar nog liever voor mijzelf houden, veilig en geheim. Want ik wist zeker dat ik haar zou verliezen als ze echt beroemd zou worden. Ik vond het niet prettig dat haar fans haar bloemen stuurden of bij de artiesteningang stonden te schreeuwen om foto's en kussen; meer roem zou nog meer bloemen, nog meer kussen brengen – en ik geloofde niet dat ze om de uitnodigingen van de heren zou blijven lachen, geloofde niet dat er op een dag tussen al die bewonderende meisjes niet iemand zou zijn die ze leuker zou vinden dan mij...

Als ze beroemd zou zijn, zou ze ook rijker zijn. Dan kocht ze misschien een huis en moesten we de Ginevra Road en al onze nieuwe vrienden daar verlaten. Dan was het gedaan met onze kleine zitkamer en ons gezamenlijk bed en zouden we aparte kamers moeten nemen. Ik moest er niet aan denken. Ik was er ten slotte aan gewend geraakt om naast Kitty te slapen. Het was niet meer zo dat ik ging trillen of verstijfde en me opgelaten voelde als ze me aanraakte, maar ik had geleerd me over te geven aan haar omhelzingen, haar kussen kuis en achteloos te accepteren – ze soms zelfs te beantwoorden. Ik was gewend geraakt aan de slapende of ontklede aanblik van haar. Mijn adem stokte me niet meer in de keel van verbazing als ik mijn ogen opende en haar gezicht zag, stil en beschaduwd in het zwakke grijze licht van de dageraad. Ik had haar zich zien uitkleden om zich te wassen of een andere jurk aan te trekken. Haar lichaam was me nu even vertrouwd als het mijne – zelfs nog vertrouwder, want haar hoofd, haar hals, haar polsen, haar rug, haar ledematen (even glad, rond en sproetig als haar wangen), haar huid (die haar omsloot met een fantastische, vanzelfsprekende gratie, alsof het gewoon een fraai pak was, perfect van snit en prettig om te dragen) vond ik zoveel mooier en fascinerender dan die van mij.

Nee, ik wilde niet dat er ook maar iets veranderde – zelfs niet toen ik iets verontrustends over Walter te weten kwam.

Onvermijdelijk hadden we zoveel uren samen met Walter doorgebracht – oefenend op liedjes aan de piano van mevrouw Dendy of met hem etend na voorstellingen – dat we hem nu niet meer zozeer zagen als Kitty's agent maar als vriend, van ons allebei. Na verloop van tijd brachten we niet alleen werkdagen met hem door, maar ook zondagen; uiteindelijk werden zondagen met Walter zelfs meer regel dan uitzondering, en we begonnen te luisteren of we het geratel van zijn koets op de Ginevra Road hoorden, het gestamp van zijn schoenen op onze zoldertrap, zijn gebons op onze zitkamerdeur, zijn dwaze, overdreven begroeting. Dan vertelde hij ons de nieuwtjes en roddels, reden we de stad in, of juist uit, en maakten we samen een wandeling – Kitty met haar hand door een van zijn grote armen, ik met mijn hand door de andere, Walter zelf als een brallende oom, luid, levendig en aardig.

Ik dacht er niets van, vond het alleen maar prettig, totdat ik op een ochtend aan het ontbijt zat met Kitty, Sims, Percy en Tootsie. Het was zondag, en Kitty en ik waren tamelijk laat. Toen Sims hoorde voor wie we ons haastten, slaakte hij een kreet: 'Nee maar, Kitty, Walter moet geweldige verwachtingen van je hebben! Bij mijn weten heeft hij nog nooit zoveel tijd met een artiest doorgebracht. Je zou denken dat hij je vrijer is!' Hij leek het heel onschuldig te bedoelen, maar ondertussen zag ik Tootsie lachen en een zijwaartse blik op Percy werpen – en erger nog! zag ik Kitty blozen en haar gezicht afwenden, en ineens begreep ik wat ze allemaal wisten en vroeg me af waarom ik dat verdorie niet eerder geraden had. Een halfuur later, toen Walter zijn opwachting maakte bij de zitkamerdeur, Kitty een glimmende wang aanbood en riep: 'Kus me, Kate!' lachte ik niet, beet slechts op mijn lippen en maakte me zorgen.

Hij was een beetje verliefd op haar, misschien wel meer dan een beetje. Ik zag het nu – zag de klamme blikken die hij soms op haar wierp en de gêne in de ogen die hij, nog haastiger, afwendde. Ik zag hoe hij iedere dwaze gelegenheid aangreep om haar hand te kussen, aan haar mouw te plukken of vol begeerte stuntelig zijn arm om haar tengere schouders te leggen. Ik hoorde zijn stem soms stokken of schor worden als hij tegen haar sprak. Ik zag en hoorde het nu allemaal, omdat – en dit was precies de reden waarom ik er eerder blind en doof voor was geweest! – omdat zijn hartstocht de mijne was, die ik allang had leren beschouwen als gewoon en goed.

Ik had bijna medelijden met hem; ik hield bijna van hem. Ik haatte hem niet – en als ik dat wel deed, was het alleen zoals je walgt van de spiegel die je streng en onverbiddelijk je eigen onvolmaakte figuur toont. Ook begon ik me nu niet te ergeren aan zijn aanwezigheid bij die wandelingen en tochtjes die ik anders alleen met Kitty zou hebben gemaakt. Hij was in zekere zin mijn rivaal, maar op de een of andere merkwaardige manier was het bijna gemakkelijker om van haar te houden met hem erbij dan zonder hem. Als hij erbij was, kon ik brutaal, vrolijk en sentimenteel zijn, net als hij, kon ik vóórwenden dat ik haar aanbad – wat bijna net zo goed was als haar echt te aanbidden.

En als het nog steeds mijn grootste wens en tegelijk vrees was haar te omarmen – wel, zoals gezegd bewees het feit dat Walter hetzelfde voelde, dat zowel mijn terughoudendheid als mijn liefde alleen maar natuurlijk en juist was. Ze wás een ster – mijn eigen ster – en ik zou er genoegen mee nemen, dacht ik, net als Walter, in mijn vaste, verre baan om haar heen te vliegen, constant en voor eeuwig.

Ik kon niet weten dat we al snel in botsing zouden komen, noch hoe dramatisch die botsing zou zijn.

Het was inmiddels december – een koude decembermaand als tegenwicht voor de smoorhete maand augustus, zo koud dat er soms dagenlang een dikke laag ijs zat op het dakraampje boven onze trap bij mevrouw Dendy, zo koud dat onze adem als we 's ochtends wakker werden grijs was als rook en we onze onderrokken het bed in moesten trekken om ons onder de lakens aan te kleden.

Thuis in Whitstable hadden we een hekel aan de kou, want het werk van de trawlvissers werd er zoveel zwaarder door. Ik weet nog hoe mijn broer Davy voor onze haard in de huiskamer zat te huilen, gewoonweg zat te huilen van de pijn, als het leven terugkeerde in zijn gekloofde en bevroren handen en zijn wintervoeten. Ik weet nog hoeveel pijn mijn eigen vingers deden, terwijl ik emmer na ijzige emmer winteroesters verwerkte en eindeloos vis uit ijskoud zeewater haalde om in de dampende soep te gooien.

Maar bij mevrouw Dendy hield iedereen van de wintermaanden; en hoe kouder ze waren, zeiden ze, hoe beter. Want vorst en koude winden vullen theaters. Voor veel Londenaren is een kaartje voor het variététheater goedkoper dan een kit kolen – en als het niet goedkoper was, wel veel leuker. Waarom zou je in je eigen ellendige huiskamer blijven stampen en klappen tegen de kou als je naar het Star of het Paragon kon gaan om daar samen met de mensen naast je te stampen en te klappen – en met Marie Lloyd als begeleiding. Op de allerkoudste avonden zitten de variététheaters vol jengelende zuigelingen: hun moeders nemen hen liever mee naar de voorstellingen dan ze te laten slapen – misschien wel tot doodslapen – in hun vochtige en tochtige wiegjes.

Maar in mevrouw Dendy's huis maakten we ons die winter niet veel zorgen om bevroren zuigelingen. We waren gewoon blij en zorgeloos, want er werden veel kaartjes verkocht, we hadden allemaal werk en waren een beetje rijker dan voorheen. Begin december kreeg Kitty een plaatsje op het affiche van een theater in Marylebone, en speelde daar de hele maand tweemaal per avond. Het was fijn om tussen de uitvoeringen wat te kletsen in de artiestenfoyer, in de wetenschap dat we geen dolle ritten in de sneeuw door Londen hoefden te maken. En de andere artiesten – een groep jongleurs, een goochelaar, twee of drie zangkomieken en een lilliputechtpaartje, de 'Teeny Weenies' – waren allemaal al even voldaan als wij en heel plezierig gezelschap.

De voorstelling duurde tot Kerstmis. Ik had de feestdagen misschien in Whitstable moeten doorbrengen, want ik wist dat mijn ouders teleurgesteld zouden zijn als ik er niet was. Maar ik wist ook hoe het kerstdiner thuis zou zijn. Er zouden twintig neven en nichten rond de tafel zitten, die allemaal tegelijk praatten en de kalkoen van elkaars bord pikten. Er zou zoveel drukte en opwinding zijn dat ze me absoluut niet zouden missen, dacht ik. Maar ik wist dat Kitty me wel zou missen als ik haar zou achterlaten, en ik wist ook dat ik haar vreselijk zou missen en het feest alleen maar voor iedereen zou verpesten. Dus brachten zij en ik het samen door – als altijd met Walter erbij – aan de tafel van mevrouw Dendy, aten gans en brachten toast na toast uit op het nieuwe jaar met champagne en bier.

Natuurlijk waren er cadeautjes. Cadeautjes van thuis, die moeder opstuurde met een stroef briefje waarvan ik me niets aantrok. Cadeautjes van Walter (een broche voor Kitty, een hoedenspeld voor mij). Ik zond pakketjes naar Whitstable en deelde cadeautjes uit bij ma Dendy. En voor Kitty kocht ik het mooiste dat ik kon vinden: een parel – één losse gave parel in zilver gezet aan een ketting. Het kostte tien keer zoveel als ik ooit aan een cadeautje had uitgegeven en ik trilde toen ik de parel aanraakte. Toen ik hem aan mevrouw Dendy liet zien, fronste ze. 'Parels voor tranen,' zei ze en schudde haar hoofd; ze was heel bijgelovig. Maar Kitty vond hem prachtig, liet mij het kettinkje meteen om haar hals doen en greep een spiegel om de parel daar te zien bungelen, een paar centimeter onder de holte van haar mooie hals. 'Ik doe het nooit meer af,' zei ze, en dat deed ze ook niet, maar droeg het voortaan altijd – zelfs op het podium, onder haar strikjes en stropdassen.

Zij had natuurlijk ook een cadeautje voor mij gekocht. Het zat in een doos met een strik, was verpakt in vloeipapier en bleek een jurk te zijn: de mooiste jurk die ik ooit had bezeten. Het was een lange, smalle, diepblauwe avondjurk met een crèmekleurige satijnen sjerp rond de taille en zware kant op het borststuk en de zoom, een japon die, zo wist ik, veel te elegant voor mij was. Toen ik hem uit de verpakking haalde en voor me hield in de spiegel, schudde ik mijn hoofd, helemaal van mijn stuk gebracht. 'Hij is prachtig,' zei ik tegen Kitty, 'maar wat moet ik ermee? Hij is veel te chic. Neem hem maar terug, Kitty. Hij is te duur.'

Maar Kitty, die had gezien hoe ik hem met donkere, glanzende ogen betastte, lachte slechts om mijn verlegenheid. 'Onzin!' zei ze. 'Het wordt tijd dat je eens fatsoenlijke jurken gaat dragen in plaats van die vreselijke oude schoolmeisjesdingen die je van thuis hebt meegebracht. God weet dat we het ons kunnen veroorloven. En trouwens, hij kan niet terug, hij is voor jou gemaakt, net als Assepoesters muiltje, en de maat is zo bijzonder dat hij niemand anders past.'

Alleen voor mij gemaakt? Dat was nog erger! 'Kitty,' zei ik, 'ik kan het echt niet, ik zou me er nooit op mijn gemak in voelen...'

'Het moet,' zei ze. 'En bovendien' – ze raakte de parel aan die ik kort daarvoor om haar hals had gehangen en keek de andere kant op – 'het gaat nu zo goed met me dat mijn kleedster niet altijd in de afdankertjes van haar zus kan blijven rondlopen. Dat hoort nu eenmaal niet, toch?' Ze zei het luchtig – maar ineens drong de waarheid van haar woorden tot me door. Ik had nu mijn eigen inkomen – ik had twee weeklonen uitgegeven aan haar parel en ketting, maar ik had nog een Whitstable-zuinigheid als het ging om geld uitgeven voor mezelf. Nu bloosde ik bij de gedachte dat ze me ooit sjofel had gevonden.

Dus hield ik de jurk omwille van Kitty, en droeg hem voor het eerst een paar avonden daarna. Het was op een feestje in het Marylebone-theater, waar we zo'n gelukkige maand hadden doorgebracht. Het zou een grootse partij worden. Kitty had voor de gelegenheid een nieuwe jurk voor zichzelf laten maken, een prachtige jurk van Chinees satijn met een lage hals en korte mouwen, roze als het warmroze hartje van een rozenknop. Ik hield haar de jurk voor, zodat ze erin kon stappen, en hielp haar bij het dichtmaken; en vervolgens keek ik toe hoe ze haar handschoenen aantrok – de hele tijd verrukt van haar schoonheid, want de gloed van de zijde maakte haar lippen nog roder, haar hals romiger, de kleur van haar ogen en haar nog bruiner en warmer. Ze droeg geen andere sieraden dan de parel die ik haar had gegeven en de broche van Walter. Ze pasten niet echt bij elkaar – de broche was amberkleurig. Maar Kitty kon alles dragen – een streng flessendoppen om haar hals – en er dan volgens mij nog uitzien als een koningin.

Omdat ik Kitty met haar knopen had geholpen, was ik laat met aankleden. Ik zei dat ze zonder mij naar beneden moest gaan. Toen ze weg was, trok ik de mooie jurk aan die ze mij had gegeven en liep toen naar de spiegel om mezelf te bekijken – en de wenkbrauwen te fronsen bij wat ik zag. De jurk maakte me zo anders dat het bijna een vermomming was. In het halfduister was hij donker als de nacht; mijn ogen leken blauwer erboven dan ze in werkelijkheid waren en mijn haar lichter, en de lange rok met de sjerp maakten me langer en magerder dan ooit. Ik zag er helemaal niet uit als Kitty in haar roze japon. Ik leek meer op een jongen die voor de lol zijn zusters baljurk had aangetrokken. Ik maakte mijn vlecht los en borstelde mijn haar – daarna draaide ik het, omdat ik geen tijd had om het op te binden en in een lus te leggen, in een knotje op mijn achterhoofd en stak er een kam in. De chignon accentueerde, zag ik, de harde lijnen van mijn kaak en jukbeenderen en maakte mijn brede schouders nog breder. Ik fronste opnieuw mijn wenkbrauwen en keek de andere kant op. Het moest maar – en het voordeel was, meende ik, dat Kitty er naast mij nog bevalliger zou uitzien.

Ik ging naar beneden om me bij haar te voegen. Toen ik de huiskamerdeur openduwde, zag ik haar babbelen met de anderen; ze zaten allemaal nog te eten. Tootsie zag me het eerst – en moest Percy naast haar een por hebben gegeven, want hij keek op van zijn bord en floot toen hij me in het oog kreeg. Sims draaide zich mijn kant op en bekeek me alsof hij me nog nooit had gezien, een vork vol eten halverwege op weg naar zijn open mond in de lucht hangend. Mevrouw Dendy volgde zijn blik en moest toen hevig hoesten. 'Nancy, toch!' zei ze. 'Asjemenou! Je bent een hele knappe jongedame geworden, en dat vlak onder onze neus!'

Daarop draaide Kitty zelf zich naar mij om – en ze keek zo verbaasd en verward naar me dat het heel even was alsof ze me nooit eerder had gezien. En ik weet niet wier wangen op dat moment rozer waren – die van mij of die van haar.

Toen kwam er een glimlachje op haar gezicht. 'Heel mooi,' zei ze en keek de andere kant op, waardoor ik mistroostig dacht dat de jurk me nog slechter stond dan ik had gehoopt, en bereidde me voor op een waardeloos feest.

Maar het was geen waardeloos feest, het was vrolijk, opgewekt, lawaaierig en heel druk. De directeur had een platform moeten bouwen, van het uiteinde van het podium tot de achterste rij van de parterre, om ons allemaal te kunnen herbergen, en hij had het orkest ingehuurd om Schotse dansen en walsen te spelen en tafels in de coulissen geplaatst voor de pasteien en puddingen, vaten bier en kommen punch, en rijen wijnflessen.

We kregen heel wat complimentjes, Kitty en ik, voor onze jurken, en vooral bij mij glimlachten de mensen en riepen ze dwars door de lawaaierige zaal: 'Wat zie je er prachtig uit!' Eén vrouw – de assistente van de goochelaar – nam mijn hand en zei: 'Je bent zo volwassen vanavond, liefje, ik herkende je niet!' Precies wat mevrouw Dendy een uur geleden had gezegd. Haar woorden maakten indruk op me. Kitty en ik stonden de hele avond naast elkaar, maar toen zij, even na middernacht, wegliep naar een groep rond de champagnetafels, bleef ik enigszins in gepeins verzonken achter. Ik was niet gewend mezelf te zien als volwassen vrouw, maar nu, in die elegante donkerblauw-met-crème jurk van satijn en kant, begon ik me ten slotte een volwassen vrouw te voelen – en te beseffen dat ik er ook werkelijk één was: dat ik achttien was en mijn ouderlijk huis misschien wel voor altijd had verlaten, mijn eigen geld verdiende en de huur van mijn eigen kamers in Londen betaalde. Ik keek naar mezelf als van een afstand – keek terwijl ik slokjes van mijn wijn nam alsof het gemberbier was en kwebbelde en pret maakte met de toneelknechten die me ooit zoveel angst hadden ingeboezemd, keek terwijl ik een sigaret aannam van een kerel uit het orkest, die aanstak en er met een zucht van voldoening een trek van nam. Wanneer was ik begonnen met roken? Ik kon het me niet herinneren. Ik had zo vaak Kitty's saffie voor haar vastgehouden als zij zich omkleedde, dat ik geleidelijk aan ook was gaan roken. Nu rookte ik zoveel dat de helft van mijn vingers – die vier maanden daarvoor altijd roze en gerimpeld waren, zo vaak dompelde ik ze in de oestertobbe – nu aan de toppen mosterdgeel was verkleurd.

De musicus – ik geloof dat hij kornet speelde – deed tersluiks een stapje in mijn richting. 'Bent u een vriendin van de directeur of zo?' vroeg hij. 'Ik heb u nog niet eerder in het theater gezien.'

Ik lachte. 'Jawel hoor, ik ben Nancy, de kleedster van Kitty Butler.'

Hij trok zijn wenkbrauwen op en leunde achterover om me van onder tot boven te bekijken. 'Nou, je bent het inderdaad. Ik dacht dat je nog een kind was. Maar hier, daarnet, zag ik je aan voor een actrice of een danseres.'

Ik glimlachte en schudde mijn hoofd. Er viel een stilte terwijl hij een slok nam en langs zijn snor veegde. 'Ik wed dat het heerlijk is om met je te dansen?' zei hij toen. 'Wat denk je ervan?' Hij knikte naar het gedrang van dansende paren achter op het podium.

'O, nee,' zei ik. 'Ik zou het niet kunnen. Ik heb te veel champie gedronken.'

Hij lachte: 'Des te beter!' Hij zette zijn glas weg, klemde zijn sigaret tussen zijn lippen, legde toen zijn handen om mijn middel en tilde me op. Ik gaf een gil: hij begon te draaien en te zwaaien in een clowneske versie van een walspas. Hoe harder ik lachte en gilde, hoe sneller hij me in het rond draaide. Een tiental mensen keek onze kant op en lachte en klapte.

Ten slotte struikelde hij en viel bijna, zette me toen met een bons neer. 'En,' zei hij hijgend, 'zeg eens, ben ik geen fantastische danser?'

'Nee, hoor,' zei ik. 'Je hebt me hartstikke duizelig gemaakt, en' – ik voelde aan de voorkant van mijn jurk – 'je hebt mijn sjerp verpest!'

'Dat maak ik wel voor je,' zei hij, terwijl hij zijn hand weer naar mijn middel uitstrekte. Ik slaakte een gil en zorgde dat hij me niet meer kon pakken.

'Nee, dat wil ik niet. Hoepel op en laat me met rust.' Nu greep hij me vast en kietelde me, zodat ik moest giechelen. Van kietelen moet ik altijd lachen, ongeacht de kietelaar. Maar na een paar minuten van dit gedoe gaf hij het eindelijk op en ging terug naar zijn kameraden in het orkest.

Ik ging weer met mijn hand over mijn sjerp. Ik was bang dat hij die echt had verpest, maar kon het niet goed genoeg zien. Ik dronk mijn glas in één teug leeg – het was, denk ik, mijn zesde of zevende glas – en sloop het podium af. Ik ging eerst naar het toilet en toen richting kleedkamer. Die deed die avond dienst als garderobe voor de dames, en het was er koud, leeg en schemerig. Maar er was een spiegel en daar ging ik nu voor staan, tuurde erin en trok mijn jurk recht.

Ik was daar nog geen minuut toen in de gang het geluid van voetstappen klonk, waarna het stil werd. Ik draaide mijn hoofd om te zien wie er was en zag dat het Kitty was. Ze stond met haar schouder tegen de deurpost en had haar armen over elkaar geslagen. Ze stond niet zoals iemand gewoonlijk staat – zoals zij altijd stond – in een avondjapon. Ze stond zoals ze op het podium stond, met haar broek aan – nogal stoer. Haar gezicht was naar mij toegewend en ik kon haar haarstreng of de welving van haar borsten niet zien. Haar wangen waren heel bleek; op haar rok zat een vlek van champagne die over de rand van het glas was geschonken.

'Hoe gaat-ie, Kitty?' zei ik. Maar ze beantwoordde mijn glimlach niet, keek me alleen maar strak aan. Ik keek onzeker in de spiegel en bleef met mijn sjerp in de weer. Toen ze ten slotte iets zei, wist ik onmiddellijk dat ze nogal dronken was.

'Iets gezien waar je op valt?' vroeg ze. Verrast draaide ik me naar haar toe, en zij deed een pas de kamer in.

'Wat?'

'Ik zei: "Iets gezien waar je op valt, Nancy?" Alle anderen hier vanavond wel, lijkt het. Schijnen iets gezien te hebben dat hun aandacht trok.'

Ik slikte, wist niet wat te antwoorden. Ze kwam dichterbij, stopte toen een paar passen van me vandaan en bleef me fixeren met dezelfde effen, arrogante blik.

'Je was wel heel erg aan het flirten met de hoornist, niet?' zei ze toen.

Ik knipperde met mijn ogen. 'We waren gewoon wat lol aan het trappen.'

'Wat lol aan het trappen? Hij kon niet van je afblijven.'

'O, Kitty, dat is niet zo!' Mijn stem trilde bijna. Het was vreselijk om haar zo kwaad te zien. Ik geloof niet dat ze in al die weken dat we samen waren, ooit haar stem in ergernis tegen mij had verheven.

'Het is wel zo,' zei ze. 'Ik heb het zelf gezien – ik en de halve zaal. Je weet hoe ze je binnenkort gaan noemen, hè? "Juffrouw Flirt".'

Juffrouw Flirt! Ik wist niet of ik moest lachen of huilen.

'Hoe kun je dat nou zeggen?' vroeg ik.

'Omdat het zo is.' Eensklaps klonk ze heel treurig. 'Ik zou nooit zo'n mooie jurk voor je hebben gekocht als ik had geweten dat je die alleen maar droeg om in te flirten.'

'O!' Ik stampte wankel met mijn voet – ik was, neem ik aan, even dronken als zij. 'O!' Ik bracht mijn vingers naar de hals van mijn japon en begon aan de sluitingen te friemelen. 'Ik trek die rotjurk hier ter plekke uit en dan krijg je hem terug,' zei ik, 'als je er zo over denkt!'

Hierop deed ze nog een stap in mijn richting en greep mijn arm. 'Doe niet zo dwaas,' zei ze op een iets mildere toon. Ik schudde haar af en ging verder met de knopen van mijn jurk – volledig vruchteloos, want door de wijn en mijn boosheid en verbazing was ik vreselijk onhandig. Kitty pakte me weer vast en al snel waren we bijna aan het worstelen.

'Ik wil niet dat je me een flirt noemt!' zei ik, terwijl ze aan me rukte. 'Hoe kon je dat doen? Hoe kon je? O! Je moest eens weten...' Ik ging met mijn hand naar de achterkant van mijn kraag, haar vingers volgden de mijne, haar gezicht kwam heel dichtbij. Bij het zien van haar gezicht werd ik plotseling heel duizelig. Ik dacht dat ik haar zuster was geworden, zoals zij dat wilde. Ik dacht dat ik mijn onnatuurlijke begeerten had bedwongen, afgekoeld en gekuist. Nu wist ik slechts dat haar arm om me heen was, haar hand op de mijne, haar adem heet op mijn wang. Ik greep haar vast – niet om haar beter weg te kunnen duwen, maar om haar dichter naar me toe te trekken. Geleidelijk hielden we op met worstelen en bedaarden we, onregelmatig ademhalend en met bonzend hart. Haar ogen waren groot en pikzwart. Ik voelde hoe haar vingers mijn hand loslieten en langs mijn wang streken.

Toen klonk er plotseling een hoop kabaal in de gang en hoorden we het geluid van voetstappen. Kitty schrok op in mijn armen, alsof er een pistool was afgeschoten, en deed een vijftal heel snelle passen van me vandaan. Een vrouw – Esther, de assistente van de goochelaar – verscheen aan de andere kant van de open deur. Ze was bleek en keek verschrikkelijk ernstig. Ze zei: 'Kitty, Nan, je gelooft het niet.' Ze pakte haar zakdoek en bracht die naar haar mond. 'Een paar jongens komen net van het Charing Cross Hospital. Ze zeggen dat Gully

Sutherland daar is' – dat was de zangkomiek die met Kitty had opgetreden in het Palace in Canterbury – 'ze zeggen dat Gully daar is – dat hij heeft gedronken en zichzelf heeft doodgeschoten!'

Het was waar – we hoorden de volgende dag allemaal hoe verschrikkelijk waar het was. Ik had het nooit gedacht, maar was sinds mijn komst naar Londen te weten gekomen dat Gully in het vak bekendstond als een zuipschuit. Er ging geen optreden voorbij of hij deed op weg naar huis een café aan, en op de avond van ons feest had hij zitten drinken in Fulham. Daar, onzichtbaar in een hoek, had hij een kerel aan de bar horen zeggen dat Gully Sutherland over zijn top heen was en plaats moest maken voor leukere artiesten, dat hij Gully's laatste voorstelling had gezien en alle grappen flauw vond. De barman zei dat Gully, toen hij dit hoorde, de man een hand gaf en op een biertje trakteerde en toen iedereen op een biertje trakteerde. Daarna ging hij naar huis, pakte een geweer en schoot zichzelf in zijn hart...

Wij wisten dat alles niet die avond in Marylebone, we wisten alleen dat Gully zich in een vlaag van verstandsverbijstering het leven had benomen. Maar het nieuws maakte een einde aan ons feest en we bleven allemaal, net als Esther, nerveus en somber achter. Kitty en ik gingen bij het horen van het nieuws naar het podium – zij greep mijn hand toen we de trap op wankelden, maar nu uit verdriet, zo dacht ik, en niet uit een warmer gevoel. De directeur had alle lichten aangestoken en het orkest had de instrumenten terzijde gelegd. Sommige mensen huilden; de kornetspeler die me had gekieteld, had zijn arm om een trillend meisje geslagen. Esther huilde: 'O, wat afschuwelijk, wat vréselijk!' Ik denk dat de schok des te harder aankwam door de wijn.

Maar ik wist niet wat ik ervan denken moest. Ik kon helemaal niet aan Gully denken: mijn gedachten waren nog bij Kitty en het moment in de kleedkamer dat ik haar hand op me had gevoeld en het idee had dat er plotseling een soort verstandhouding tussen ons was. Ze had me sindsdien niet meer aangekeken en was nu weg om te praten met een van de jongens die het nieuws van Gully's zelfmoord was komen brengen. Na een tijdje zag ik haar echter haar hoofd schudden en een stap opzij doen: ze leek me te zoeken. En toen ze me op haar zag wachten, in de schaduw van de coulissen, kwam ze naar me toe en zuchtte. 'Arme Gully. Ze zeggen dat de kogel dwars door zijn hart is gegaan...'

'En dan te bedenken,' zei ik, 'dat ik in eerste instantie voor Gully naar Canterbury ben gegaan, en toen jou zag...'

Op dat moment keek ze me aan en trilde ze, en legde een hand tegen haar wang, alsof ze was overmand door verdriet. Maar ik durfde geen beweging te maken om haar te troosten – stond daar alleen maar, ellendig en onzeker.

Toen ik zei dat we moesten gaan – want andere mensen vertrokken nu ook – knikte ze. We keerden terug naar de kleedkamer om onze jassen te halen. De gaslampen waren nu allemaal aan en er waren vrouwen met bleke gezichten en zakdoeken voor hun ogen. Toen liepen we naar de artiesteningang, en wachtten terwijl de portier een huurkoetsje voor ons zocht. Dit leek eeuwen te duren. Het was na tweeën toen we onze rit naar huis begonnen, en we zaten op verschillende banken en zeiden niets – Kitty herhaalde alleen zo nu en dan: 'Arme Gully! Wat vreselijk!' En ik, nog steeds dronken, nog steeds duizelig, nog steeds hopeloos opgewonden, maar nog steeds onzeker.

Het was een bitterkoude en mooie nacht, heel stil, toen we eenmaal het rumoer van het feest achter ons hadden gelaten, en verlaten. De straten waren mistig en er lag een dikke laag ijs; geregeld voelde ik de wielen van onze koets een beetje wegschuiven en ving ik het geluid op van de glijdende, onvaste stappen van het paard en de vriendelijke, zachte vloeken van de koetsier. Naast ons glinsterden de stoepen van het ijs en elke straatlantaarn gloeide op in de mist, in zijn eigen gele stralenkrans. Over lange afstanden was onze koets het enige voertuig op straat. Het paard, de koetsier, Kitty en ik hadden de enige wakkere wezens kunnen zijn in een stad van steen, ijs en sluimer.

Ten slotte kwamen we bij de Lambeth Bridge, waar Kitty en ik nog maar enkele weken geleden hadden staan kijken naar de plezierboten op de rivier. Nu zagen we, met onze gezichten tegen het koetsraam gedrukt, dat alles anders was – zagen we de lichten van de Embankment, een snoer amberkleurige kralen, vervagend in de nacht, en de geweldige, getande massa van de Houses of Parliament die opdoemde boven de rivier, en de Theems zelf, alle boten aangemeerd en stil, het water grijs, traag, dik en tamelijk vreemd.

Om deze laatste reden trok Kitty het raam omlaag en riep met hoge, opgewonden stem naar de koetsier dat hij moest stoppen. Toen duwde ze het portier van de koets open, trok me mee naar de ijzeren brugleuning en greep mijn hand.

'Kijk,' zei ze. Haar verdriet scheen helemaal vergeten. Onder ons, in het water, dreven grote ijsschotsen van twee meter doorsnee die traag rondwentelden in de wervelende stromingen, als luierende zeerobben.

De Theems was aan het dichtvriezen.

Ik keek van de rivier naar Kitty, en van Kitty naar de brug waarop we stonden. Er was niemand in de buurt behalve onze koetsier – en die had de kraag van zijn mantel om zijn oren en was in de weer met zijn pijp en zijn tabaksbuil. Ik keek weer naar de rivier – naar die buitengewone, gewone verandering, die willige onderwerping aan de macht van de natuurwet, die toch zo bijzonder en verwarrend was.

Het leek een klein wonder, alleen voor Kitty en mij verricht.

'Wat moet het koud zijn!' zei ik zachtjes. 'Stel je voor dat de hele rivier dichtvroor, dat hij dichtvroor van hier tot Richmond. Zou je er dan overheen lopen?'

Kitty huiverde en schudde haar hoofd. 'Het ijs zou breken,' zei ze. 'We zouden erdoorheen zakken en verdrinken, of anders vast komen te zitten en sterven van de kou!'

Ik had verwacht dat ze zou lachen, niet dat ze me een serieus antwoord zou geven. Ik zag ons al de Theems af drijven naar zee – misschien langs Whitstable – op een schots niet groter dan een pannenkoek.

Het paard deed een stap en zijn tuig rinkelde; de koetsier schraapte zijn keel. Nog steeds staarden we naar de rivier, zwijgend en roerloos – en allebei ten slotte heel ernstig.

Uiteindelijk fluisterde Kitty: 'Is het niet raar?'

Ik gaf geen antwoord, keek alleen naar het gestolde water dat dik en onwillig wervelde rond de pijlers van de brug onder onze voeten. Maar toen ze weer huiverde, deed ik een stap in haar richting en voelde hoe ze als reactie tegen mij aan leunde. Het was ijskoud op de brug, we hadden van de leuning terug moeten gaan naar de beschutting van de koets. Maar we hadden geen zin de aanblik van de bevroren rivier te verlaten – misschien ook geen zin de warmte van elkaars lichaam te verlaten, nu we die hadden gevonden.

Ik nam haar hand. Ik voelde dat haar vingers stijf en koud in haar handschoen waren. Ik legde de hand op mijn wang, die er niet warm van werd. Met mijn ogen de hele tijd op het water in de diepte trok ik aan de knoop bij haar pols, schoof toen de want van haar hand en hield haar vingers tegen mijn lippen om ze te warmen met mijn adem.

Ik zuchtte zachtjes tegen haar knokkels, draaide haar hand toen om en ademde op haar palm. Er was geen ander geluid dan het ongewone klotsen en kraken van de bevroren rivier. Toen: 'Nan,' zei ze heel stil.

Ik keek naar haar, met haar hand nog steeds tegen mijn mond en mijn adem nog vochtig op haar vingers. Haar gezicht was naar het mijne geheven en haar blik was donker en vreemd en dik, als het water in de diepte.

Ik liet mijn hand zakken. Zij hield haar vingers op mijn lippen en schoof ze vervolgens heel langzaam naar mijn wang, mijn oor, mijn hals, mijn nek. Toen ging er een trilling over haar gezicht, en ze zei fluisterend: 'Je vertelt het geen sterveling, hè, Nan?'

Ik denk dat ik toen zuchtte: zuchtte omdat ik wist – eindelijk zeker wist! – dat er iets te vertellen was. En toen boog ik mijn gezicht naar het hare en sloot mijn ogen.

Haar mond was koud in het begin, toen heel warm – het enige warme, scheen me toe, in de hele bevroren stad. En toen ze haar lippen terugtrok – wat ze even later deed om een snelle, bezorgde blik naar onze ineengedoken en knikkebollende koetsier te werpen – voelden mijn eigen lippen nat, pijnlijk en naakt in de bitterkoude decemberwind, alsof haar kus ze had geschaafd.

Ze trok me in de schaduw van het rijtuig, waar we uit het zicht waren. Daar gingen we tegen elkaar aan staan en kusten elkaar opnieuw: ik legde mijn armen om haar schouders en voelde haar eigen handen beven op mijn rug. Van lip tot enkel en door al de verschillende lagen van onze mantels en japonnen heen voelde ik haar lichaam stijf tegen het mijne – voelde het bonzen, heel snel, waar onze borsten elkaar raakten en het kloppen en de hitte en de gleuf waar onze heupen tegen elkaar drukten.

Zo stonden we een minuut, misschien langer. Toen kraakte het rijtuig omdat de koetsier ging verzitten, en Kitty deed snel een stap achteruit. Ik kon haar niet loslaten, maar zij greep mijn polsen, kuste mijn vingers, liet een zenuwachtig soort lachje horen en fluisterde: 'Je kust me nog dood!'

Ze ging de koets in en ik klom achter haar naar binnen, trillend, duizelig en halfblind, denk ik, van opwinding en begeerte. Toen ging het portier dicht, riep de koetsier naar zijn pony en zette het rijtuig zich schokkend en schuivend in beweging. We lieten de bevroren rivier achter ons – saai in vergelijking met dit nieuwe wonder!

We zaten naast elkaar. Ze legde weer haar handen tegen mijn gezicht, en ik huiverde, zodat mijn kaken klapperden onder haar vingers. Maar ze kuste me niet weer: ze leunde tegen me aan met haar gezicht op mijn nek, zodat haar mond buiten het bereik van de mijne was, maar heet tegen de huid onder mijn oor. Haar hand, nog steeds zonder handschoen en wit van de kou, liet ze in de opening van mijn jasje glijden; haar knie lag zwaar tegen de mijne. Als de coupé schommelde, voelde ik haar lippen, haar vingers, haar dij steeds zwaarder, steeds heter, steeds dichter tegen me aan, totdat ik wilde kronkelen onder haar druk en het uitschreeuwen. Maar ze zei geen woord, kuste noch streelde me, en in mijn ontzag en onschuld bleef ik gewoon stilzitten, zoals zij leek te willen. De rit met de koets van de Theems naar Brixton was daardoor de geweldigste en verschrikkelijkste tocht die ik ooit heb gemaakt.

Op het laatst voelden we de koets echter een bocht nemen, langzamer gaan rijden en ten slotte stoppen, en hoorden de koetsier met het ondereind van zijn zweep op het dak bonken om ons te zeggen dat we thuis waren: we waren zo rustig, misschien dacht hij dat we sliepen.

Ik herinner me weinig van onze binnenkomst in het huis van mevrouw Dendy – het gefriemel aan de deur met de huissleutel, het beklimmen van de duistere trappen, onze gang door dat stille en slapende huis. Ik herinner me dat we even bleven staan op de overloop onder het dakraam, waar de sterren heel klein en helder doorheen schenen, en dat ik zwijgend mijn lippen op Kitty's oor drukte toen zij zich bukte om onze kamerdeur te openen. Ik herinner me dat ze ertegen leunde toen ze de deur stevig had dichtgedaan en een zucht slaakte, me weer vastpakte en tegen zich aan drukte. Ik herinner me dat ze niet wilde dat ik een kaars bij de gasarm hield – zodat we in het duister naar de slaapkamer moesten struikelen.

En ik herinner me heel duidelijk wat daar allemaal gebeurde.

De kamer was bitterkoud – zo koud dat het idioot leek onze kleren uit te trekken en onze huid te ontbloten, maar even idioot, voor een dwingender instinct, om ze aan te houden. In de kleedkamer van het theater was ik onhandig geweest, maar dat was ik nu niet. Ik kleedde me snel uit tot op mijn onderbroek en hemd, hoorde Kitty toen de knopen van haar japon vervloeken en ging haar helpen. Even hadden we – ik met mijn vingers aan linten en haakjes trekkend en zijzelf rukkend aan de spelden die haar vlecht op haar plaats hielden – aan de zijkant van een toneel kunnen staan om tussen twee nummers bliksemsnel van kleren te wisselen.

Ten slotte was ze naakt, helemaal naakt op de ketting met de parel om haar hals na. Ze draaide zich om in mijn handen, stijf en met kippenvel van de kou, en ik voelde haar tepels en het haar tussen haar dijen langs me strijken. Toen verwijderde ze zich, en de springveren van het bed kraakten. Daarop trok ik niet eerst de rest van mijn eigen kleren uit, maar ging ook in bed en trof haar daar rillend onder de lakens. Hier kusten we elkaar meer ontspannen, maar ook vuriger dan tevoren. Ten slotte was de kou, maar niet het trillen, over.

Maar nu ik de druk van haar naakte lichaam tegen dat van mij voelde, was ik plotseling verlegen, plotseling geïmponeerd. Ik week terug. 'Mag ik je echt... aanraken?' fluisterde ik. Opnieuw lachte ze nerveus en draaide haar gezicht tegen haar kussen.

'O Nan,' zei ze, 'ik denk dat ik sterf als je het niet doet!'

Toen hief ik voorzichtig mijn hand en ging met mijn vingers door haar haar. Ik streelde haar gezicht – haar gewelfde voorhoofd, haar sproetige wang, haar lip, haar kin, haar hals, haar sleutelbeen, haar schouder... Hier, opnieuw verlegen, liet ik mijn hand dralen – totdat zij, haar gezicht nog steeds van me weggedraaid, haar ogen stijf gesloten, mijn pols pakte en langzaam mijn vingers naar haar borsten bracht. Toen ik haar daar aanraakte, zuchtte ze en draaide, en na een minuut of twee pakte ze opnieuw mijn pols en bewoog die verder naar beneden.

Daar was ze nat en zacht als fluweel. Ik had natuurlijk nog nooit iemand zo aangeraakt – behalve soms mezelf. Maar het was nu alsof ik mezelf aanraakte, want de gladde hand die haar streelde, leek ook mij te strelen: ik voelde mijn onderbroek vochtig en warm worden, mijn eigen heupen schokken als de hare. Algauw hield ik op haar zachtjes te strelen en begon haar te wrijven, tamelijk hard. 'O!' zei ze heel zachtjes, en toen ik sneller wreef, zei ze weer: 'O!' Toen: 'O, o, o!' Een heel salvo van 'O!'s, zacht, snel en hijgend. Ze kwam omhoog, waardoor het bed kraakte, en haar handen begonnen afwezig over de huid van mijn schouders te wrijven. Er leek in de hele wereld geen enkele andere beweging, geen enkel ander ritme, dan wat ik in gang had gezet, tussen haar benen, met één natte vingertop.

Op het laatst snakte ze naar adem en verstijfde, trok daarna mijn hand weg en zakte terug, zwaar en slap. Ik drukte haar tegen me aan, en even lagen we roerloos bij elkaar. Ik voelde haar hart onstuimig in haar borst kloppen en toen het enigszins tot bedaren was gekomen, bewoog ze, zuchtte en legde een hand tegen haar wang.

'Je hebt me aan het huilen gemaakt,' prevelde ze.

Ik schoot overeind. 'Nee toch, Kitty?'

'Ja, echt.' Ze maakte een krampachtige beweging die half lach, half snik was, daarna wreef ze weer in haar ogen, en toen ik haar vingers van haar gezicht nam, voelde ik de tranen daarop. Ik drukte haar hand, plotseling onzeker: 'Heb ik je pijn gedaan? Wat heb ik verkeerd gedaan? Heb ik je pijn gedaan, Kitty?'

Ze schudde haar hoofd, snoof en lachte voluit. 'Pijn gedaan? Helemaal niet. Het was alleen... zo vreselijk heerlijk.' Ze glimlachte. 'En jij bent... zo vreselijk goed. En ik...' Ze snoof weer, drukte toen haar gezicht tegen mijn borst en verborg haar ogen voor me. 'En ik... O, Nan, ik hou toch zo vreselijk, vreselijk veel van je!'

Ik schoof tegen haar aan en sloeg mijn armen om haar heen. Mijn eigen begeerte vergat ik helemaal en zij maakte geen beweging om me eraan te herinneren. Ook vergat ik Gully Sutherland – die drie uur daarvoor een geweer op zijn eigen hart had gezet omdat iemand zonder te lachen naar zijn nummer had gekeken. Ik lag daar maar, en Kitty was algauw in slaap. En ik bestudeerde haar gezicht, romig bleek in de duisternis, en dacht: *Ze houdt van me, ze houdt van me* – als een idioot met de steel van een madeliefje die eindeloos jeremieert over hetzelfde laatste verdorrende bloemblaadje.

De volgende ochtend waren we in het begin verlegen tegen elkaar – Kitty nog het meest, denk ik.

'Wat hebben we gisteravond veel gedronken!' zei ze, zonder me aan te kijken, en een verschrikkelijke seconde lang dacht ik dat ze zich inderdaad alleen onder invloed van de champagne aan me had vastgeklemd en gezegd dat ze van me hield, zo vreselijk, vreselijk veel... Maar terwijl ze het zei, bloosde ze. Ik zei voor ik het wist: 'Als je al die dingen die je gisteravond zei terugneemt, o, Kitty, dan ga ik dood!' En toen sloeg ze haar ogen naar me op en zag ik dat zij gewoon bang was geweest dat ík misschien alleen maar dronken was geweest... En toen keken en keken we naar elkaar, en ofschoon ik al duizend keer naar haar gekeken had, was het nu alsof ik haar voor het eerst zag. We hadden een halfjaar naast elkaar geleefd, geslapen en gesloofd, maar er had een soort sluier tussen ons gehangen, die compleet was weggehaald door onze kreten en fluisteringen van de afgelopen nacht. Ze zag er blozend en gewassen uit – herboren, zodat ik nauwelijks op haar huid durfde te drukken uit angst er sporen op achter te laten – zodat ik bijna bang was haar weer op haar lippen te kussen en ze daarmee te kneuzen.

Maar ik kuste ze toch. En toen ging ik heel ontspannen liggen en keek toe terwijl ze water op haar gezicht en armen spatte, haar onderkleren en jurk aantrok en haar schoenen dichtknoopte. Terwijl ze haar haar deed, stak ik een sigaret op. Ik streek de lucifer aan en liet die bijna tot aan mijn vingers branden, starend naar de vlam die het hout wegvrat. Ik zei: 'Toen ik je pas kende, had ik altijd het gevoel dat ik ging stralen als een lamp wanneer ik aan jou dacht. Ik was bang dat de mensen het zouden zien...' Ze glimlachte. Ik zwaaide de lucifer heen en weer. 'Wist je niet,' vroeg ik toen, 'wist je niet dat ik van je hield?'

'Ik weet het niet,' antwoordde ze. Toen zuchtte ze. 'Ik dacht er liever niet aan.'

'Waarom niet?'

Ze haalde haar schouders op. 'Het leek simpeler om je vriendin te zijn...'

'Maar Kitty, dat dacht ik ook! En o! Wat was het zwaar! Maar ik dacht dat als je wist dat ik van je hield als... als geliefde – nou, van zoiets had ik nog nooit gehoord, en jij?'

Ze keerde zich weer naar de spiegel om de spelden in haar vlecht te doen en zei nu zonder zich om te draaien: 'Ik heb echt nog nooit zoveel om een meisje gegeven als om jou...' Terwijl ze het zei, zag ik haar nek en oren roze kleuren en voelde me van de weeromstuit slap en warm en dwaas worden. Maar ook ving ik een glimp op van iets achter haar woorden.

'Het is je dus,' zei ik rechtuit, 'al eerder overkomen...' Ze werd roder dan ooit, maar gaf geen antwoord. En ik deed er het zwijgen toe. Maar ik hield nu eenmaal te veel van haar om lang te blijven tobben over de andere meisjes die ze vóór mij misschien had gekust. 'Wanneer,' vroeg ik vervolgens, 'ben je me gaan zien als... Wanneer ben je gaan denken dat je ooit misschien... van me zou houden?'

Nu draaide ze zich wel om en lachte. 'Ik herinner me wel honderd kleine momenten,' zei ze. 'Ik herinner me dat je mijn kleedkamer zo keurig netjes opruimde. Ik herinner me dat je bloosde als ik je welterusten zoende. Ik herinner me dat je een oester voor me opende aan je vaders tafel – maar toen, ik geloof dat ik toen al van je hield. Ik schaam me het te zeggen, maar dát moet het moment zijn geweest, in het Canterbury Palace, toen ik voor het eerst het oestervocht aan je vingers rook, dat ik je begon te zien zoals... zoals ik je niet zou mogen zien.'

'O!'

'En ik schaam me nog meer om te zeggen,' vervolgde ze op iets andere toon, 'dat ik pas gisteravond – toen ik je zag dollen met die jongen en ik zo jaloers was – ontdekte hoeveel, hoeveel...'

'O Kitty...' Ik slikte. 'Ik ben blij dat je het uiteindelijk hebt ontdekt.' Ze keek weg, kwam toen op me af en nam mijn sigaret en gaf me één kordate kus.

'Ik ook.'

Daarna bukte ze om met een doek het leer van haar laarsjes op te wrijven, en ik moest gapen: ik was moe en enigszins misselijk van de champagne en de opwinding van de nacht. Ik zei: 'Moeten we echt opstaan?' En Kitty knikte.

'Ja, want het is bij elven en Walter is zo hier. Was je dat vergeten?'

Het was zondag, en zoals gewoonlijk kwam Walter om een tochtje met ons te maken. Ik was het niet vergeten, maar ik had nog geen tijd en zin om aan gewone dingen te denken. Nu Walters naam viel, begon ik te piekeren. Voor hém zou het een klap zijn, dat dit was gebeurd.

Alsof Kitty wist wat ik dacht, zei ze: 'Je bent toch wel voorzichtig met Walter, Nan?' Daarna herhaalde ze wat ze de vorige avond op de brug had gezegd: 'Je zult toch niets verklappen, hè, aan niemand? Je zult voorzichtig zijn – hè?'

Inwendig vervloekte ik haar omzichtigheid, maar ik nam haar hand en kuste die. 'Ik ben voorzichtig geweest sinds de eerste minuut dat ik je zag. Ik ben de Koningin der Voorzichtigheid. Ik zal altijd voorzichtig blijven, als je dat wilt – zolang ik af en toe een beetje roekeloos mag zijn, wanneer we helemaal alleen zijn.'

Haar glimlachje hierop was een beetje afwezig. 'Per slot van rekening,' zei ze, 'is er niet zo heel veel veranderd.'

Maar ik wist dat alles was veranderd – alles.

Ten langen leste stond ik ook op, waste me, kleedde me aan en gebruikte de nachtspiegel terwijl Kitty naar beneden ging. Ze kwam terug met een blad met thee en geroosterd brood – 'Ik kon ma Dendy amper aankijken!' zei ze, weer helemaal verlegen en rood – en we aten ons ontbijt in onze eigen zitkamer, voor de haard, de kruimels en boter van elkaars lippen kussend.

Onder het raam stond een mand met kostuums die we van de costumier hadden laten komen en nog niet goed bekeken hadden. En nu, terwijl we op Walter wachtten, begon Kitty er gedachteloos in te rommelen. Ze trok er een heel mooi zwart jacquet uit. 'Moet je dit eens zien!' zei ze. Ze trok het aan over haar jurk en deed een stijf dansje. Toen begon ze heel luchtig te zingen.

'*In een woning, op een plein, in een kwadrant,*' zong ze, '*aan een straat, aan een weg, aan een laan, sla linksaf en aan de rechterkant, zie je het huis van mijn liefje staan.*'

Ik lachte. Dit was een oud liedje van George Leybourne: iedereen floot het in de jaren zeventig en ik had het zelfs zien zingen door Leybourne in eigen persoon, in het Canterbury Palace. Het was een dwaas, onzinnig, maar heel aanstekelijk soort liedje, en het klonk des te charmanter doordat Kitty het zo zacht en achteloos zong.

'Daar ga ik kozen en koeren
Naar mijn liefje, als een duifje.
Op mijn blote knieën zweren,
Als mijn liefde ooit over is,
Moge de schaapskoppen aan appelbomen groeien,
Als mijn liefde ooit over is.'

Ik luisterde een tijdje en verhief toen mijn stem met die van haar voor het refrein.

'Als mijn liefde ooit over is,
Als mijn liefde ooit over is,
Moge de knollen dan in citroenen veranderen
Als mijn liefde ooit over is.'

We lachten en zongen toen harder. Ik vond een hoed in de mand en smeet die naar Kitty, trok er daarna een colbertje, een strohoed en een wandelstok voor mezelf uit. Ik stak mijn arm door de hare en danste haar na. Het liedje werd steeds dwazer.

'Voor alle geld op de bank,
Voor de titel van graaf of lord,
Zou ik nog niet willen dat mijn liefje
Het meisje van een ander wordt.
Om haar de polka te zien dansen
Val ik in zwijm van liefdesvuur,
Moge het Monument dan een horlepiep dansen,
Als mijn liefde ooit over is!
Mogen we nooit meer belasting betalen,
Als mijn liefde ooit over is!'

We eindigden met een zwier en ik probeerde een pirouette – bleef toen stokstijf staan. Kitty had de deur open laten staan en Walter stond daar met grote ogen naar ons te kijken, alsof hij ergens van ge-schrokken was. Ik voelde hoe Kitty's blik de mijne volgde; ze greep mijn arm, liet die toen abrupt vallen. Mijn hersenen werkten op volle toeren om te bedenken wat hij allemaal had kunnen zien. De woorden van het liedje waren dwaas, maar we hadden ze onmiskenbaar voor elkaar gezongen en ze gemeend. Hadden we elkaar ook gezoend? Had ik Kitty aangeraakt op een onbetamelijke plek?

Terwijl ik nog steeds mijn hoofd hierover brak, sprak Walter. 'Mijn god,' zei hij. Ik beet op mijn lip – maar anders dan ik had verwacht, fronste noch vloekte hij. In plaats daarvan kwam er een stralende lach op zijn gezicht, klapte hij in zijn handen en stapte de kamer in om ons allebei opgewonden bij de schouders te grijpen.

'Mijn god – dat is het! Dat is het! Waarom heb ik het toch niet eerder gezien? Daar waren we naar op zoek. Dít, Kitty' – hij wees op onze jasjes, onze hoeden, onze herenpose – 'dít gaat ons beroemd maken!'

En zo werd de dag dat ik Kitty's geliefde werd ook de dag dat ik ging meedoen aan haar optreden en dat mijn loopbaan begon – mijn korte, onverwachte, fantastische loopbaan – op het podium van het variététheater.

5

Het vooruitzicht met Kitty het podium op te gaan, iets waar ik nooit voor was opgeleid, nooit naar had verlangd en, zo dacht ik, geen bijzonder talent voor had, vervulde me aanvankelijk met angst.

'Nee,' zei ik die middag tegen Walter, toen ik hem eindelijk begreep. 'Beslist niet. Ik kan dat niet. Uitgerekend jij moet toch weten hoe ik mezelf – en Kitty – voor gek zou zetten!'

Maar Walter wilde niet luisteren.

'Snap je het dan niet?' zei hij. 'Hoe lang hebben we niet gezocht naar iets dat het optreden boven het alledaagse uit tilt en echt bijzonder maakt? Dit is het! Een dúo! Een soldaat – en zijn maat! Een dandy – samen met zijn vriendje! Maar vooral: twéé mooie meisjes in een broek in plaats van één! Heb je zoiets ooit eerder gezien? Het wordt een sensatie!'

'Het zou een sensatie kunnen worden,' zei ik, 'met twee Kitty Butlers. Maar Kitty Butler en Nancy Astley, haar kleedster, die nog nooit van haar leven een liedje heeft gezongen...'

'We hebben je allemaal horen zingen,' zei Walter, 'wel duizend keer – en heel mooi ook nog!'

'Die nog nooit heeft gedanst...' ging ik verder.

'Ach, dansen! Een beetje heen en weer schuifelen over het podium. Iedere gek met een half been kan dat.'

'Die haar stem nog nooit heeft verheven voor een publiek...'

'Kletsen!' zei hij nonchalant. 'Kitty kan het kletsen voor haar rekening nemen!'

Ik lachte van pure boosheid, keerde me toen naar Kitty zelf. Tot dusver had ze niet deelgenomen aan het gesprek, stond slechts naast me op een nagelrand te bijten en te fronsen. 'Kitty,' zei ik nu, 'vertel hem in godsnaam dat hij onzin uitslaat!'

Eerst antwoordde ze niet, maar bleef afwezig op haar vingertop kauwen. Ze keek van mij naar Walter, toen weer naar mij en kneep haar ogen dicht.

'Het kan wel wat worden,' zei ze.

Ik stampte met mijn voet. 'Nu zijn jullie allebei helemaal gek geworden! Moet je horen wat jullie zeggen. Jullie komen uit families waar iedereen acteur is. Jullie wonen al je hele leven in dit soort huizen, waar zelfs een dansende hond is. Vier maanden geleden was ik nog oestermeisje in Whitstable!'

'Vier maanden daarvoor maakte Bessie Bellwood háár debuut,' antwoordde Walter. 'Ze was konijnenvilster in de New Cut!' Hij legde zijn hand op mijn arm. 'Nan,' zei hij vriendelijk, 'ik wil je niet dwingen, maar als we nou eerst kijken of het werkt. Haal nou eens een kostuum van Kitty en trek het aan zoals het hoort. En Kitty, ga jij je ook eens klaarmaken. En dan kijken we hoe jullie er samen uitzien, naast elkaar.'

Ik wendde me tot Kitty. Ze haalde haar schouders op. 'Waarom niet?' zei ze.

Het lijkt vreemd dat het in al die weken waarin er zoveel prachtige kostuums door mijn handen waren gegaan, nooit bij me was opgekomen er zelf een te passen, maar zo is het nu eenmaal. Het geintje met het jasje en de strohoed was iets nieuws geweest, voortgekomen uit onze vrolijke stemming die fantastische ochtend. Tot dan toe hadden Kitty's pakken me te elegant, te bijzonder – en bovenal, te persóónlijk, te wezenlijk voor haar eigen specifieke magie en stijl – geleken om ermee te dollen. Ik had ze verzorgd en netjes gehouden, maar ik had zelfs nog nooit een kostuum in de spiegel voor mijn lichaam gehouden. Nu stond ik halfnaakt in onze ijzige kamer met Kitty naast me, die een kostuum in haar hand hield, en waren onze rollen totaal omgedraaid.

Ik had mijn jurk en onderrok uitgetrokken en een overhemd over mijn korset heen dichtgeknoopt. Kitty had een zwart-met-grijs jacquet voor me gevonden en hield een soortgelijk kostuum klaar voor haarzelf. Ze inspecteerde me.

'Je moet je onderbroek uittrekken,' zei ze zachtjes – de deur zat dicht, maar Walter beende hoorbaar door de kleine zitkamer erachter – 'want die bolt op onder de broek.'

Ik bloosde, liet toen de onderbroek van mijn dijen omlaagglijden en trapte die uit, waardoor ik naakt was op het overhemd en een stel bij de knie opgehouden kousen na. Ik had ooit, als meisje, een pak van mijn broer gedragen voor een maskerade op een feest. Maar dat was al heel wat jaren geleden. Nu was het heel iets anders om Kitty's elegante broek over mijn naakte heupen te trekken en dicht te knopen boven die gevoelige plek die Kitty zelf nog zo kort geleden had doen schrijnen. Ik deed een pas en bloosde nog heviger. Het was alsof ik nooit eerder benen had gehad – of, liever gezegd, alsof ik nooit helemaal had geweten hoe het echt voelde om twéé benen te hebben die bovenaan bij elkaar kwamen.

Ik strekte mijn hand uit naar Kitty en trok haar naar me toe. 'Ik wou dat Walter niet op ons stond te wachten,' fluisterde ik – hoewel het in werkelijkheid iets heel opwindends had om haar te omhelzen in zo'n kostuum, met Walter zo dichtbij en zo onwetend.

Door die gedachte – en de geluidloze kus die erop volgde – voelde de broek nog vreemder. Toen Kitty een stap van me vandaan deed om haar eigen pak aan te trekken, keek ik enigszins verwonderd naar haar. Ik zei: 'Hoe kun je iedere avond in deze kleren voor een zaal vol vreemden verschijnen zonder je raar te voelen?'

Ze maakte de klem van haar bretels dicht en haalde haar schouders op. 'Ik heb wel gekkere kostuums gedragen.'

'Ik bedoelde niet dat het gek was. Ik bedoelde... nou, als ik zo naast jou moest staan, in deze' – ik deed nog een paar passen – 'o, Kitty, dan zou ik me vast niet kunnen beheersen en je kussen!'

Ze legde een vinger tegen haar lippen, duwde toen tegen de rand van haar haar. Ze zei: 'Je zult eraan moeten wennen, wil Walters plan lukken. Anders... nou, dát zou nog eens een voorstelling zijn!'

Ik lachte, maar bij de woorden 'Walters plan' was mijn maag omgedraaid van plotselinge paniek, en het lachen klonk tamelijk hol. Ik keek omlaag naar mijn eigen twee benen. De broek was immers veel te kort voor mij en liet bij mijn enkels mijn kousen zien. Ik zei: 'Het wordt niks, hè, Kitty? Hij denkt toch niet echt dat het wat wordt?'

Dat dacht hij wel. 'Geweldig!' riep hij, toen we ten slotte in vol ornaat samen verschenen. 'Geweldig, wat een span vormen jullie!' Zo opgewonden had ik hem nog nooit meegemaakt. We moesten naast elkaar gaan staan, met onze armen in elkaar gehaakt. Toen moesten we draaien en weer het stijve-benendansje doen waarop hij ons eerder had betrapt. En de hele tijd liep hij om ons heen met toegeknepen ogen, langs zijn kin strijkend en knikkend.

'We hebben natuurlijk een pak voor jou nodig,' zei hij tegen me. 'Een aantal pakken zelfs, die bij die van Kitty passen. Maar dat valt gemakkelijk te regelen.' Hij nam mijn hoed van mijn hoofd en mijn vlecht viel neer op mijn schouder. 'Er moet iets aan je haar gedaan worden, maar de kleur is tenminste volmaakt – een prachtig contrast met Kitty's haar, zodat ook de lui in de engelenbak geen moeite hebben jullie uit elkaar te houden.' Hij gaf een knipoog, nam me toen nog wat langer op met zijn handen achter zijn hoofd. Hij had zijn jasje uitgetrokken. Hij droeg een groen overhemd met een spierwitte boord – hij kleedde zich altijd heel extravagant – en de oksels van het overhemd waren donker van het zweet. Ik vroeg: 'Meen je het echt, Walter?' En hij knikte: 'Echt, Nancy.'

Hij hield ons die dag bezig tot aan het eind van de middag. Ons voorgenomen uitje, de zondagse wandeling, was helemaal vergeten en de wachtende koetsier werd betaald en weggestuurd. Omdat er niemand in huis was, werkten we aan de piano van mevrouw Dendy, zo hard als op een doordeweekse ochtend – behalve dat ik nu ook zong, en niet om Kitty's stem te sparen, zoals ik weleens gedaan had, maar om mijn eigen stem te proberen naast die van haar. We zongen weer het liedje dat we gezongen hadden toen Walter ons betrapte. 'Als mijn liefde ooit over is' – maar we waren nu natuurlijk verlegen en het klonk nergens naar. Toen probeerden we een paar liedjes van Kitty, die ik haar had horen zingen in Canterbury en uit mijn hoofd kende, en die klonken iets beter. En ten slotte probeerden we een nieuw liedje, één van de West-Endliedjes die toen in de mode waren – dat over het kuieren door Piccadilly met een zak zo vol soevereinen dat alle dames keken en lachten en met hun ogen knipperden. Het wordt nu nog door dandy's gezongen, maar Kitty en ik waren de eersten, en toen we het die middag probeerden – waarbij we het 'ik' van de schrijver veranderden in 'wij', onze armen in elkaar haakten en over het tapijt in de huiskamer paradeerden, onze stemmen verheffend in harmonie – nou, toen klonk het melodieuzer en komischer dan ik voor mogelijk had gehouden. We zongen het één keer, en toen een tweede keer en een derde keer en een vierde keer, en iedere keer was ik een beetje vrijer, een beetje vrolijker en een beetje minder overtuigd van de idiotie van Walters plan...

Toen onze kelen ten slotte schor waren en onze hoofden tolden van de soevereinen en knipogen, sloot hij het pianodeksel en liet ons uitrusten. We zetten thee en praatten over andere dingen. Ik keek naar Kitty en herinnerde me dat ik nog een andere, dringender reden had om vrolijk en duizelig te zijn, en ik wenste dat Walter weg zou gaan. Daardoor, en door mijn vermoeidheid, deed ik kortaf tegen Walter: ik denk dat hij dacht dat hij me te hard had laten werken. Dus vertrok hij al snel, en toen de deur achter hem was dichtgevallen, stond ik op, ging naar Kitty en sloeg mijn armen om haar heen. Ze wilde niet dat ik haar in de huiskamer kuste, maar een moment later voerde ze me mee de trappen op door het donker wordende huis, terug naar onze slaapkamer. Hier begon het pak – waaraan ik tamelijk gewend was geraakt terwijl ik erin rond paradeerde voor Walter – weer vreemd te voelen. Toen Kitty zich uitkleedde, trok ik haar naar me toe, en het gaf een wellustig gevoel om haar haar naakte heup tussen mijn gebroekte benen te voelen duwen. Ze ging één keer, heel licht, met haar hand over mijn knopen, totdat ik begon te schokken van begeerte naar haar. Toen trok ze me het pak helemaal uit en lagen we naast elkaar, naakt als schaduwen onder de beddensprei, en zij streelde me opnieuw.

We bleven liggen tot de voordeur dichtsloeg en we mevrouw Dendy hoorden hoesten en Tootsie hoorden lachen op de trap. Toen zei Kitty dat we moesten opstaan en ons aankleden, want anders zouden de anderen zich misschien iets gaan afvragen. En voor de tweede keer die dag lag ik met lome ogen te kijken hoe zij zich waste en kousen en een rok aantrok.

Intussen legde ik een hand op mijn borst. Er was daar een flauwe beweging, een soort trekken of plooien, of smelten, alsof mijn borst de hete, zachte wand van een kaars was die ineenzakte over een brandende pit. Ik zuchtte. Kitty hoorde het, zag mijn aangedane gezicht en kwam naar me toe. Toen schoof ze mijn hand weg en drukte haar lippen heel zacht op mijn hart.

Ik was achttien en wist van niets. Op dat moment dacht ik dat ik zou sterven van liefde voor haar.

We zagen Walter niet meer, en we spraken niet meer over zijn plan mij naast Kitty op het toneel te brengen, tot twee avonden later, toen hij bij mevrouw Dendy arriveerde met een pakket waarop 'Nan Astley' stond. Het was de laatste avond van het jaar; hij was gekomen voor het souper en zou blijven om samen met ons de nieuwjaars- klokken te horen. Toen die eindelijk beierden – het waren de klokken van de kerk in Brixton –, hief hij zijn glas. 'Op Kitty en Nan!' riep hij. Hij keek naar mij, toen – langer – naar Kitty. 'Op hun nieuwe part- nerschap, dat ons allen faam en fortuin zal brengen in 1889 en voor altijd tot in eeuwigheid!' We zaten aan de huiskamertafel met ma Dendy en de professor, en nu vielen we hem bij en toasten met hem mee. Maar Kitty en ik wisselden één snelle, heimelijke blik, en ik dacht – met een kleine huivering van genot en triomf die ik niet hele- maal kon onderdrukken – arme man! Hoe kon hij weten wat wij wer- kelijk vierden?

Pas nu gaf Walter me zijn pakket en glimlachte toen ik het open- maakte. Maar ik wist al wat erin zat: een kostuum, een toneelkos- tuum van serge en fluweel, op mijn maat gesneden in het patroon van een van Kitty's kostuums – maar blauw, passend bij de kleur van mijn ogen, terwijl dat van haar bruin was. Ik hield het tegen me aan, en Walter knikte. 'Dát,' zei hij, 'zal een heel verschil zijn. Loop jij nou even naar boven en schiet het even aan, en dan kijken we wat mevrouw Dendy ervan vindt.'

Ik deed wat hij vroeg, nam toen even de tijd om mezelf te bekijken in de spiegel. Ik had een paar eenvoudige zwarte laarsjes van mezelf aangetrokken en mijn haar onder een pet gestopt. Ik had een sigaret achter mijn oor gestoken – ik had zelfs mijn korset uitgetrokken om mijn platte borst nog platter te maken. Ik leek een beetje op mijn broer Davy – alleen knapper misschien. Ik schudde met mijn hoofd. Vier avonden geleden had ik op dezelfde plek gestaan, verbaasd me- zelf gekleed te zien als volwassen vrouw. Nu was er één luttel bezoek- je aan een kleermakerij gebracht, en daar stond ik, een jongen – een jongen met knopen en een riem. Het was opnieuw een pikante ge- dachte. Ik had het gevoel dat ik niet verder moest denken. Ik ging meteen de trap af naar de huiskamer, stopte mijn handen in mijn zakken, poseerde voor hen allemaal en bereidde me voor op hun lof.

Maar toen ik daar stond te draaien op het tapijt, reageerde Walter tamelijk lauw en mevrouw Dendy peinzend. Toen ik op hun verzoek Kitty's arm nam en we een snel refrein zongen, deed Walter een paar passen achteruit, fronste en schudde zijn hoofd.

'Het is het nog niet helemaal,' zei hij. 'Het spijt me het te moeten zeggen, maar... het is niet goed.'

Ik wendde me wanhopig tot Kitty. Zij friemelde aan haar halssnoer, sabbelde aan de ketting en tikte met de parel tegen een tand. Ook zij keek ernstig. Ze zei: 'Er is iets raars aan, maar ik weet niet wat...'

Ik keek omlaag naar mezelf. Ik haalde mijn handen uit mijn zakken en sloeg mijn armen over elkaar, en Walter schudde weer met zijn hoofd. 'Het past volmaakt,' zei hij. 'De kleur is goed. En toch is er iets... wat me niet bevalt. Wat is het?'

Mevrouw Dendy hoestte. 'Doe eens een pas,' zei ze tegen me. Ik deed het. 'Nu een draai – goed zo. Wees nu eens lief en steek een saffie voor me op.' Ik deed dit ook voor haar en wachtte vervolgens, terwijl zij een trek van haar sigaret nam en opnieuw hoestte.

'Ze is te echt,' zei ze ten slotte tegen Walter.

'Te echt?'

'Te echt. Ze ziet eruit als een jongen. En ik weet dat dat de bedoeling is – maar, als je me kunt volgen, ze ziet eruit als een échte jongen. Haar gezicht en haar figuur en haar hele houding. En dat moet toch niet, wel?'

Nu voelde ik me opgelatener dan ooit. Ik keek naar Kitty en zij stootte een nerveus soort lachje uit. Maar Walter fronste niet meer en zijn ogen waren blauw en groot als van een kind. 'Verdomd, ma,' zei hij, 'u hebt gelijk!' Hij sloeg met zijn hand tegen zijn voorhoofd en liep vervolgens naar de deur; we hoorden zijn zware, snelle tred op de treden, hoorden voetstappen in de kamer boven ons – de kamer van Sims en Percy – en vervolgens nog hoger een deur dichtslaan. Hij kwam terug met een vreemd assortiment aan spullen: een paar mannenschoenen, een naaimandje, een stel linten en Kitty's schminkdoos. Die smeet hij rond mij neer op het tapijt. Toen, met een haastig 'Neem me niet kwalijk, Nancy', trok hij me het jasje en de laarsjes uit. Hij overhandigde het jasje aan Kitty, samen met het naaimandje: 'Naai een paar plooien aan de binnenkant van de taille,' zei hij naar de naad wijzend. De laarsjes schoof hij aan de kant en hij zette er een stel schoenen voor in de plaats – Sims' schoenen waren het, klein, met lage hakken en tamelijk elegant. Walter maakte ze nog eleganter door linten aan de veters te strikken. Om een beetje aandacht op de strikken te vestigen – en omdat ik nu, zonder mijn laarsjes, natuurlijk iets kleiner was – greep hij de onderkant van mijn broekspijpen en maakte er omslagen in.

Daarna pakte hij mijn hoofd, hield het schuin achterover en bewerkte mijn lippen en oogwimpers met karmijnrood en zwartsel uit Kitty's doos: hij deed dit zacht als een meisje. Toen plukte hij de sigaret vanachter mijn oor en wierp die op de schoorsteenmantel. Ten slotte keerde hij zich naar Kitty en knipte met zijn vingers. Door zijn haast en resoluutheid aangestoken was zij begonnen te naaien wat hij had gezegd. Nu bracht ze het jasje naar haar wang om het laatste eindje draad los te bijten, waarop hij het van haar overnam, mij erin hielp en het over mijn borst dichtknoopte.

Toen deed hij een pas achteruit en hield zijn hoofd schuin.

Ik keek opnieuw omlaag naar mezelf. Mijn nieuwe schoenen zagen er vreemd en meisjesachtig uit, als die van een vrouwelijke travestierol in een kerstvoorstelling. De broek was korter, de lijn helemaal verpest. Het jasje stond een beetje uit boven en onder de taille, net alsof ik heupen en een boezem had – maar het zat strakker dan daarvoor en niet half zo prettig. Mijn gezicht kon ik natuurlijk niet zien. Ik moest me omdraaien en in een afbeelding boven de haard turen, en zag het daar weerspiegeld – een en al ogen en lippen – boven de rode neus en bakkebaarden van 'Rackity Jack'.

Ik keek naar de anderen. Mevrouw Dendy en de professor glimlachten. Kitty keek nu helemaal niet meer zenuwachtig. Walter was rood en leek onder de indruk van zijn eigen handwerk. Hij sloeg zijn armen over elkaar.

'Perfect,' zei hij.

Daarna – niet echt gekleed als jongen maar, nogal verwarrend, als de jongen die ik zou zijn geweest als ik meer meisje was geweest – ging mijn entree in het vak heel snel. Nog de volgende dag stuurde Walter mijn kostuum naar een naaister en liet het nu goed naaien. Binnen een week had hij de beschikking over een zaal en een orkest van een directeur die bij hem in het krijt stond, en waren Kitty en ik in onze bij elkaar passende pakken op het podium aan het oefenen. Het was heel anders dan zingen in de huiskamer van mevrouw Dendy. De vreemde mensen, de donkere en lege zaal, brachten me van mijn stuk. Ik was stijf en onhandig, absoluut niet in staat de paar wandel- pasjes machtig te worden die Kitty en Walter me geduldig probeer- den te leren. Ten slotte overhandigde Walter me een stok en zei dat ik alleen maar stil hoefde te staan en erop te leunen, en het dansen aan Kitty moest overlaten. En dat ging beter, en ik voelde me meer op mijn gemak en het liedje begon weer leuk te klinken. Toen we klaar waren en onze buiginkjes oefenden, klapten sommige mannen uit het orkest voor ons.

Daarna ging Kitty zitten en nam een kop thee, maar Walter voerde me naar een zitplaats in de stalles, weg van de anderen, en keek ern- stig.

'Nan,' begon hij, 'toen we met dit alles begonnen, heb ik je gezegd dat ik je niet wilde dwingen, en dat meende ik. Ik stop nog liever met het vak dan dat ik een meisje tegen haar wil het podium op stuur. Er zijn kerels die dat doen, moet je weten, kerels die alleen maar aan hun eigen portemonnee denken. Maar zo ben ik niet, en bovendien ben je mijn vriendin. Máár...' hij haalde diep adem. 'We zijn al zover gekomen, wij drieën, en je bent goed – neem dat van mij aan, je bent goed.'

'Als ik er hard aan werk, misschien,' zei ik vol twijfel. Hij schudde zijn hoofd.

'Zelfs dat hoeft niet. Heb jij de laatste zes maanden niet hard ge- werkt – bijna harder dan Kitty? Jij kent haar optreden even goed als zijzelf, jij kent haar liedjes, al haar nummers – jij hebt ze haar zelfs geleerd, de meeste!'

'Ik weet het niet,' zei ik. 'Dit is allemaal zo nieuw en vreemd. Ik ben mijn hele leven dol geweest op het variété, maar ik heb nooit ge- dacht dat ik zelf nog eens op de planken zou staan...'

'O nee?' zei hij toen. 'Echt niet? Wilde je dan niet bij iedere kleine tragikomiek die succes had bij het publiek in dat Palace van jullie in Canterbury, dat jij het was? Heb je nooit je ogen gesloten en je naam op het programma gezien, je nummer in de lichtbak? Heb je nooit voor je... oesterton gezongen alsof het een volle zaal was en jij die kleine beestjes kon laten huilen of gieren van het lachen?'

Ik beet op mijn nagel en fronste. 'Dromen,' zei ik.

Hij knipte met zijn vingers. 'Precies het stof waar het toneel van gemaakt is.'

'Waar zouden we dan moeten beginnen?' vroeg ik toen. 'Wie zou ons een plek aanbieden?'

'De directeur hier. Vanavond. Ik heb het al met hem besproken...'

'Vanavond!'

'Eén liedje maar. Hij vindt wel een plekje voor jullie in zijn programma, en als jullie bevallen, mogen jullie blijven.'

'Vanavond...' Ik keek wanhopig naar Walter. Zijn gezicht stond heel vriendelijk en zijn ogen leken blauwer en ernstiger dan ooit. Maar ik huiverde door wat hij zei. Ik dacht aan de zaal, warm, licht en vol honende gezichten. Ik dacht aan dat podium, zo breed en open en leeg. Ik dacht: Ik kan het niet, zelfs niet voor Walter. Zelfs niet voor Kitty.

Ik wilde al mijn hoofd schudden. Hij zag dat en sprak snel verder – en misschien voor het eerst in al die maanden dat ik hem kende, hoorde ik bijna iets glads in zijn stem. Hij zei: 'Je weet natuurlijk dat we het idee van een duo niet meer overboord kunnen gooien, nu het eenmaal in ons hoofd zit. Als jij niet de partner van Kitty wilt zijn, vinden we wel een ander meisje. We kunnen het rondvertellen, advertenties plaatsen, een auditie houden. Je moet niet het gevoel hebben dat je Kitty laat zitten...'

Ik keek van hem naar het toneel, waar Kitty zelf op de rand van een bundel schijnwerperlicht zat, nippend aan haar kopje, zwaaiend met haar benen en lachend om iets dat de dirigent zei. Het idee dat ze een andere partner zou kunnen nemen – voor het voetlicht komen met de arm van een ander meisje door de hare, met een andere meisjesstem die opklonk en zich vermengde met de hare – was niet bij me opgekomen. Dat was nog afschuwelijker dan het beeld van de honende zaal, nog afschuwelijker dan het vooruitzicht om van duizenden podiums te worden afgelachen en weggefloten...

Dus toen Kitty die avond in de coulissen stond te wachten op de roep van de presentator, stond ik naast haar te zweten onder een laag schmink en tot bloedens toe op mijn lippen te bijten. Mijn hart had al eerder sneller geklopt voor Kitty, uit zenuwen en uit passie, maar het had nog nooit zo gebonsd als nu – ik dacht dat het finaal uit mijn borst zou barsten, ik dacht dat ik zou sterven van de angst. Toen Walter ons iets in het oor kwam fluisteren en onze zakken met munten vulde, kon ik hem geen antwoord geven. Er was een jongleernummer op het toneel. Ik hoorde de planken kraken toen de man holde om zijn stokken op te vangen, hoorde het opgetogen publiek om beurten klappen en zijn adem inhouden, terwijl hij zijn laatste kunstjes deed. En toen kwam de tik van de hamer en rende de jongleur langs ons heen met zijn spullen in zijn armen. Kitty zei één keer heel zachtjes: 'Ik hou van je!' En ik voelde hoe ik onder het opgaande doek werd getrokken en geduwd tegelijk, en wist dat ik op de een of andere manier moest schuifelen en zingen.

Eerst was ik zo verblind door het licht dat ik het publiek helemaal niet kon zien; ik kon het alleen horen ritselen en mompelen – luid en dichtbij, zo leek het, aan alle kanten. Toen ik ten slotte heel even uit de gloed van de schijnwerpers stapte en de op mij gerichte gezichten zag, was ik bijna gestokt en de draad kwijtgeraakt – en dat was vast ook gebeurd als Kitty op dat moment niet in mijn arm had geknepen en onder dekking van het orkest had gepreveld: 'We hebben ze! Luister!' Toen luisterde ik – en besefte dat ze gek genoeg gelijk had: er was applaus en vriendelijk geroep, er was een aanzwellend gedruis van verwachtingsvol plezier terwijl we naar ons refrein toe werkten. Ten slotte was er een bruisende cascade van gejuich en gelach van balkon tot parterre.

Dat geluid had een ongekend effect op me. Meteen herinnerde ik me het dwaze dansje dat ik de hele dag maar niet had kunnen leren en bleef niet op mijn stok leunen, maar stapte met Kitty mee voor het voetlicht. Ik begreep ook wat Walter in de coulissen van ons had gewild: toen het nieuwe liedje ten einde liep, ging ik met Kitty naar de rand van het podium, pakte de munten die hij in mijn zak had laten vallen – het waren gewoon chocoladen soevereinen natuurlijk, maar verpakt in goudpapier om ze te laten blinken – en gooide ze tussen het lachende publiek. Een tiental handen ging omhoog om ze te vangen.

Toen werd er om een toegift geroepen, maar die hadden we natuurlijk niet. We konden alleen maar terugdansen onder het zakkende doek, terwijl de massa bleef juichen en de presentator om stilte riep. Het volgende nummer – een stel kunstfietsers – werd haastig het podium op geduwd om onze plaats in te nemen, maar zelfs aan het slot van hun optreden was er hier en daar nog een stem die om ons riep.

We waren het succes van de avond.

Achter het toneel, met Kitty's lippen op mijn wang, Walters arm om mijn schouders en van alle kanten verrukte kreten en loftuitingen, stond ik er totaal verbluft bij, niet in staat te glimlachen om de complimenten of ze bescheiden te pareren. Ik had misschien zeven minuten voor dat opgetogen en schreeuwende publiek gestaan, maar in die weinige, snelle minuten had ik een glimp opgevangen van een waarheid over mezelf, en dat had diepe indruk op me gemaakt en me totaal veranderd.

Die waarheid was: hoeveel succes ik ook zou kunnen hebben als meisje, het was niets vergeleken bij de triomfen die ik zou vieren gekleed, al was het nog zo meisjesachtig, als jongen.

Kortom, ik had mijn roeping gevonden.

De volgende dag liet ik dan ook mijn haar afknippen en veranderde ik mijn naam.

Het haar liet ik kortwieken in een huis in Battersea, door dezelfde theaterkapper die Kitty's haar deed. Hij werkte een uur aan me, terwijl zij zat toe te kijken, en ik herinner me dat hij aan het einde van dat uur een spiegel tegen zijn schort hield en me waarschuwde: 'Pas op, je zult een keel opzetten als je het ziet – ik heb nog nooit het haar van een meisje kort geknipt zonder dat ze bij de eerste blik een keel opzette,' en ik huiverde in plotselinge paniek.

Maar toen hij de spiegel omdraaide, lachte ik alleen bij het zien van de transformatie die hij teweeg had gebracht. Hij had het haar niet zo kort geknipt als bij Kitty, maar het lang gelaten, zodat het op mijn kraag viel als bij een bohémien, en daar krulde het – nu het niet meer plat en sluik werd getrokken door de vlecht – verrassend genoeg licht op. Op de lokken die over mijn voorhoofd dreigden te vallen, had hij een beetje makassarolie gesmeerd, wat ze glad als een kattenvacht maakte en de gouden glans van een ring gaf. Ik betastte ze – toen ik mijn hoofd draaide en schuin hield – en voelde mijn wangen rood worden. Daarop zei de man: 'Ziet u wel, u vindt het wel raar,' en hij liet me zien hoe ik, net als Kitty, mijn afgesneden vlecht kon dragen om mijn kapsel te verbergen.

Ik zei niets, maar ik had niet gebloosd uit spijt. Ik had gebloosd omdat ik mijn nieuwe, geknipte hoofd, mijn blote nek, pikant vond. Ik had gebloosd omdat ik– net als toen ik voor het eerst een broek aantrok – een opgewonden gevoel kreeg, warm werd en naar Kitty verlangde. Het was zelfs alsof ik sterker naar haar verlangde naarmate ik jongensachtiger werd.

Kitty zelf lachte weliswaar ook toen de kapper me toonde, maar ze lachte breeduit toen de vlecht weer werd bevestigd. 'Dat lijkt er meer op,' zei ze, toen ik opstond en mijn rok gladstreek. 'Je zag eruit als een vogelverschrikker met je korte haar en je jurk!'

Terug op de Ginevra Road troffen we Walter die op ons wachtte en mevrouw Dendy die de lunch opdiende. En daar kreeg ik een nieuwe naam die paste bij mijn brutale nieuwe korte kapsel.

Bij ons debuut in Camberwell hadden we gedacht dat onze gewone namen goed genoeg waren en de presentator had ons aangekondigd als 'Kitty Butler en Nancy Astley'. Maar nu waren we een succes: Walters vriend, de directeur, had ons een contract voor vier weken aangeboden en wilde de namen weten die op de affiches moesten komen. We wisten dat we Kitty's naam moesten houden, wegens haar successen van het laatste halfjaar. Maar Walter zei dat Astley veel te gewoon was en dat we een betere moesten bedenken. Het maakte mij niet uit, maar ik zei wel dat ik 'Nan' graag wilde houden – want Kitty zelf had me herdoopt als Nan. En zodoende droeg iedereen tijdens de lunch namen aan die erbij zouden passen. Tootsie zei: 'Nan Love', Sims 'Nan Sergeant'. Percy zei: 'Nan Scarlet – nee, Nan Silver – nee, Nan Gold...' Iedereen leek me een nieuwe, fantastische versie van mezelf te bieden. Het was alsof ik bij het rek van de costumier de jasjes stond te proberen.

Maar geen enkele naam leek geschikt – totdat de professor op tafel tikte, zijn keel schraapte en zei: 'Nan King.' En hoewel ik graag had willen vertellen – zoals andere artiesten – dat er een vreselijk ingewikkeld of romantisch verhaal achter de keuze van mijn toneelnaam stak, dat we een speciaal boek hadden opgeslagen op een bepaalde plaats en hem daar hadden aangetroffen, dat ik het woord 'King' in een droom had gehoord en erbij had gehuiverd – kan ik alleen maar de waarheid geven, die er slechts op neerkwam dat we een naam nodig hadden, dat de professor 'Nan King' zei en dat die naam me beviel.

Als 'Kitty Butler en Nan King' keerden we die avond dan ook terug naar Camberwell – om ons succes van de avond tevoren te hernieuwen en overtreffen. Als 'Kitty Butler en Nan King' verschenen we op de affiches. En als 'Kitty Butler en Nan King' begonnen we gestaag van een plaats halverwege de affiches op te klimmen naar de tweede en de eerste plaats. Niet alleen bij het theater van Camberwell, maar in de volgende paar maanden ook bij de kleinere theaters in Londen en – langzaam, maar zeker – bij enkele in het West End...

Ik weet niet waarom het publiek meer zag in Kitty en mij samen dan in Kitty Butler alleen. Misschien was het alleen, zoals Walter had voorzien, omdat we iets nieuws waren; want hoewel we in latere jaren veelvuldig werden geïmiteerd, was er in de Londense theaters in 1889 beslist geen nummer als het onze. Misschien was het ook – alweer, zoals Walter had voorspeld – omdat de aanblik van een stél meisjes in herenkostuum op de een of andere manier charmanter, opwindender, ondefinieerbaar pikánter was dan die van één meisje in een broek, met hoge hoed en slobkousen. Ik wist dat we een mooi paar vormden – Kitty met haar roodbruine stekelkop en ik met mijn blonde, gladde en glanzende hoofd, zij iets groter op haar duimhoge muiltjes, ik met mijn lage verwijfde schoenen, mijn ingenieus gesneden kostuums die de tengere hoekigheid van mijn bouw maskeerden met meisjesachtige rondingen.

Maar wat de verandering ook teweegbracht, ze werkte, en ze werkte fantastisch. We werden niet alleen maar populair, zoals Kitty was geweest, maar echt beroemd. Onze gages gingen omhoog. We deden drie zalen per avond – soms vier – en als onze coupé nu vast kwam te zitten in het verkeer, schreeuwde onze koetsier: 'Ik heb hier Kitty Butler en Nan King, ze moeten over een kwartier in het Royal in Holborn zijn. Opzij daar, wil je?' En dan schoven de andere koetsiers een beetje op om ons door te laten en lachten en hieven hun pet naar de raampjes als we passeerden! Nu waren er niet alleen bloemen voor

Kitty, maar ook voor mij. Nu kreeg ík uitnodigingen voor diners, verzoeken om handtekeningen en brieven...

Het kostte me weken voor ik begreep dat het echt gebeurde en met mij, weken voor ik erin geloofde en vertrouwen had in het publiek dat me goed vond. Maar toen ik ten slotte van mijn nieuwe leven had leren houden, hield ik er ook vurig van. Dat het plezierig is om succes te hebben is, neem ik aan, gemakkelijk te begrijpen, maar mijn nieuwe vermógen tot plezier – plezier in optreden, vertoon en vermomming, het dragen van fraaie kostuums, het zingen van schunnige liedjes – vond ik nog het choquerendst en opwindendst. Tot dan toe had ik het best gevonden uit de coulissen toe te kijken hoe Kitty in de schijnwerpers de enorme, rumoerige menigte bespeelde. Nu was ík het ineens die naar de gunst van het publiek dong, was ík het naar wie men afgunstig en verrukt staarde. Ik kon er niets aan doen: ik was verliefd geworden op Kitty, en nu ik Kitty wérd, raakte ik een beetje verliefd op mezelf. Ik bewonderde mijn haar, zo elegant en zo glanzend. Ik aanbad mijn benen – mijn benen waaraan ik amper aandacht had besteed toen er rokken omheen hingen, maar die, zo ontdekte ik, heel lang, mager en goedgevormd waren.

Ik klink ijdel. Dat was ik niet – toen – en dat had ik ook nooit kunnen zijn zolang Kitty er was als het omvattender object van mijn eigenliefde. Ik wist dat het nummer nog helemaal door haar gedragen werd. Als we zongen, was zij eigenlijk degene die zong, terwijl ik een lichte, simpele tweede stem vormde. Als we dansten, was zij degene die de lastige passen deed: ik huppelde of schuifelde alleen aan haar zijde. Ik was haar aangever, haar echo. Ik was de schaduw die zij in al haar schittering over het toneel wierp. Maar net als een schaduw verleende ik haar de scherpte, de diepte, de cruciale contour die ze voordien miste.

Mijn voldoening was dus beslist geen ijdelheid. Het was alleen maar liefde, en hoe beter het nummer werd, dacht ik, hoe volmaakter die liefde. Uiteindelijk verschilden de twee dingen – het nummer, onze liefde – niet zoveel van elkaar. Ze waren samen geboren – of, zoals ik graag dacht, het ene was geboren uit het andere en was alleen maar zijn publieke vorm. Toen Kitty en ik pas elkaars geliefden werden, had ik haar iets beloofd. 'Ik zal voorzichtig zijn,' had ik gezegd – en ik had het heel luchthartig gezegd, want ik dacht dat het gemakkelijk was. Ik had mijn belofte gehouden: nooit kuste ik haar, raakte haar aan of zei iets liefs als iemand het kon zien of horen. Maar het was niet gemakkelijk, en het werd er ook niet gemakkelijker op naarmate de maanden verstreken. Het werd alleen een trieste gewoonte. Hoe zou het ook gemakkelijk kunnen zijn om overdag koel en afstandelijk tegen haar te doen als we de hele nacht in bed hadden gelegen met onze naakte lichamen heet en dicht tegen elkaar aan gedrukt? Hoe had het ook gemakkelijk kunnen zijn om mijn blikken te verhullen als anderen keken, op mijn tong te bijten als anderen luisterden, terwijl ik alle uren dat we alleen waren, naar haar staarde tot mijn ogen er pijn van deden, allerlei lieve dingen tegen haar zei tot mijn keel er hees van was? Als ik naast haar zat aan de maaltijd bij mevrouw Dendy, als ik naast haar stond in de artiestenfoyer van een theater, als ik met haar over straat liep, had ik het gevoel dat ik was gebonden en geboeid met ijzeren banden, geketend, gemuilkorfd en geblinddoekt. Kitty had me toestemming gegeven om van haar te houden; van de wereld, zei ze, zou ik nooit iets anders mogen zijn dan haar vriendin.

Haar vriendin – en haar partner op de planken. U zult me niet geloven, maar vrijen met Kitty – iets dat we deden met hartstocht, maar ook altijd in het donker en in stilte, een oor half gespitst op het geluid van voetstappen op de trap – vrijen met Kitty en naast haar poseren in een bundel schijnwerperlicht, voor duizend paar ogen, met een tekst die ik vanbuiten kende, in een houding waarop ik uren had gezwoegd – die dingen verschilden niet zo heel veel. Een duonummer is altijd tweemaal het nummer dat het publiek denkt dat het is: naast onze liedjes, onze passen, ons gedoe met munten, stokken en bloemen, was er een privé-taal waarin we een eindeloos, subtiel gesprek hielden waarvan het publiek geen weet had. Dat was niet de taal van de tong, maar die van het lichaam, met als vocabulaire de druk van een vinger of een handpalm, de duw van een heup, het vasthouden of loslaten van de blik, wat betekende: *Je gaat te langzaam – je gaat te snel – niet daar, maar hier – dat is goed! – dat is beter!* Het was alsof we voor het rode doek liepen, op de planken gingen liggen en elkaar zoenden en liefkoosden – en ze klapten en juichten en betaalden ons ervoor! Zoals Kitty had gezegd toen ik haar toefluisterde dat ik haar, als we in broek waren op het toneel, des te meer wilde zoenen: 'Dát zou nog eens een voorstelling zijn!' Maar dat wás onze voorstelling, alleen wist het publiek dat niet. Ze keken toe en zagen een heel ander nummer.

Tja, misschien waren er een paar mensen die er een glimp van opvingen...

Ik heb het over mijn bewonderaars gehad. Het waren grotendeels meisjes – vrolijke, zorgeloze meisjes die bij de artiesteningang samendromden, om foto's en handtekeningen vroegen en ons bloemen gaven. Maar op iedere tien of twintig meisjes van dat soort, waren er een of twee fanatieker en opdringeriger of verlegener en zenuwachtiger dan de rest; en in hen herkende ik een zeker... iets. Ik kon er geen naam aan geven, maar wist alleen dat het er was en dat het hun belangstelling voor mij heel speciaal maakte. Deze meisjes stuurden brieven – brieven als hun gedrag aan de artiesteningang: vol vreemde overdrijvingen of ellipsen, brieven die me tegelijk imponeerden, afstootten en aantrokken. 'Ik hoop dat u me vergeeft als ik schrijf dat u heel knap bent,' schreef een meisje. Een ander schreef: 'Juffrouw King, ik ben verliefd op u!' Iemand die Ada King heette schreef om te vragen of we nichten waren. Ze zei: 'Ik ben gek op u en juffrouw Butler, maar vooral op u. Zou u misschien een foto kunnen sturen? Ik zou zo graag een foto van u hebben, naast mijn bed...' Ik stuurde haar een van mijn favoriete kaarten, een afbeelding van Kitty en mij in wijde broeken en met een strohoedje op, waarop Kitty met haar handen in haar zakken stond en ik tegen haar aan leunde, met mijn arm door de hare en een sigaret tussen mijn vingers. Ik signeerde met 'Voor Ada, van de ene "King" voor de andere'. En het was heel vreemd te bedenken dat de foto aan een wand zou worden geprikt of ingelijst, en een onbekend meisje ernaar zou staren als ze haar jurk dichtknoopte of lag te dromen.

Er waren ook andere verzoeken, om vreemdere dingen. Zou ik een boordknoopje, een knoop van mijn pak, een haarlok willen sturen? Zou ik op donderdagavond – of vrijdagavond – een rode stropdas – of een groene stropdas willen dragen of een gele roos op mijn revers? Zou ik een speciaal teken willen maken of een speciale pas willen dansen? Want dan zou de schrijfster dat zien en weten dat ik haar briefje had ontvangen.

'Gooi ze toch weg,' zei Kitty altijd als ik haar die brieven liet zien.

'Die zijn geschift, die meisjes, en je moet ze niet aanmoedigen.' Maar ik wist dat die meisjes niet geschift waren, zoals zij zei; ze waren alleen zoals ik een jaar eerder – maar dapperder of roekelozer. Dat alleen al maakte indruk op me, maar wat me pas echt verbaasde en opwond nu, was de gedachte dát die meisjes naar me keken – de gedachte dat er in iedere verduisterde zaal misschien een of twee vrouwelijke harten waren die uitsluitend en alleen voor mij klopten, een of twee paar ogen die, wellicht onkuis, over mijn gezicht, figuur en kostuum gingen. Wisten ze waarom ze keken? Wisten ze wat ze zochten? En vooral, als ze me in een broek over het podium zagen benen, zingend over meisjes wier ogen ik had doen twinkelen, wier harten ik had gebroken, *wat zagen ze dan eigenlijk?* Zagen ze dat... iets... dat ik in hen zag?

'Laat ze dat maar uit hun hoofd zetten!' zei Kitty, toen ik haar mijn idee vertelde, en hoewel ze lachte, toen ze het zei, was het een geforceerd lachje. Ze vond het niet prettig om over dat soort dingen te praten.

Ze vond het ook niet prettig dat we op een avond in de kleedkamer van een theater een stel vrouwen troffen – een vrouwelijke zangkomiek en haar kleedster – die volgens mij net zo waren als wij. De zangeres was opzichtig en haar jurk met lovertjes moest heel strak over haar korset worden dichtgemaakt. Haar hulp was een oudere vrouw in een eenvoudige, bruine jurk; ik zag haar aan de jurk trekken en dacht er verder niets bij. Maar nadat ze de haken strak had vastgemaakt, boog ze voorover en blies zachtjes op de hals van de zangeres, waar het poeder was aangekoekt. En toen fluisterde ze iets tegen haar, en ze lachten samen met hun hoofden heel dicht bij elkaar... En zo zeker als hadden ze de woorden aangeplakt op de wand van de kleedkamer, wist ik dat het geliefden waren.

Bij die gedachte kreeg ik een kleur als een boei. Ik keek naar Kitty en zag dat het gebaar ook haar niet was ontgaan, maar haar ogen waren neergeslagen en haar mond stond strak. Toen de komische zangeres langs ons liep op weg naar het toneel, knipoogde ze naar me: 'Daar gaan we dan, om het publiek te behagen,' zei ze, en haar kleedster lachte opnieuw. Toen ze terugkwam en haar schmink verwijderde, kwam ze met een sigaret op ons af geslenterd en vroeg om een vuurtje. Terwijl ze een trek nam, monsterde ze me: 'Ga je,' vroeg ze, 'na de voorstelling naar het feest van Barbara?' Ik zei dat ik niet wist wie Barbara was. Ze wuifde met haar hand: 'Ach, dat vindt Barbara niet erg. Kom maar met Ella en mij mee: jij en je vriendin.' Hierbij knikte ze – heel vriendelijk, dacht ik – naar Kitty. Maar Kitty, die de hele tijd met gebogen hoofd met de sluiting van haar rok bezig was geweest, keek nu op en glimlachte stijfjes.

'Aardig van je om ons te vragen,' zei ze, 'maar we hebben vanavond al een afspraak. We gaan uit eten met onze agent, meneer Bliss.'

Ik zette grote ogen op; voorzover ik wist, hadden we helemaal geen afspraak. Maar de zangeres haalde alleen haar schouders op. 'Jammer,' zei ze. Toen keek ze naar mij. 'Heb jij geen zin om je maatje aan haar agent over te laten en alleen mee te komen, met mij en Ella?'

'Juffrouw King heeft iets te bespreken met meneer Bliss,' zei Kitty, voor ik kon antwoorden. En ze zei het zo kortaf dat de zangeres snoof, zich omdraaide en naar haar kleedster ging, die stond te wachten met hun manden. Ik keek toe hoe ze vertrokken – ze wierpen geen blik over hun schouder naar me. Toen we de volgende avond weer naar het theater gingen, koos Kitty een haak ver van hen vandaan. En de avond daarop waren ze verhuisd naar een andere zaal...

Thuis, in bed, zei ik dat ik het jammer vond.

'Waarom zei je tegen ze dat Walter kwam?' vroeg ik Kitty.

Ze zei: 'Ik had geen zin in ze.'

'Waarom niet? Ze waren aardig. Ze waren leuk. Ze waren... net zoals wij.'

Ik had mijn arm om haar heen en voelde haar verstijven bij mijn woorden. Ze maakte zich los en hief haar hoofd op. We hadden een kaars aangelaten en ik zag dat ze wit was weggetrokken, geschokt.

'Nan!' zei ze. 'Ze zijn helemaal niet zoals wij. Het zijn pótten.'

'Potten?' Ik herinner me dit moment nog precies, want ik had het woord nooit eerder gehoord. Naderhand vond ik het geweldig dat er ooit een tijd was geweest dat ik het niet kende.

Nu Kitty het zei, schrok ze ervan. 'Potten, die maken er... een beroep van om meisjes te zoenen. Wij zijn anders!'

'O ja?' zei ik. 'Ach, als iemand me ervoor wilde betalen, zou ik er met alle plezier een beroep van maken om jóú te zoenen. Denk je dat er iemand is die me daarvoor wil betalen? Dan zou ik het theater zonder meer opgeven.' Ik probeerde haar weer naar me toe te trekken, maar ze sloeg mijn hand weg.

'Je zou het theater wel moeten opgeven,' zei ze ernstig, 'en ik ook, als er over ons werd gepraat, als mensen zouden denken dat we... zó zijn.'

Maar wát waren we? Dat wist ik nog steeds niet. Toen ik echter aandrong, werd ze kribbig.

'We zijn helemaal niet zo. We zijn gewoon... onszelf.'

'Maar als we gewoon onszelf zijn, waarom moeten we het dan verhullen?'

'Omdat niemand het verschil zou weten tussen ons en... vrouwen die zo zijn!'

Ik lachte. 'Is er een verschil?' vroeg ik weer.

Ze bleef ernstig en boos. 'Dat heb ik je al verteld,' zei ze. 'Je begrijpt het niet. Jij weet niet wat fout of juist is, of goed...'

'Ik weet dat dit niet fout is, wat wij doen. Alleen dat de mensen dat vinden.'

Ze schudde haar hoofd. 'Dat is hetzelfde,' zei ze. Toen viel ze terug in haar kussen, sloot haar ogen en wendde haar gezicht af.

Het speet me dat ik haar had geërgerd – maar ik was ook, ik schaam me het te zeggen, nogal opgewonden door haar bezorgdheid. Ik streelde haar wang en schoof wat dichter naar haar toe. Toen nam ik mijn hand van haar gezicht en liet die aarzelend over haar nachtjapon omlaagglijden, over haar borsten en buik. Ze schoof weg en ik vertraagde mijn tastende vingers, maar stopte niet, en al snel – als in weerwil van zichzelf – voelde ik haar lichaam willig verslappen. Ik ging lager, greep de zoom van haar hemdjurk en trok die omhoog – deed toen hetzelfde met de mijne en gleed zachtjes met mijn heupen over de hare. We pasten ineen als de twee helften van een oesterschelp – je had nog geen mes tussen ons kunnen krijgen. Ik zei: 'O, Kitty, hoe kan dit nou fout zijn?' Maar zij antwoordde niet, bracht ten slotte haar lippen naar de mijne, en toen ik haar kus voelde zuigen, liet ik mijn gewicht zwaar op haar vallen en zuchtte.

Ik had Narcissus kunnen zijn, de vijver omhelzend waarin ik ging verdrinken.

Het was wel waar wat ze zei – dat ik haar niet begreep. Altijd, altijd kwam het op hetzelfde neer: hoe zorgvuldig we onze liefde ook moesten verbergen, hoe voorzichtig we ons genot ook moesten smaken, ik kon niet lang verdrietig zijn over iets dat – zoals ze zelf toegaf – zo ontzettend heerlijk was. In mijn geluk kon ik evenmin geloven dat mensen die om me gaven, niet gewoon blij voor mij konden zijn, als ze het maar wisten.

Ik was, zoals ik al zei, heel jong. De volgende ochtend stond ik op terwijl Kitty nog sliep, en ik liep zonder geluid te maken naar onze zitkamer. Daar deed ik iets waar ik al maanden naar had verlangd, maar wat ik nooit had gedurfd. Ik nam een vel papier en een pen, en schreef een brief aan mijn zuster, Alice.

Ik had al wekenlang niet naar huis geschreven. Ik had hun ooit verteld dat ik aan het nummer was gaan meedoen, maar ik had het nogal gebagatelliseerd – ik was bang dat ze het een onfatsoenlijk leven zouden vinden voor hun eigen dochter. Ze hadden me een kort, weifelend, verbaasd briefje teruggeschreven. Ze hadden het erover dat ze naar Londen zouden komen, om zich ervan te vergewissen dat het goed met me ging – en daarop had ik per ommegaande geschreven dat ze niet moesten komen omdat ik het te druk had, mijn kamers te klein waren... Kortom – zo 'voorzichtig' had Kitty me gemaakt! – ik was zo ongastvrij als maar kon zonder onvriendelijk te worden. Sindsdien schreven we elkaar minder dan ooit, en het ging helemaal aan hen voorbij dat ik naam had gemaakt in het theater – ik noemde het nooit, en zij vroegen er niet naar.

Nu schreef ik niet over onze voorstelling aan Alice. Ik schreef om haar te vertellen wat er tussen Kitty en mij was gebeurd – om haar te vertellen dat we van elkaar hielden, niet als vriendinnen, maar als geliefden, dat we samenleefden en dat zij blij moest zijn voor mij, want ik was gelukkiger dan ik ooit voor mogelijk had gehouden.

Het was een lange brief, maar hij kostte me geen moeite, en toen ik hem af had, voelde ik me zo licht als lucht. Ik las hem niet nog eens over, maar stopte hem meteen in een envelop en rende ermee naar de brievenbus. Ik was terug voordat Kitty ook maar had bewogen, en toen ze wakker werd, vertelde ik het haar niet.

Ik zei haar ook niets over het antwoord van Alice. Dat kwam een paar dagen later – het kwam terwijl Kitty en ik zaten te ontbijten en moest ongeopend in mijn zak blijven zitten, tot ik de tijd had om me terug te trekken en het te lezen. Het was, zo zag ik meteen, heel netjes geschreven, en aangezien ik wist dat Alice geen echte schrijfster was, nam ik aan dat het de laatste was van een aantal versies.

Het was ook, in tegenstelling tot mijn eigen brief, een heel korte brief – zo kort dat ik tot mijn grote ellende en geheel tegen mijn wil merk dat ik me hem zelfs nu nog helemaal kan herinneren.

'Lieve Nancy,' begon hij.

'Je brief was een schok voor me, maar ook helemaal geen verrassing, want ik verwachtte al iets dergelijks sinds de dag dat je bij ons bent weggegaan. Toen ik hem voor het eerst las, wist ik niet of ik moest huilen of het papier kwaad van me af moest gooien. Uiteindelijk heb ik het ding verbrand, en ik hoop alleen maar dat je verstandig genoeg bent om ook deze te verbranden.

Je vraagt me blij te zijn voor je. Nance, je weet toch dat altijd alleen jouw geluk me ter harte ging, bijna zelfs meer dan het mijne. Maar je moet ook weten dat ik nooit blij kan zijn zolang je zo'n verkeerde en onnatuurlijke vriendschap met die vrouw onderhoudt. Wat jij me hebt verteld, kan ik nooit goedkeuren. Je denkt dat je gelukkig bent, maar je bent alleen maar misleid – en die vrouw, je "zogenaamde" vriendin, is de schuld.

Ik wilde dat je haar nooit had ontmoet of nooit was weggegaan, maar in Whitstable was gebleven, waar je thuishoort, en bij degenen die echt van je houden.

Laat me ten slotte nog iets zeggen wat je hopelijk wel weet. Vader, moeder en Davy weten hier niets van, en zullen het van mij niet te weten komen, want ik ga nog liever dood van schaamte dan het aan hen te vertellen. *Jij moet er nooit iets over zeggen tegen hen,* tenzij je wilt afmaken wat je begon door bij ons weg te gaan, en hun harten volledig en voor altijd wilt breken.

Belast me liever niet met nog meer schandelijke geheimen. Maar kijk naar jezelf en de weg die je bewandelt en vraag je af of het echt de Juiste Weg is.

Alice.'

Ze moest haar woord hebben gehouden en het niet aan onze ouders hebben gezegd, want hun brieven aan mij bleven hetzelfde – nog steeds behoedzaam, nog steeds heel zeurderig, maar nog altijd vriendelijk. Maar nu putte ik er zelfs nog minder vreugde uit en dacht de hele tijd: *Wat zouden ze schrijven als ze het wisten? Hoe vriendelijk zouden ze dan zijn?* Daarom werden mijn antwoorden korter en nog minder frequent.

Wat Alice betreft: na dat ene, korte, bittere epistel heeft ze me nooit meer geschreven.

6

Dat jaar leken de maanden voorbij te vliegen, want natuurlijk hadden we het nu drukker dan ooit. We bleven ons succesnummer – het liedje over de soevereinen en de knipogen – de hele lente en zomer opvoeren, maar er waren steeds nieuwe liedjes, nieuwe nummers die geoefend en geperfectioneerd moesten worden, nieuwe orkesten om aan te wennen, nieuwe theaters en nieuwe kostuums. Van deze laatste kregen we er zoveel dat we het niet meer aan konden zonder hulp en een meisje aannamen voor mijn oude baantje – de kostuums verzorgen en ons helpen bij het verkleden aan de zijkant van het podium.

We werden rijk – althans rijk wat mij betrof. Bij het Star in Bermondsey was Kitty begonnen met een paar pond per week, en ik had mijn eigen, kleine deel daarvan als kleedster al heel wat gevonden. Nu verdiende ik tien-, twintig-, dertigmaal dat bedrag, in mijn eentje, en soms zelfs meer. Deze sommen leken me onvoorstelbaar; ik dacht er, dwaas genoeg misschien, liever helemaal niet over na, maar liet onze salarissen aan Walter over. Die had na onze grote successen nieuwe agenten voor zijn andere artiesten gevonden en werkte nu uitsluitend voor ons. Hij onderhandelde over onze contracten, onze publiciteit en beheerde ons geld. Hij betaalde Kitty en, net als voorheen, gaf zij me het weinige contante geld dat ik nodig had, als ik haar daar om vroeg.

Het was heel vreemd met Walter, nu Kitty en ik zo intiem met elkaar waren geworden. We zagen hem nog even vaak als tevoren, we maakten nog steeds rijtoertjes met hem, we brachten nog steeds vele lange uren met hem door bij de piano van mevrouw Dendy (al was die piano zelf verwisseld voor een duurdere). Hij was nog even vriendelijk en dwaas als voorheen – maar op de een of andere manier enigszins getemperd, enigszins onwezenlijk, nu de gloed van Kitty's charmes onmiskenbaar meer op mij was gericht. Misschien leek het alleen zo, maar het speet me voor hem en ik vroeg me onwillekeurig af wat hij ervan dacht. Ik was ervan overtuigd dat hij niet wist dat Kitty en ik geliefden waren – want in het openbaar waren we nu natuurlijk zelf ook tamelijk gereserveerd.

Hoe rijk we ook werden dat jaar, we waren nooit rijk genoeg om erg kieskeurig te zijn op het punt van de theaters waar we zongen. De hele maand september stonden we in het Trocadero – een heel chic theater – en een van de theaters die Walter ons meer dan een jaar daarvoor tijdens onze eerste duizelingwekkende tocht door het West End had aangewezen. Maar van het Troc verhuisden we naar de Deacon's Music Hall in Islington. Dat was een totaal andere zaal: klein en oud, met een publiek afkomstig uit de straten en sloppen van Clerkenwell – en daarom nogal luidruchtig.

Doorgaans hadden we niets tegen een lawaaierig publiek, want het kon zenuwslopend zijn om te spelen in de stugge theaters van het West End, waar de dames te deftig of elegant waren om hard in hun handen te klappen of met hun voeten te stampen en waar alleen de dronken fatten van de boulevard floten en schreeuwden zoals het een echt variétépubliek betaamde. We hadden nog nooit eerder in de Deacon's gestaan, maar ooit hadden we een week gespeeld in het Sam Collins', verderop in de straat. Daar was het publiek gedwee en vrolijk geweest – arbeiders, vrouwen met zuigelingen in hun armen – het soort publiek dat ik het liefst had, want het was het soort waartoe ik tot voor heel kort zelf had behoord.

Het publiek bij de Deacon's was opvallend sjofeler dan de lui van het Islington Green, maar niet minder vriendelijk: ze waren juist geneigd vriendelijker en vrolijker te zijn, sneller geneigd zich te laten ontroeren, vervoeren en vermaken. Onze eerste week daar ging goed – we trokken volle zalen. Het was op de zaterdagavond van de week daarop dat de moeilijkheden ontstonden – op een zaterdagavond aan het eind van september, een mistige avond – een van die grijsbruine avonden dat alle straten en gebouwen van de stad aan de randen enigszins lijken te zweven.

Op dat soort avonden zijn de wegen altijd verstopt, en op deze avond was het verkeer tussen de Windmill Street en Islington vreselijk traag, want er was daar een ongeluk gebeurd. Een wagen was gekanteld en een tiental jongens was toegesneld en op het hoofd van het paard gaan zitten, om te voorkomen dat het beest omhoog zou komen; en ons eigen rijtuig kon er een halfuur of langer niet voorbij. We arriveerden verschrikkelijk laat bij de Deacon's en troffen daar een zaal die even chaotisch was als de straat waar we vandaan kwamen. Het publiek had op ons moeten wachten en was ongeduldig. Een of andere slechte artiest was het podium op gestuurd om een komisch liedje te zingen en de mensen bezig te houden, maar ze waren hem genadeloos gaan uitjouwen. Uiteindelijk – de kerel was net begonnen aan een klompendans – waren twee herrieschoppers het podium op gesprongen en hadden hem zijn klompen uitgetrokken en ze op het balkon gegooid. Toen wij arriveerden, buiten adem en zenuwachtig, maar klaar om te zingen, was de zaal een en al geschreeuw en gebrul en gegil van het lachen. De twee herrieschoppers hadden de zangkomiek vast bij zijn enkels en hielden hem zo dat zijn hoofd boven de vlammen van het voetlicht bungelde, in een poging zijn haar in brand te steken. De dirigent en een aantal toneelknechten hadden de vandalen vastgegrepen en probeerden hen de coulissen in te trekken. Een andere toneelknecht stond erbij, versuft en met een bloedneus.

Wij waren met Walter, want we hadden afgesproken om met hem te gaan eten na de voorstelling. Nu keek hij ontzet naar het tafereel voor ons.

'Mijn god,' zei hij. 'Jullie kunnen niet op zolang ze in zo'n stemming zijn.'

Terwijl hij sprak, kwam de directeur toegesneld. 'Niet op?' zei hij verschrikt. 'Ze moeten op, of het wordt een rel. Die verdomde ellende – neem me niet kwalijk, dames – komt alleen maar omdat ze niet op gingen toen ze op moesten.' Hij wiste zijn voorhoofd, dat heel zweterig was. Van het podium kwamen echter tekenen dat de schermutselingen eindelijk ophielden.

Kitty keek naar mij, knikte toen. 'Hij heeft gelijk,' zei ze tegen Walter. Toen, tegen de directeur: 'Zeg ze dat ze ons nummer inzetten.'

De directeur borg zijn zakdoek weg en was zo slim om weg te benen voordat ze zich kon bedenken. Maar Walter keek nog steeds ernstig. 'Weet je het zeker?' vroeg hij ons. Hij keek over zijn schouder naar het podium. De herrieschoppers waren met succes afgevoerd en de zanger was in een stoel in de coulissen gezet, tegenover ons, en had een glas water gekregen. Zijn klompen moesten zijn teruggeworpen op het podium of de een of andere vriendelijke ziel had ze teruggebracht. Hoe dan ook, ze stonden nu keurig netjes onder zijn stoel en naast zijn gekneusde blote voeten. Uit de zaal klonk echter nog steeds wat gegil en gefluit.

'Jullie hoeven het niet te doen,' ging Walter verder. 'Misschien gaan ze met dingen gooien, jullie kunnen gewond raken.'

Kitty streek haar boordje recht. Terwijl ze dat deed, hoorden we geestdriftig gebrul en donderend geluid van stampende voeten, wat ons vertelde dat ons nummer begon. Meteen klonken, koppig boven het kabaal uitstijgend, de eerste paar noten van ons openingsliedje. 'Als ze iets gooien,' zei ze snel, 'dan bukken we.' Toen deed ze een stap en knikte naar mij om te volgen.

En na al die opschudding ontvingen ze ons heel vriendelijk.

'Hoe gaat het, Kitty?' riep iemand, toen we de lichtbundel in dansten. 'Ben je in de mist de weg kwijtgeraakt of zo?'

'Vreselijk rotverkeer,' riep ze terug – het eerste couplet zou beginnen en met iedere stap die ze zette, kwam ze beter in haar rol – 'maar niet zo erg als toen mijn vriend en ik op een middag aan het wandelen waren. Het kostte ons wel een halve dag om van de Pall Mall naar het Piccadilly te komen...' En moeiteloos, als vanzelf – en met mij naast zich, dichterbij en trouwer dan een schaduw – leidde ze ons ons liedje binnen.

Daarna gingen we terug naar de coulissen, waar Flora, onze kleedster, wachtte met onze kostuums. Walter bleef op een afstand, maar sloeg zijn handen ineen voor zijn borst toen we tevoorschijn kwamen, en schudde ze in een triomfantelijk gebaar. Hij had een roze gezicht en lachte van opluchting.

Ons tweede nummer – een liedje dat 'Scarlet Fever' heette, waarvoor we ons in het uniform van gardesoldaten hadden gestoken (rode jasjes en petten, witte riemen, zwarte broeken, heel mooi) – werd enthousiast ontvangen. Het ging mis tijdens het volgende nummer. Er was een man in de stalles – hij was me al eerder opgevallen, want hij was groot en duidelijk heel erg dronken. Hij zat luidruchtig te slapen in zijn stoel, met zijn knieën wijd uiteen, zijn mond open en zijn kin enigszins glimmend in de gloed van het podium. Voorzover ik wist, kon hij best door alle tumult met de klompendanser heen hebben geslapen. Nu echter was hij door een of andere vreselijke pech wakker geworden. Het was een heel klein theater en ik kon hem duidelijk zien. Struikelend over de benen van zijn buurlui was hij aan het eind van zijn rij gekomen, waarbij hij de hele tijd vloekte en werd uitgevloekt door iedereen op wiens tenen hij ging staan. Ten slotte had hij het gangpad bereikt – maar daar was hij in de war geraakt. In plaats van richting bar of toilet te gaan of wat hij zich ook in zijn van gin of whisky doordrenkte hoofd had gehaald, was hij aan de zijkant van het podium beland. Nu stond hij daar met zijn handen boven zijn ogen naar ons omhoog te turen.

'Wel verdomme,' zei hij. Hij zei het tijdens een stilte tussen coupletten en het klonk heel hard. Enkele mensen keerden zich van ons af om naar hem te kijken en te giechelen of te sissen.

Ik wisselde een blik met Kitty, maar bleef in de maat zingen en dansen, nog steeds met stralende ogen, nog steeds met een brede glimlach. Even later begon de man nog harder te vloeken. Het publiek – dat naar ik aannam nog steeds uit was op een beetje vermaak – begon tegen hem te schreeuwen om hem de mond te snoeren.

'Gooi die ouwe sufferd eruit!' riep iemand, en: 'Let maar niet op hem, Nan lieverd!' Dit kwam van een vrouw in de stalles. Ik ving haar blik op en tikte tegen mijn hoed – het was een strohoed: we droegen de wijde broeken en strohoeden – en zag haar blozen.

Al het geschreeuw leek de man alleen nog razender en verwarder te maken. Een jongen stapte naar hem toe, maar werd weggeslagen. Ik zag dat de lui van het orkest een beetje schichtig boven hun instrumenten uit begonnen te kijken. Achter in de zaal waren twee portiers opgeroepen die in het duister tuurden. Een zestal handen wenkte en wees naar de man die zich over de voetlichten boog, zijn bakkebaarden wapperend in de hitte.

Hij was nu begonnen met de muis van zijn hand op het podium te slaan. Ik onderdrukte een neiging naar hem toe te dansen en op zijn pols te stampen (want afgezien van iets anders, achtte ik hem heel wel in staat mijn enkel te grijpen en me de stalles in te sleuren). In plaats daarvan richtte ik me naar Kitty. Zij had mijn arm gegrepen en drukte die, maar haar voorhoofd was effen en kalm. Ieder moment kon ze, zo dacht ik, langzamer gaan zingen en zich op de man storten of de portiers roepen om hem te verwijderen.

Maar die hadden hem eindelijk in de gaten gekregen en kwamen eraan. Hij tierde dronken voort, zich onbewust van alles.

'Noem je dat een liedje?' schreeuwde hij. 'Noem je dat een liedje? Ik wil mijn shilling terug! Hoor je me? *Ik wil verdomme mijn shilling terug!*'

'Jij wilt een schop onder die vervloekte kont van je, dat wil je!' antwoordde iemand uit de parterre. Toen gilde iemand anders, een vrouw: 'Hou es op met dat kabaal, ja? We kunnen de meisjes niet horen door al jouw herrie!'

De man lachte spottend, toen rochelde hij en spuugde. 'Meisjes?' schreeuwde hij. 'Meisjes? Noem je dat meisjes? Dat is niet meer dan een stel... een stel *potten!*'

De volle kracht van zijn stem zat achter dat woord – het woord dat Kitty ooit tegen me had gefluisterd, ineenkrimpend en huiverend terwijl ze het uitsprak! Op dat moment klonk het harder dan de stoot van een kornet – leek van de ene wand van de zaal naar de andere te kaatsen, als een verdwaalde kogel in een scherpschuttersnummer.

Potten!

Bij dat geluid ging er een rilling door de zaal. Plotseling viel er een stilte; het geschreeuw werd gemompel, het gekrijs stierf weg. Door de bundel schijnwerperlicht heen zag ik hun gezichten – duizend gezichten, gegeneerd en ontzet.

Niettemin had de pijnlijke situatie in een oogwenk voorbij kunnen zijn – ze hadden het meteen kunnen vergeten en weer luidruchtig en vrolijk kunnen worden – als er op hetzelfde moment dat ze stilvielen, niet iets was gebeurd op het toneel.

Want Kitty was verstijfd en daarna gaan hakkelen. We hadden met in elkaar gehaakte armen gedanst. Toen viel haar mond open. Toen ging hij dicht. Toen trilde hij. Haar stem – haar prachtige, stralende, hoge stem – beefde en verstomde. Zoiets had ik nog nooit meegemaakt. Ik had haar, volkomen op haar gemak, zien laveren door zeeën van onverschilligheid, stormen van gejoel. Nu, bij die ene, vreselijke, dronken schreeuw ging ze kopje-onder.

Natuurlijk had ik des te harder moeten zingen, haar over het toneel meetrekken en de zaal opvrolijken, maar natuurlijk was ik slechts haar schaduw. Door haar plotselinge zwijgen kon ook ik niets meer uitbrengen en me niet meer bewegen. Ik keek van haar naar de orkestbak, waar de dirigent onze verwarring had opgemerkt. Even had de muziek trager en zachter geklonken – maar nu versnelde het tempo weer en klonk de muziek levendiger dan tevoren.

Maar de melodie had geen uitwerking op Kitty, noch op het publiek. Aan de zijkant van de stalles hadden de portiers eindelijk de dronken man bereikt en in de kraag gegrepen. De menigte keek echter niet naar hem, maar naar ons. Ze keken naar ons en zagen – wat? Twee meisjes in een pak, hun haar kortgeknipt, hun armen in elkaar gehaakt. *Potten!* Ondanks alle inspanningen van het orkest leek de schreeuw van de man nog door de zaal te echoën.

Ver weg op het balkon riep iemand iets dat ik niet kon verstaan, waar besmuikt om werd gelachen.

Als de schreeuw het theater had betoverd, werd die betovering verbroken door het gelach. Kitty maakte een beweging en scheen toen pas te merken dat we gearmd waren. Ze slaakte een gil en deinsde als door een wesp gestoken voor me terug. Daarna legde ze haar hand op haar ogen en stapte met gebogen hoofd de coulissen in.

Een moment lang stond ik daar, verbouwereerd en in de war, toen holde ik haar achterna. Het orkest schetterde door. Er klonken, eindelijk, kreten uit de zaal en er werd 'Schande!' geroepen. Het doek werd, denk ik, snel neergelaten.

In de coulissen was alles in een opperste staat van verwarring. Kitty was naar Walter gerend: hij had zijn arm om haar schouders geslagen en keek ernstig. Flora stond klaar met een losgestrikte schoen, geschokt en onzeker, maar verschrikkelijk nieuwsgierig. Een groepje toneelknechten en toneelmeesters keek toe, onderwijl met elkaar fluisterend. Ik liep op Kitty af en wilde haar arm vastpakken. Ze deinsde terug alsof ik haar wilde slaan, en ik trok me direct terug. Op dat moment verscheen de directeur, zenuwachtiger dan ooit.

'Mag ik weten, juffrouw Butler, juffrouw King, wat jullie verdomme wel denken...'

'Mag ík weten,' viel Walter hem ruw in de rede, 'wat ú verdomme wel denkt om míjn artiesten te laten optreden voor dat gepeupel dat u uw publiek noemt. Mag ík weten waarom een dronkelap tíen minuten lang de voorstelling van juffrouw Butler kan verstoren voordat uw mensen het benul hebben hem te verwijderen.'

De directeur stampvoette: 'Hoe dúrft u, meneer!'

'Hoe durft ú, meneer...!'

De woordenwisseling duurde voort. Ik luisterde er niet naar en keek alleen naar Kitty. Haar ogen waren droog, maar ze was wit weggetrokken en verstijfd. Ze leunde nog steeds met haar hoofd op Walters schouder en had nog niet éénmaal naar mij gekeken.

Ten slotte snoof Walter en maakte een wegwerpgebaar naar de tierende directeur. Hij wendde zich tot mij. Hij zei: 'Nan, ik neem Kitty nu mee naar huis. Jullie kunnen absoluut niet meer op voor jullie laatste nummer, en ik ben ook bang dat we ons souper moeten laten voor wat het is. Ik zal een aapje voor ons aanhouden. Kom jij met Flora en de spullen achter ons aan in de koets? Ik wil zo snel mogelijk met Kitty naar huis, naar de Ginevra Road.'

Ik aarzelde, keek toen weer naar Kitty. Eindelijk sloeg ze haar ogen naar me op, heel kort, en knikte.

'Goed,' zei ik. Ik keek toe hoe ze vertrokken. Walter pakte zijn cape en hing die over Kitty's tengere schouders – hoewel hij veel te groot voor haar was en over de stoffige vloer sleepte. Ze haakte hem dicht bij de hals en liet zich toen door hem naar buiten voeren langs de boze directeur en het groepje fluisterende jongens.

Tegen de tijd dat ik op de Ginevra Road arriveerde – na bij de Deacon's onze dozen en tassen te hebben verzameld en Flora te hebben afgezet bij haar eigen huis in Lambeth –, was Walter vertrokken, waren onze kamers donker en lag Kitty in bed, schijnbaar in slaap. Ik boog me over haar heen en streelde haar hoofd. Ze verroerde zich niet, en ik maakte haar liever niet wakker, want ze was misschien nog steeds van streek. Ik kleedde me maar gewoon uit, ging dicht naast haar liggen en legde mijn hand op haar hart – dat heel heftig voort klopte in haar dromen.

Na de rampzalige avond in de Deacon's veranderde het een en ander en werden bepaalde dingen een beetje vreemd. We zongen niet meer in die zaal, maar verbraken ons contract – zodat we er geld bij inschoten. Kitty werd kieskeuriger in haar keuze van de theaters waar we optraden. Ook begon ze Walter te vragen naar de andere nummers die op het programma stonden. Op een keer boekte hij ons op dezelfde avond als een Amerikaanse artiest – een man die 'Paul of Pauline?' heette – die een nummer had waarbij hij in en uit een ebbenhouten kast danste, de ene keer gekleed als vrouw, de andere keer als man, afwisselend zingend met een sopraanstem en een bariton. Ik vond het een goed nummer, maar toen Kitty hem aan het werk zag, liet ze ons afzeggen. Ze zei dat de man een zonderling was, zodat wij van de weeromstuit ook zonderlingen zouden lijken...

Ook hier schoten we geld bij in. Uiteindelijk had ik bewondering voor Walters geduld.

Want dat was nog zo'n verandering. Ik heb al gezegd dat Walter vreemd genoeg veel minder opgewekt was, en dat er een ondefinieerbare afstand tussen ons was gegroeid sinds Kitty en ik van elkaar hielden. Nu werd hij nog somberder en afstandelijker. Hij bleef aardig, maar hij gedroeg zich nu ook heel erg stroef voor zijn doen, en vooral in Kitty's aanwezigheid werd hij snel nerveus en verlegen – en dan weer opgewekt, op een vreselijke, geforceerde manier, alsof hij zich schaamde voor zijn schroom. Hij kwam steeds minder naar de Ginevra Road. Op het laatst zagen we hem alleen nog om nieuwe liedjes te repeteren, of in het gezelschap van de andere artiesten met wie we weleens gingen eten of drinken.

Ik miste hem en verbaasde me over zijn veranderde gemoedsgesteldheid – maar ik verbaasde me niet al te zeer, moet ik bekennen, want ik dacht dat ik de oorzaak kende. Die avond in Islington was hij eindelijk achter de waarheid gekomen – hij had de schreeuw van de dronkeman gehoord, Kitty's verschrikkelijke, verschrikte reactie gezien, en alles begrepen. Hij had haar naar huis gereden – ik wist niet wat er toen tussen hen was voorgevallen, want geen van beiden leek van zins ook maar iets over die vreselijke avond te zeggen – hij had haar naar huis gereden, maar dat tedere gebaar van hem, om zijn cape over haar bevende schouders te leggen en haar thuis te brengen, was zijn laatste geweest. Nu voelde hij zich niet meer op zijn gemak bij haar – misschien omdat hij zeker wist dat hij haar had verloren, maar waarschijnlijker omdat het idee van onze liefde hem tegenstond. En dus bleef hij weg.

Als we nog veel langer in het huis van mevrouw Dendy waren blijven wonen, denk ik dat Walters afwezigheid onze vrienden daar was opgevallen en ze ons ernaar gevraagd hadden, maar eind september kwam de allergrootste verandering. We namen afscheid van onze hospita en de Ginevra Road en verhuisden.

Sinds onze roem begon, hadden we het vaag over verhuizen gehad, maar dat moment altijd uitgesteld – het leek dwaas om weg te gaan van een plek waar we zo gelukkig waren geweest en nog steeds waren. Het huis van mevrouw Dendy was ons thuis geworden. Het was het huis waarin we elkaar voor het eerst hadden gekust, voor het eerst onze liefde verklaard. Het was voor mij het huis van onze wittebroodsweken – en al was het nog zo klein en eenvoudig, al namen in de slaapkamer onze kostuums nu meer ruimte in beslag dan ons bed, ik ging met grote tegenzin weg.

Maar Kitty zei dat het een rare indruk maakte, dat we nog steeds een kamer en een bed deelden als we het geld hadden om tienmaal zo groot te gaan wonen, en ze gaf een makelaar opdracht om kamers voor ons te zoeken, op een geschiktere plek.

Uiteindelijk verhuisden we naar Stamford Hill – ergens ver weg aan de overkant van de rivier, in een stuk van Londen dat ik nauwelijks kende (en stiekem een beetje saai vond). We hadden een afscheidsetentje aan de Ginevra Road, waarbij ze allemaal zeiden hoe jammer ze het vonden dat we weggingen – mevrouw Dendy huilde zelfs een beetje en zei dat haar huis nooit meer hetzelfde zou zijn. Want Tootsie ging ook weg – naar Frankrijk, voor een rol in een Parijse revue, en in haar kamer kwam een fluitende komiek. De professor vertoonde verlammingsverschijnselen – het heette dat hij misschien zou eindigen in een tehuis voor oude artiesten. Sims en Percy ging het goed; ze waren van plan onze kamers te nemen als we eruit waren. Maar Percy had nu ook een meisje, en dat meisje veroorzaakte ruzies tussen hen – later hoorde ik dat ze uit elkaar waren gegaan en een baan als black minstrel in concurrerende troepen hadden gevonden. Zo gaat dat met huizen waar theatermensen wonen, neem ik aan: ze vallen uiteen en vormen zich opnieuw, maar op mijn laatste dag aan de Ginevra Road was ik haast nog triester dan toen ik uit Whitstable vertrok. Ik zat in de huiskamer – mijn portret hing nu ook aan de wand, naast de andere – en bedacht hoeveel er was veranderd sinds ik daar voor het eerst had gezeten, iets minder dan dertien maanden geleden. En even vroeg ik me af of het allemaal veranderingen ten goede waren geweest en wenste ik dat ik weer gewoon Nancy Astley was, van wie Kitty hield met een normale liefde die ze aan de hele wereld durfde te tonen.

De straat waar we naartoe verhuisden, was heel nieuw en heel rustig. Onze buren werkten in de City, denk ik, hun vrouwen bleven de hele dag thuis en hun kinderen hadden kindermeisjes die hen in grote ijzeren kinderwagens puffend het tuinstoepje op en af duwden. Wij hadden de bovenste twee verdiepingen van een huis dicht bij het station. Onze hospita en haar man woonden onder ons, maar ze hadden niets te maken met het vak en we zagen hen maar zelden. We hadden keurige kamers en waren de eersten die ze huurden; het meubilair bestond uitsluitend uit gepolitoerd hout, fluweel en brokaat en was veel mooier dan alles waaraan wij tweeën gewend waren – dus zaten we uiterst voorzichtig op de stoelen en banken. Er waren drie slaapkamers, en één daarvan was de mijne – wat natuurlijk slechts betekende dat ik mijn kleren daar in de kast bewaarde, mijn borstels en kammen op de wastafel en mijn nachtpon onder het kussen: dit was omwille van het meisje dat drie dagen per week voor ons kwam schoonmaken. In werkelijkheid bracht ik mijn nachten door in Kitty's slaapkamer, de grote slaapkamer aan de voorkant, met het grote hoge bed dat de bouwers van het huis hadden bedoeld voor een echtpaar. Ik moest lachen toen ik erin ging liggen. 'We zíjn ook getrouwd,' zei ik tegen Kitty. 'We hoeven hier niet eens te liggen als we dat niet willen! Ik zou je de trap af kunnen dragen naar het vloerkleed in de salon en je daar kussen!' Maar dat deed ik nooit. Want ook al konden we nu zo vrij en luidruchtig zijn als we maar wilden, we merkten dat we niet konden breken met onze oude gewoonten: nog steeds fluisterden we onze liefde tegen elkaar en kusten elkaar onder de beddensprei, muisstil.

Dat wil natuurlijk zeggen, als we tijd hadden voor kussen. We werkten nu zes avonden per week, en er waren geen Sims, Percy en Tootsie om ons na de voorstelling op te peppen. Vaak arriveerden we zo moe in Stamford Hill dat we gewoon op bed vielen en meteen snurkten. Tegen november waren we allebei zo uitgeput dat Walter zei dat we op vakantie moesten. Er was sprake van een reisje naar het vasteland – zelfs naar Amerika, waar ook theaters waren en we rustig een naam konden opbouwen en waar Walter vrienden had die ons konden onderbrengen. Maar toen, voordat die reis vastlag, kwam er een uitnodiging om in de kerstvoorstelling van het Britannia Theatre in Hoxton te spelen. Het stuk was *Assepoester*, en Kitty en ik waren gevraagd voor de eerste en tweede travestierol en het aanbod was te vleiend om af te slaan.

Mijn carrière in het variété bestond weliswaar nog niet lang, maar was wel gelukkig geweest. Maar ik denk niet dat ik ooit zo tevreden was als die winter, toen ik in het Britannia Dandini speelde voor Kitty's Prins. Iedere artiest zal je zeggen dat hij de ambitie heeft in de kerstvoorstelling op te treden, maar pas als je er zelf in speelt, in een theater zo belangrijk en beroemd als het Brit, begrijp je waarom. De drie koudste maanden van het jaar zit je goed. Je hoeft niet van zaal naar zaal te vliegen, je geen zorgen te maken over contracten. Je gaat om met acteurs en balletmeisjes en raakt met hen bevriend. Je hebt een grote, warme kleedkamer voor jezelf – want je moet je er ook echt in omkleden en schminken, niet hijgend aankomen bij de artiesteningang nadat je je kostuum hebt dichtgeknoopt in je coupé. Je krijgt regels om te zeggen en je zegt ze, passen om te doen en je doet ze, kostuums om te dragen – de prachtigste kostuums die je ooit van je leven hebt gezien, kostuums van bont, fluweel en satijn – en je draagt ze, en geeft ze vervolgens terug aan de costumière en laat het aan haar over om ze te verstellen en netjes te houden. Het publiek waar je voor staat, is het aardigste, vrolijkste publiek dat er is: je slingert het allerlei onzin naar het hoofd en het gilt van het lachen, alleen maar omdat het Kerstmis is en het per se vrolijk wil zijn. Het is als een vakantie van het echte leven – behalve dat je twintig pond per week betaald krijgt, als je zo gelukkig bent zoals wij toen, om ervan te genieten.

De *Assepoester* waarin we dat jaar speelden, was een bijzonder prachtige productie. De hoofdrol werd gespeeld door Dolly Arnold – een aantrekkelijk meisje met een stem als een nachtegaal en zo'n smalle taille dat ze bij wijze van handelsmerk een halssnoer om haar middel droeg. Het was vreemd om Kitty verliefd tegen haar te zien doen op de planken, haar te zien kussen terwijl de klok één minuut voor middernacht wees – ofschoon het misschien nog vreemder was te bedenken dat geen mens in het publiek *Potten!* riep of het zelfs maar leek te denken: ze juichten slechts als de prins en Assepoester aan het slot werden verenigd en door een zestal dwergpony's in hun bruidswagen het toneel op werden getrokken.

Behalve Dolly Arnold waren er nog andere sterren – artiesten voor wier nummer ik ooit had betaald en geapplaudisseerd in het Canterbury Palace of Varieties. Ik voelde me een echt groentje toen ik met hen moest werken en praten als met gelijken. Tot dan toe had ik alleen gezongen en gedanst aan de zijde van Kitty; nu moest ik natuurlijk actéren – op het podium lopen met een gevolg van jagers en zeggen: 'Heren, waar is prins Casimir, onze meester?' Op mijn dij kletsen en vreselijke grapjes maken. Voor Assepoester knielen met een fluwelen kussen en haar kleine voetje in het glazen muiltje passen – vervolgens de menigte voorgaan in drie enthousiaste hoera's wanneer het bleek te passen. Als u ooit een kerstvoorstelling in het Brit hebt gezien, weet u hoe geweldig ze zijn. Voor de toneelwisseling bij *Assepoester* tooiden ze honderd meisjes in gazen gewaden met gouden kantwerk, hingen ze aan bewegende draden en lieten ze boven de stalles zweven. Op het podium bouwden ze fonteinen, elk belicht in verschillende kleuren. Dolly, als Assepoester in haar bruidsjurk, droeg een gouden japon met een lijfje van glitters. Kitty droeg een gouden kniebroek, een glimmend vest en een steek, en ik een broek en vest van fluweel en schoenen met brede neuzen en zilveren gespen. Als ik naast Kitty stond, terwijl de fonteinen spoten, de feeën zweefden en de dwergpony's huppelden en trippelden, was ik er nooit zeker van of ik niet op weg naar het theater was gestorven en in het paradijs ontwaakt. Paarden verspreiden een bepaalde geur als ze te lang onder een te hete lamp staan. Die rook ik iedere avond in het Brit, vermengd met die vertrouwde variétélucht van stof en grime, tabak en bier. Nu nog steeds zou ik, als je me pardoes zou vragen: 'Wat is de hemel voor jou?' moeten antwoorden dat hij ruikt naar oververhit paardenhaar, is gevuld met engelen in gaas met glitters en versierd met fonteinen van rood en blauw...

Maar misschien zonder Kitty.

Dat dacht ik toen natuurlijk niet. Ik was alleen heel erg blij dat ik daar mocht werken, met mijn grote liefde aan mijn zijde; en alles wat Kitty zei of deed, leek er alleen maar op te wijzen dat zij dat ook vond. Volgens mij brachten we die winter meer uren door in het Brit dan in ons nieuwe huis in Stamford Hill – meer tijd in fluwelen kostuums met bepoederde pruiken op dan zonder. We raakten bevriend met alle theaterlui – met de ballerina's en de costumières, de belichters, rekwisiteurs, timmerlieden en toneeljongens. Onze kleedster Flora vond er zelfs een vrijer. Het was een zwarte man die was weggelopen bij een familie van zeelieden in Wapping om bij een groep black minstrels te gaan. Omdat hij er niet de stem voor had, was hij maar toneelknecht geworden. Hij heette, geloof ik, Albert – maar hij luisterde net zo min als ieder ander in het vak naar zijn naam, en iedereen kende hem als 'Billy-Boy'. Hij was meer verslingerd aan het theater dan wie van ons ook, en bracht er al zijn tijd door, speelde kaart met de portiers en de timmerlieden, hing rond in de toneeltoren, trok aan touwen, draaide aan zwengels. Hij was een knappe man en Flora was dol op hem. Daarom bracht hij heel wat tijd door voor de deur van onze kleedkamer, wachtend tot hij haar na de voorstelling naar huis kon brengen – en zo leerden we hem goed kennen. Ik mocht hem omdat hij van de rivier kwam en zijn familie had verlaten voor het theater, net als ik. Soms lieten hij en ik, 's middags of 's avonds laat, Kitty en Flora redderen met de kostuums en maakten een wandelingetje door het schemerige en stille theater, puur voor ons genoegen. Op de een of andere manier had hij kopieën bemachtigd van alle sleutels van alle stoffige en geheime plekken in het Britannia – de kelders, de zolders en de oude rekwisietenmagazijnen – en dan toonde hij me manden vol kostuums uit de jaren vijftig, kronen en scepters van papier-maché, wapenrustingen van bladmetaal. Eén of twee keer ging hij me voor op de grote hoge ladders aan de zijkant van het toneel naar de toneelzolder: daar stonden we dan met onze kin op de leuning, rookten samen een sigaret en staarden de as na die door een wirwar van touwen naar de planken dwarrelde, twintig meter onder ons.

Het was alsof we weer bij mevrouw Dendy waren, met al onze vrienden om ons heen – behalve natuurlijk dat Walter er niet bij was. Hij kwam maar zelden naar het Brit en nauwelijks naar Stamford Hill. En als hij kwam, voelde hij zich zo slecht op zijn gemak dat ik er niet tegen kon en iets anders ging doen, hem aan Kitty overlatend. Het viel me op dat zij al even opgelaten en verlegen deed als hij op bezoek kwam, en de voorkeur leek te geven aan zijn brieven boven zijn persoon – want hij stuurde in die tijd zijn boodschappen aan haar over de post, zozeer was onze vriendschap bekoeld. Maar ze zei dat ze het niet erg vond, en ik begreep dat ze niet wilde praten over iets dat pijnlijk voor haar was. Ik wist dat het voor haar heel moeilijk was dat Walter haar geheim had geraden en dat ze het een afschuwelijke gedachte vond.

7

We waren bij het Brit begonnen op tweede kerstdag en hadden de weken daarvoor constant gerepeteerd. Met Kerstmis had ik dan ook veel te doen, en toen moeder me, net als het jaar daarvoor, schreef om te vragen of ik naar huis kwam, moest ik weer een verontschuldigend briefje sturen om te zeggen dat ik het ook nu te druk had. Het was nu bijna anderhalf jaar geleden dat ik bij hen was weggegaan, anderhalf jaar geleden dat ik de zee had gezien en een fatsoenlijk maal van verse oesters had gehad. Het was een lange tijd – en hoe triest en boos Alice' brief me ook had gemaakt, toch miste ik hen allemaal en vroeg me af hoe het met hen ging. Op een dag in januari stuitte ik op mijn oude blikken kistje met het opschrift in gele lak. Ik tilde het deksel op... en vond Davy's op de onderzijde geplakte kaart van Kent, waarop Whitstable was aangegeven met een verbleekte pijl, 'om me eraan te herinneren waar thuis was, voor het geval ik het zou vergeten'. Hij had het bedoeld als een grapje. Geen van hen had gedacht dat ik hen echt zou vergeten. Maar nu moesten ze het gevoel hebben dat het zo was.

Ik sloeg het kistje met een klap dicht; mijn ogen waren gaan prikken. Toen Kitty aan kwam hollen om te zien wat er aan de hand was, zat ik te huilen.

'Hé,' zei ze, en ze legde haar arm om me heen. 'Wat is dat nou? Toch geen tranen?'

'Ik moest aan thuis denken,' zei ik tussen mijn snikken in, 'en wilde er plotseling naartoe.'

Ze streelde mijn wang, legde toen haar vingers tegen haar lippen en likte eraan. 'Zuivere ziltheid,' zei ze. 'Daarom mis je het. Het verbaast me dat je het hebt overleefd zo ver van de zee, zonder te verschrompelen als een stukje oud zeewier. Ik had je nooit moeten weghalen uit Whitstable Bay. Juffrouw Zeemeermin...'

Ik glimlachte uiteindelijk bij het horen van de koosnaam die ik vergeten waande. Toen zuchtte ik. 'Ik zou graag terug willen gaan,' zei ik, 'voor een dag of twee...'

'Een dag of twéé! Ik ga dood zonder je!' Ze lachte en keek de andere kant op, en ik nam aan dat ze maar half een grapje maakte, want in al die maanden samen waren we nog geen nacht van elkaar gescheiden geweest. Ik voelde die oude, rare beklemming op mijn borst, en gaf haar snel een zoen. Ze hief haar handen om mijn gezicht te omvatten, maar opnieuw wendde ze haar blik af.

'Je moet gaan,' zei ze, 'als je er zo triest van wordt. Ik zal me er wel doorheen slaan.'

'Ik zal het ook vreselijk vinden,' zei ik. Mijn tranen waren opgedroogd en nu was ik degene die troostte. 'Trouwens, ik kan pas gaan als we klaar zijn in Hoxton – en dat duurt nog weken.' Ze knikte en keek nadenkend.

Het zóú ook nog weken duren, want *Assepoester* zou nog tot Pasen draaien. Maar half februari was ik plotseling en geheel onverwachts vrij. Er was brand in het Britannia geweest. Er waren in die tijd vaak branden in theaters – zalen brandden regelmatig tot de grond toe af en werden dan weer opgebouwd, beter dan tevoren, en niemand stond er lang bij stil. En het vuur in het Brit was maar klein geweest en er was niemand bij gewond geraakt. Maar het theater had ontruimd moeten worden en er waren problemen bij de uitgangen ontstaan. Naderhand was er een inspecteur gekomen, die naar het gebouw had gekeken en had gezegd dat er een nieuwe nooduitgang moest worden gemaakt. Hij liet het theater sluiten tijdens de werkzaamheden: kaartjes werden terugbetaald en verontschuldigingen werden aangeplakt. En we hadden een hele halve week vrij.

Op aandringen van Kitty – want plotseling was ze zo moedig me te laten gaan – nam ik de gelegenheid te baat. Ik schreef moeder om haar te zeggen dat ik, als ik nog steeds welkom was, de volgende dag – een zondag – thuis zou zijn en tot woensdagavond zou blijven. Toen ging ik winkelen, om cadeautjes te kopen voor de familie: uiteindelijk had het iets opwindends om na zo lange tijd met een pak cadeautjes uit Londen naar Whitstable terug te keren...

Niettemin was het moeilijk om afscheid te nemen van Kitty.

'Denk je dat het gaat?' vroeg ik haar. 'Zul je hier niet eenzaam zijn?'

'Ik zal verschrikkelijk eenzaam zijn. Als je terugkomt, ben ik vast gestorven van eenzaamheid!'

'Waarom ga je niet mee? We kunnen een latere trein nemen...'

'Nee, Nan. Je moet je familie zien zonder mij.'

'Ik zal aan je denken, iedere minuut.'

'En ik zal aan jou denken...'

'O, Kitty...'

Ze had met de parel van haar halsketting tegen haar tand zitten tikken. Toen ik mijn mond op de hare legde, voelde ik die, koud en glad en hard, tussen onze lippen. Ze liet me haar kussen, draaide haar hoofd vervolgens zo dat onze wangen elkaar raakten. Toen legde ze haar armen om mijn middel en trok me heel heftig tegen zich aan – alsof ze zielsveel van me hield.

Toen ik later die ochtend Whitstable binnenreed, leek het heel erg veranderd – heel klein en grauw en met een zee die weidser en een lucht die lager en minder blauw was dan ik me herinnerde. Ik leunde uit het raam van de wagon om het allemaal te bekijken en zag toen vader en Davy op het station, even voordat ze mij zagen. Zelfs zij zagen er anders uit – ik voelde een vlaag van schrijnende liefde en vreemde spijt bij die gedachte – vader een beetje ouder, op de een of andere manier een beetje gekrompen; Davy een beetje forser en roder in zijn gezicht.

Toen ze mij uit de trein op het perron zagen stappen, kwamen ze op me af geheld.

'Nance! Mijn liefste meisje...!' Dat was vader. We omhelsden elkaar – onhandig, want ik had al mijn pakjes vast en een hoed op mijn hoofd met een voile eromheen. Eén pakje viel op de grond en hij bukte om het te pakken, en haastte zich toen me met de andere te helpen. Davy nam ondertussen mijn hand en zoende mijn wang door het gaas van mijn voile heen.

'Moet je haar zien,' zei hij. 'Piekfijn! Wat een dame, hè, pa?' Zijn wangen werden roder dan ooit.

Vader richtte zich op en bekeek me, lachte toen een brede lach die een beetje aan zijn ooghoeken leek te trekken.

'Heel chic,' zei hij. 'Je moeder zal je haast niet herkennen.'

Ik zag er misschien ook wel een beetje opgeprikt uit, maar tot dat moment had ik daar niet over nagedacht. In die tijd droeg ik alleen maar goede kleren, want de meisjesachtige afdankertjes waarmee ik van huis was weggegaan, had ik allang niet meer. Die ochtend had ik er alleen maar mooi uit willen zien. Nu voelde ik me verlegen.

De verlegenheid nam niet af toen ik, aan vaders arm, de kleine afstand naar onze oesterzaak liep. Het huis vond ik armetieriger dan ooit. Het houtwerk boven de zaak vertoonde nu meer kale plekken dan blauwe verf en het uithangbord – Astley's Oesters, de beste van Kent – hing aan één scharnier en was gebarsten waar het was aangetast door regenwater. De trap die we op gingen, was donker en smal, de kamer waarin ik ten slotte terechtkwam, kleiner en benauwder dan ik voor mogelijk had gehouden. En het ergste was nog dat de straat, de trap, de kamer en de mensen erin allemaal naar vis roken! Het was een stank die me even vertrouwd was als de geur van mijn eigen oksel. Maar ik was nu stomverbaasd dat ik daar ooit in had kunnen leven alsof het de normaalste zaak van de wereld was.

Mijn verbazing bleef hopelijk onopgemerkt in de opwinding van mijn komst. Ik had wel gedacht dat moeder en Alice me zouden opwachten, en dat was ook zo. Maar er wachtte nog een zestal anderen, die allemaal een kreet slaakten toen ik verscheen en naar voren kwamen (behalve Alice) om me te omhelzen. Ik moest blijven lachen en me laten omhelzen en bekloppen tot ik helemaal buiten adem was. Rhoda – nog steeds mijn broers vriendin – was er ook en zag er brutaler uit dan ooit. Ook tante Ro was gekomen om me te verwelkomen, met haar zoon, mijn neef George, en haar dochter, Liza, en Liza's kindje – behalve dat het kindje nu helemaal geen kindje meer was, maar een opgedirkt jongetje. Liza, zo zag ik, was weer in verwachting, wat me in een brief was verteld, maar wat ik vergeten was.

Toen iedereen me had verwelkomd, deed ik mijn hoed af en mijn zware jas uit. Moeder bekeek me van top tot teen. Ze zei: 'Mijn hemeltje, Nance, wat zie je er lang en elegant uit! Ik geloof dat je zelfs bijna groter bent dan je vader.' Ik voelde me ook groot in die piepkleine, propvolle kamer, maar volgens mij kon ik amper echt gegroeid zijn. Het kwam alleen omdat ik meer rechtop stond. Ik keek om me heen – een beetje trots, hoewel ik opgelaten was – en ging zitten, en de thee werd gebracht. Nog steeds had ik geen woord gewisseld met Alice.

Vader vroeg naar Kitty en ik zei dat het goed met haar ging. Waar trad ze nu op? vroegen ze me. Waar woonden we? Rosina zei dat het gerucht ging dat ik ook zelf optrad. En daarop antwoordde ik alleen dat ik Kitty zo nu en dan hielp bij haar nummer.

'Nee maar, stel je voor!'

Ik weet niet uit wat voor preutsheid ik mijn succes nog steeds voor hen verborgen hield. Het was, denk ik, omdat het optreden – zoals ik al heb gezegd – zo verweven was met mijn liefde: ik kon het niet verdragen dat ze nieuwsgierige vragen gingen stellen of kritiek zouden hebben of het achteloos aan anderen zouden doorvertellen.

Het was, zo denk ik nu, een soort pedantheid. Ik was nog geen halfuur bij hen toen mijn neef George uitriep: 'Waar is je accent gebleven, Nance? Je klinkt zo bekakt.' Ik keek hem oprecht verbaasd aan, en luisterde vervolgens goed toen ik weer wat zei. Het was helemaal waar, mijn stem was veranderd. Ik klonk niet deftig, zoals hij beweerde, maar er is een zekere zangerigheid die theatermensen hebben – een merkwaardig, onvoorspelbaar mengsel van alle accenten in de theaters, van de man die versnaperingen verkoopt tot de *lion comique*, en ik had het volkomen onbewust overgenomen. Ik klonk als Kitty – soms zelfs als Walter, iets wat ik toen pas besefte.

We dronken thee. Er werd overdreven veel aandacht geschonken aan de kleine jongen. Iemand overhandigde hem aan mij – maar toen ik hem aannam, begon hij te huilen.

'O, grutjes!' zei zijn moeder terwijl ze hem kietelde. 'Je tante Nance vindt je vast een echte huilebalk.' Ze nam hem weer van me over en hield hem toen dicht bij mijn gezicht: 'Handje geven!' Ze greep zijn arm en zwaaide ermee! 'Geef tante Nancy een handje, als een echte kleine heer.' Hij rukte aan haar heup, als een enorm, opgeblazen pistool dat ieder moment kon afgaan, maar ik nam gehoorzaam zijn vingers in de mijne en drukte ze. Natuurlijk trok hij zijn hand meteen terug en krijste alleen maar des te harder. Iedereen lachte. George nam het kind over en zwaaide hem de lucht in, zodat zijn haar langs het gebarsten en vergeelde stucplafond streek. 'Wie is mijn kleine soldaatje?' riep hij.

Ik keek naar Alice en zij keek de andere kant op.

Ten slotte kwam het kind tot rust. Het werd warmer in de kamer. Ik zag Rhoda naar mijn broer overleunen en hem iets toefluisteren, en toen hij knikte, kuchte zij. Ze zei: 'Nancy, waarschijnlijk weet je ons goede nieuwtje nog niet.' Ik keek eens goed naar haar. Ze had geen jasje aan en ik zag dat ze aan haar voeten slechts een paar wollen kousen droeg. Ze leek wel heel erg thuis te zijn.

Nu strekte ze haar hand uit. Aan de ringvinger van haar linkerhand zat een smal gouden bandje met een piepklein steentje erop – saffier of diamant, het was te klein om te zien. Een verlovingsring.

Ik bloosde – ik weet niet waarom – en glimlachte geforceerd. 'O, Rhoda! Daar ben ik blij om! Wat fijn voor jullie.' Ik was niet blij en het was niet fijn. Want het idee dat ik Rhoda als schoonzuster zou krijgen, dat ik wie dan ook als schoonzuster zou krijgen, vond ik gruwelijk! Maar ik moest toch blij hebben geklonken, want hun gezichten kregen iets rozigs en zelfvoldaans.

Toen knikte tante Rosina naar mijn eigen hand. 'Nog geen spoor van een ring aan jóúw vingers, Nance?'

Ik zag Alice op haar stoel verschuiven en schudde mijn hoofd: 'Nog niet, nee.' Vader opende zijn mond om iets te zeggen, maar ik wilde niet dat het gesprek die kant op zou gaan. Ik stond op en pakte mijn tassen. 'Ik heb voor jullie allemaal iets gekocht,' zei ik, 'in Londen.'

Daarop klonk gemompel, samen met zachte, nieuwsgierige O's. Moeder zei dat ik het niet had moeten doen, maar pakte haar bril en keek vol verwachting. Ik ging eerst naar mijn tante en overhandigde haar een zak vol pakjes. 'Deze zijn voor oom Joe en Mike en de meisjes. Dit is voor u.' Vervolgens George: ik had voor hem een zilveren heupfles gekocht. Toen Liza en het kindje... Ik ging heel de volgepakte kamer rond en eindigde bij Alice: 'Dit is voor jou.' Haar pakje – een hoed in een hoedendoos – was het grootst. Ze nam het van me aan met het zuinigste, strakste, stijfste glimlachje ooit gezien en begon traag en verlegen aan de linten te trekken.

Nu had iedereen een presentje behalve ik. Ik ging zitten en keek toe hoe ze hun pakjes openscheurden, kauwend op mijn knokkels en glimlachend in mijn hand. Een voor een kwamen de dingen tevoorschijn en werden rondgedraaid en bekeken in het licht van de late ochtend. De kamer werd helemaal stil.

'Nee maar! Nancy,' zei vader ten slotte, 'wat heb je ons verwend.' Ik had voor hem een horlogeketting gekocht, dik en glimmend als die van Walter. Hij hield hem in zijn hand en tegen het rood van zijn handpalm en de vale wol van zijn jasje leek hij meer dan ooit te glimmen. Hij lachte: 'Hiermee zal ik er pico bello uitzien, niet?' Maar zijn lach klonk niet erg natuurlijk.

Ik keek naar moeder. Zij had een borstel met zilveren rug en een bijpassende handspiegel. Ze lagen in het pakpapier op haar schoot, alsof ze bang was om ze op te pakken. Meteen bedacht ik – iets dat in de Oxford Street niet bij me was opgekomen – dat ze een raar contrast zouden vormen met haar goedkope, gekleurde parfumflesjes, haar pot coldcream op haar oude ladekast met de kapotte glazen handvatten. Ze ving mijn blik op en ik zag dat ze hetzelfde dacht. 'Maar Nance toch...' zei ze, en haar woorden klonken bijna als een verwijt.

Er klonk nu gemompel uit de hele kamer terwijl de mensen hun cadeautjes vergeleken. Tante Rosina hield een stel granaten oorbellen omhoog en keek er met knipperende ogen naar. George bevoelde zijn heupfles en vroeg me, tamelijk nerveus, of ik had gewonnen bij de paardenrennen. Alleen Rhoda en mijn broer leken echt blij met hun cadeautjes. Voor Davy had ik een paar schoenen gekocht, handgemaakt en zacht als boter. Nu klopte hij met zijn knokkels op de zolen, stapte toen over het weggeworpen pakpapier en de linten heen om me een zoen op mijn wang te geven. 'Je bent een echt sterretje,' zei hij. 'Ik zal deze bewaren voor mijn trouwdag: dan ben ik de vent met de mooiste schoenen in heel Kent.'

Zijn woorden leken iedereen te herinneren aan hun manieren, en plotseling stonden ze allemaal op om me te zoenen en bedanken, en iedereen begon gegeneerd te schuifelen. Ik keek over hun schouders naar waar Alice nog steeds zat. Ze had het deksel van de hoedendoos genomen, maar de hoed er niet uit gehaald, hield die alleen lusteloos in haar vingers. Davy zag me kijken. 'Wat heb jíj, zus?' riep hij. Toen ze met tegenzin de doos voor hem schuin hield, zodat hij erin kon kijken, floot hij: 'Wat een prachtexemplaar! Met een struisvogelveer en ook nog een diamant in de rand. Ga je hem niet passen?'

'Dat doe ik nog wel,' zei ze.

Nu draaide iedereen zich om en keek naar haar.

'O, wat een mooie hoed!' zei Rhoda. 'En wat een prachtige kleur rood. Hoe noemen ze die kleur, Nancy?'

'"Buffelrood",' zei ik ellendig. Ik had me niet stompzinniger kunnen voelen als ik hun allemaal een hoop rotzooi – garenklosjes en kaarsenstompjes, tandenstokers en kiezels – verpakt in vloeipapier met linten en zijdegaren had gegeven.

Rhoda merkte niets. '"Búffelrood"!' gilde ze. 'O, Alice, wees eens sportief en zet hem eens op voor ons.'

'Ja, toe nou, Alice.' Dat was Rosina. 'Anders denkt Nancy dat je hem niet mooi vindt.'

'Laat maar,' zei ik snel. 'Ze kan hem later proberen.' Maar George was naar Alice' stoel gesprongen, had haar de hoed afgenomen en probeerde hem nu op haar hoofd te zetten.

'Toe nou,' zei hij. 'Ik wil weten of je er met die hoed als een buffel uitziet.'

'Hou op!' zei Alice. Er volgde een schermutseling. Ik sloot mijn ogen, hoorde naden scheuren, en toen ik weer keek, had mijn zuster de hoed op haar schoot en George een halve struisvogelveer in zijn handen. Het brokje glitter was losgeschoten en verdwenen.

De arme George begon te slikken en hoesten. Rosina zei streng dat ze hoopte dat hij nu tevreden was. Liza nam de hoed en de veer en probeerde die onhandig weer te bevestigen. 'Zo'n mooie hoed,' zei ze. Alice begon te snikken, legde toen haar handen voor haar ogen en holde de kamer uit. Vader zei: 'Tsjonge!' Hij had nog steeds zijn glimmende horlogeketting in zijn hand. Moeder keek naar mij en schudde haar hoofd. 'Wat jammer,' zei ze. 'O, Nancy, wat jammer!'

Na een tijdje vertrokken Rosina en de neven en nichten, en Alice, haar ogen nog steeds gezwollen, ging op bezoek bij een vriendin. Ik bracht mijn bagage naar mijn oude kamer en waste mijn gezicht. Toen ik even later beneden kwam, waren de cadeautjes die ik had meegebracht allemaal uit het zicht verdwenen en was Rhoda moeder aan het helpen bij het koken van de aardappels. Ze joegen me weg toen ik aanbood hen te helpen en zeiden dat ik te gast was. En dus zat ik daar met vader en Davy – die meenden dat het me op mijn gemak zou stellen wanneer ze deden als altijd en zich verstopten achter de zondagskranten.

We aten, maakten toen een wandeling naar Tankerton en zaten daar wat steentjes in het water te gooien. De zee was loodgrijs. Ver op zee waren enkele jollen en schuiten te zien – op weg naar Londen, waar Kitty was. Wat was ze nu aan het doen, vroeg ik me af, behalve mij missen?

Later dronken we thee, waarna nog meer nichten langskwamen om me te bedanken voor hun cadeaus en om een blik te werpen op mijn elegante nieuwe kleren. We zaten boven en ik showde mijn jurken, mijn hoed met de voile en mijn gekleurde kousen. Er werd ook weer gepraat over jongens. Ik hoorde dat Alice het had uitgemaakt met Tony Reeves van het Palace – ze waren verbaasd dat ze me dat niet had verteld – en nu ging met een jongen die op de scheepswerf werkte. Hij was veel groter dan Tony, zeiden ze, maar niet zo leuk. Freddy, mijn vroegere vrijer, had ook een nieuw meisje, en zou wel met haar gaan trouwen... Toen ze mij weer vroegen of ik met iemand ging, zei ik van niet. Maar ik zei het aarzelend en ze glimlachten. Er was wel iemand, drongen ze aan – en om ze het zwijgen op te leggen knikte ik maar.

'Er was een jongen. Hij speelde kornet in een orkest...' Ik keek de andere kant op, alsof de gedachte aan hem me triest maakte, en merkte dat ze veelbetekenende blikken uitwisselden.

En hoe zat het met Kitty Butler? Die moest toch zeker een vriend hebben? 'Ja, een man genaamd Walter...' Ik verafschuwde mezelf om deze woorden – maar bedacht ook hoe Kitty erom zou moeten lachen, als ik het haar vertelde!

Ik was vergeten hoe vroeg ze altijd naar bed gingen. De nichten vertrokken om tien uur en om half elf begon iedereen te gapen. Davy bracht Rhoda naar huis en Alice wenste de rest van ons welterusten. Vader stond op en rekte zich uit, kwam toen naar mij toe en sloeg zijn arm om mijn hals. 'Het was echt heerlijk voor ons, Nance, om je weer thuis te hebben – en om te zien wat voor schoonheid je bent geworden!'

Toen glimlachte moeder naar me – de eerste echte glimlach die ik die dag op haar gezicht had gezien. En toen wist ik hoe blij ik was om weer thuis te zijn, bij hen allen.

Maar die blijdschap duurde niet lang. Na een paar minuten zei ik ook welterusten en was eindelijk alleen met Alice in onze – haar –

kamer. Ze lag in bed, maar de lamp stond nog hoog en ze had haar ogen open. Ik kleedde me niet uit, maar stond daar met mijn rug naar de deur, stokstijf, totdat ze naar me keek.

'Het spijt me van de hoed,' zei ze.

'Dat geeft niet.' Ik liep naar de stoel bij de haard en begon mijn schoenen los te knopen.

'Je had niet zoveel moeten uitgeven,' ging ze verder.

Ik trok een gezicht: 'Had ik het maar niet gedaan.' Ik stapte uit mijn schoenen, schopte ze opzij en begon aan de haakjes van mijn jurk. Ze had haar ogen gesloten en leek niet geneigd nog iets te zeggen. Ik vertraagde mijn hand en keek naar haar.

'Je brief,' zei ik, 'was vreselijk.'

'Ik wil daar helemaal niet over praten,' antwoordde ze snel, terwijl ze zich afwendde. 'Ik heb je gezegd wat ik denk. Ik ben niet van mening veranderd.'

'Ik ook niet.' Ik trok harder aan de haken en stapte uit de jurk, gooide die toen over de rug van de stoel. Ik was chagrijnig en helemaal niet moe. Ik ging naar een van mijn tassen en haalde er een sigaret uit, en toen ik een lucifer aanstreek om de sigaret aan te steken, hief Alice haar hoofd. Ik haalde mijn schouders op: 'Nog zo'n smerig gewoontetje dat ik van Kitty heb geleerd.' Ik klonk precies als zo'n krengerig balletmeisje.

Ik trok de rest van mijn kleren uit en daarna mijn nachtpon over mijn hoofd – herinnerde me toen mijn haar. Ik kon niet slapen met de vlecht nog vastgemaakt aan mijn hoofd. Ik wierp weer een blik op Alice – haar gezicht was wit weggetrokken bij mijn woorden, maar ze keek nog steeds toe – trok toen aan mijn haarspelden tot de chignon loskwam. Uit mijn ooghoek zag ik haar mond openvallen. Ik ging met mijn vingers door mijn platte, gekortwiekte lokken. Die beweging – en de sigaret die ik net had gerookt – gaf me een heerlijk rustig gevoel.

Ik zei: 'Je ziet niet dat het vals is, hè?'

Nu ging Alice rechtop zitten, met de dekens tegen zich aangedrukt. 'Je hoeft niet zo geschokt te kijken,' zei ik. 'Ik heb je alles verteld, ik heb het je in de brief verteld: ik doe mee met het nummer, ik ben niet meer Kitty's kleedster. Ik sta zelf op de planken en doe wat zij doet. Zingen, dansen...'

Ze zei: 'Je hebt het nooit geschreven alsof het echt waar was. Als het waar was, hadden we het wel gehoord! Ik geloof je niet.'

'Het kan me niet schelen of je me gelooft of niet.'

Ze schudde haar hoofd. 'Zingen,' zei ze. 'Dansen. Dat doen sletten. Jij zou dat niet kunnen. Jij zou dat niet willen...'

Ik zei: 'Toch wel.' En om alleen haar te bewijzen dat ik het meende, tilde ik mijn nachtpon op en maakte een paar schuifelpassen over het kleed.

De dans leek haar, net als het haar, angst aan te jagen. Toen ze weer sprak, deed ze dat vol venijn, maar haar stem was hees van de opkomende tranen. 'Je zult ook wel je rokken zo optillen, hè? En je benen laten zien, op toneel, zodat de hele wereld ze kan zien!'

'Mijn rokken?' Ik lachte. 'Mijn hemel, Alice, ik draag geen rokken! Ik heb mijn haar niet laten afknippen om een jurk te dragen. Ik draag broeken: ik draag herenkostuums...'

'O!' Nu begon ze te huilen. 'Hoe kun je dat doen! Hoe kun je dat doen, voor vreemden!'

Ik zei: 'Je vond het wel goed toen Kitty het deed.'

'Zij heeft nooit iets goeds gedaan. Ze heeft jou meegenomen en raar gemaakt. Ik ken je helemaal niet meer. Ik wou dat je nooit met haar mee was gegaan – of nooit was teruggekomen!'

Ze ging liggen, trok de dekens tot aan haar kin en huilde. En aangezien ik geen meisje ken dat niet tot tranen geroerd is als ze haar zus ziet huilen, ging ik naast haar liggen, met prikkende ogen.

Maar toen ze me dichtbij voelde, maakte ze een afwerende beweging. 'Blijf van me af!' schreeuwde ze, en schoof weg. Ze zei het zo hartstochtelijk en oprecht, zo ontzet en triest, dat ik alleen maar kon doen wat ze vroeg, en ik liet haar liggen aan de koude rand van het bed. Algauw hield ze op met schokken en viel stil, en mijn eigen tranen droogden en mijn gezicht werd weer hard. Ik deed de lamp uit, ging op mijn rug liggen en zei niets meer.

Het bed, dat kil was geweest, werd warmer. Op het laatst wilde ik dat Alice zich zou omdraaien en tegen me praten. Toen begon ik te wensen dat Alice Kitty was. Toen begon ik te denken – ik kon er niets aan doen! – aan alles wat ik met haar zou doen als dat zo was. De plotselinge hevigheid van mijn begeerte verraste me. Ik herinnerde me alle keren dat ik hier had gelegen en me soortgelijke dingen had voorgesteld, nog vóór Kitty en ik elkaar ooit hadden gekust. Ik herinnerde me de eerste keer dat ik naast haar had geslapen aan de Ginevra Road, toen ik alleen nog maar gewend was het bed met mijn zus te delen. Nu was het lichaam van Alice me vreemd, op de een of andere manier leek het raar en verkeerd om zo dicht bij iemand te liggen zonder haar te kussen en strelen...

Plotseling dacht ik: Wat als ik in slaap val en vergeet dat zij niet Kitty is en een hand op haar leg, of een been...?

Ik stond op, hing mijn jas over mijn schouders en rookte nog een sigaret. Alice verroerde zich niet.

Ik tuurde op mijn horloge: half twaalf. Ik vroeg me opnieuw af wat Kitty aan het doen zou zijn en stuurde een geestelijke boodschap door de nacht naar Stamford Hill, zodat ze even zou ophouden met wat ze op dat moment ook aan het doen was, en zich herinneren dat ze aan mij, in Whitstable, moest denken.

Mijn bezoek, na dat povere begin, was niet geweldig. Ik was op een zondag aangekomen, en de daaropvolgende dagen waren natuurlijk werkdagen. Ik viel die eerste avond pas heel laat in slaap, maar de volgende morgen werd ik tegelijk met Alice wakker, om half zeven, en dwong mezelf op te staan en met de anderen te ontbijten aan de huiskamertafel. Daarna wist ik niet of ik moest aanbieden mijn oude werk met het oestermes in de keuken te hervatten – ik wist niet of ze het wilden of verwachtten en zelfs of ik het wel aankon. Uiteindelijk raakte ik samen met hen beneden verzeild en ontdekte dat ik toch niet nodig was geweest, want ze hadden nu een meisje om de oesters open te maken en te ontbaarden, en ze leek even snel als ik vroeger. Ik ging naast haar staan – ze was heel leuk om te zien – en maakte enkele halfslachtige handbewegingen met mijn mes bij een dozijn schelpen... Maar het water was koud en stak, en algauw ging ik liever zitten toekijken – daarna deed ik mijn ogen dicht, legde mijn hoofd op mijn armen en luisterde naar het geroezemoes uit het restaurant en het pruttelen van de pannen...

Kortom, ik viel in slaap, en werd pas weer wakker toen vader, die haastig langsliep, over mijn rok struikelde en een pot vocht morste. Toen werd voorgesteld dat ik naar boven zou gaan – uit de weg, bedoelden ze. En zo bracht ik de middag in mijn eentje door, beurtelings knikkebollend boven het *Geïllustreerde Politienieuws* en door de

huiskamer ijsberend om wakker te blijven – en me eerlijk gezegd af-
vragend waarom ik eigenlijk naar huis was gegaan.

De volgende dag was zo mogelijk nog erger. Moeder zei zonder
omhaal dat ik het uit mijn hoofd moest laten mijn jurk te bederven
en mijn handen te bezeren door te proberen hen te helpen in de keuken, dat ik hier was om vakantie te houden, niet om te werken. Ik
had het *Politienieuws* van begin tot eind gelezen; nu was er alleen nog
vaders *Gazet voor de vishandel*, en ik had geen zin daar een dag boven
mee door te brengen. Ik trok weer mijn reiskleding aan en ging uit
wandelen. Ik was zo vroeg op pad gegaan, dat ik tegen tienen helemaal tot Seasalter en terug was gewandeld. Ten slotte, wanhopig op
zoek naar wat afleiding, nam ik de trein naar Canterbury – en terwijl
mijn ouders en zuster hard werkten in het oesterhuis, bracht ik de
dag door als toerist, zwierf door de kloostergang van een kathedraal
die ik, in al de jaren dat ik er zo dichtbij had gewoond, nooit een bezoekje waard had geacht.

Maar op de terugweg naar het station kwam ik langs het Palace. Ik
vond het er heel anders uitzien, nu ik kijk had op theaters, en toen ik
op de affiches af liep om het programma te bekijken, zag ik dat alle
nummers tamelijk tweederangs waren. De deuren waren natuurlijk
dicht en de hal donker, maar ik kon de verleiding niet weerstaan, liep
om naar de artiesteningang en vroeg naar Tony Reeves.

Ik had mijn hoed met sluier op: toen hij me zag, herkende hij me
niet. Maar toen hij uiteindelijk wist wie ik was, lachte hij en kuste me
de hand.

'Nancy! Wat fijn!' Hij was tenminste helemaal niet veranderd. Hij
bracht me naar zijn kantoor en wees me een stoel. Ik zei dat ik hier
op bezoek was en het huis uit gestuurd was om mezelf bezig te houden. Ik zei ook dat het me speet te horen van hem en Alice.

Hij haalde zijn schouders op. 'Ik wist dat ze nooit met me zou
tróúwen of zo. Maar ik mis haar wel. En ze zag er geweldig uit –
maar niet helemaal zo geweldig, als je het niet erg vindt dat ik het
zeg, als haar zusje geworden is...'

Ik vond het niet erg, want ik wist dat hij alleen maar flirtte – het
had wel iets dat een oude vrijer van Alice met me flirtte. In plaats
daarvan vroeg ik naar het theater – hoe het liep, wie ze daar gehad
hadden, wat ze hadden gezongen. Aan het einde van zijn verhaal

pakte hij een pen die op zijn bureau lag en begon ermee te spelen.

'En wanneer komt juffrouw Butler weer terug?' vroeg hij. 'Ik begrijp dat jij en zij nu echte partners zijn.' Ik staarde hem aan, voelde toen mijn wangen rood worden. Maar hij bedoelde natuurlijk alleen onze voorstelling. 'Ik hoor dat jullie samen optreden, en dat jullie volgens iedereen een geweldig stel vormen.'

Nu glimlachte ik. 'Hoe ben je daarachter gekomen? Ik laat er niets over los tegen mijn familie.'

'Ik lees toch de *Era*? "Kitty Butler en Nan King". Een toneelnaam herken ik direct...'

Ik lachte. 'O, is het niet grappig, Tony? Is het niet gewoonweg fantastisch? Op dit moment spelen we in *Assepoester*, in het Brit. Kitty is de prins en ik ben Dandini. Ik heb tekst, moet zingen, dansen, op mijn dijen kletsen, alles, in een fluwelen broek. En het publiek breekt de tent ervoor af!'

Hij moest erom lachen dat ik er zoveel plezier in had – het was heerlijk om eindelijk ingenomen met mezelf te mogen zijn! –, schudde toen zijn hoofd. 'Afgaande op wat ik ze heb horen zeggen, weet je familie er nog niet de helft van. Waarom laat je ze niet overkomen om je op de planken te zien? Waarom is het zo'n groot geheim?'

Ik haalde mijn schouders op, aarzelde toen: 'Alice heeft het niet zo op Kitty...' zei ik.

'En jij en Kitty: ben je nog steeds zo onder de indruk van haar?' Ik knikte. Hij snoof. 'Dan boft ze maar...'

Hij leek alleen maar weer te flirten, maar ik had ook het vreemde idee dat hij meer wist dan hij liet blijken – en het kon me geen zier schelen. Ik antwoordde: 'Ík ben degene die boft,' en beantwoordde zijn blik.

Hij tikte weer met zijn pen op zijn vloeiblad. 'Misschien.' Toen knipperde hij met zijn ogen.

Ik bleef in het Palace tot uit alles bleek dat Tony nog meer te doen had, nam toen afscheid van hem. Buiten stond ik weer voor de deuren van de hal, zonder veel zin de lucht van bier en schmink achter me te laten en me te onderwerpen aan de totaal verschillende geuren van Whitstable, onze Salon en ons huis. Het was heerlijk geweest om over Kitty te praten – zo heerlijk dat ik haar, toen ik naderhand aan het avondeten zat tussen de zwijgende Alice en de onbeschofte Rhoda met haar minuscule, fonkelende saffier, des te meer miste. Ik zou nog een dag bij hen blijven, maar nu besloot ik dat ik dat niet aan kon. Toen we aan onze pudding begonnen, zei ik dat ik van gedachten was veranderd en morgen liever de ochtend- dan de avondtrein nam – dat ik me herinnerde dat ik nog dingen moest doen in het theater die ik niet tot donderdag kon uitstellen.

Ze leken niet verbaasd, al zei vader dat het jammer was. Toen ik hem later goedenacht zoende, schraapte hij zijn keel. 'Zo,' zei hij, 'morgenochtend ga je dus terug naar Londen en ik heb nauwelijks tijd gehad om eens goed naar je te kijken.' Ik glimlachte. 'Heb je het fijn gehad bij ons, Nance?'

'O, ja.'

'En pas je goed op jezelf in Londen?' vroeg moeder. 'Het lijkt zo heel ver weg.'

Ik lachte. 'Zo ver is het niet.'

'Zo ver,' zei ze, 'dat je anderhalf jaar lang niet thuis bent geweest.'

'Ik heb het druk gehad,' zei ik. 'We hebben het allebei vreselijk druk gehad.' Ze knikte, niet erg onder de indruk: ze wist het allemaal al, uit de brieven.

'Als het maar niet meer zo lang duurt voor je weer naar huis komt. Het is heel leuk om pakjes van je te krijgen; het was heel leuk om die cadeautjes te krijgen; maar we hebben liever jou dan een haarborstel of een stel schoenen.' Ik keek beschaamd de andere kant op. Ik voelde me nog steeds een idioot als ik aan die cadeautjes dacht. Toch vond ik dat ze niet zo kribbig, zo hard hoefde te zijn.

Eenmaal besloten eerder te vertrekken, werd ik ongeduldig. Nog diezelfde avond pakte ik mijn tassen en stond de volgende ochtend nog vroeger op dan Alice. Om zeven uur, toen de ontbijtspullen waren opgeruimd, was ik reisklaar. Ik omhelsde hen allen, maar mijn afscheid was niet zo droef, noch zo zoet, als de eerste keer dat ik bij hen was weggegaan. En ik had geen enkel voorgevoel van iets toekomstigs dat het afscheid droever zou hebben gemaakt. Davy was aardig en liet me beloven dat ik naar huis zou komen voor zijn bruiloft. Hij zei dat ik Kitty mocht meenemen als ik wilde, waardoor ik nog meer van hem hield. Moeder glimlachte, maar ze glimlachte zuinig. Alice was zo koel dat ik haar uiteindelijk mijn rug toekeerde. Alleen vader drukte me tegen zich aan alsof hij me echt niet graag zag gaan, en toen hij zei dat hij me zou missen, wist ik dat hij het meende.

Ditmaal kon niemand worden gemist om me naar het station te brengen, dus ging ik er in mijn eentje naartoe. Ik keek niet naar Whitstable of de zee toen de trein vertrok. Ik dacht in ieder geval niet: Ik zal jullie jarenlang niet meer zien – en als ik dat wel had gedacht, had ik er, zo moet ik tot mijn schande zeggen, niet van wakker gelegen. Ik dacht alleen aan Kitty. Het was pas half acht; ze zou niet voor tienen opstaan, wist ik, en ik was van plan haar te verrassen – ik zou onze kamers in Stamford Hill binnengaan en in haar bed kruipen. De trein rolde voort, door Faversham en Rochester. Ik was nu niet meer ongeduldig. Ik hoefde niet meer ongeduldig te zijn. Ik zat daar alleen te denken aan haar warme, slapende lijf dat ik weldra zou omhelzen. Ik dacht aan haar blijdschap, haar verrassing, haar overvloeiende liefde, als ze zag dat ik zo vroeg terug was.

Toen ik van de straat omhoogkeek, zag ons huis eruit zoals ik had gehoopt, helemaal donker en met gesloten luiken. Ik liep op mijn tenen de trap op en stak voorzichtig mijn sleutel in het slot. De gang was stil: ook onze hospita en haar man lagen kennelijk nog in bed. Ik zette mijn tassen neer en trok mijn jas uit. Er hing al een cape aan de kapstok en ik wierp er een zijdelingse blik op: het was die van Walter. Wat raar, dacht ik, hij moest gisteren hier zijn geweest en hem hebben vergeten! En algauw, zachtjes de duistere trap op lopend, vergat ik hem zelf ook.

Ik kwam bij Kitty's deur en legde mijn oor ertegen. Ik had stilte verwacht, maar er klonk een geluid achter de deur – een soort slurpgeluid, als van een poesje bij een schoteltje melk. Ik dacht: Verdomme! Ze moest al wakker zijn en thee zitten te drinken. Toen hoorde ik het ledikant kraken en wist het zeker. Teleurgesteld, maar blij en vol verwachting haar te zien, greep ik de deurklink en ging de kamer binnen.

Ze was inderdaad wakker. Ze zat in bed tegen een kussen, met de dekens tot aan haar oksels en haar blote armen op de sprei. Een lamp was aangestoken en hoog gedraaid, de kamer was helemaal niet donker. Bij een wastafeltje aan de voet van het bed stond een andere gedaante. Walter. Hij had geen jasje aan en geen boord om; zijn hemd was haastig in zijn broek gestopt, maar zijn bretels bungelden los, bijna tot op zijn knieën. Hij stond over de kom met water gebogen zijn gezicht te wassen – dat was het slurpgeluid dat ik had gehoord. Zijn bakkebaarden glansden donker waar hij ze nat had gemaakt.

Hij zag me het eerst. Hij staarde me totaal verrast aan, zijn handen geheven, het water liep zijn mouwen in. Toen trok er een soort kramp over zijn gezicht, die gruwelijk was om te zien – en op hetzelfde moment zag ik Kitty onder het beddengoed ook verkrampen.

Zelfs toen had ik het nog niet helemaal door, denk ik.

'Wat is hier aan de hand?' vroeg ik, met een nerveus lachje. Ik keek naar Kitty, wachtend tot ze zou meelachen – tot ze zou zeggen: O, Nan, dit moet een heel rare indruk op je maken! Maar het is helemaal niet wat het lijkt.

Maar ze glimlachte zelfs niet. Ze staarde naar me met angstige ogen en trok de dekens hoger, als om haar naaktheid voor me te verbergen. Voor mij!

Walter nam het woord.

'Nan,' zei hij aarzelend – zijn stem had nog nooit zo droog en hol geklonken – 'Nan, je hebt ons verrast. We hadden je pas vanavond verwacht.' Hij pakte een handdoek en wreef zijn gezicht droog. Daarna liep hij heel snel naar de stoel, greep zijn jasje en trok het aan. Ik zag dat zijn handen trilden.

Ik had hem nog nooit zien trillen.

Ik zei: 'Ik heb een eerdere trein genomen...' Mijn mond was droog geworden, net als de zijne, en daarom klonk mijn stem traag en hees. 'Ik dacht zelfs dat het nog heel vroeg was. Hoe lang ben jij al hier, Walter?'

Hij schudde zijn hoofd, alsof de vraag hem pijn deed, en zette een stap in mijn richting. Toen zei hij nogal dringend: 'Nan, vergeef me. Dit had je niet mogen zien. Kom je mee naar beneden om te praten...?'

Hij sprak op vreemde toon, en toen ik dat hoorde, wist ik het zeker.

'Nee!' Ik legde mijn handen op mijn buik; daar kolkte het heet en zuur, alsof ze me vergif hadden gegeven. Bij mijn kreet huiverde Kitty en trok wit weg. Ik wendde me tot haar: 'Het is niet waar!' zei ik. 'Zeg me alsjeblieft, zeg me... zeg dat het niet waar is!' Ze keek me niet aan, sloeg alleen haar handen voor haar ogen en begon te huilen.

Walter kwam dichterbij en legde zijn hand op mijn arm.

'Ga weg!' schreeuwde ik, en ik stapte bij hem vandaan naar het bed. 'Kitty? Kitty?' Ik knielde naast haar neer, trok haar hand van haar gezicht en hield die bij mijn lippen. Ik kuste haar vingers, haar nagels, haar palm, haar pols; haar knokkels, nat van haar eigen tranen, waren algauw kletsnat van mijn tranen en speeksel. Walter keek ontzet toe, nog steeds trillend.

Uiteindelijk beantwoordde ze mijn blik. 'Het is waar,' fluisterde ze.

Ik schrok en kreunde – toen hoorde ik haar gillen, voelde dat Walters vingers mijn schouders grepen en besefte dat ik haar had gebeten, als een hond. Ze trok haar hand terug en staarde me vol afgrijzen aan. Opnieuw schudde ik Walter af, draaide me toen om en begon tegen hem te schreeuwen. 'Ga weg, eruit! Eruit en laat ons alleen!' Hij aarzelde. Ik trapte naar zijn enkel tot hij een stap terug deed.

'Je bent jezelf niet, Nan...'

'Eruit!'

'Ik laat je liever niet achter...'

'*Eruit!*'

Hij deinsde terug. 'Ik ga tot achter de deur – niet verder.' Hij keek naar Kitty, en toen ze knikte, ging hij weg, de deur heel zachtjes achter zich sluitend.

Er viel een stilte, slechts verbroken door het geluid van mijn onregelmatige ademhaling en Kitty's zachte huilen: precies zo had ik mijn zus zien huilen, drie dagen eerder. *Kitty heeft nooit iets goeds gedaan!* had ze gezegd. Ik legde mijn wang op de sprei waar deze Kitty's dij bedekte en sloot mijn ogen.

'Je liet me geloven dat hij je vriend was,' zei ik. 'En toen liet je me geloven dat hij niet om je gaf, vanwege ons.'

'Ik wist niet wat ik anders moest doen. Hij wás alleen mijn vriend; en toen, en toen...'

'Te bedenken dat jij en hij... al die tijd...'

'Het was niet wat je denkt, vóór vannacht.'

'Ik geloof je niet.'

'O Nan, het is waar, ik zweer het! Hoe kon er iets zijn geweest vóór vannacht? Vóór vannacht waren er alleen maar woorden en... kussen.'

Vóór vannacht... Vóór vannacht was ik blij geweest, bemind, tevreden, veilig; vóór vannacht was ik zo verliefd en verlangend geweest dat ik dacht dat ik doodging! Door Kitty's woorden besefte ik dat de pijn van mijn liefde nog geen tiende, nog geen honderdste, nog geen duizendste zou zijn van de pijn die ik nu door haar zou lijden.

Ik opende mijn ogen. Kitty zag er ziek en bang uit. Ik zei: 'En de... kussen: wanneer zijn die begonnen?' Maar op hetzelfde moment raadde ik al het antwoord: 'Die avond, bij de Deacon's...'

Ze aarzelde – knikte toen. En ik zag alles opnieuw voor me en begreep alles: de gêne, de stilten, de brieven. Ik had medelijden met Walter gehad – medelijden met hem! Terwijl ík al die tijd de dwaas was geweest, terwijl zíj elkaar al die tijd hadden ontmoet, elkaar dingen hadden toegefluisterd, elkaar gestreeld...

Het was een kwellende gedachte voor me. Walter was onze vriend – niet alleen van haar, maar ook van mij. Ik wist dat hij van haar hield, maar – hij leek zo oud, zo oomachtig ook. Hoe zou ze zich zover kunnen brengen dat ze het bed met hem wílde delen? Het was alsof ik haar in bed had betrapt met mijn eigen vader!

Ik begon weer te huilen. 'Hoe heb je het kunnen doen?' zei ik door mijn tranen heen, ik klonk als de toneelechtgenoot in het volkstheater. 'Hoe heb je het kunnen doen?' Onder de dekens voelde ik haar kronkelen.

'Ik vond het niet prettig!' zei ze treurig. 'Soms kon ik het nauwelijks verdragen...'

'Ik dacht dat je van me hield! Je zei dat je van me hield!'

'Ik houd ook van je! Ik houd ook van je!'

'Je zei dat je alleen mij wilde. Je zei dat we bij elkaar zouden blijven, voor altijd!'

'Ik heb nooit gezegd...'

'Je liet het me geloven! Je liet het me geloven! Je hebt zo vaak gezegd hoe blij je was. Waarom konden we niet doorgaan als vroeger...?'

'Je wéét waarom! Zoiets kan wel, als meisje. Maar nu we ouder worden... We zijn geen stelletje keukenmeiden die kunnen doen wat ze willen zonder dat het opvalt. We zijn bekend. Er wordt op ons gelet...'

'Dan wíl ik niet bekend zijn, als ik jou daarmee verlies! Ik wil niet dat er op me gelet wordt, behalve door jóú, Kitty...'

Ze drukte mijn hand. 'Maar dat doe ik toch,' zei ze. 'Dat doe ik. En zolang er op me gelet wordt, wil ik niet dat ik ook word... uitgelachen of gehaat of uitgescholden voor...'

'Voor pot!'

'Ja!'

'Maar we kunnen toch voorzichtig zijn...'

'We kunnen nooit voorzichtig genoeg zijn! Je lijkt te veel... Nan, je lijkt te veel op een jongen...'

'Te veel... op een jongen? Dat heb je nooit eerder gezegd! Te veel op een jongen... Toch ga je liever met Walter! Ben je... verliefd op hém?'

Ze keek de andere kant op. 'Hij is heel... aardig,' zei ze.

'Heel aardig.' Ik hoorde ten slotte mijn stem hard en bitter worden. Ik ging rechtop zitten en draaide van haar weg. 'En dus liet je hem komen terwijl ik weg was, en hij was aardig voor je, in ons bed...' Ik stond op, me plotseling bewust van de bezoedelde lakens en matras, van haar naakte huid die hij had aangeraakt met zijn hand, zijn mond... 'O, god! Hoe lang zou je zijn doorgegaan? Had je je door mij laten kussen, na hém?'

Ze reikte naar mijn hand. 'We waren van plan, eerlijk waar, om het je vanavond te vertellen. Vanavond zou je het allemaal te horen krijgen...'

Ze zei het op een enigszins vreemde manier. Ik had naast haar heen en weer gebeend, en nu bleef ik stilstaan. 'Wat bedoel je?' vroeg ik. 'Wat bedoel je met dat "allemaal"?'

Ze nam haar hand weg. 'We gaan... o, Nan, haat me niet! We gaan... trouwen.'

'Tróúwen?' Als ik tijd had gehad om erover na te denken, had ik het misschien wel verwacht, maar ik had helemaal geen tijd gehad en de woorden maakten me duizeliger en misselijker dan ooit. 'Trouwen? Maar hoe... hoe moet het dan met mij? Waar moet ik wonen? Wat moet ik doen? En hoe moet het... moet het...' Ik had iets nieuws bedacht. 'Hoe moet het dan met ons optreden? Hoe moeten we dan werken...?'

Ze keek weg. 'Walter heeft een plan. Voor een nieuw nummer. Hij wil terug naar de variététheaters...'

'Naar de variététheaters? Na dít? Met jou en mij...?'

'Nee, met mij. Alleen met mij.'

Alleen met haar. Ik voelde hoe ik begon te beven. Ik zei: 'Je hebt me kapotgemaakt, Kitty.' Zelfs in mijn eigen oren klonk mijn stem vreemd. Ik denk dat ik haar angst inboezemde, want ze blikte enigszins schichtig in de richting van de deur en begon te praten, heel snel, maar met een soort schrille fluisterstem.

'Dat soort dingen moet je niet zeggen,' zei ze. 'Het was een schok voor je. Maar je zult zien, met de tijd... worden we weer vrienden, wij drieën!' Ze stak haar hand naar me uit. Haar stem werd schriller, maar ze sprak nog zachter. 'Snap je niet dat dit het beste is? Als Walter mijn man is, wie denkt er dan nog, wie zegt er dan nog...' Ik probeerde me los te rukken. Zij greep me steviger vast – schreeuwde ten slotte, in een soort paniek: 'O, jij denkt toch niet dat ik hem een wig tussen ons laat drijven?'

Hierop gaf ik haar een duw en viel zij terug in haar kussen. Ze had nog steeds de beddensprei voor zich, maar die was een beetje naar beneden gezakt. Ik zag een glimp van de welving van haar borst, het roze van haar tepel. Een stukje onder de donzige holte van haar hals – schokkend bij iedere ademhaling en bonzende hartslag – hing de parel die ik voor haar had gekocht, aan zijn zilveren ketting. Ik herinnerde me hoe ik die drie dagen eerder had gekust. Misschien had Walter hem vannacht of vanmorgen nog hard en koud tegen zijn eigen tong gevoeld.

Ik deed een stap naar haar toe, greep de ketting en – opnieuw was ik net een figuur in een roman of toneelstuk – gaf er een ruk aan. Meteen klonk er een bevredigend knak! En de ketting bungelde gebroken aan mijn hand. Ik keek er een moment naar, smeet haar toen van me af en hoorde haar over de vloerplanken kletteren.

Kitty gilde – ik geloof dat ze Walters naam gilde. Hoe dan ook, de deur ging nu open en hij verscheen, bleek boven zijn rossige bakkebaarden, zijn bretels nog steeds onder de zoom van zijn jasje bungelend, zijn boordloze overhemd nog steeds loshangend bij zijn hals. Hij rende naar de andere kant van het bed en nam Kitty in zijn armen.

'Als je haar pijn hebt gedaan...' zei hij. Daar lachte ik hartelijk om.

'Haar pijn gedaan? Haar pijn gedaan? Ik kon haar wel vermoorden! Als ik een pistool had gehad, had ik haar door het hart geschoten – en mezelf ook! En dan zou jij kunnen trouwen met een lijk!'

'Je hebt je verstand verloren,' zei hij. 'Dit heeft je totaal van je zinnen beroofd.'

'Vind je dat gek? Weet je – heeft zij je verteld... wat we zijn... wat we wáren... voor elkaar?'

'Nan!' zei Kitty snel. Ik hield mijn ogen op Walter gericht.

'Ik weet,' zei hij langzaam, 'dat jullie... een soort geliefden waren.'

'Een soort. Het soort dat... wat? Handjes vasthoudt? Dacht je dan dat je de eerste voor haar was, in dit bed? Heeft ze je niet verteld dat ik haar néúk?'

Hij schrok – en ik ook, want het woord klonk verschrikkelijk: ik had het nog nooit eerder gezegd en had niet geweten dat ik het nu zou gebruiken. Hij bleef me echter kalm aankijken. Ik zag met groeiend verdriet dat hij alles wist en het niet erg vond; dat hij het – wie weet? – misschien wel lekker vond. Hij was te zeer een heer om me een grof antwoord terug te geven, maar zijn uitdrukking – een merkwaardige mengeling van minachting, voldoening en medelijden – sprak boekdelen. Die zei: *Dat was geen normaal neuken!* Die zei: *Je hebt haar zo goed geneukt dat ze bij je is weggegaan!* Die zei: *Jij mag haar dan als eerste hebben geneukt, maar ik zal haar nu en voor altijd neuken!*

Hij was mijn rivaal en had me uiteindelijk verslagen.

Ik deed een stap van het bed af en toen nog een. Kitty slikte, haar hoofd nog op Walters omvangrijke borst. Haar ogen waren groot en glansden van de niet-geplengde tranen, haar lippen rood waar ze erop had gebeten. Haar wangen waren bleek en de sproeten lagen er heel donker op – er zaten ook sproeten op de huid van haar schouder en borst, waar die boven de dekens uitstaken. Zo mooi had ik haar eigenlijk nooit gezien.

Vaarwel, dacht ik – toen draaide ik me om en vluchtte.

Ik rende de trappen af; mijn voeten bleven haken in mijn rok en ik struikelde bijna. Ik rende voorbij de openstaande huiskamerdeur, voorbij de kapstok waaraan mijn jas hing naast die van Walter, voorbij de tassen die ik had meegenomen van Whitstable. Ik stopte niet om iets mee te nemen, zelfs geen handschoen of hoed. Ik kon daar nu niets meer aanraken – het was een pesthuis voor me geworden. Ik rende naar de deur en trok die open, liet die vervolgens wijdopen achter me, terwijl ik me de stoep af haastte de straat op. Het was heel koud, maar windstil en droog. Ik keek niet achterom.

Ik bleef doorrennen tot ik pijn in mijn zij kreeg, toen ging ik half stapvoets, half op een draf verder, tot de pijn wegtrok. Vervolgens zette ik het weer op een rennen. Ik was in Stoke Newington en liep zuidwaarts over de lange rechte weg die naar Dalston, Shoreditch en de City voerde. Verder kon ik niet denken: ik had net genoeg besef om Stamford Hill – en háár en hém – steeds verder achter me te laten en maar te rennen. Ik was half verblind door tranen; mijn ogen voelden opgezwollen en heet in hun kassen, mijn gezicht zat onder het kwijl en werd ijzig. De mensen moeten hebben opgekeken toen ik hen passeerde. Ik geloof dat een of twee mannen me bij mijn arm probeerden te pakken, maar ik zag en hoorde hen niet, haastte me maar voort, over mijn rok struikelend, totdat ik door pure uitputting mijn pas moest vertragen en om me heen keek.

Ik had een bruggetje over een kanaal bereikt. Er voeren schuiten op het water, maar die waren nog op enige afstand, en het water onder me was volmaakt glad en ondoorzichtig. Ik moest denken aan die nacht dat Kitty en ik boven de Theems hadden gestaan en ik haar had mogen kussen... Ik schreeuwde het haast uit bij de herinnering. Ik zette mijn handen op de ijzeren brugleuning. Ik geloof dat ik heel even echt overwoog me eroverheen te gooien en op die manier te vluchten.

Maar op mijn manier was ik even laf als Kitty. De gedachte dat dat bruine water aan mijn rokken zou zuigen, over mijn hoofd golven en mijn mond vullen, kon ik niet verdragen. Ik draaide me af en sloeg mijn handen voor mijn ogen, dwong mijn hersenen op te houden met dat verschrikkelijke malen. Ik wist dat ik niet de hele dag kon blijven rennen. Ik moest een plek vinden om me te verstoppen. Ik had niets aan dan mijn jurk. Ik kreunde luid en keek weer om me heen – maar ditmaal heel wanhopig.

Toen hield ik mijn adem in. Ik herkende deze brug: we waren er sinds Kerstmis iedere avond overheen gereden, op weg naar *Assepoester*. Het Britanniatheater was dichtbij, en ik wist dat er geld in onze kleedkamer was.

Ik ging op weg, veegde mijn gezicht af aan mijn mouw en streek mijn jurk en mijn haar glad. De portier keek me heel verbaasd aan toen hij me binnenliet, maar was niet onvriendelijk. Ik kende hem goed en was vaak blijven stilstaan om een praatje met hem te maken. Vandaag echter knikte ik alleen naar hem, terwijl ik mijn sleutel pakte en haastte me zonder een glimlach langs hem heen. Het kon me niet schelen wat hij dacht. Ik wist dat ik hem nooit meer zou zien.

Het theater was natuurlijk nog dicht; er klonken hamergeluiden uit de zaal van de timmerlieden die daar aan het werk waren, maar afgezien daarvan was alles, de gangen, de artiestenfoyer, stil. Ik was er blij om; ik wilde door niemand gezien worden. Ik liep heel snel maar ook heel stil naar de kleedkamers, tot ik de deur met 'juffrouw Butler en juffrouw King' bereikte. Heel zachtjes – want in mijn koortsige toestand vreesde ik half en half dat Kitty aan de andere kant op me stond te wachten – draaide ik toen de sleutel om in het slot en duwde de deur open.

De kamer erachter was donker. Ik liep er binnen in het licht van de gang, streek een lucifer aan en ontstak een gaslamp, sloot vervolgens de deur zo zachtjes als ik kon. Ik wist precies wat ik wilde. In een kast onder Kitty's tafel stond een kleine blikken doos met een berg munten en biljetten – iedere week ging daar een deel van ons loon in, waar we naar believen uit konden putten. De sleutel ervan lag tussen de staafjes schmink in het oude sigarenkistje waarin ze haar grimeerspullen bewaarde. Ik pakte de doos en keerde die om; de staafjes vielen eruit, evenals de sleutel – evenals, zo zag ik, nog iets anders. Op de bodem van de doos had altijd een velletje gekleurd papier gelegen en het was nooit bij me opgekomen dat op te tillen. Nu was het losgekomen en erachter zat een kaart. Ik pakte die met trillende vingers op en bestudeerde hem. Ze was gekreukt en zat onder de schmink, maar ik wist het direct. Op de voorkant stond een afbeelding van een oestersmak; door een patina van poeder en grime stonden twee meisje op het dek te lachen en op het zeil had iemand in inkt geschreven: 'Naar Londen'. Er stond nog iets op de achterkant – Kitty's adres in het Canterbury Palace, en een bericht: 'Ik mag mee!!! Maar je zult het een paar avonden zonder je kleedster moeten stellen, terwijl ik alles klaarmaak...' Hij was ondertekend: 'Liefs, Je Nan.'

Het was de kaart die ik haar zo lang geleden had gestuurd, nog voordat we verhuisd waren naar Brixton, en ze had die heimelijk bewaard, alsof het een schat was die ze koesterde.

Ik hield de kaart even in mijn vingers, vervolgens deed ik haar terug in het kistje en legde het vel papier er weer overheen. Toen vlijde ik mijn hoofd op de tafel en huilde opnieuw, totdat ik niet meer kon huilen.

Ten slotte opende ik de blikken doos en nam zonder het te tellen al het geld dat erin lag – zo'n twintig pond, zo bleek later, en natuurlijk slechts een fractie van mijn totale verdiensten van de laatste twaalf maanden. Maar op dat moment was ik zo versuft en ziek dat ik me amper kon voorstellen waarvoor ik ooit nog geld nodig kon hebben. Ik stopte het geld in een envelop, stak de envelop achter mijn riem en wilde weggaan.

Maar ik had nog helemaal niet om me heen gekeken. Nu echter wierp ik een laatste blik in het rond. Er was maar één ding dat me opviel en me deed aarzelen: het rek met onze kostuums. Ze hingen er allemaal, de pakken die ik op het podium aan Kitty's zijde had gedragen: de fluwelen broek, de overhemden, de serge jasjes, de extravagante vesten. Ik liep ernaartoe en streek met mijn hand langs de rij mouwen. Ik zou ze nooit meer aanraken...

Die gedachte was onverdraaglijk. Ik kon ze niet achterlaten. Er lag een stel oude plunjezakken – immense dingen die we een of twee keer hadden gebruikt om mee te repeteren, 's middags, als het podium van het Britannia stil en leeg was. Ze zaten vol lompen. Heel snel greep ik er een, maakte het koord aan de hals los en trok alles wat erin zat op de vloer totdat hij helemaal leeg was. Toen liep ik naar het rek en begon mijn kostuums eraf te trekken – niet allemaal, maar alleen die waarvan ik geen afscheid kon nemen, het blauwe serge pak, de wijde broek, het rode garde-uniform, en stouwde ze in de zak. Ik pakte ook schoenen, overhemden en strikjes – zelfs een stel petten. Ik dacht er niet bij na en werkte maar door, zwetend, tot de zak vol was en bijna zo groot als ikzelf. Hij was zwaar en ik wankelde toen ik hem optilde, maar het gaf een vreemde voldoening om een echte last op mijn schouders te hebben – een soort tegenwicht voor de vreselijke zwaarte van mijn hart.

Aldus beladen liep ik de gangen van het Britannia door. Ik kwam niemand tegen, ik zocht naar niemand. Pas toen ik bij de artiesteningang kwam, zag ik een gezicht dat ik met blijdschap begroette:

Billy-Boy zat helemaal alleen in het kantoor van de portier met een sigaret tussen zijn vingers. Hij keek op toen ik eraan kwam en staarde verbaasd naar mijn zak, mijn gezwollen ogen en mijn vlekkerige wangen.

'God, Nan,' zei hij, terwijl hij opstond. 'Wat is er in hemelsnaam met jou aan de hand? Ben je ziek?'

Ik schudde mijn hoofd. 'Geef me je saffie, alsjeblieft, Bill?' Dat deed hij en ik nam een trek en hoestte. Hij keek me bezorgd aan.

'Je ziet er helemaal niet goed uit,' zei hij. 'Waar is Kitty?'

Ik nam weer een trek van de sigaret en gaf die toen aan hem terug.

'Weg,' zei ik. Toen trok ik aan de deur en stapte de straat op. Ik hoorde de stem van Billy-Boy, hoog van bezorgdheid en schrik, maar de dichtvallende deur maakte zijn woorden onhoorbaar. Ik tilde mijn zak een beetje hoger op mijn schouder en begon te lopen. Ik nam een bocht, en nog een. Ik passeerde een smerige woonkazerne, sloeg een drukke straat in en voegde me tussen een menigte voetgangers. Londen slokte me op en een poosje dacht ik helemaal niet meer.

Deel twee

8

Ik liep ongeveer een uur door voor ik weer rustte, maar ik nam een willekeurige route, waarbij ik soms weer in dezelfde straten terechtkwam; ik wilde niet zozeer weglopen van Kitty als wel me voor haar verbergen, mezelf verliezen in de grauwe anonieme ruimten van de stad. Ik had een kamer nodig – een kleine kamer, een armoedige kamer, een kamer die zich zou onttrekken aan ieder spiedend oog. Ik zag me er binnengaan en mijn hoofd verbergen, als een beest dat een hol groef of ging overwinteren, een pissebed of een rat. Dus bleef ik in de straten waar ik zo'n kamer dacht te kunnen vinden, de naargeestige en troosteloze straten met logementen, lijmkitten, huizen met kaartjes in het raam waarop stond *Bedden te huur*. Ze waren allemaal geschikt voor mij, neem ik aan, maar ik zocht naar een teken dat ik welkom was.

En ten slotte dacht ik dat gevonden te hebben. Ik had door Moorgate gezworven, was in de richting van de St Paul's gedwaald en bijna in Clerkenwell terechtgekomen. Nog steeds lette ik niet op de mensen om me heen – op de mannen en de kinderen die naar me staarden of soms lachten, toen ze me wezenloos zagen voortsjokken met mijn plunjezak. Ik liep met gebogen hoofd en half geloken ogen, maar besefte nu dat ik op een soort plein terecht was gekomen – werd me bewust van een drukte, een gedruis van bedrijvigheid vlakbij, en bovendien van een geur: een stinkende, weeë, misselijkmakende lucht die ik vaag herkende maar niet kon thuisbrengen. Ik ging langzamer lopen en voelde dat de weg enigszins plakkerig aan mijn schoenzolen begon te trekken. Ik opende mijn ogen; de stenen waarop ik stond, waren rood en nat van het water en het bloed. Ik sloeg mijn ogen op en zag een sierlijk gietijzeren gebouw vol karren, kruiwagens en dragers, allemaal beladen met karkassen.

Ik was in Smithfield, op de Dood Vlees Markt.

Ik slaakte een soort zucht bij de herkenning. Dichtbij was een tabaksstalletje. Ik ging erheen en kocht een blikje sigaretten en wat lucifers, en toen de jongen me het wisselgeld overhandigde, vroeg ik hem of er in de buurt logementen waren die kamers vrij hadden. Hij noemde er twee of drie en zei er min of meer waarschuwend bij: 'Ze zijn niet erg chic, juffrouw, de logementen hierzo.' Ik knikte alleen maar, draaide me om en liep naar het eerste adres dat hij had genoemd.

Het bleek een hoog, bouwvallig huis in een verwaarloosd straatje, heel dicht bij het spoor van de Farringdon Street. In het voortuintje lagen een ledikant, een tiental roestige blikjes en kapotte kratten. In het buurtuintje stond een groep barrevoetse kinderen water door emmers met zand te roeren. Maar ik had er amper oog voor. Ik stapte alleen naar de voordeur, zette mijn zak neer op de stoep en klopte. Achter me denderde en siste een trein over het spoor. Terwijl die passeerde, trilde de trede waarop ik stond.

De deur werd opengedaan door een klein, bleek meisje dat me doordringend aankeek terwijl ik naar de vrije kamers informeerde, zich toen omdraaide en iets riep in de duisternis achter haar. Even later kwam een dame, en ook zij nam me op. Toen bedacht ik wat voor indruk ik moest maken in mijn dure jurk, maar zonder hoed en handschoenen, en met rode ogen en een loopneus. Maar het interesseerde me niet wat ze van me dachten, alsof het me niet echt aanging, en de dame zal geen gevaar in me hebben gezien. Ze zei dat ze mevrouw Best heette, dat ze nog één kamer te huur had, dat die vijf shilling per week kostte – of zeven, met de kost – en dat de huur vooruitbetaald moest worden. Kon ik me daarin vinden? Heel even deed ik zo'n beetje alsof ik erover nadacht – ik voelde me absoluut niet in staat er ernstig over na te denken – en zei vervolgens ja.

De kamer waar ze me naartoe bracht, was benauwd, armoedig en volkomen kleurloos: alles in de kamer – het behang, de kleden, zelfs de tegels naast de haard – was versleten, verbleekt of vervuild tot een grijstint. Er was geen gas, er waren alleen twee olielampen met gebarsten en beroete glazen. Boven de schouw hing een spiegeltje, troebel en vlekkerig als de rug van de hand van een oude man. Het raam zag uit op de markt. Het verschil met onze woning in Stamford Hill was levensgroot, wat me in ieder geval een treurig soort voldoening en opluchting bood. Maar eigenlijk zag ik alleen het bed – een afschuwelijke oude donsmatras, geel aan de randen met een donker uitgeslagen, oude bloedvlek zo groot als een schoteltje in het midden – en de deur. Hoe smerig ook, het bed leek op dat moment wonderbaarlijk uitnodigend. De deur zag er stevig uit en er stak een sleutel in.

Ik zei dan ook tegen mevrouw Best dat ik de kamer graag meteen wilde betrekken en haalde de envelop met mijn geld tevoorschijn. Toen ze die zag, snoof ze – ze zal me wel voor een meisje van plezier gehouden hebben. 'Ik zal u maar meteen zeggen,' zei ze, 'dat ik hier een net huis heb en dat ik ook nette huurders wil. Ik heb in het verleden wel problemen gehad met alleenstaande dames. Het kan me niet schelen wat u doet of met wie u omgaat buiten mijn huis, maar één ding wil ik niet, en dat is herenbezoek in de kamer van een alleenstaande dame...'

Ik zei dat ik haar op dat punt geen problemen zou bezorgen.

Mevrouw Best moet me in die eerste weken na mijn vlucht van Stamford Hill een raar soort huurder hebben gevonden. Ik betaalde mijn huur keurig op tijd, maar verliet mijn kamer nooit. Ik ontving geen bezoek, geen brieven of kaarten en bleef de hele tijd op mijn kamer, met de luiken potdicht – om daar te ijsberen over de krakende vloer of wat voor me uit te mompelen of te huilen...

Mijn medehuurders zullen wel gedacht hebben dat ik gek was, en misschien was ik ook gek. Maar ikzelf begreep heel goed waarom ik toen zo leefde. Want waar had ik in mijn ellende anders naartoe moeten hollen? Al mijn vrienden in Londen – mevrouw Dendy, Sims en Percy, Billy-Boy en Flora – waren ook vrienden van Kitty. Als ik naar hen ging, wat zouden ze dan zeggen? Ze zouden alleen maar blij zijn als ze wisten dat Kitty en Walter elkaar eindelijk hadden gevonden! En als ik naar huis ging, naar Whistable, wat zouden ze dáár dan zeggen? Ik was daar net van teruggekomen en zo trots geweest. Het was alsof ze allemaal hadden gehoopt dat ik, nog op de dag dat ik hen verliet, van mijn voetstuk zou vallen. Het was moeilijk geweest bij hen te zijn zonder Kitty. Hoe kon ik naar hen terugkeren en mijn oude manier van leven weer opnemen, nu ik haar had verlóren?

En al stelde ik me voor hoe hun brieven ongeopend en onbeant-
woord in Stamford Hill bleven liggen, en al vermoedde ik dat ze zich
mijn nuffigheid zouden herinneren en denken dat ik hen de rug had
toegekeerd en ze dan ook spoedig helemaal niet meer zouden schrijven, ik kon niet anders. Als ik dacht aan de spullen die ik had achtergelaten – mijn vrouwenkleren en mijn loon, mijn brieven en kaarten
van fans en bewonderaars, mijn oude blikken kist met mijn initialen
erop – had ik geen spijt: het was alsof ze bij het levensverhaal van iemand anders hoorden. De gedachte aan *Assepoester*, aan het feit dat ik
contractbreuk had gepleegd en ze in de steek had gelaten, daar in het
Britannia, deed me niet veel. In mijn nieuwe huis stond ik bekend
als 'juffrouw Astley'. Als mijn buren ooit Nan King op de planken
hadden gezien, zagen ze haar nu niet in mij – ik herkende haar daar
zelf amper. De aanblik van de kostuums die ik had meegenomen,
kon ik op den duur niet verdragen. Ik legde ze onder het bed, nog
steeds in de zak, en liet ze daar wegrotten.

Niemand zocht me, want niemand wist waar ik was. Ik was on-
vindbaar, verdwenen. Ik had al mijn vrienden en vreugden afgezwo-
ren en omarmde de ellende als carrière. Een week – en toen nog een,
en nog een, en nog een – deed ik niets anders dan slapen en huilen
en door mijn kamer ijsberen. Of ik stond met mijn voorhoofd tegen
het smerige venster gedrukt naar de markt te kijken, hoe de karkassen werden aangevoerd en op elkaar gestapeld, heen en weer ge-
sleept, verkocht en afgevoerd. De enige gezichten die ik zag, waren
die van mevrouw Best en Mary – het dienstmeisje dat de deur voor
me had geopend, mijn pot leegde en me kolen en water bracht en dat
ik soms eropuit stuurde om sigaretten en eten voor me te kopen. Als
ze me dan mijn pakjes overhandigde, vertelde haar gezichtsuitdrukking me hoe vreemd ik er intussen uitzag. Maar haar angst en haar
verbazing lieten me allebei even onverschillig. Alles liet me onverschillig, behalve mijn eigen verdriet – en daar gaf ik me met een
vreemde en vreselijke hartstocht aan over.

Ik geloof dat ik me in al die weken nauwelijks waste – en ik trok
zeker geen andere jurk aan, want die had ik niet. Al vrij snel droeg ik
ook mijn valse chignon niet meer en liet mijn vettige haar rond mijn
oren vallen. Ik rookte zonder ophouden – mijn vingers werden bruin
van nagel tot knokkel – maar at bijna niet. Hoe graag ik ook keek

naar het gezeul met de karkassen op Smithfield, de gedachte aan vlees op mijn tong maakte me misselijk, en ik kon alleen heel zacht eten verdragen. Ik kreeg trek in rare dingen, alsof ik in verwachting was: ik had alleen zin in vers wit brood. Ik gaf Mary de ene na de andere shilling en stuurde haar naar Camden Town en Whitechapel, Limehouse en Soho, voor bagels, brioches, platte Griekse broden en bolletjes van de Chinese bakkerijen. Die sopte ik dan in bekers thee die ik ontzettend lang liet trekken in een pot op de haard en verzachtte met gecondenseerde melk. Dat was de drank die ik altijd voor Kitty maakte, tijdens onze eerste dagen samen in het Canterbury Palace. De thee had de smaak van Kitty; het was een troost, maar ook een verschrikkelijke kwelling.

De weken verstreken, al interesseerde me dat geen zier. Er valt weinig over te vertellen, behalve dat ze vreselijk waren. De huurder in de kamer boven me verhuisde en er kwam een arm stel met een zuigeling te wonen; het kindje had last van kolieken en huilde 's nachts. De zoon van mevrouw Best kreeg een vriendinnetje en bracht haar mee naar huis; in de huiskamer beneden kreeg ze thee te drinken en boterhammen te eten, ze zong liedjes, met iemand die op de piano speelde. Mary sloeg een raam in met een bezem en gilde – en gilde opnieuw toen mevrouw Best haar mouw oprolde en haar een klap gaf. Dat waren de geluiden die ik in mijn naargeestige kamer opving. Ze hadden me kunnen troosten, maar ik was niet te troosten. Ze deden me alleen maar denken aan dingen – al die gewone dingen! De smak van een zoen, de cadans van een stem, verheven in vrolijkheid of boosheid – die ik had achtergelaten. Als ik uit mijn stoffige raam naar de wereld tuurde, had ik net zo goed naar een kolonie mieren of een krioelende bijenkorf kunnen turen: ik herkende daar niets in dat ooit mijn wereld was geweest. Pas toen de dagen lichter en warmer werden en het bloed van Smithfield erger ging stinken, begon ik te beseffen dat het jaar langzaam naar de lente kroop.

Ik had in het niets kunnen oplossen, samen met het vloerkleed en het behang. Ik had kunnen sterven, mijn graf onbezocht en naamloos. Mijn lethargie had tot het einde der tijden kunnen duren – en dat was vast ook gebeurd – als er op het laatst niet iets was voorgevallen dat me eruit haalde.

Ik was een week of zeven, acht bij mevrouw Best en had nog geen stap buiten de deur gezet. Ik at nog steeds alleen wat Mary me bracht, en hoewel ik haar slechts, zoals ik zei, brood, thee en melk liet halen, kwam ze soms terug met voedzamere kost, die ze me dan probeerde te laten opeten. 'U gaat nog dood, juffrouw,' zei ze dan, 'als u niet wat eet.' En dan gaf ze me gepofte aardappels, pasteitjes en paling in gelei, die ze warm kocht in de kramen en pasteiwinkels aan de Farringdon Road en in dikke lagen krantenpapier liet verpakken tot stevige pakketjes, dampend en vochtig. Ik nam ze aan – als het pakketjes arsenicum waren geweest, had ik ze ook aangenomen – en het werd mijn gewoonte om onder het eten van mijn aardappel of pastei het verpakkingspapier plat te strijken op mijn schoot en de ge-drukte kolommen te lezen – verhalen over diefstallen, moorden en bokswedstrijden van tien dagen oud. Dat deed ik dan met dezelfde lusteloosheid als waarmee ik uit mijn venster naar de straten van Oost-Londen staarde. Maar op een avond streek ik een stuk krant glad op mijn knie, veegde de pasteikruimels uit de vouwen en zag een naam die ik kende.

De pagina was uit een van de goedkope theaterkranten gescheurd en er stond een artikel in met de kop *Variétéromances*. Die woorden stonden op een soort banier, omhooggehouden door engeltjes, maar eronder waren twee of drie kleinere koppen met titels als *Ben en Milly kondigen hun verloving aan*; *Gooi en smijt acrobaten op het punt te gaan trouwen*; *Hal Harvey en Helen! op hemelse huwelijksreis*. Ik kende niemand van deze artiesten en bleef ook niet hangen bij hun verha-len, want precies in het midden van het artikel stond een kolom tekst met een foto waar ik mijn ogen niet van kon losrukken.

Butler en Bliss stond er boven de kolom, *de gelukkigste jonggehuwden in theaterland!* Op de foto stonden Kitty en Walter in hun trouwkle-ren.

Een moment lang staarde ik er vol verbijstering naar, legde toen mijn hand op de pagina en slaakte een kreet – een korte, schrille, getormenteerde kreet, alsof het papier heet was en ik me eraan had gebrand. De kreet ging over in een lage, schorre kreun die maar aan-hield, tot ik me erover verwonderde dat ik nog adem ervoor had. Al-gauw hoorde ik voetstappen op de trap; mevrouw Best stond voor de deur en riep nieuwsgierig en angstig mijn naam.

Daarop staakte ik mijn kabaal en kwam enigszins tot bedaren. Ik wilde haar niet in mijn kamer, wilde niet dat ze zich mengde in mijn verdriet of zinloze woorden van troost sprak. Ik riep naar haar dat er niets aan de hand was, dat ik alleen maar overstuur was geraakt van een droom, en hoorde haar even later weggaan. Ik keek weer naar de krant op mijn knie en las het verhaal bij de foto. Daarin stond dat Walter en Kitty eind maart waren getrouwd en hun huwelijksreis naar het vasteland maakten, dat Kitty momenteel even niet optrad, maar in het najaar weer naar het variété zou terugkeren met een compleet nieuwe voorstelling en met Walter als partner. Haar oude partner juffrouw Nan King, stond er, die ziek was geworden toen ze in het Britannia, Hoxton, speelde, had plannen voor een nieuwe, eigen carrière...

Toen ik dat las, voelde ik een plotselinge, misselijkmakende drang om te lachen in plaats van te kreunen of huilen. Ik legde mijn vingers op mijn lippen en hield ze dicht, als om een golf opkomend braaksel tegen te houden. Ik had in geen honderd jaar of meer gelachen, leek het wel. Ik was doodsbang om het geluid van mijn eigen vrolijkheid te horen, want ik wist dat het verschrikkelijk zou zijn.

Toen deze aanval voorbij was, nam ik de krant weer ter hand. Eerst wilde ik die kapotmaken, verscheuren of verfrommelen en in het vuur werpen. Nu kon ik mijn ogen er niet meer vanaf houden. Ik ging met een vingernagel langs de rand van het artikel en scheurde daarna langzaam en netjes langs de ingekerfde lijn. De rest van de krant gooide ik wel in de haard, maar de reep krantenpapier met de trouwfoto van Kitty en Walter hield ik voorzichtig in de palm van mijn hand – voorzichtig als was het de vleugel van een mot die zijn glans zou verliezen als je hem te vaak aanraakte. Na even te hebben nagedacht stapte ik naar de spiegel. Tussen de spiegel en de lijst zat een spleet waarin ik de rand van het stuk krant schoof. Zo bleef het zitten en overlapte het mijn eigen spiegelbeeld – je kon het niet over het hoofd zien in die piepkleine kamer, waar je ook stond.

Misschien was ik wat koortsig, maar mijn hoofd was helderder dan ooit in die laatste anderhalve maand. Ik staarde naar de foto en toen naar mezelf. Ik zag er uitgeteerd en grauw uit, mijn ogen waren gezwollen, met paarse schaduwen eromheen. Mijn haar, dat ik vroeger altijd zo keurig en glanzend hield, was lang en vuil, mijn lippen waren bijna tot bloedens toe kapotgebeten, mijn jurk zat onder de vlekken en rook kwalijk bij de oksels. Zij, dacht ik, dat lachende stel op de foto, zij hadden me dit aangedaan!

Maar voor de eerste keer in al die lange, ellendige weken dacht ik ook: wat stom van mij om dat te laten gebeuren.

Ik draaide mijn hoofd af, liep naar de deur en riep om Mary. Toen ze aan kwam hollen, ademloos en een beetje nerveus, zei ik haar dat ik een bad wilde, en zeep en handdoeken. Ze keek me vreemd aan – daar had ik nog nooit om gevraagd – en rende toen naar de kelder, en algauw hoorde ik het gebonk van de tobbe die ze achter zich aan de trap op sleepte en het gerammel van pannen en ketels in de keuken. Algauw kwam ook mevrouw Best uit haar zitkamer, opnieuw opgeschrikt door het lawaai. Toen ik mijn plotselinge verlangen naar een bad verklaarde, zei ze: 'O, juffrouw Astley, zou u dat nou wel doen?' Ze zag bleek en geschokt. Volgens mij dacht ze dat ik me wilde verdrinken of mijn polsen doorsnijden in het badwater.

Ik deed natuurlijk geen van beide. In plaats daarvan zat ik een uur in de dampende tobbe naar de haard of Kitty's foto te staren, ondertussen met een stuk zeep en een washandje mijn pijnlijke ledematen en gewrichten zachtjes tot leven masserend. Ik waste mijn haar en maakte mijn ogen schoon. De huid achter mijn oren en mijn knieën, in de holten van mijn armen en tussen mijn benen wreef ik tot ze rood was en prikte.

Op het laatst sukkelde ik in slaap, geloof ik, en toen had ik een vreemd, verwarrend visioen.

Ik herinnerde me een vrouw uit Whitstable, een oude buurvrouw van ons, aan wie ik al jaren niet had gedacht. Ze was gestorven toen ik nog een kind was, heel onverwacht en aan een eigenaardige kwaal. Volgens de dokters was haar hart verhard. De buitenkant ervan was leerachtig en taai geworden, de kleppen waren trager gaan werken, toen haperend gaan pompen en daarna helemaal gestopt. Behalve een beetje vermoeidheid en ademnood was er geen waarschuwing geweest; het hart had stilletjes voortgewerkt aan zijn eigen fatale plan, in zijn eigen geheime tempo – en was toen blijven stilstaan.

Mijn zuster en ik hadden het een spannend en eng verhaal gevonden. We waren jong en werden goed verzorgd. Het was een afschuwelijk idee dat een van onze organen – ons meest vitale orgaan – zijn natuurlijke taak niet wilde vervullen, met zichzelf samenzwoer om ons niet meer van bloed te voorzien, maar te laten stikken. Na de dood van de vrouw praatten we een week lang nergens anders over. 's Nachts in bed lagen we te rillen, wreven met bezwete vingers benauwd over onze ribben, ons bewust van de zwakke hartenklop daaronder, bang dat het broze ritme zou haperen of vertragen, ervan overtuigd dat ons hart – net als dat van haar, onze arme, dode, niets-vermoedende buurvrouw – heimelijk steeds harder werd in de zachte rode holte van onze borst.

Nu ik wakker werd in de werkelijkheid van die afkoelende tobbe, de kleurloze kamer, met de foto aan de wand, lagen mijn vingers weer op mijn borstbeen te porren en krabben, op zoek naar het ver-hardende orgaan erachter. Ditmaal was het echter alsof ik het had ge-vonden. Er was een duisternis, een zwaarte, een stilte binnen in mij, die daar zonder dat ik het wist was gegroeid, maar die me nu een soort troost verschafte. Ik had een beklemd en pijnlijk gevoel op de borst – maar ik kronkelde of zweette niet van de pijn, ik legde slechts mijn armen over mijn ribben en omhelsde mijn duistere en verharde hart als een geliefde.

Misschien wandelden Walter en Kitty op datzelfde moment samen in een straat in Frankrijk of Italië, misschien boog hij zich naar haar over om haar aan te raken, zoals ik mezelf aanraakte, misschien lagen ze in bed... Ik had al duizenden keren aan zulke dingen ge-dacht, en daarbij gehuild en op mijn lippen gebeten, maar nu staarde ik naar de foto en voelde mijn ellende verstarren, net zoals mijn hart was verstard, van woede en frustratie. Ze wandelden samen en de wereld keek glimlachend toe! Ze omhelsden elkaar op straat en vreemden waren blij! Terwijl mijn leven al die tijd grauw was als dat van een worm, verstoken van alle plezier, comfort en welbehagen.

Ik kwam uit het bad, zonder acht te slaan op het neerdruipende water en pakte de foto weer, maar ditmaal verfrommelde ik hem. Ik slaakte een kreet en begon heen en weer te lopen, maar nu deed ik dat niet uit ellende, maar om mijn nieuwe ledematen te proberen, mijn hele ik te voelen veranderen, trillen en tintelen van leven. Ik schoof het raam van mijn kamer open en leunde naar buiten in de duisternis – in de nooit helemaal donkere Londense nacht, met haar geluiden en geuren die ik zo lang had buitengesloten. Ik dacht: Ik ga weer de wereld in, ik ga terug naar de stad – ze hebben me er lang genoeg van weggehouden!

Maar o! Wat was het verschrikkelijk toen ik me de volgende morgen op straat waagde – wat vond ik het druk op straat, smerig en vol, verwarrend en rumoerig! Ik had anderhalf jaar in Londen gewoond en me er thuis gevoeld. Maar vroeger had ik er altijd met Kitty en Walter gelopen; vaak had ik niet eens gelopen, maar in rijtuigen en huurkoetsen gezeten. Hoewel ik een hoed en een jasje van Mary had geleend om er netjes uit te zien, had ik nu het gevoel dat ik even goed zonder kleren door Clerkenwell had kunnen strompelen. Dat kwam voor een deel door mijn nerveuze angst om, als ik een hoek om sloeg, een bekend gezicht tegen te komen, een gezicht dat me zou herinneren aan mijn oude leven – of, het allerergst – het gezicht van Kitty, schuin en lachend, terwijl ze voortliep aan Walters arm. Die angst maakte me onzeker en besluiteloos, zodat mensen tegen me aan liepen en me uitvloekten. De vloeken leken vlijmscherp als brandnetelprikken en ik ging er helemaal van trillen.

Maar ik werd ook nagekeken en nageroepen – en twee- of driemaal vastgepakt en gestreeld en geknepen – door mannen. Ook dit was nog nooit gebeurd in mijn oude leven. Als ik nou een kindje of een bundel bij me had gehad en doelgericht ergens naartoe liep met neergeslagen ogen, hadden ze me misschien ongemoeid gelaten. Maar zoals ik zei, ik liep richtingloos, knipperend naar het verkeer om me heen. En zo'n meisje nodigt, denk ik, uit tot grappenmakerij en geflirt...

De blikken en de strelingen hadden dezelfde uitwerking op mij als de vloeken: ik ging ervan beven. Ik keerde terug naar het huis van mevrouw Best en draaide de sleutel om in mijn slot. Toen ging ik op mijn ranzige matras liggen, en huiverde en huilde. Ik dacht dat ik straalde van nieuw leven en belofte, maar de straten die me hadden moeten verwelkomen, hadden me slechts teruggeworpen in mijn vroegere ellende. Erger nog, ze hadden me bang gemaakt. *Hoe*, dacht ik, *moet ik het verdragen? Hoe moet ik voortleven?* Kitty had nu Walter, Kitty was getrouwd! Maar ik was arm, eenzaam en had niemand. Ik was een alleenstaand meisje in een stad voor verliefden en heren, een meisje in een stad waarin meisjes alleen maar liepen om nagekeken te worden.

Dat had ik die ochtend ontdekt. Ik had het eerder kunnen weten, van alle liedjes die ik aan Kitty's zijde had gezongen.

Toen bedacht ik wat een wrede grap het was dat ik, die zo vaak in herenkostuum over de podia van Londen had geparadeerd, nu bang moest zijn om in de straten van Londen te lopen omdat ik een meisje was! Was ik maar een jongen, dacht ik triest. Was ik maar echt een jongen...

Toen ging er een schok door me heen en schoot ik overeind. Ik herinnerde me wat Kitty had gezegd die dag in Stamford Hill – dat ik *te veel op een jongen leek*. Ik herinnerde me mevrouw Dendy's reactie toen ik voor haar had geposeerd in een broek: *Ze is te echt.* Datzelfde pak dat ik toen had gedragen – het blauwe serge pak dat Walter me had gegeven op oudejaarsavond – lag hier, onder mijn bed, nog steeds in de plunjezak gepropt bij alle andere kostuums die ik had meegenomen uit het Brit. Ik liet me van de matras glijden en trok de zak onder het bed vandaan, en binnen de kortste keren lagen alle pakken op de vloer. Ze lagen om me heen, onmogelijk mooi en bont in die kleurloze kamer: alle tinten en stoffen van mijn vroegere leven, met alle geuren en liedjes van het variété, en mijn oude hartstocht, in hun naden en kreukels.

Even zat ik te trillen. Ik was bang dat ik door herinneringen overmand zou worden en weer zou gaan huilen. Ik stopte de kostuums bijna weer terug in de zak – maar toen haalde ik diep adem en dwong mijn handen tot kalmte om mijn vochtige ogen te drogen. Ik legde mijn hand op mijn borst – op de zwaarte en de duisternis die me zo hadden gesterkt.

Ik nam het blauwe serge pak en schudde het uit. Het was vreselijk gekreukt, maar verder had het helemaal niet geleden in de zak. Ik paste het samen met een overhemd en een stropdas. Ik was zo mager geworden dat mijn broek slobberde om mijn middel. Mijn heupen waren smaller en mijn borsten zelfs nog platter dan voorheen. De illusie dat ik een jongen was, werd slechts verstoord door het dwaze, getailleerde jasje – maar de plooien waren niet geknipt, zag ik, alleen ingenaaid. Er lag een mes op de schoorsteenmantel dat ik gebruikte om mijn brood te snijden. Ik pakte het en zette het in de steken. Al snel was het jasje weer zijn oude, mannelijke zelf. Als ik mijn haar zou bijknippen, dacht ik, en een paar echte jongensschoenen aan mijn voeten zou doen, zou iedereen – zelfs Kitty! – me kunnen tegenkomen in de straten van Londen zonder te weten dat ik een meisje was.

Er moesten natuurlijk een paar obstakels uit de weg worden geruimd voor ik mijn gedurfde plan kon uitvoeren. Ten eerste moest ik de stad weer goed leren kennen: nog een week lang moest ik dag in, dag uit door de straten van Farringdon en rond de St Paul's zwerven voor ik het gedrang en geschreeuw, en de blikken van de mannen, aankon zonder dat het me pijn deed. Dan was er nog het probleem waar ik me – als ik werkelijk in kostuum zou gaan rondlopen – moest verkleden. Ik wilde niet de hele tijd als jongen leven en ik wilde ook nog niet mijn kamer bij mevrouw Best opgeven. Maar ik zag het gezicht van die dame al voor me als ik op een dag in een broek voor haar stond. Ze zou denken dat ik helemaal gek was geworden. Misschien zou ze een dokter of politieman laten komen. Ze zou me er zeker uitgooien – en dan was ik weer dakloos. Dat wilde ik absoluut niet.

Ik had ergens buiten Smithfield een kleedkamer nodig. Maar voorzover ik wist waren die niet te huur. De meisjes van plezier van de Haymarket veranderden, dacht ik, van gedaante in de openbare toiletten van het Piccadilly – maakten zich op bij de wasbekkens en trokken hun opzichtige jurken aan terwijl het slot van de deur 'bezet' aangaf. Dat leek me een praktische methode – maar een die ik moeilijk kon overnemen, want mijn plan zou mislukken als ze me in een pak van serge en fluweel en met een strohoed op uit een damestoilet zagen komen.

Maar het was wel in het rosse leven van het West End dat ik uiteindelijk de oplossing voor het probleem vond. Ik liep nu iedere dag helemaal tot Soho en had daar het grote aantal huizen gezien met bordjes waarop stond: *Bedden per uur te huur*. In mijn naïviteit vroeg ik me aanvankelijk af wie daar ging slapen, voor één uur? Toen besefte ik dat niemand dat natuurlijk zou doen: de kamers waren voor de meisjes die er met hun klanten op bed gingen liggen, dat wel – maar niet om te slapen. Op een dag stond ik bij een koffiestalletje aan het begin van een zijsteeg van de Berwick Street te kijken naar de ingang van een van die huizen. Er ging, zag ik, een constante stroom mannen en vrouwen door de deur en niemand besteedde er enige aan-

dacht aan, behalve de loerende oude vrouw die in een stoel bij de
deur zat en hun geld in ontvangst nam – en haar opmerkzaamheid
duurde slechts tot ze haar penny's had geïncasseerd en haar klanten
hun sleutel had overhandigd. Volgens mij had er een toneelpaard
door de deur kunnen draven, met aan zijn breidel de hand van een
snol, en niemand zou – zolang het paard zijn munt maar klaar had –
hebben opgekeken...

Een paar dagen later stopte ik dan ook mijn kostuum in een zak,
verscheen bij het huis en vroeg om een kamer. De oude vrouw nam
me op en grinnikte vreugdeloos. Toen ik haar mijn shilling overhandigde, duwde ze me een sleutel in handen en knikte naar de donkere
gang achter haar. De sleutel was kleverig, de deurknop van mijn
kamer was kleverig, het hele huis was vreselijk – vochtig en stinkend
en met wanden zo dun als papier, zodat ik onder het uitpakken van
mijn zak en gladstrijken van mijn kostuum alles van de kamers
boven, onder en aan weerszijden hoorde – alle gekreun, gemep, gegiechel en bonkende matrassen.

Ik verkleedde me heel snel en werd bij iedere kreun en giechel
minder zeker en minder moedig. Maar toen ik mezelf bekeek – er
was een spiegel met een barst en bloed in de barst – toen ik ten slotte
mezelf bekeek, glimlachte ik en wist ik dat mijn plan goed was. Ik
had een strijkijzer geleend uit de keuken van mijn hospita en perste
alle kreukels uit het pak. Ik had mijn haar geknipt met een naai-
schaar – nu streek ik het glad met spuug. Ik liet mijn jurk en tasje
achter op een stoel, ging de overloop op en deed de deur achter me
op slot – terwijl mijn nieuwe duistere hart de hele tijd zo snel tikte
als een klok. Zoals ik had verwacht, sloeg de oude hoerenmadam op
de stoep nauwelijks haar ogen op toen ik haar passeerde. En aldus
begon ik, enigszins aarzelend, de Berwick Street af te lopen. Bij iedere blik die op me werd gericht, kromp ik ineen. Ieder moment verwachtte ik de kreet: 'Een meisje! Dat is een meisje in jongenskleren!'
Maar de blikken dwaalden weer af, gleden slechts langs me heen
naar de meisjes achter me. Er kwam geen kreet, en ik begon wat
meer rechtop te lopen. Op de hoek, bij de St Luke's Church, ging een
man met een handkar rakelings langs me heen en riep: 'Niks aan de
hand, meneer!' Toen legde een vrouw met een gefriseerde pony haar
hand op mijn arm, hield haar hoofd schuin en zei: 'Nou, nou, mooie

jongen, jij ziet er kwiek uit! Zin in een bezoekje aan een mooi plekje dat ik ken...?'

Het succes van dat eerste optreden maakte me brutaal. Ik keerde terug naar Soho voor een nieuwe wandeling en liep nog verder, en toen ging ik weer, en weer... Ik werd een vaste klant in de hoerenkast aan de Berwick Street – de madam hield altijd een kamer voor me vrij, drie dagen per week. Ze kwam natuurlijk al snel achter het doel van mijn bezoeken, maar uit de manier waarop ze haar ogen dichtkneep als ze me zag, leidde ik af dat ze nooit helemaal zeker wist of ik een meisje was dat naar haar huis toe kwam om een broek aan te trekken, of een jongen die zijn rok kwam uittrekken. Soms wist ik het zelf ook niet meer.

Want bij ieder nieuw bezoek vond ik een nieuwe truc om mijn imitatie te verbeteren. Ik ging naar een kapper en liet mijn oude verwijfde lokken helemaal wegknippen. Ik kocht schoenen en sokken, hemden en onderbroeken en hemdbroeken. Ik experimenteerde met zwachtels om de lichte welvingen van mijn boezem nog lichter te maken. En in mijn kruis droeg ik een zakdoek of handschoen, gevouwen in een vorm die de bobbel van een bescheiden kleine pik suggereerde.

Ik kon niet zeggen dat ik gelukkig was – u moet niet denken dat ik toen ooit gelukkig was. Ik had zoveel ellendige weken in het huis van mevrouw Best doorgebracht dat ik op mijn kamer daar niet anders dan ongelukkig kon zijn: net als het behang had ik alle hoop en kleur verloren. Maar ondanks al mijn tranen kon Londen nooit zijn kleur verliezen, en dat ik er uiteindelijk vrij rond kon rondlopen – kon rondlopen als een jongen, als een knappe jongen in een goed gesneden pak die door de mensen alleen werd nagestaard omdat ze hem benijdden, niet om hem te bespotten – nou, dat had tenminste nog iets aanlokkelijks, was de enige voldoening die ik op dat moment kende.

Kitty moest me nu eens zien, dacht ik dan. Ze wilde me niet toen ik een meisje was – dus moest ze me nu eens zien! En ik herinnerde me een boek dat moeder ooit uit de bibliotheek had gehaald, waarin een verstoten vrouw vermomd als kindermeisje naar huis was teruggekeerd om voor haar kinderen te zorgen. Kon ik Kitty nog maar eens ontmoeten, dacht ik, en haar het hof maken als man – en dan mezelf bekendmaken en haar hart breken zoals zij het mijne had gebroken!

Maar hoewel ik dat dacht, deed ik geen poging contact met haar te zoeken. En ik rilde nog steeds bij het idee dat ik haar per ongeluk zou ontmoeten – haar zou zien met Walter. Zelfs toen het juni werd, en juli, en ze beslist al terug moest zijn van haar lustige huwelijksreis, kwam ik haar naam nooit tegen op een affiche bij een zaal of theater, en ik heb ook nooit een theaterkrant gekocht om haar naam daarin op te zoeken – dus kwam ik nooit te weten hoe het haar verging als Walters vrouw. De enige glimpen die ik ooit van haar opving, zag ik in mijn dromen. Daarin was ze nog steeds lief en aanbiddelijk, riep ze nog steeds mijn naam en stak me haar mond toe voor een kus. Maar aan het eind verscheen steeds de arm van Walter rond haar sproetige schouders en wendde ze haar schuldige ogen van mij af naar hem.

Maar ik werd niet meer huilend wakker door dergelijke dromen. Ze mochten me alleen aanzetten om terug te gaan naar de Berwick Street. Ik meende dat ze mijn vermomming extra glans verleenden.

Hoe voortreffelijk die vermomming was, besefte ik echter pas op een avond in augustus, aan het warme einde van de zomer toen ik wat rondhing in de Burlington Arcade.

Het was ongeveer negen uur. Ik had gewandeld, maar stond nu stil voor de etalage van een tabakswinkel en keek naar de uitgestalde spullen – naar de kisten en sigarenknippers, de zilveren tandenstokers en de schildpadkammen. Het was een warme maand geweest. Ik droeg niet het blauwe serge pak, maar het kostuum dat ik had gedragen voor het liedje 'Scarlet Fever' – het uniform van een gardesoldaat met een keurig petje. Ik had de knoop bij mijn hals losgemaakt voor wat frisse lucht.

Terwijl ik daar stond, werd ik me na een poosje bewust van een kerel naast me. Hij was bij me komen staan voor de etalage en leek langzaam naar me toe te zijn geschuifeld. Nu stond hij wel heel erg dichtbij – zo dichtbij dat ik de warmte van zijn arm tegen de mijne voelde en zijn zeep rook. Ik draaide mijn hoofd niet om zijn gezicht te bekijken. Ik kon wel zien dat zijn schoenen glanzend gepoetst en van goede kwaliteit waren.

Na een paar minuten stilte zei hij: 'Een heerlijke avond.'

Nog steeds keek ik niet naar hem, maar beaamde het slechts – heel onschuldig. Er viel weer een stilte.

'Vindt u dit een mooie etalage?' ging hij voort. Ik knikte – nu draaide ik mijn hoofd om hem te bekijken – en hij keek vergenoegd. 'Dan zijn we vast gelijkgestemde geesten!' Hij had de stem van een heer, maar hij sprak heel zachtjes. 'Nu ben ik geen roker en toch kan ik de verlokking van een echt goede sigarenwinkel absoluut niet weerstaan. De sigaren, de kwasten, de nagelknippers...' Hij gebaarde met zijn hand. 'Een tabakswinkel heeft zoiets mánnelijks – vindt u niet?' Zijn stem was ten slotte gedaald tot nauwelijks meer dan een gemompel. Nu zei hij op dezelfde toon, maar heel snel: 'Heb je er zin in, Soldaatje?'

Hierop knipperde ik met mijn ogen.

'Neem me niet kwalijk?'

Hij wierp een snelle, ervaren blik om zich heen, soepel als een goed geolied zwenkwieltje. Toen keek hij weer naar mij. 'Heb je zin in een lolletje? Heb je een kamer waar we naartoe kunnen gaan?'

'Ik weet niet wat u bedoelt,' zei ik – maar om eerlijk te zijn begon ik een idee te krijgen.

Hij moet in ieder geval hebben gedacht dat ik hem opgeilde. Hij glimlachte en likte over zijn snor. 'O, nee? En ik dacht dat jullie gardisten dat spelletje allemaal wel kenden...'

'Ik niet,' zei ik preuts. 'Ik ben er pas sinds vorige week bij.'

Hij glimlachte weer. 'Een groentje! En je hebt het nog nooit gedaan met een andere knaap, neem ik aan? Zo'n knappe kerel?' Ik schudde van nee. 'Nou,' – hij slikte – 'wil je het niet met mij doen?'

'Wat?' vroeg ik. Opnieuw die snelle, goed geoliede blik.

'Mij je mooie reetje aanbieden – of je mooie lippen, misschien. Of gewoon je mooie, blanke hand, in de gulp van mijn broek. Wat je maar wilt, soldaat, maar ik smeek je, hou op met je kwellerij. Ik ben zo hard als een bezemsteel en hunker om te spuiten.'

Gedurende dit hele verbijsterende gesprek waren we blijven doen alsof we naar de etalage van de tabakswinkel stonden te kijken. Hij was blijven mompelen en deed al zijn obscene voorstellen op dezelfde gehaaste fluistertoon, waarbij zijn snor nauwelijks omhoogging om de woorden te laten ontsnappen. Voor een vreemde, zo dacht ik, zouden we eruitzien als twee kerels die niets met elkaar te maken hadden, ieder verdiept in zijn eigen wereld.

Ik moest lachen bij de gedachte. Op dezelfde verleidelijke toon als tevoren zei ik: 'Hoeveel geeft u er me dan voor?'

Daarop kwam er een cynische uitdrukking op zijn gezicht, alsof hij niet anders had verwacht. Maar achter die hardheid bespeurde ik ook een oplaaiende geilheid – alsof hij me eigenlijk alleen maar op die manier wilde. Hij zei: 'Een soeverein voor pijpen of een Griek' – hij bedoelde natuurlijk het op zijn Grieks doen. 'Een halve gienje voor aftrekken.'

Ik wilde mijn hoofd schudden – mijn pet optillen en weggaan, nu de grap voorbij was. Maar in zijn ongeduld draaide hij zich half om en ik ving een glimp op van iets bij zijn middel. Het was een dikke, gouden horlogeketting. Het vest waaraan die ketting hing, was gestreept en nogal opzichtig. En toen ik weer naar het gezicht van de man keek – er viel nu licht op van de lamp in de etalage – zag ik dat hij dik, rossig haar had en dito bakkebaarden. Hij had bruine ogen en tamelijk ingevallen wangen. Maar desondanks leek hij onmiskenbaar op Walter, op Walter met wie Kitty vrijde en zoende.

Dat deed iets met me. Ik sprak, maar het was alsof iemand anders sprak, niet ikzelf. Ik zei: 'Goed dan. Ik doe het. Ik zal je... masseren, voor een soef.'

Hij werd zakelijk. Toen ik wegliep, voelde ik dat hij even talmde bij de etalage, en me toen volgde. Ik ging niet naar mijn oude hoerenkast – ik had slechts een heel verward idee van wat ik ging doen, maar ik wist dat ik niet met hem in een kamer moest komen te zitten en riskeren dat hij alsnog voor de Griek koos – maar naar een klein slop in de buurt, waar een nis was boven een rooster dat de meisjes van plezier als toilet gebruikten. Toen ik eropaf liep, kwam er dan ook een vrouw uit tevoorschijn die haar rok tussen haar benen duwde om zich af te drogen. Ze gaf me een knipoog. Nadat ze verdwenen was, bleef ik daar wachten en even later verscheen de man. Hij schermde zijn kruis af met een krant en toen hij die krant weghaalde, zag ik daar een bobbel ter grootte van een fles. Even overviel me een gevoel van paniek, maar toen kwam hij naar me toe en bleef met verwachtingsvolle blik voor me staan. Toen ik aan zijn knopen begon te rukken, sloot hij zijn ogen.

Ik haalde zijn pik eruit en bekeek hem goed. Ik had er nog nooit een gezien van zo dichtbij en – zonder onbeleefd te willen zijn tegen de man in kwestie – hij zag er monsterlijk uit. Maar in de variété-theaters worden over die dingen altijd grappen gemaakt; ik wist haar-fijn hoe ze werkten. Ik greep hem beet en begon – beslist heel oner-varen, al leek hem dat niet te deren – te pompen.

'Wat is-ie dik en lang,' zei ik toen – ik wist dat iedere man graag zoiets hoorde op die momenten. De kerel zuchtte en opende zijn ogen.

'O, ik wou dat je maar daar zoende,' fluisterde hij. 'Je hebt zo'n vol-maakte mond – net die van een meisje.'

Ik vertraagde mijn ritme en keek nog eens naar zijn gespannen pik. En opnieuw was het, toen ik knielde, alsof er iemand anders knielde, niet ik. Ik dacht: Zo smaakt Walter dus!

Naderhand spuugde ik zijn kwak op de straatstenen, en hij dankte me uiterst hoffelijk.

'Misschien,' zei hij, terwijl hij zijn gulp dichtknoopte, 'misschien zie ik je nog eens, op dezelfde plaats?'

Ik kon hem geen antwoord geven – ik kon namelijk wel huilen. Hij overhandigde me mijn soeverein en na een moment van aarzeling deed hij een stap naar me toe en kuste mijn wang. Ik kromp ineen bij het gebaar, en toen hij de huivering voelde, begreep hij het ver-keerd en keek me weemoedig aan.

'Nee,' zei hij, 'jullie houden daar niet van, hè, jullie soldatenjon-gens?' Hij sprak op vreemde toon. Toen ik beter naar hem keek, zag ik dat zíjn ogen glansden.

Zijn opwinding had me al een vreemd gevoel gegeven, nu stemde zijn emotie me tot nadenken. Toen hij zich omdraaide en de binnen-plaats verliet, bleef ik daar trillend achter – niet van droefenis, maar van een latent soort genoegen. De man had eruitgezien als Walter. Op de een of andere vreemde manier had ik hem bevredigd omwille van Kitty, en ik was er onpasselijk van geworden. Maar hij was niet zoals Walter, die wel aan zijn trekken zou komen waar hij dat ver-koos. Zijn genot was op het laatst veranderd in een soort smart, en zijn liefde was zo vurig en zo geheim dat die bevredigd moest wor-den met een vreemde in een stinkend slop als dit. Ik kende dat soort liefde wel. Ik wist hoe het was om je bonzende hart te luchten en ondertussen bang te zijn dat het te luid ging kloppen en je zou verraden.

Ik had het kloppen van mijn hart onderdrukt en was toch verraden.

En nu had ik iemand anders verraden, iemand zoals ik.

Ik stopte de soeverein van de heer weg en liep naar het Leicester Square.

Dat was precies de plek die ik op al mijn zorgeloze wandelingen door het West End had proberen te vermijden of heel snel had overgestoken. Ik moest altijd denken aan de eerste tocht daarheen, met Kitty en Walter, en het was geen herinnering die ik koesterde. Vanavond echter liep ik er met opzet heen. Ik ging naar het standbeeld van Shakespeare, waar we destijds bij gestaan hadden, leunde ertegenaan en keek naar het uitzicht dat we toen hadden bewonderd. Ik herinnerde me dat Walter zei dat we midden in het hart van Londen waren en had gevraagd of ik wist waardoor dat grote hart klopte? *Variété!* Ik had die middag om me heen gekeken en vol verbazing gezien wat in mijn ogen alle variété van de wereld was, samengebracht op één bijzondere plek. Ik had rijk en arm gezien, pracht en ellende, blank en zwart, die zich allemaal zij aan zij voorthaastten. Ik had gezien dat het één groot harmonieus geheel vormde en was opgewonden geweest bij de gedachte dat ik mijn eigen plaats daarin zou vinden, als Kitty's vriendin.

Wat was mijn idee van de wereld sindsdien veranderd! Ik had geleerd dat het leven in Londen nog vreemder en gevarieerder was dan ik ooit had gedacht. Maar ik had ook geleerd dat die geweldige gevarieerdheid niet altijd zichtbaar was voor het gewone oog, dat niet alle stukken van de stad soepel of sierlijk in elkaar pasten, maar veeleer tegen elkaar wreven, schuurden, botsten en elkaar overlapten, dat sommigen zich uit angst schuilhielden en zich alleen blootgaven aan diegenen op wier sympathie ze konden rekenen. Nu was ik volkomen ongewild door een van die verborgen elementen bij de groep betrokken.

Ik keek naar de mensenmassa die me aan alle kanten passeerde. Er waren daar driehonderd, vierhonderd, misschien wel vijfhonderd mannen. Hoeveel van hen waren als de heer wiens deel ik zojuist had bevredigd? Nog terwijl ik me dat afvroeg, zag ik een kerel welbewust mijn kant op staren, en toen nog een.

Misschien waren er veel van dat soort blikken geweest sinds ik als jongen was teruggekeerd in de wereld, maar ik had ze nooit opgemerkt of begrepen. Nu begreep ik ze echter heel goed – en ik beefde weer van voldoening en wrok. Ik had aanvankelijk een broek aangetrokken om mannenogen te vermijden, maar te weten dat ik de blikken trok van déze mannen, mannen die dachten dat ik was als zij, zo – nou, dat betekende geen kwelling, maar op de een of andere merkwaardige manier wráák.

Een week of twee bleef ik rondzwerven en kijken, leerde de manieren en gebaren van de wereld waarin ik was beland. Lopen en kijken, daar gaat het om in die wereld: je loopt en laat jezelf bekijken; je kijkt tot je een gezicht of lichaam vindt dat je aanstaat; dan volgt een knik, een knipoog, een hoofdbeweging, en je stapt doelbewust een steeg in, of een logement. Aanvankelijk nam ik, zoals ik al heb gezegd, geen deel aan dit spel, maar keek alleen hoe anderen het deden en kreeg zelf duizenden vragende blikken toegeworpen – die ik soms plagerig vasthield, maar meestal direct weer met gespeelde nonchalance losliet. Maar toen werd ik op een middag weer benaderd door een heer die in mijn ogen een beetje op Walter leek. Hij wilde alleen mijn hand op zich voelen en een reeks schunnige liefdeswoordjes in zijn oor gefluisterd krijgen terwijl ik hem aftrok – dat leek niet zo moeilijk. Als ik al aarzelde, geloof ik niet dat hij het zag. Ik zei wat het kostte – weer een soeverein – en bracht hem naar het hoekje waar ik zijn voorganger had bediend. Zijn pik vond ik heel klein, maar ik zei dat hij groot en volmaakt was.

'Je bent een mooie jongen,' fluisterde hij me naderhand toe. Het geldstuk leverde geen problemen op.

Zo gemakkelijk – even gemakkelijk, en noodlottig, als ik ooit was begonnen aan mijn variétécarrière – zo gemakkelijk verfijnde ik mijn nieuwe imitatie en werd schandknaap.

9

Het lijkt misschien een vreemde sprong van variétécharmeur naar schandknaap. In feite verschilt de wereld van acteurs en artiesten niet zo heel veel van het rosse leven waarin ik nu werkte. Voor beide is Londen het aangewezen land en het West End de hoofdstad. Beide zijn een vreemde mengeling van magie en behoefte, betovering en zweet. Beide hebben hun types – hun *ingénues* en *grandes dames*, hun rijzende sterren, hun vallende sterren, hun publiekstrekkers, hun werkpaarden...

Dit alles leerde ik langzaam maar zeker in de eerste paar weken van mijn leertijd, zoals ik ook het theatervak had geleerd aan Kitty's zijde. Ik had het geluk een vriend en beschermer te vinden – een jongen met wie ik op een late avond in gesprek raakte, toen we samen in het portiek van een gebouw aan de rand van het Soho Square schuilden voor een plotselinge bui. Het was een heel meisjesachtig type – wat ze een echt mietje noemen – en zoals zovelen van hen had hij zichzelf een meisjesnaam gegeven: Alice.

'Zo heet mijn zus ook!' zei ik, toen hij het zei, en hij lachte: het was ook de naam van zíjn zus – alleen was zijn zus dood. Ik zei dat ik niet wist of mijn zus dood was of leefde en dat het me niets kon schelen, en dat verbaasde hem niet.

Deze Alice was ongeveer even oud als ik, schatte ik. Hij was zo mooi als een meisje – mooier zelfs dan de meeste meisjes (mij inbegrepen), want hij had glanzend zwart haar en een hartvormig gezicht en onmogelijk lange, donkere en volle wimpers. Hij was al schandknaap sinds zijn twaalfde, zei hij, en nu was dat het enige leven dat hij kende, maar het beviel hem wel. 'Het is in ieder geval beter,' zei hij, 'dan op een kantoor of in een winkel werken. Ik denk dat ik gek zou worden als ik de hele dag in hetzelfde kamertje moest werken, op hetzelfde krukje zitten en naar dezelfde saaie gezichten kijken, gewoon gek!'

Toen hij naar mijn levensverhaal vroeg, vertelde ik hem dat ik uit Kent kwam, dat ik door iemand heel slecht was behandeld en nu op straat de kost moest verdienen, wat helaas allemaal waar was, in zekere zin. Ik geloof dat hij medelijden met me had, of misschien was het alleen de naamsovereenkomst tussen onze zussen die hem voor me innam, hoe dan ook, hij begon een beetje op me te letten en me tips en waarschuwingen te geven. Soms kwamen we elkaar tegen bij de koffiekraampjes op het Leicester Square, waar we een beetje opschepten of klaagden over ons fortuin. En onder het praten schoten zijn ogen voortdurend rond, op zoek naar nieuwe klanten, of oude, of naar vrijers en vrienden.

'Polly Shaw,' zei hij dan, met een knik naar een tengere jongeman die glimlachend langs ons trippelde. 'De top, de absolute top, maar laat je nóóit overhalen haar een pond te lenen.' Of minder aardig: 'Goeie genade! Dat schatje valt ook altijd met haar neus in de boter!' terwijl een andere jongen kwam aanrijden in een aapje en aan de arm van een heer in een cape met een rode zijden voering in het Alhambra verdween.

Ten slotte bleef zijn dwalende blik natuurlijk op iemand rusten, gaf hij een knikje of een knipoog en zette hij haastig zijn kopje neer. 'Hatsekidee!' zei hij dan. 'Ik zie een conducteur die het kaartje van Lieve Alice wil knippen. Adieu, chérie. Duizend kusjes op je prachtige ogen!' Hij raakte zijn lippen aan met het topje van zijn vinger en drukte die dan lichtjes op de mouw van mijn jasje. Daarna zag ik hem behoedzaam zijn weg zoeken over het drukke plein naar de kerel die naar hem had gebaard.

Toen hij me in het begin vroeg hoe ik heette, antwoordde ik: Kitty.

Het was Lieve Alice die me inlichtte over de verschillende soorten schandknapen en me hun kostuums, gewoonten en vaardigheden uitlegde. Op de eerste plaats kwamen natuurlijk de mietjes, de andere jongens zoals hijzelf, die je op ieder tijdstip van de dag en nacht de Haymarket op en neer kon zien slenteren, met roodgeverfde lippen, gepoederde hals en in een broek die haast even strak en onthullend was als de maillots van ballerina's. Deze jongens namen hun klanten mee naar logementen en hotels. Ze waren eropuit om te worden opgepikt door een of andere mannelijke jongeheer of aristocraat, die hen dan als zijn maîtresse in een appartement installeerde. Deze ambitie werd door meer van die jongens verwezenlijkt dan je zou denken.

Maar er waren ook kerels die er gewoner uitzagen, de kantoorbedienden en winkeljongens: zij minachtten de mietjes en gingen met heren mee voor het geld in plaats van de spanning – althans, dat beweerden ze. Sommigen van hen hadden, geloof ik, zelfs een vrouw of geliefde. De aristocraten of hoofdrolspelers in deze tak van het vak waren de gardesoldaten; en ik had me als een van hen verkleed toen ik dat rode uniform had aangetrokken – volkomen onschuldig, natuurlijk, want toen wist ik nog niets van hun reputatie in die richting. Deze mannen, zo werd me verzekerd, waren bijna uitsluitend aftrekkers en pijpers. Zo nu en dan, als ze goedgeluimd waren, gaven ze een heer een stoot of twee, maar hun eigen deel lieten ze nooit strelen of zoenen. Op dat punt waren ze trots, op het maniakale af, zei Lieve Alice.

Mijn eigen personage als schandknaap was vanzelfsprekend een tamelijk eigenaardige mengeling van types. Aangezien ik absoluut geen viriele jongen was, trok ik niet het soort heren dat hield van een ruwe hand in de gleuf van hun onderbroek of wat klappen in het donker. Maar ik kon me ook niet veroorloven me voor te doen als een van die onschuldige jochies waar de arbeiders gek op zijn en nogal vrij mee omspringen. Bovendien was ik kieskeurig. Er waren heel wat kerels met curieuze driften in de straten rond het Leicester Square, maar ze waren niet allemaal van de soort waar ik opuit was. Om eerlijk te zijn, de meeste mannen zonderen zich even af met een schandknaap zoals u en ik een café in duiken, op weg naar huis van de markt: ze komen aan hun trekken, laten een boer en denken er verder niet meer over na. Maar er zijn er nog steeds – haast altijd heren, ik leerde hen van een afstand herkennen – die er, net als de man van de Burlington Arcade, toe konden worden gebracht me te kussen, me te bedanken of zelfs bij me te huilen terwijl ik hen afwerkte.

En intussen – terwijl zij zwoegden en hijgden en me hun begeerten toefluisterden in een steegje of slop of druipend urinoir – moest ik mijn gezicht afwenden om mijn lachen te verbergen. Als ze op Walter leken, des te beter. Als ze niet op Walter leken – nou, het waren allemaal kerels en (wat ze er zelf ook van dachten) met hun broek losgeknoopt zagen ze er allemaal hetzelfde uit.

Ik voelde zelf nooit enige begeerte als ik die van hen wekte. Ik had zelfs de geldstukken niet nodig die ze me gaven. Ik was als iemand die, ooit beroofd van alles wat hij bezat en beminde, zelf een dief wordt, niet om zich het bezit van zijn buren toe te eigenen, maar om het te bederven. Het enige wat me speet, was dat ik iedere dag geweldige voorstellingen gaf zonder publiek. Ik staarde dan om me heen naar de schemerige en troosteloze plek waar mijn heer en ik stonden te hijgen en wilde dat de straatkeien een podium waren, de bakstenen een doek, de wegschietende ratten een rij felle voetlichten. Ik wilde dat er maar één oog – maar één – gevestigd was op onze paringen: een vrijmoedig en wetend oog dat zag hoe goed ik mijn rol speelde, hoe ik mijn domme, goedgelovige partner bedroog en vernederde.

Maar dat leek, gezien de omstandigheden, absoluut onmogelijk.

Gedurende een maand of zes verliep alles gladjes: ik zette mijn kleurloze leven in het huis van mevrouw Best voort, net als mijn tochtjes naar het West End en mijn werk als schandknaap. Mijn kleine voorraadje geld slonk en was ten slotte op. En toen ging ik, omdat mijn werk als schandknaap het enige was dat ik kende en verkoos, uitsluitend leven van wat ik verdiende op straat.

Nog steeds had ik niets van Kitty gehoord, geen woord! Ten slotte concludeerde ik dat ze naar het buitenland moest zijn gegaan, om daar samen met Walter haar geluk te beproeven – misschien in Amerika, waar we naartoe hadden gewild. Mijn maanden op de planken van het variété leken nu heel ver weg, en heel onwezenlijk. Eén- of tweemaal op mijn tochten door de stad zag ik iemand die ik van vroeger kende – een vent die in hetzelfde programma als wij had opgetreden, een garderobejuffrouw uit het Bedford in Camden Town. Op een avond leunde ik tegen een pilaar in de Great Windmill Street en keek toe hoe Dolly Arnold – die in het Britannia Assepoester speelde als tegenspeelster van Kitty's prins – afging door de deur van het Pavilion en in een rijtuig werd geholpen. Ze keek naar me, knipperde met haar ogen en keek toen weer weg. Misschien dacht ze dat ze mijn gezicht kende, misschien dacht ze dat ik een jongen was met wie ze had gewerkt, misschien dacht ze alleen dat ik een sloeber van een hoerenjongen was, die de schaduwen afschuimde op zoek naar kerels. Hoe dan ook, ik weet dat ze niet Nan King in me zag. En als ik al de neiging had om de straat over te steken en naar haar toe te gaan, te zeggen wie ik was en te informeren naar Kitty, duurde dat maar een moment, en in dat moment zette de koetsier zijn paarden aan en rolde het rijtuig weg.

Nee, het enige contact dat ik nu met het theater had, was als schandknaap. Ik ontdekte dat de variététheaters van het Leicester Square – dezelfde theaters waar Kitty en ik twee jaar eerder vol hoop naar hadden staan staren – in de wereld van de schandknapen heel bekende plekken waren om je te laten zien en mannen op te pikken. Vooral het Empire wemelde van de sodemieters: ze tippelden naast de snollen van de promenade of stonden in groepjes roddels uit te wisselen, hun fortuin te vergelijken, waarbij ze elkaar groetten met handengewapper en hoge, overdreven stemmetjes. Ze keken nooit naar het toneel, juichten of klapten nooit, staarden alleen naar zichzelf in de spiegels of naar elkaars gepoederde gezichten, of – heimelijker – naar de heren die snel of juist heel traag langs hen liepen.

Ik vond het heerlijk met hen mee te lopen en naar hen te kijken, en op mijn beurt door hen bekeken te worden. Ik vond het heerlijk om rond te tippelen in het Empire – de mooiste zaal van Europa, zoals Walter had gezegd, de zaal waarvoor Kitty en ik zo vurig – en zo vergeefs! – op een uitnodiging hadden gehoopt – ik vond het heerlijk om er rond te tippelen met mijn rug naar het magnifieke gouden toneel, mijn kostuum hel onder de onbarmhartige gloed van de elektrische kroonluchters, mijn haar glanzend, mijn broek puilend, mijn lippen roze, mijn figuur en houding riekend, zoals de jongens van plezier zeggen, naar lavendel, hun effect schaamteloos en onmiskenbaar – maar vals. Naar de zangers en komieken keek ik niet één keer. Díe wereld had helemaal afgedaan voor me.

Zoals ik al zei, verliep alles gladjes. Toen kwam er in de eerste paar warme weken van 1891 – dat wil zeggen, meer dan een jaar nadat ik bij Kitty was weggevlucht – een kink in de kabel.

Na een avond van tamelijk stevig schandknapenwerk keerde ik terug naar de hoerenkast en trof de oude bazin niet op haar plek; haar stoel lag omver en de deur naar mijn kamer was versplinterd en stond wijdopen. Ik ben er nooit helemaal achtergekomen wat er was gebeurd. Het scheen dat de madam was gearresteerd of weggejaagd – al beweerde niemand te weten of daar een politieagent of een rivaliserende hoerenwaardin achter zat. Hoe dan ook, dieven hadden van haar afwezigheid geprofiteerd en waren het huis binnengedrongen om de meisjes en hun klanten te terroriseren en bedreigen en alles te gappen wat ze konden meenemen: de zwetende matrassen en vloerkleden, de kapotte spiegels, de weinige, gammele meubelstukken – ook mijn jurk, schoenen, muts en beurs. Het was geen groot verlies voor me, maar het betekende wel dat ik in mijn mannenkleren naar huis moest – ik droeg de oude wijde broek en een strohoed – en moest proberen mijn kamer in het huis van mevrouw Best te bereiken zonder dat ze me betrapte.

Het was heel laat en ik liep heel langzaam naar Smithfield, in de hoop dat de hele familie Best in bed lag en sliep tegen de tijd dat ik er kwam – en toen ik het huis zag, waren de ramen inderdaad donker en leek alles stil. Ik ging naar binnen en liep zachtjes de trap op – met een gruwelijke herinnering aan de laatste keer dat ik geluidloos door een slapend huis was geslopen en aan alles waartoe dat had geleid. Misschien was het de herinnering waardoor ik een verkeerde beweging maakte, want halverwege de trap ging ik met mijn hand naar mijn hoofd – en mijn hoed zeilde over de leuning en landde met een plof in de gang beneden. Vloekend bleef ik staan. Ik wist dat ik hem moest gaan halen. Net toen ik naar beneden wilde lopen, hoorde ik echter een deur piepen en zag ik de deinende gloed van een kaars.

'Juffrouw Astley...' Het was de stem van mijn hospita, zwak en kregel in de duisternis. 'Juffrouw Astley, bent u dat?'

Ik bleef niet staan om haar antwoord te geven, maar stormde de rest van de trap op en rende mijn kamer in. Toen de deur achter me dicht was, rukte ik het jasje van mijn schouders en de broek van mijn benen en propte die, samen met mijn hemd en onderbroek, in de kleine, met een gordijn afgesloten nis waar ik mijn kleren ophing. Ik vond een nachtpon en trok die aan. Maar toen ik de knopen bij de hals dichtmaakte, hoorde ik waarvoor ik al bang was geweest: snelle, zware voetstappen op de trap, gevolgd door gebonk op mijn deur en de stem van mevrouw Best, luid en schril.

'Juffrouw Astley! Juffrouw Astley! Doet u me een plezier en open deze deur. Ik heb in de gang beneden iets gevonden en geloof dat u daar, ondanks onze afspraak, iemand bij u hebt!'

'Mevrouw Best,' antwoordde ik, 'wat bedoelt u?'

'U weet wat ik bedoel, juffrouw Astley. Ik waarschuw u. Ik heb mijn zoon bij me!' Ze kreeg de deurknop te pakken en rukte eraan. Boven onze hoofden klonken nog meer voetstappen: het kindje was door het geluid wakker geworden en begon te huilen.

Ik draaide de sleutel om en opende de deur. Mevrouw Best, in een nachtjapon en geruite omslagdoek, duwde me opzij en stormde de kamer in. Achter haar, met een overhemd aan en een slaapmuts op, stond haar zoon. Hij zag er verschrikkelijk uit.

Ik draaide me om naar de hospita. Ze spiedde teleurgesteld om zich heen. 'Ik weet dat er hier ergens een man is!' schreeuwde ze. Ze trok de dekens van het bed, keek er toen onder. Ten slotte ging ze natuurlijk op de nis af. Ik schoot naar voren om haar tegen te houden, en haar lip krulde van voldoening. 'Nou hebben we 'm!' zei ze. Ze reikte achter me, deinsde toen met een zucht achteruit. Er hingen daar ongeveer vier pakken, behalve dat wat ik zojuist had uitgetrokken. 'Aha, kleine slet die je d'r bent!' schreeuwde ze. 'Volgens mij wou je hier een heuse orzie houden!'

'Een orzie? Een orzie?' Ik sloeg mijn armen over elkaar. 'Dat is naaiwerk, mevrouw Best. Het is toch geen misdaad om naaiwerk te doen voor heren?'

Ze raapte het ondergoed op dat ik net tevoren had uitgetrapt en rook eraan. 'Deze onderbroek is nog warm!' zei ze. 'Door de hitte van je naald, ga je me nu vast vertellen? Meer door de hitte van zíjn naald!' Ik deed mijn mond open, maar wist geen antwoord te bedenken. Terwijl ik aarzelde, liep ze naar het raam en keek naar buiten. 'Zo zullen ze er wel vandoor zijn gegaan. De schurken! Nou, die komen niet ver, dat staat vast, in hun nakie!'

Ik keek weer naar haar zoon. Hij gluurde naar mijn enkels, die onder mijn nachtpon uit piepten.

'Het spijt me, mevrouw Best,' zei ik. 'Ik zal het niet meer doen, eerlijk waar!'

'In míjn huis zeker niet! Je gaat eruit, juffrouw Astley, morgen-vroeg. Ik heb je altijd al een rare huurster gevonden, dat wil ik wel toegeven – en om nu in mijn huis de sloerie uit te hangen! Daar komt niets van in, beslist niet! Ik heb je gewaarschuwd toen je hier introk.'

Ik boog mijn hoofd. Zij draaide zich abrupt om. Achter haar grijns-de haar zoon voor het laatst naar me. 'Slet,' zei hij. Toen spoog hij en volgde zijn moeder de duisternis in.

Aangezien ik niet bepaald veel in te pakken had, was ik de volgende ochtend het huis uit zodra ik me had gewassen. Mevrouw Best trok smalend haar lippen op toen ik langs haar liep, maar Mary staarde me aan met een soort bewondering in haar ogen, alsof ze er diep van onder de indruk was dat ik uiteindelijk toch zo normaal, zo spectacu-lair normaal bleek. Ik gaf haar een shilling en tikte op haar hand. Daarna maakte ik een laatste rondje over de Smithfied Market. Het was een warme ochtend en de karkassen stonken vreselijk, de vlie-gen eromheen zoemden zwaar en gelijkmatig als een ronkende motor. Desondanks was ik op een trieste manier gesteld geraakt op de buurt waar ik in mijn verdwaasde weken zo vaak naar had staan staren.

Ten slotte liep ik door en liet de vliegen achter aan hun ontbijt. Ik had nauwelijks een idee waar ik naartoe zou gaan, maar ik had ge-hoord dat het in de straten rondom het King's Cross wemelde van de pensions en wilde daar mijn geluk proberen. Maar uiteindelijk kwam ik niet zo ver. In de etalage van een winkel aan de Gray's Inn Road zag ik een kaartje: *Nette dame zoekt huurder m/v*, en een adres. Ik keek er een paar minuten naar. Het *Nette* was ontmoedigend: weer een mevrouw Best zou ik niet aankunnen. Maar het *m/v* had iets heel aantrekkelijks. Ik zag mezelf erin – in de schuine streep.

Ik prentte het adres in mijn hoofd. Het huis lag in de Green Street, die heel dichtbij was – een smal zijstraatje van de Gray's Inn Road zelf, met aan één kant een goed onderhouden huizenrij en aan de andere een tamelijk naargeestig ogende huurkazerne. Het nummer dat ik zocht, was er een uit de huizenrij en zag er heel aardig uit, met een pot geraniums op de stoep en daarnaast een kat met drie poten die zijn kop zat te wassen. De kat sprong op toen ik naderbij kwam en stak zijn kop omhoog om gekriebeld te worden.

Ik trok aan de bel en de deur werd opengedaan door een witharige dame met een vriendelijk gezicht, met een schort voor en op pantoffels. Toen ik de reden van mijn komst gaf, liet ze me direct binnen en stelde zich voor als 'mevrouw Milne', waarna ze zich even bezighield met de kat. Intussen keek ik om me heen en knipperde met mijn ogen. De hal hing al net zo vol plaatjes als de voorkamer van mevrouw Dendy. Het onderwerp van deze afbeeldingen was echter niet het theater. Voorzover ik kon uitmaken, hadden ze helemaal niets met elkaar gemeen, behalve dat ze stuk voor stuk fel van kleur waren. De meeste oogden nogal goedkoop – sommige waren duidelijk uit boeken en kranten geknipt en zonder lijst aan de muur geprikt – maar er zaten een of twee heel beroemde afbeeldingen bij. Zo hing er boven de paraplubak een kopie van het bonte schilderij *Het licht der wereld*, en daaronder hing een Indiaas schilderij van een slanke blauwe god met kool rond de ogen en een fluit in zijn hand. Ik vroeg me af of mevrouw Milne misschien een of andere religieuze fanaat was – een theosoof of hindoebekeerling.

Maar toen ze mij naar de muren zag kijken, glimlachte ze op een heel christelijke manier. 'De plaatjes van mijn dochter,' zei ze alsof dat alles verklaarde. 'Ze houdt van de kleuren.' Ik knikte en volgde haar toen de trap op.

Ze bracht me meteen naar de kamer die te huur was. Het was een prettige, gewone kamer en alles was schoon. Het aantrekkelijkste onderdeel was het venster: een hoog, in de lengte in tweeën gedeeld venster dat was te gebruiken als een stel glazen deuren en uitkwam op een klein ijzeren balkonnetje met uitzicht op de Green Street en de vervallen huurkazerne.

'De huur is acht shilling,' zei mevrouw Milne, terwijl ik een blik om me heen wierp. Ik knikte. 'U bent niet het eerste meisje dat erop af is gekomen,' ging ze voort, 'maar eerlijk gezegd hoopte ik op een oudere dame – ik dacht misschien een weduwe. Tot voor kort woonde mijn nicht hier, maar die moest ons verlaten om te trouwen. Misschien bent u zelf ook van plan binnenkort te trouwen?'

'O, nee,' zei ik.

'Hebt u geen vriend?'

'Geen een.'

Dat leek haar te bevallen. Ze zei: 'Daar ben ik blij om. Ik woon hier namelijk alleen met mijn dochter en dat is nogal een ongewoon, naïef soort meisje. Ik zou het niet prettig vinden dat hier jonge kerels in en uit kwamen lopen...'

'Ik heb geen vriend,' zei ik beslist.

Ze glimlachte weer, leek vervolgens te aarzelen. 'Mag ik... mag ik vragen... waarom u weggaat waar u nu woont?' Hierop aarzelde ík – en haar glimlach smolt weg.

'Om eerlijk te zijn,' zei ik, 'ik had wat onenigheid met mijn hospita...'

'Ach.' Ze verkoelde een beetje, en ik besefte dat ik een vergissing had begaan door de waarheid te vertellen.

'Ik bedoel,' begon ik, maar ik zag haar nadenken. Wat dacht ze? Waarschijnlijk dat mijn hospita me had betrapt terwijl ik met haar man aan het zoenen was.

'U moet begrijpen,' begon ze weer met spijt in haar stem, 'dat mijn dochter...'

Die dochter moest wel een hele schoonheid zijn, dacht ik – of anders een volslagen erotomane – als de moeder haar zo graag veilig bij zich hield, uit de buurt van jongemannenogen. En toch, precies zoals ik was gelokt door het vreemde m/v op de kaart in de winkeletalage, was er nu ook iets aan dat huis en zijn bewoner dat me op onverklaarbare wijze trok.

Ik waagde het erop.

'Mevrouw Milne,' zei ik, 'de reden is dat ik een eigenaardig beroep heb – een theaterberoep, zou je kunnen zeggen – en daarvoor moet ik me soms in mannenpakken verkleden. Mijn hospita heeft me betrapt en toen mocht ze me niet meer. Als ik hier woon, zal ik beslist nooit een vent meenemen in uw huis. U vraagt zich misschien af hoe ik dat zo zeker weet, maar het enige wat ik kan zeggen is dat ik dat weet. Ik zal nooit te laat zijn met de huur. Ik zal me met niemand bemoeien en u zult nauwelijks merken dat ik er ben. Als u en juffrouw Milne er geen bezwaar tegen hebben om zo nu en dan een meisje in een wijde broek en met een stropdas te zien – nou, dan denk ik dat ik misschien de huurster bent die u zoekt.'

Ik had – min of meer – met klem gesproken, en nu keek mevrouw Milne nadenkend. 'Herenpakken, zegt u,' zei ze – niet onvriendelijk of ongelovig, maar juist geïnteresseerd. Ik knikte, trok toen aan het koord van mijn plunjezak en haalde er een jasje uit – het was toevallig het bovenstuk van het garde-uniform. Ik schudde het uit en hield het voor mijn lichaam, vol hoop. 'Hemeltjelief,' zei ze en sloeg haar armen over elkaar, 'da's een juweeltje, hè? Díe zou mijn meisje mooi vinden.' Ze maakte een gebaar naar de deur. 'Mag ik even...?' Ze liep de overloop op en riep: 'Gracie!' Ik hoorde beneden het geluid van voetstappen. Mevrouw Milne hield haar hoofd schuin. 'Ze is een tikkeltje verlegen,' zei ze zachtjes, 'maar let maar niet op haar als ze gek tegen u gaat doen. Zo is ze nou eenmaal.' Ik glimlachte onzeker. Na een seconde was Gracie op weg naar boven, na nog een paar seconden stond ze in de kamer naast haar moeder.

Ik had een buitengewone schoonheid verwacht. Grace Milne was niet mooi – maar ze was, zo zag ik meteen, wel buitengewoon. Haar leeftijd was moeilijk te schatten. Ergens tussen de zeventien en de dertig, dacht ik. Haar haar was echter fijn en geel als vlas en hing los rond haar schouders, als bij een jong meisje. Ze droeg een vreemd samenraapsel van kleren – een korte blauwe jurk en een gele schort, en daaronder bonte kousen met klokjes erop en rode fluwelen pantoffels. Haar ogen waren grijs, haar wangen heel bleek. Ze had merkwaardig gladde gelaatstrekken, alsof haar gezicht een tekening was waar iemand halfslachtig met een vlakgom overheen was gegaan. Ze sprak met een moeilijk verstaanbare, enigszins schallende stem. Toen besefte ik wat ik al had kunnen raden: dat ze een beetje simpel was.

Dit alles zag ik natuurlijk in minder dan een seconde. Grace had haar arm door die van haar moeder gestoken, en toen ze aan mij werd voorgesteld, was ze inderdaad heel schuw weggedoken. Maar nu keek ze duidelijk verrukt naar het jasje dat ik voor me hield, en ik zag dat ze niets liever wilde dan de kleurige mouw grijpen en strelen.

En het wás tenslotte ook een prachtig jasje. Ik vroeg haar: 'Wil je het passen?'

Ze knikte en wierp toen een blik op haar moeder: 'Als het mag.' Mevrouw Milne zei dat het mocht. Ik hield het jasje voor haar op en liep toen om haar heen om de knopen dicht te maken. Het rode serge en het goudgalon pasten wonderlijk goed bij haar haar, haar ogen, haar jurk en kousen.

'Je ziet eruit als een dame in een circus,' zei ik, toen haar moeder en ik een stap achteruit deden om haar te bekijken. 'De dochter van een circusdirecteur.' Ze glimlachte – maakte toen een onhandige buiging. Mevrouw Milne lachte en klapte.

'Mag ik het houden?' vroeg Gracie me toen. Ik schudde mijn hoofd.

'Om eerlijk te zijn, juffrouw Milne, denk ik niet dat ik het kan missen. Als ik er nu twee van had...'

'Maar Gracie,' zei haar moeder, 'natuurlijk kun je het niet houden. Juffrouw Astley heeft het kostuum nodig voor haar theaterwerk.' Grace' gezicht betrok, maar ze leek niet al te aangedaan. Mevrouw Milne wierp een blik op me. 'Maar ze mag het toch weleens lenen,' fluisterde ze, 'zo nu en dan...?'

'Wat mij betreft mag ze al mijn pakken lenen, nu meteen al,' zei ik, en toen Grace opkeek, knipoogde ik naar haar, en haar bleke wangen werden een beetje roze en haar hoofd ging naar beneden.

'Ho, ho,' zei mevrouw Milne vriendelijk en sloeg haar armen voldaan over elkaar. 'Ik geloof waarachtig, juffrouw Astley, dat u heel goed bij ons past.'

Ik trok direct in. Die eerste middag bracht ik door met het uitpakken van de weinige spulletjes die ik had, terwijl Gracie naast me stond en bij alles verrukte kreetjes slaakte en mevrouw Milne thee bracht en toen weer thee en taart. Tegen etenstijd was ik voor hen beiden 'Nancy' geworden, en het eten zelf – een pastei met erwten en jus en met als toetje blanc-manger in een vorm – was de eerste maaltijd die ik aan een familiedis had gegeten sinds mijn laatste maaltijd in Whitstable, nu iets langer dan een jaar geleden.

De volgende dag paste Gracie mijn pakken, in alle mogelijke combinaties, en haar moeder klapte in haar handen. We aten worstjes bij het avondeten en later was er taart. Na de taart verkleedde ik me voor Soho, en toen mevrouw Milne me zag in mijn serge-met-fluweel, klapte ze weer in haar handen. Ze had een sleutel voor me laten maken, zodat ik hen niet hoefde te wekken als ik laat thuiskwam.

Het was alsof ik op kamers woonde bij engelen. Ik kon komen en gaan wanneer ik wilde, de kostuums dragen die ik wilde, en mevrouw Milne zei niets. Ik kon thuiskomen in een jasje met op de kraag de korsten van iemands haastige kwak – en dan nam ze het alleen maar uit mijn nerveuze handen en waste ze het bij de kraan: 'Ik heb nog nooit een meisje gezien dat zo met haar soep knoeit.' Soms werd ik ellendig wakker, door herinneringen geplaagd, en dan stapelde ze mijn ontbijtbord alleen maar voller, zonder iets te vragen. Ze was op haar manier even simpel als haar simpele dochter. Ze was goed voor me omwille van Gracie, omdat ik Gracie mocht en aardig voor haar was.

Ik had geduld, bijvoorbeeld met Gracies belangstelling voor het kleurige. Je kon niet drie minuten in dat huis zijn zonder dat het je opviel, maar na drie dagen begon ik een soort systeem in haar manie te bespeuren dat me, als ik zelf een normaal meisje was geweest, met vaste gewoonten, misschien wel erg was gaan irriteren. Toen ik op mijn eerste woensdag daar in mijn gele vest beneden kwam om te ontbijten, deinsde mevrouw Milne terug: 'Gracie ziet niet graag geel in huis,' zei ze, 'op woensdag.' Maar drie dagen later aten we custardpudding bij de thee: eten op zaterdag moest geel zijn, zo leek het, en anders niet...

Mevrouw Milne was zo gewend aan deze grillen dat ze haar bijna niet meer opvielen. En mettertijd, zoals ik zei, raakte ik er ook aan gewend – en riep als ik me 's ochtends aankleedde: 'Welke kleur vandaag, Grace? Mag ik mijn blauwe serge pak aan, of moet het de wijde broek zijn?' 'Zullen we vanavond kruisbessen eten of appeltaart?' Het maakte me niet uit, het begon een soort spel te lijken, en ik vond Gracies kijk op het leven zeker even legitiem als vele andere filosofieën. En haar diepe passie voor felle en bonte kleuren begreep ik heel goed. Want er waren zoveel prachtige kleuren in de stad, en in zekere zin leerde ze mij die met nieuwe ogen bekijken. Terwijl ik rondslenterde, zocht ik naar afbeeldingen van jurken die ze mooi zou vinden en bracht ze dan voor haar mee. Ze had een aantal enorme albums waarin ze plaatjes en knipsels plakte. Ik kocht voor haar tijdschriften en boekjes waar ze haar schaar in kon zetten. Ik kocht bloemen voor haar bij de stalletjes van de bloemenmeisjes: viooltjes, anjers, lavendelkleurige lamsoor en blauwe vergeet-me-nietjes. Als ik ze aan haar gaf – ze als een goochelaar met een zwierig gebaar van onder mijn jas uit toverde – bloosde ze van plezier of maakte ze een speels revérencetje voor me. Mevrouw Milne keek dan helemaal ver-

guld toe, maar schudde toch haar hoofd en deed net alsof ze het af-
keurde.

'Nou, nou!' zei ze dan tegen me. 'Je brengt dat kind nog eens het
hoofd op hol, hoor!' En dan bedacht ik heel even hoe vreemd het was
dat zij, die haar dochter zo angstvallig beschermde tegen de lonken-
de blikken van jongemannen – Grace en mij zo blij en schijnbaar on-
bezorgd aanmoedigde om liefjes te spelen.

Maar het was onmogelijk ergens diep over na te denken in dat
huishouden, waar het leven zo gelijkmatig, zorgeloos en aangenaam
was.

En omdat ik na het verlies van Kitty helemaal geen zin meer had
om na te denken, vond ik het prima zo.

Zo gleden de maanden voorbij. Mijn verjaardag kwam. Het jaar daarvoor had ik dat niet eens gemerkt. Maar nu waren er cadeautjes en
een taart met groene kaarsjes. Het werd Kerstmis, weer met cadeautjes en een diner. In een klein, koppig deel van mijn hersenen herinnerde ik me de twee vrolijke kerstfeesten die ik met Kitty had ge-
vierd, en toen moest ik denken aan mijn familie. Davy zou nu wel
getrouwd zijn en misschien wel vader – dan was ik tante. Alice was
nu vijfentwintig. Ze zouden vandaag allemaal de jaarwisseling vieren, zonder mij – zich misschien afvragen waar ik was en hoe het
met me ging; en dat deden Kitty en Walter misschien ook. Ik dacht:
Laat ze het zich maar afvragen. Toen mevrouw Milne aan tafel haar
glas hief en ons alledrie prettige feestdagen en een gelukkig nieuwjaar wenste, glimlachte ik naar haar en zoende haar toen op haar
wang.

'Wat een Kerstmis!' zei ze. 'Hier zit ik met mijn twee liefste meisjes naast me. Wat een gelukkige dag was het voor mij en Grace,
Nance, die dag dat je bij ons op de deur klopte!' Haar ogen glinsterden een beetje. Ze had zoiets al eerder gezegd, maar nooit zo emotio-
neel. Ik wist wat ze dacht. Ik wist dat ze mij als een soort dochter was
gaan beschouwen – in ieder geval als een zus voor haar echte dochter: een lieve oudere zus die misschien voor Gracie zou zorgen als zij
er niet meer was...

Op dat moment huiverde ik bij de gedachte – maar ik had geen andere plannen, geen andere familie meer, geen eigen zus en beslist

geen geliefde. Ik antwoordde dan ook: 'Wat een gelukkige dag was het voor míj. Kon alles maar eeuwig zo blijven!' Mevrouw Milne knipperde haar tranen weg en nam mijn zachte, blanke hand in haar oude, knokige hand. Gracie staarde naar ons, blij, maar verward door alle heerlijkheden van de dag, haar haar als goud glanzend in het kaarslicht.

Die avond ging ik zoals gewoonlijk naar het Leicester Square. Er zijn daar heren die zelfs op Kerstmis op schandknapen uit zijn.

Maar de winter is een slappe tijd. Mist en vroeg invallende duisternis zijn gunstig voor het clandestiene, maar niemand knoopt graag zijn gulp los als er ijspegels aan de muur hangen – en ik had evenmin veel zin om neer te knielen op gladde keien, of rond te zwerven door het West End in een kort jasje, alleen maar om te pronken met mijn aantrekkelijke kontje en de opgerolde zakdoek in mijn kruis. Ik was blij dat ik een huis had waar het gezellig was; in januari worden de mensen van plezier bij bosjes geveld door koorts en griep of erger. Lieve Alice hoestte die hele winter lang – zei dat hij bang was dat hij moest hoesten als hij knielde voor een man en dan z'n pik zou afbijten.

Maar in het voorjaar werden de avonden weer warmer en werd mijn vreemde gasverlichte leven minder zwaar. Maar ik werd zo mogelijk nog luier. Ik bleef nu vaker thuis op mijn kamer dan dat ik de straat op ging. Ik sliep dan niet, maar lag gewoon met open ogen en half gekleed, of rookte wat terwijl het buiten donker en stil werd en mijn kaars opbrandde, flakkerde en doofde. Ik gooide dan altijd mijn ramen wijd open om de stemmen van de stad binnen te laten: het geratel van de huurkoetsen en wagens van de Gray's Inn Road, het getoeter en kabaal en gesis van stoom van het King's Cross, flarden van ruzies en confidenties en begroetingen van voorbijgangers – 'Nou, Jenny!'; 'Tot dinsdag dan, tot dinsdag...' Toen het in juni snikheet werd, zette ik altijd een stoel op mijn balkonnetje hoog boven de Green Street en bleef daar zitten tot diep in de verkoelende nacht.

Zo bracht ik daar die zomer ongeveer vijftig avonden door, en ik kan wel zeggen dat ik me er nog geen vijf van herinner. Maar een van die avonden staat me nog heel goed bij.

Zoals gewoonlijk had ik mijn stoel op het balkon gezet, maar met de rug naar de straat, en ik zat er schrijlings op, loom, met mijn armen over elkaar en mijn kin op mijn armen. Ik herinner me dat ik een eenvoudige linnen broek droeg, een overhemd dat openstond bij de hals en een kleine strooien matelot die ik had opgezet tegen de felle namiddagzon en vergeten was af te zetten. De kamer achter me had ik donker laten worden. Ik meende dat ik, afgezien van het puntje van mijn sigaret dat zo nu en dan opgloeide, onzichtbaar moest zijn tegen de duisternis van de kamer. Ik had mijn ogen gesloten en dacht aan niets, toen ik plotseling muziek hoorde. Iemand tokkelde op een lieflijk, scherp klinkend instrument – geen banjo en geen gitaar – en de lichte avondbries voerde een vrolijk zigeunerwijsje mee. Algauw klonk er een hoge, vibrerende vrouwenstem bij.

Ik opende mijn ogen om te kijken waar het geluid vandaan kwam. Het kwam niet, zoals ik had verwacht, van beneden in de straat, maar uit het gebouw aan de overkant – de oude huurkazerne die er altijd zo naargeestig en leeg had uitgezien en die zo'n contrast vormde met het vriendelijke rijtje huizen waar mijn hospita woonde. Meer dan een maand lang hadden daar arbeiders gewerkt, en ik was me vaag van hen bewust geweest, terwijl ze hamerden, floten en van ladders leunden. Nu was het gebouw keurig opgeknapt. Al die tijd dat ik in de Green Street woonde, waren de vensters tegenover mij donker geweest. Maar vanavond waren ze opengegooid en de gordijnen erachter helemaal opengeschoven. Het lichtvoetig melodietje kwam daarvandaan: de uiteen geschoven gordijnen boden me een perfect uitzicht op het merkwaardige tafereel dat zich daar afspeelde.

De bespeler van het instrument – het was een mandoline, zag ik nu – was een knappe jonge vrouw die een gedistingeerd jasje, witte blouse, stropdas en bril droeg. Ik hield haar meteen voor een secretaresse of studente. Ze glimlachte onder het zingen en toen haar stem de hogere noten niet haalde, lachte ze voluit. Ze had een bosje linten aan de hals van haar mandoline gebonden en die schudden en glinsterden als ze erop tokkelde.

Maar het kleine groepje mensen voor wie ze zong, was niet zo vrolijk. Naast haar zat een man in een heel eenvoudig pak te knikken, met een starre en hoopvolle glimlach. Op zijn knie zat een lief klein meisje in een opgelapte jurk en schort, die hij min of meer op de maat in haar handen liet klappen. Tegen zijn schouder leunde een jongen met een smal, opgeschoren nekje en grote rode oren. Achter hem stond een afgetobde vrouw met een hard gezicht – de echtgenote van de man, nam ik aan – en ze hield lusteloos nog een kind aan haar borst. De laatste van het groepje, een gedrongen meisje in een fleurig jasje, ging half schuil achter de rand van het gordijn. Haar gezicht was niet te zien, maar haar handen – die slank en heel bleek waren – kon ik heel duidelijk onderscheiden. Ze hielden een kaart of brochure vast, waarmee ze als waaier in de roerloze, warme lucht wapperden.

Al deze gedaanten bevonden zich rond een tafel waarop een vaas met verwelkte madeliefjes en de resten van een karig maal stonden: thee en cacao, koud vlees, zuur en een taart. Ondanks de lange gezichten en geforceerde glimlachjes had het hele tafereel iets feestelijks. Het was, naar ik aannam, een soort inwijdingsfeest – al kon ik niet peilen in welke verhouding de dame die mandoline speelde, stond tot de arme, grauwe familie voor wie ze speelde. Ik was ook niet zeker over het andere meisje, dat met de bleke handen: zij kon tot beide kampen hebben behoord.

Het wijsje veranderde en ik merkte dat de familie rusteloos werd. Ik stak een sigaret op en bestudeerde het tafereel: ik vond het wel leuk om ernaar te kijken. Uiteindelijk hield het meisje achter het gordijn op met waaieren en kwam overeind. Ze stapte behoedzaam om de groep heen en liep naar het raam, dat net als dat van mij uitkwam op een balkonnetje, waarop ze nu stapte en vanwaar ze de stille straat beneden haar met een welwillende blik en een geeuw overzag.

Er lag niet meer dan tien meter tussen ons en we stonden bijna op gelijke hoogte, maar zoals ik al vermoedde, was ik alleen maar een van de vele schaduwen tegen de achtergrond van mijn eigen donkere kamer, en ze had me niet opgemerkt. Ikzelf had nog steeds haar gezicht niet gezien. Het raam en de gordijnen omlijstten haar prachtig, maar het licht kwam uitsluitend van achter haar. Het stroomde door haar haar, dat krullerig als kurkentrekkers leek, en verleende haar een soort vlammend aureool, als van een heilige in het raam van een kerk, maar haar gezicht bleef in de schaduw. Ik sloeg haar gade. Toen de muziek ophield en er een schuchter applausje klonk en vervolgens wat onsamenhangend gepraat, bleef ze op haar plek op het balkon en keek niet om.

Ten slotte was mijn sigaret opgebrand, bijna tot mijn vingers, en ik gooide die van het balkon af de straat op. Dat gebaar ving ze op; ze schrok op, tuurde naar me, en verstarde toen. Haar ontsteltenis – ondanks de duisternis kon ik aan de puntjes van haar oren zien dat ze bloosde – bracht me in verwarring, tot ik me herinnerde dat ik een mannenpak aanhad. Ze hield me voor een brutale *voyeur*! Bij die gedachte voelde ik een merkwaardige mengeling van schaamte en verlegenheid, en ook, moet ik bekennen, genot. Ik greep mijn strohoed en hief die beleefd.

'Avond, schat,' zei ik op lage, lome toon. Zoiets zeiden ruige kerels van de straat – venters of wegwerkers – de hele tijd tegen passerende dames. Ik weet niet waarom ik hen juist toen nadeed.

Het meisje maakte weer een krampachtige beweging, opende toen haar mond als om me nijdig van repliek te dienen, maar op dat moment kwam haar vriendin naar het raam. Op haar hoofd zat een hoed en ze trok haar handschoenen aan. Ze zei: 'We moeten gaan, Florence' – de naam klonk heel romantisch in het halfduister. 'De kinderen moeten naar bed. Meneer Mason zegt dat hij met ons zal oplopen tot aan King's Cross.'

Het meisje wierp daarna geen blik meer in mijn richting, maar draaide schielijk de kamer in. Daar zoende ze de kinderen, schudde de hand van de moeder en nam beleefd afscheid. Van mijn plek op het balkon zag ik haar, haar vriendin en hun onbehouwen chaperon meneer Mason uit het huis komen en de richting van de Gray's Inn Road inslaan. Ik dacht dat ze misschien nog zou omkijken om te zien of ik er nog steeds stond, maar dat deed ze niet, en wat kon het me ook schelen? Toen haar gezicht eindelijk in het lamplicht was gekomen, had ik gezien dat ze helemaal niet knap was.

Ik zou haar misschien helemaal zijn vergeten, als ik haar een dag of veertien nadat ik haar in het donker had bekeken, niet opnieuw had gezien – maar ditmaal bij daglicht.

Het was weer een warme dag en ik was tamelijk vroeg wakker geworden. Mevrouw Milne en Grace waren ergens op bezoek, dus had ik absoluut niets te doen en kon ik mijn eigen gang gaan. Voordat mijn geld helemaal op was, had ik een paar fatsoenlijke jurken aangeschaft, en een daarvan had ik vandaag aangetrokken. Ik had ook mijn oude vlecht van vals haar op, en die zag er onder de stijve rand van een zwart strohoedje wonderlijk natuurlijk uit. Ik was van plan naar een van de parken te gaan – het Hyde Park, dacht ik, en daarna misschien naar de Kensington Gardens. Ik wist dat de mannen me onderweg zouden lastigvallen, maar parken, zo is me gebleken, zijn vol vrouwen – vol kindermeisjes met mandenwagens, gouvernantes met peuters aan de hand en winkelmeisjes die op het gras hun lunch eten. Ze waren allemaal wel bereid een gesprekje aan te knopen met een glimlachend meisje in een mooie jurk, en die dag had ik, merkwaardig genoeg, zin in vrouwengezelschap.

In die stemming, met die plannen en in die kledij zag ik Florence.

Ik herkende haar meteen, ook al had ik daarvoor weinig van haar gezien. Ik was net de deur uitgegaan en stond nog wat te dralen op de onderste tree, geeuwend en in mijn ogen wrijvend. Ze kwam in het zonlicht uit een doorgang aan de andere kant van de Green Street, iets verder links van mij, en ze had een mosterdkleurige jas en jurk aan – die kleur, oplichtend in het zonlicht, had mijn aandacht getrokken. Net als ik was ze blijven staan; ze had een vel papier in haar hand dat ze leek te bestuderen. De doorgang leidde naar de huurkazerne en ik veronderstelde dat ze op bezoek was geweest bij de familie die het feestje had gegeven. Ik vroeg me gedachteloos af welke kant ze zou opgaan. Als ze weer in de richting van King's Cross ging, zou ik haar mislopen.

Ten slotte stopte ze het papier in een tasje dat kruiselings over haar borst hing en draaide – naar links, mijn kant op. Ik bleef op mijn tree staan en keek naar haar, net als tevoren. Langzaam kwam ze op gelijke hoogte met mij, totdat er opnieuw niet meer dan de straatbreedte tussen ons was. Ik zag haar ogen eenmaal naar mij schieten, toen weer weg, en toen, alsof ze voelde dat mijn blik haar niet losliet, weer naar mij. Ik glimlachte. Ze vertraagde haar stap en glimlachte terug, onzekerheid uitstralend: ik zag dat ze absoluut niet wist wie ik was. Ik kon de kans niet laten liggen. Terwijl ik haar vragende, vriendelijke blik vasthield, bracht ik mijn hand naar mijn hoofd, tilde mijn hoed op en zei op dezelfde lage toon waarop ik haar eerder had aangesproken: 'Môgge.'

Ook nu schrok ze weer. Toen wierp ze een blik naar het balkon boven mijn hoofd. En toen bloosde ze. 'O! Dat was u?'

Ik glimlachte weer en maakte een buiginkje. Mijn korset kraakte. Het leek helemaal verkeerd om zo galant te doen in een rok, en plotseling was ik bang dat ze me misschien niet voor een voyeur zou aanzien, maar voor een gek. Toen ik echter mijn ogen weer naar haar opsloeg, verbleekte haar blos en drukte haar gezicht geen minachting of gêne uit, maar een soort plezier. Ze hield haar hoofd schuin.

Er reed een wagen tussen ons door en daarna een kar. Toen ik ditmaal mijn hoed voor haar afnam, deed ik dat alleen met het vage idee het eerdere misverstand uit de weg te ruimen, haar misschien wel aan het lachen te maken. Maar toen de straat weer leeg was en zij daar nog stond, leek dat een soort uitnodiging. Ik stak de straat over en ging voor haar staan. Ik zei: 'Ik hoop niet dat ik u die avond bang heb gemaakt.' De herinnering leek haar in verlegenheid te brengen, maar ze lachte.

'U hebt me niet báng gemaakt,' zei ze, alsof ze helemaal niet bang was geweest. 'U hebt me alleen maar een beetje aan het schrikken gemaakt. Als ik had geweten dat u een vrouw was – nou!' Ze bloosde weer – of misschien was het nog steeds de blos van daarvoor, dat wist ik niet. Toen keek ze weg, en er viel een stilte.

'Waar is uw musicerende vriendin?' vroeg ik ten slotte. Ik hield een denkbeeldige mandoline voor mijn middel en tokkelde er wat op.

'Juffrouw Derby,' zei ze glimlachend. 'Die is terug naar ons kantoor. Ik doe wat aan liefdadigheidswerk, zoek onderdak voor arme gezinnen die geen huis meer hebben.' Ze sprak met een min of meer plat East End-accent, maar ze had een volle, ietwat hese stem. 'We zijn al tijden bezig om in dit blok wat etages te pakken te krijgen, en de avond dat u me zag, hebben we ons eerste gezin hierheen verhuisd – min of meer een succes voor ons, want we zijn maar een kleine club – en juffrouw Derby vond dat we er een feestje van moesten maken.'

'O ja? Nou, ze speelt heel aardig. Zeg haar maar dat ze hier vaker wat mag komen optreden.'

'Woont u hier dan?' vroeg ze, met een knikje naar het huis van mevrouw Milne.

'Ja. Ik zit graag op het balkon...'

Ze hief haar hand om een haarlok onder haar hoed te duwen. 'En altijd in een broek?' vroeg ze toen, op zo'n manier dat ik met mijn ogen knipperde.

'Alleen soms in een broek.'

'Maar altijd om naar de vrouwen te gluren en ze aan het schrikken te maken?'

Nu knipperde ik twee of drie keer. 'Daar heb ik nog nooit aan gedacht,' antwoordde ik, 'voor ik u zag.' Het was de simpele waarheid, maar ze moest erom lachen, als om te zeggen: *Dat zal wel*. Deze lach, en het gesprek dat eraan voorafging, brachten me van mijn stuk. Ik nam haar nauwkeuriger op. Zoals ik die eerste avond al had gezien, was ze niet wat je een schoonheid zou noemen. Ze was gevuld in de taille, bijna gezet, en ze had een breed gezicht met een forse kin. Haar gebit was regelmatig, maar niet volmaakt wit. Ze had reebruine ogen, maar haar wimpers waren niet lang. Haar handen zagen er echter elegant uit. En wat haar haar betrof, als meisjes waren we allemaal dankbaar geweest dat we niet zulk haar hadden, want hoewel ze het van achteren had opgebonden in een knot, sprongen er steeds krullen uit die sliertig om haar gezicht hingen. Met de lamp erachter had het ook kastanjebruin geleken, maar het is eerlijker om het gewoon bruin te noemen.

Ik geloof dat ik het prettig vond dat ze niet knapper was, want hoewel het me zeer intrigeerde dat ze mijn vreemde gedrag zo kalm opnam – alsof vrouwen altijd in mannenbroeken liepen en meisjes op balkons zo vaak het hof maakten dat ze eraan gewend was en het alleen maar ondeugend vond – miste ik dat *maniertje* in haar, dat bedekte *iets*, dat ik bij andere meisjes had herkend. In ieder geval zou niemand ooit op het idee komen om spottend *Pot!* naar haar te roepen. Maar nogmaals, daar was ik blij om. Dat gedoe met liefjes en zoentjes kon me gestolen worden. Tegenwoordig zat ik in een heel andere branche.

Maar een vriendin zou na al die tijd toch geen kwaad kunnen?

Ik zei: 'Hoor eens, gaat u met me mee naar het park? Ik was net op weg ernaartoe toen ik u zag.'

Ze glimlachte, maar schudde haar hoofd. 'Het gaat niet, ik moet werken.'

'Het is te warm om te werken.'

'Dat werk moet toch gebeuren. Ik moet een bezoek afleggen aan de Old Street – een dame die juffrouw Derby kent, heeft misschien enkele kamers voor ons. Ik had er eigenlijk al moeten zijn.' En ze keek fronsend op een klein horloge dat aan een lint op haar borst hing, als een medaille.

'Kunt u juffrouw Derby niet vragen om te gaan? Het lijkt me heel zwaar voor u. Ik wed dat zij in het kantoor met haar voeten op haar bureau een deuntje op de mandoline zit te spelen. En u loopt u hier buiten in de zon de benen uit het lijf. U hebt in ieder geval een ijsje nodig. In de Kensington Gardens is een Italiaanse dame die het beste ijs van Londen verkoopt en ik krijg het voor de helft van de prijs...'

Ze glimlachte weer. 'Het gaat niet. Wat moet er anders met al onze arme gezinnen gebeuren?'

Die gezinnen konden me geen zier schelen, maar ineens kon het me wel schelen dat ik haar misschien niet meer zou zien. Ik zei: 'Nou, dan moet ik dus wachten tot u weer naar de Green Street komt. Wanneer is dat?'

'Tja, u moet weten,' zei ze, 'nooit meer. Over een paar dagen houd ik op met deze betrekking en ga ik helpen in een tehuis in Stratford. Dat komt me beter uit, want het is dichter bij de plek waar ik woon en ik ken de mensen daar. Maar het betekent dat ik de meeste tijd zal doorbrengen in East...'

'O,' zei ik. 'En komt u dan nooit meer naar de stad?'

Ze aarzelde, en zei toen: 'Nou, ik kom er wel af en toe, 's avonds. Ik ga weleens naar het theater, of naar de lezingen in de Atheneum Hall. Misschien wilt u eens met me mee daar naartoe...'

Ik ging tegenwoordig alleen nog naar het theater als schandknaap. Ik ging niet meer in een fluwelen stoel voor het podium zitten, zelfs niet voor haar. Ik zei: 'De Atheneum Hall? Die ken ik. Maar lezingen – wat bedoelt u? Kerkelijke kost?'

'Politieke kost. U weet wel, het klassenvraagstuk, de Ierse kwestie...'

De moed zonk me in de schoenen. 'Het vrouwenvraagstuk.'

'Juist. Er zijn sprekers, voordrachten en daarna discussies. Bekijk dit maar eens.' Ze haalde een dun, blauw pamflet uit haar tasje. *Lezingen van het Atheneum Hall Genootschap*, stond erop; *Vrouw en arbeid: een toespraak door de heer* – en er volgde een naam die ik nu vergeten ben, een verklarend tekstje en een datum die vier of vijf dagen verder lag.

Ik zei: 'Mijn god!' op een enigszins dubbelzinnige manier. Ze hief haar hoofd op, nam het pamflet weer van me over en zei: 'Nou, misschien gaat u uiteindelijk toch liever naar de ijscokar in de Kensington Gardens...' De woorden hadden een kribbige ondertoon, die ik niet prettig vond om te horen. Ik zei meteen: 'Lieve hemel, nee: dit lijkt me enig!' Maar ik voegde eraan toe dat we, als ze echt geen ijsjes verkochten in die zaal, van tevoren eerst maar iets moesten gaan drinken. Ik had gehoord dat er op de hoek van de King's Cross en de Judd Street een cafeetje was met achterin een dameszaaltje waar je heel lekker en heel goedkoop kon eten. De lezing begon om zeven uur – misschien konden we elkaar daar vooraf ontmoeten? Om, zeg, zes uur? Ik zei – omdat ik dacht dat ik haar daar een plezier mee deed – dat ze me misschien nog het een en ander moest uitleggen over de finesses van het vrouwenvraagstuk.

Daarop snoof ze en wierp ze me weer een veelbetekenende blik toe, al wist ik niet wat die blik inhield. Ze wilde me wel ontmoeten – met de waarschuwing dat ik haar niet moest laten zitten. Ik zei dat daar geen schijn van kans op was en stak mijn hand uit. En even voelde ik hoe haar vingers, heel stevig en warm in de grijslinnen handschoen, de mijne omklemden.

Pas nadat we uiteen waren gegaan, realiseerde ik me dat we geen namen hadden uitgewisseld, maar inmiddels was ze al verdwenen om de hoek van de Green Street. Maar ik wist wel, als een brokje geheime kennis van onze eerdere, donkerder ontmoeting, haar romantische voornaam. Trouwens, ik wist dat ik haar binnen een week weer zou zien.

10

Het werd die week almaar warmer, totdat op het laatst zelfs ik de hitte beu was. Heel Londen verlangde naar een weersverandering en toen die op donderdagavond eindelijk plaatsvond, gingen massa's mensen in de stad uit pure opluchting de straat op.

Een van hen was ik. Bijna twee dagen was ik binnen gebleven, versuft van de hitte; ik had aan een stuk door bekers limonade gedronken met mevrouw Milne en Gracie in hun verduisterde huiskamer, of naakt op mijn bed liggen doezelen met de ramen open en de gordijnen dicht. Nu werkte de belofte van een koele avond in vrijheid op de krioelende, vrolijk verlichte straten van het West End als een magneet op mij. Bovendien was mijn beurs bijna leeg – en ik herinnerde me de maaltijd met Florence die ik de volgende avond voor mijn rekening moest nemen. Dus moest ik een verpletterende indruk maken, dacht ik. Ik waste mijn haar en kamde het met makassarolie tot het plat was en glansde. En ik trok mijn favoriete kostuum aan – het garde-uniform met de koperen knopen en de galons, het rode jasje en de mooie, kleine pet.

Ik droeg dat pak haast nooit. De militaire sterren en gespen zeiden mij niets, maar ik had een vage angst dat een echte soldaat ze op een dag zou herkennen en mij zou meenemen naar zijn regiment, of dat er iets onverwachts zou gebeuren – een aanslag op de koningin terwijl ik langs Buckingham Palace slenterde, bijvoorbeeld – en dat ik de een of andere onmogelijke rol bij de oplossing ervan moest spelen. Maar het was ook een pak dat geluk bracht. Het had me de vrijpostige heer van de Burlington Arcade opgeleverd, wiens kus mijn lot had bepaald; en het had in mijn eerste gesprek met mevrouw Milne de doorslag gegeven. Vanavond, dacht ik, zou ik al tevreden zijn als het me maar één soeverein zou opleveren.

En er hing die avond een merkwaardige sfeer in de stad, die helemaal paste bij het kostuum dat ik had gekozen. De lucht was koel en ongewoon helder, zodat alle kleuren – het rood van een geverfde lip, het blauw van de borden van een sandwichman, het violet en groen en geel op het blad van een bloemenmeisje – uit het halfduister naar voren leken te springen. De stad was als een gigantisch tapijt, waar een reuzenhand met de mattenklopper op had geslagen zodat alle kleuren waren opgehaald. Aangestoken door de stemming die ik al op mijn kamer in de Green Street had gevoeld, hadden de mensen, net als ik, hun mooiste kleren aangetrokken. Meisjes in vrolijke jurken liepen in lange, angstwekkende rijen over de stoepen of zaten te zoenen met hun met bolhoeden getooide vrijers op trappen en banken. Jongens stonden voor de ingang van kroegen te drinken, hun gepommadeerde hoofden als zijde glanzend in het gaslicht. De maan hing laag boven de daken van Soho, roze, helder en bol als een Chinese lantaarn, met een of twee giftig knipperende sterren ernaast.

En te midden van dit alles liep ik te kuieren in mijn rode kostuum. Maar toen tegen een uur of elf de straten leegliepen, had ik nog steeds geen geluk gehad. Een aantal heren scheen me wel aantrekkelijk te vinden en een ruig uitziende kerel achtervolgde me helemaal van het Piccadilly naar de Seven Dials en weer terug. Maar de heren werden op het laatste moment weggelokt door andere schandknapen en de ruwe man was niet het type dat ik zocht. In een urinoir met twee uitgangen had ik hem het nakijken gegeven.

En later, terwijl ik rondhing bij een lantaarnpaal op het St James's Square, was er nog een bijna-treffen geweest. Een coupé was langzaam voorbijgereden, had toen stilgehouden en was, net als ik, blijven talmen. Er was niemand in- of uitgestapt. Het gezicht van de koetsier ging schuil in de schaduw van een hoge kraag en hij had zijn blik niet van zijn paard afgewend – maar de vitrage voor de donkere raampjes van de koets had licht bewogen, zodat ik wist dat ik van binnenuit nauwkeurig werd geobserveerd.

Ik had wat heen en weer gewandeld en een sigaret opgestoken. Om voor de hand liggende redenen werkte ik niet in rijtuigen. Ik wist van mijn vrienden op het Leicester Square dat heren in rijtuigen veeleisend waren. Ze betaalden goed, maar verwachtten navenant grote gunsten: kontwerk, bedwerk – nachten, soms in hotels. Niettemin kon het geen kwaad een beetje de aandacht te trekken: misschien zou de man binnenin me herkennen bij een andere gelegenheid zonder rijtuig. Ik had al ruim tien minuten langs de randen van het plein gelopen, af en toe een ruk aan mijn kruis gevend – want in de zwierige stemming waarin ik me die avond had aangekleed, had ik een opgerolde zijden das in mijn onderbroek gestopt, in plaats van mijn gebruikelijke zakdoek of handschoen, en de stof was glad en gleed voortdurend langs mijn dij naar beneden. Toch meende ik dat het verre oog van een geïnteresseerde heer dit gebaar misschien niet onaangenaam zou vinden...

Maar ten slotte was het rijtuig met zijn zwijgzame koetsier en schuwe passagier met een schok tot leven gekomen en weggereden.

Daarna waren al mijn bewonderaars kennelijk even voorzichtig geweest als die laatste. Ik had enkele geïnteresseerde blikken mijn kant op voelen glijden, maar was er niet in geslaagd een ervan aan de haak te slaan met mijn vrijmoediger zoekende blik. Intussen was het pikdonker en tamelijk koud geworden. Het was tijd om langzaam eens op huis af te gaan. Ik was teleurgesteld. Niet in mijn eigen optreden, maar in de avond zelf, die zo veelbelovend was begonnen en in zo'n fiasco geëindigd. Ik had nog geen penny verdiend. Nu moest ik wat geld van mevrouw Milne lenen en de volgende week langere uren op straat maken, doelgerichter en minder kieskeurig, tot het geluk weer met me was. Het was geen opwekkende gedachte: Mijn werk als schandknaap, dat aanvankelijk een soort vakantie voor me was geweest, was me de laatste tijd enigszins tegen gaan staan.

In die stemming ging ik op weg naar huis, naar de Green Street, maar nu meed ik de drukke wegen die ik eerder voor mijn plezier had genomen en koos de stille achterafstraatjes: de Old Compton Street, Arthur Street, Great Russel Street, langs de grauwe, stille massa van het Brits Museum, en ten slotte de Guildford Street die me langs het Foundling Hospital naar de Gray's Inn Road zou voeren.

Maar zelfs in deze stillere straten leek het verkeer ongewoon druk – ongewoon en onbegrijpelijk, want hoewel in werkelijkheid slechts enkele karren en aapjes passeerden, werden mijn eigen trage voetstappen continu begeleid door de zachte roffel van wielen en hoeven.

Bij de ingang naar een donkere en stille bedieningsstraat begreep ik ten slotte waarom, want daar stopte ik even om mijn veter dicht te knopen, en terwijl ik bukte, keek ik toevallig achter me. Uit het donker kwam langzaam een koets op me af, een privé-koets met een specifiek, goed gesmeerd rolgeluid dat ik nu herkende als van de koets die me de hele weg van Soho was gevolgd en met een in elkaar gedoken en warm ingepakte koetsier die ik ook dacht te herkennen. Het was de coupé die op het St James's Square had gestaan, niet ver van de plek waar ik stond. De verlegen eigenaar, die had toegekeken terwijl ik stond te poseren onder een straatlantaarn en de stoep op en neer had gelopen met mijn vingers aan mijn kruis, wilde kennelijk nog een keer kijken.

Toen ik mijn veter had dichtgebonden, richtte ik me op, maar bleef behoedzaam op mijn plaats staan. Het rijtuig ging langzamer rijden, toen – met het donkere interieur ervan nog steeds verborgen achter de zware kant voor de ramen – passeerde het me. Een klein stukje verderop kwam het tot stilstand. Ik begon er aarzelend naartoe te lopen.

De koetsier bleef net als eerder roerloos en stil; ik zag alleen de ronding van zijn schouders en de contour van zijn hoed. Toen ik de achterkant van het rijtuig naderde, verdween hij zelfs helemaal uit mijn gezichtsveld. In de duisternis leek de coupé helemaal zwart, maar waar het licht van een flakkerende straatlantaarn erop viel, glinsterde een diep karmijn, met hier en daar een toets goud. De kerel erin moest heel rijk zijn.

Nou, het zou hem tegenvallen, hij had me voor niets gevolgd. Ik versnelde mijn pas en wilde met gebogen hoofd passeren.

Maar toen ik op gelijke hoogte kwam met het achterwiel, hoorde ik de zachte klik van een klink: de deur zwaaide geluidloos open en blokkeerde mijn weg. Uit de schaduwen achter de deurlijst steeg een sliert blauwe tabaksrook op. Ik hoorde ademhalen, iets ruisen. Nu moest ik ofwel op mijn schreden terugkeren en achter het rijtuig oversteken, of me tussen de zwaaiende deur en de muur links van mij persen – en misschien een glimp van de raadselachtige inzittende opvangen. Ik moet bekennen dat ik nieuwsgierig was geworden. Een kerel die met zoveel gevoel voor theater een ontmoeting kon ensceneren die normaal gesproken zo weinig spectaculair werd afgehandeld – met een woord of een knikje of het knipperen van één ge-zwarte wimper – was beslist niet de eerste de beste. Eerlijk gezegd voelde ik me ook gevleid, en omdat ik me gevleid voelde, was ik ge-nereus. Aangezien hij tot dusver mijn achterste alleen van een af-stand had kunnen bewonderen, vond ik het niet meer dan billijk hem een blik van dichtbij te gunnen – al mocht hij natuurlijk alleen maar kíjken.

Ik deed een stap naar de open deur. Binnen was alles donker, ik zag alleen de vage contour van een schouder, een arm, een knie tegen het lichtere vierkant van het raampje aan de andere kant van de koets. Toen gloeide heel kort het puntje van een sigaret helder op in de duisternis en gaf een roodachtige weerschijn op een vale, ge-handschoende hand en een gezicht. Het was een slanke hand met ringen. Het gezicht was gepoederd, het gezicht van een vrouw.

Ik was zelfs te verrast om te lachen – een moment zo verbijsterd dat ik alleen maar kon blijven staan aan de rand van het halfduister dat uit het rijtuig leek te stromen en naar haar staren. En op dat moment sprak ze.

'Kan ik je een ritje aanbieden?'

Ze had een volle, tamelijk deftige stem die me op de een of andere manier trof. Ik ging ervan stamelen: 'Dat, dat is heel vriendelijk van u, mevrouw' – ik klonk als een geaffecteerde winkelbediende die een fooi weigert – 'maar het is nog maar vijf minuten naar mijn huis en ik ben daar des te sneller als ik u goedenacht mag wensen en dan verder mag lopen.' Ik tilde mijn pet op naar de donkere plek waar de stem vandaan was gekomen, en met een zuinig glimlachje maakte ik aanstalten om door te lopen.

Maar de dame sprak weer.

'Het is nogal laat,' zei ze, 'om zo alleen op straat te zijn, in een buurt als deze.' Ze nam een trek van haar sigaret en het puntje gloei-de weer helder op in het duister. 'Kan ik je niet ergens afzetten? Mijn koetsier is zeer bekwaam.'

Ik dacht: Dat zal wel. Haar bediende zat nog steeds ineengedoken op zijn bank, met zijn rug naar me toe en in gedachten verzonken. Plotseling voelde ik me moe. In Soho had ik verhalen gehoord over dit soort dames – dames die de donkere straten afstruinden met dikbetaalde bedienden, op zoek naar rondhangende mannen of jongens zoals ik, die hun voor de prijs van een maaltijd een beetje opwinding konden bezorgen. Rijke dames zonder echtgenoot of met afwezige echtgenoot, of zelfs (zo beweerde Lieve Alice) met een echtgenoot thuis die het bed warm hield en met wie ze hun geschrokken vangst deelden. Ik had nooit geweten of ik in zulke dames moest geloven, maar hier was er zo een: hautain en geparfumeerd en uit op een verzetje.

Maar dit keer had ze zich wel heel erg vergist!

Ik legde mijn hand op de koetsdeur en wilde die dichtslaan. Maar ze sprak weer. 'Als je het niet goedvindt,' zei ze, 'dat ik je thuisbreng, wil je me dan niet het plezier doen een poosje met me mee te rijden? Zoals je ziet, ben ik helemaal alleen, en ik heb vanavond nogal behoefte aan gezelschap.' Haar stem leek te trillen – maar of het was van melancholie of van verwachting of zelfs van plezier, kon ik niet uitmaken.

'Hoor eens, dame,' zei ik toen in het halfduister, 'u zit ernaast. Laat me er langs en vraag uw koetsier nog een rondje om het Piccadilly te maken.' Nu lachte ik: 'Geloof me, ik heb niet wat u zoekt.'

Het rijtuig kraakte, het rode puntje van de sigaret danste en gloeide op en verlichtte opnieuw een wang, een wenkbrauw, een lip. De lip krulde.

'Integendeel, schat. Jij hebt precies wat ik zoek.'

Nog steeds had ik het niet door, maar dacht alleen: Allejee, die wil graag! Ik keek om me heen. Een paar rijtuigen rolden over de Gray's Inn Road, en daarachter verdwenen twee of drie late voetgangers haastig uit het zicht. Bij de bedieningsstraat, niet ver van ons vandaan, stopte een aapje om zijn passagiers uit te laten stappen. Die verdwenen in een deur, en het aapje reed voorbij en verdween, en alles was weer stil. Ik haalde diep adem en boog voorover in het donkere interieur van de koets.

'Mevrouw,' siste ik, 'ik ben helemaal geen jongen. Ik ben...' Ik aarzelde. Het puntje van de sigaret verdween, ze had die uit het raampje gegooid. Ik hoorde haar één keer ongeduldig zuchten – en ineens begreep ik het.

'Kleine dwaas die je bent,' zei ze, 'stap in.'

Wat had ik dan moeten doen? Daarvoor was ik moe geweest, maar nu niet meer. Ik was teleurgesteld geweest, mijn verwachtingen voor de avond waren de bodem in geslagen, maar met deze ene, verrassende uitnodiging leek de betovering van de avond helemaal teruggekeerd. Het was weliswaar al heel laat en ik was alleen, en deze vrouw was duidelijk een vasthoudende vreemde met zonderlinge en geheime voorkeuren... Maar haar stem en manieren waren, zoals ik al zei, fascinerend. En ze was rijk. En ik was platzak. Ik aarzelde even, toen stak ze haar hand uit en zag ik in het licht van de lamp dat op haar ringen viel, hoe groot de edelstenen waren. Daardoor – en nergens anders door – liet ik me overreden. Ik nam haar hand en klom in het rijtuig.

We zaten samen in het halfduister. De coupé schokte vooruit met een gedempt gekraak en begon aan zijn gelijkmatige, stille, dure rit. Door de zware kant voor de ramen leken de straten veranderd, heel onstoffelijk. Zo zagen de rijken de stad altijd, besefte ik.

Ik wierp een blik op de vrouw naast me. Ze droeg een jurk of cape van een donkere, zware stof die niet te onderscheiden was van de donkere bekleding van het koetsinterieur. Haar gezicht en gehandschoende handen, verlicht door het steeds weerkerende schijnsel van de straatlantaarns en prachtig gemarmerd door de schaduw van de gordijnen, leken flets als waterlelies te drijven in een poel van halfduister. Voorzover ik het kon zien, was ze knap en tamelijk jong – misschien tien jaar ouder dan ik.

Een halve minuut lang zei geen van ons beiden iets, toen hield ze haar hoofd schuin achterover en nam me op. Ze zei: 'Kom je soms van een gekostumeerd bal?' Ze sprak nu op een lijzige, ietwat arrogante toon.

'Een bal?' vroeg ik. Tot mijn eigen verrassing klonk mijn stem schril, nogal beverig.

'Ik dacht... het uniform...' Ze gebaarde naar mijn pak. Ook dat leek enigszins aan bravoure te hebben ingeboet, zijn rood af te staan aan de duisternis van de koets. Ik had het gevoel dat ik haar teleurstelde. Ik zei, in een poging de parmantige variétéartiest uit te hangen: 'O, het uniform is mijn vermomming voor de straat, niet voor een feest. Ik heb gemerkt dat een meisje in een rok, en alleen in de stad, nogal wat bekijks heeft, en niet altijd op een prettige manier.'

Ze knikte. 'Ik snap het. En nu vind je het niet erg – dat er naar je gekeken wordt, bedoel ik? Dat had ik niet gedacht.'

'Nou... dat hangt ervan af, natuurlijk, wie er kijkt.'

Ik kwam eindelijk op dreef, en ik merkte dat zij ook in de stemming raakte. Heel even voelde ik – wat ik, zo leek het wel, in geen honderd jaar had gevoeld – de opwinding van een voorstelling met een partner naast me, iemand die de liedjes kende, de passen, de tekst, de houding... De herinnering bracht een oude, doffe pijn van verdriet, maar in dit nieuwe decor werd die onderdrukt door een intens, verwachtingsvol plezier. Hier zaten we, deze vreemde dame en ik, op weg naar weet ik wat, en speelden zo vakkundig hoer en klant dat we heel goed een dialoog hadden kunnen reciteren uit een of ander handboek voor sletten! Het maakte me licht in mijn hoofd.

Nu hief ze haar hand om de gevlochten kraag van mijn jas aan te raken. 'Wat een kleine oplichter ben jij!' zei ze vriendelijk. Toen: 'Maar volgens mij heb je een broer bij de garde. Een broer – of misschien een vrijer...?' Haar vingers trilden licht, en ik voelde een heel koele streling van saffier en goud op mijn hals.

Ik zei: 'Ik werk in een wasserij, waar een soldaat dit heeft gebracht. Ik dacht dat hij het niet zou merken als ik het leende.' Ik streek de kreukels rond mijn kruis glad, waar de glibberige das nog steeds fors opbolde. 'Ik vond de snit van de broek mooi,' voegde ik eraan toe.

Na een heel korte pauze bewoog haar hand – ik wist dat het haar hand was – naar mijn knie en kroop toen naar de bovenkant van mijn dij, waar ze hem liet liggen. Haar handpalm voelde bijzonder warm. Het was eeuwen geleden dat iemand me daar had aangeraakt. De laatste tijd had ik mijn schoot zelfs zo goed bewaakt dat ik me moest bedwingen om haar vingers niet weg te duwen.

Misschien voelde ze me verstijven, want ze haalde zelf haar hand weg en zei: 'Ik ben een beetje bang dat je zoiets als een plaaggeest bent.'

'O,' zei ik, weer tot mezelf komend, 'ik kan heel goed plagen – als u dat graag wilt...'

'Ha.'

'En bovendien,' voegde ik er snedig aan toe, 'bent u de plaaggeest: ik zag u op het St James's Square naar me kijken. Waarom hebt u me toen niet aangehouden, als u zo om... gezelschap... verlegen zat?'

'En de pret bederven door me te overhaasten? Het wachten was de helft van het plezier!' Terwijl ze dit zei, bracht ze de vingers van haar andere hand – haar linkerhand – naar mijn wang. De handschoenen, dacht ik, waren nogal vochtig aan de vingertoppen, en ze hadden een geur die me verward en verrast deed terugdeinzen.

Ze lachte. 'Wat ben je ineens preuts! Je bent vast nooit zo kieskeurig met de heren van Soho.'

Uit deze opmerking leidde ik af dat ze meer wist. Ik zei: 'U hebt me al eerder in de gaten gehouden... eerder dan vanavond!'

Ze antwoordde: 'Nou, het is geweldig wat je zoal ziet vanuit je koets, als je snel, alert en geduldig bent. Je kunt je prooi volgen zoals een jachthond een vos – terwijl die vos al die tijd niet weet dat hij wordt achtervolgd, misschien alleen maar denkt aan zijn eigen kleine besognes: zijn staart optillen, ondeugend kijken, zijn lippen aflikken... Ik had je wel tien keer kunnen hebben, schat, maar ach! Zoals ik al zei, waarom de jacht verpesten! Vanavond... waarom heb ik vanavond uiteindelijk de knoop doorgehakt? Het uniform misschien, de maan...' En ze keerde haar gezicht naar het rijtuigraampje, waar de maan te zien was – hoger en kleiner dan tevoren, maar nog steeds helemaal roze, alsof hij zich schaamde neer te kijken op de zondige wereld waaraan hij zijn licht moest schenken.

Ook ik bloosde bij de woorden van de dame. Wat ze had gezegd was vreemd, schokkend... maar toch zou het heel goed waar kunnen zijn. In het gewoel en gedrang van de straten waar ik mijn schimmige beroep uitoefende, zou een stilstaande of dralende koets niet opvallen, vooral mij niet, die meer aandacht had voor het verkeer op de stoepen dan dat op de straten. Ik voelde me vreselijk onbehaaglijk bij het idee dat ze me echt had geobserveerd, al die keren... Maar had ik nu juist niet verlangd naar een dergelijk publiek? Had ik het nu juist niet telkens weer jammer gevonden dat mijn nieuwe nachtelijke voorstellingen moesten plaatsvinden in het donker, in het geheim, ongeweten? Ik dacht aan alle edele delen die ik had betast, de kerels voor wie ik was geknield en de pikken die ik had gepijpt. Ik had het allemaal gedaan zonder een greintje gevoel, maar nu ging het idee dat zij me had bekeken, direct naar het kruis in mijn onderbroek en maakte me nat.

Ik zei – ik wist niets anders te zeggen – ik zei: 'Ben ik dan zo... bijzonder?'

'We zullen zien,' antwoordde zij.

Daarna zeiden we niets meer.

Ze nam me mee naar haar huis in St John's Wood, en het was, zoals ik al had verwacht, een voornaam huis – een hoog, wit herenhuis aan een keurig aangeveegd plein, met een brede voordeur en grote openslaande ramen met heel veel ruitjes. In een daarvan scheen een eenzame lamp, terwijl de vensters van de buurhuizen allemaal zwart waren, met gesloten luiken, en het geratel van ons rijtuig klonk me afschuwelijk in de oren, in die stilte – ik was toen nog niet gewend aan die totale, onnatuurlijke rust die heerst in de straten en huizen van de rijken als ze slapen.

Ze bracht me zonder iets te zeggen naar haar voordeur. Op haar kloppen werd de deur geopend door een bediende met een bars gezicht, die de cape van haar mevrouw aannam, vanonder haar wimpers een blik op mij wierp, maar daarna haar ogen neergeslagen hield. De dame bleef even staan om de kaartjes op haar tafel te lezen, en ik keek om me heen, niet helemaal op mijn gemak. We bevonden ons in een ruime hal aan de voet van een brede trap die omhoogdraaide naar donkerdere, hogere verdiepingen. Links en rechts van ons waren – gesloten – deuren. De vloer was betegeld met zwarte en roze vierkanten van marmer. De wanden waren geschilderd in een bijpassend dieproze dat nog donkerder werd waar de trap de hoogte in boog, als de spiralen in een schelp.

Ik hoorde mijn gastvrouw zeggen: 'Dank u, mevrouw Hooper', en de bediende verwijderde zich met een buiging. De dame tilde de lamp op van de tafel naast mij en begon, nog steeds zonder iets tegen me te zeggen, de trap op te lopen. Ik volgde haar. We kwamen bij de eerste verdieping, en toen bij de volgende. Bij iedere stap werd het huis donkerder, totdat ten slotte alleen nog de kleine plas licht, afkomstig van de hand van mijn begeleidster, mijn onzekere voetstappen door het halfduister leidden. Ze voerde me door een smalle gang naar een gesloten deur, draaide zich toen om en bleef ervoor staan, de ene hand op de panelen, de andere met de lamp ter hoogte van haar dij. Haar donkere ogen glansden, uitnodigend of misschien uitdagend. Ze had nog het meest weg van *Het licht der wereld* dat boven de paraplubak in de hal van mevrouw Milne hing, maar haar gebaar was niet verspild aan mij. Dit was de derde en meest verontrustende drempel die ik vanavond voor haar passeerde. Ik voelde een steek nu, niet van verlangen, maar van angst. Haar gezicht, van onderen belicht door de walmende lamp, leek ineens macaber, grotesk. Ik vroeg me af wat de voorkeuren van deze dame waren en wat de invloed daarvan was geweest op de decoratie van de kamer die achter deze zwijgende deur lag, in dit stille huis met zijn zonderlinge bedienden zonder nieuwsgierigheid. Misschien waren er touwen, misschien waren er messen. Misschien was er een berg met meisjes in pakken – hun gepommadeerde hoofden gaaf, hun halzen een en al bloed.

De dame glimlachte en draaide zich om. De deur zwaaide open. Ze ging me voor naar binnen.

Uiteindelijk bleek het niet meer dan een soort zitkamer. Een klein vuur was verbrand tot as in de haard en een kom verdorde bloemblaadjes op de schoorsteenmantel erboven maakte de zware lucht nog zwaarder met zijn bedwelmende geur. Het raam was hoog en er hingen fluwelen gordijnen voor, en aan de wand ertegenover stonden twee leuningloze stoelen met lattenruggen. Een deur naast de schoorsteen voerde naar nog een kamer. Die deur stond op een kier, maar verder kon ik niet zien.

Tussen de stoelen stond een bureau, en nu liep de dame ernaartoe. Ze schonk een glas wijn in, pakte een sigaret met roze filter en stak die aan.

Ik had al gezien dat ze ouder was, minder knap, maar aantrekkelijker dan ik eerst dacht. Ze had een breed, bleek voorhoofd – dat des te bleker leek door de omlijsting van het golvende zwarte haar en haar zware, donkere wenkbrauwen. Ze had een kaarsrechte neus en een volle mond, die ooit misschien voller was geweest. Haar ogen hadden een diep reebruine kleur en leken één en al pupil in het zwakke licht van de getemperde gaslampen. Als ze die dichtkneep – wat ze nu deed om me beter te bekijken door de blauwe waas van tabaksrook – zag je het net van fijne en minder fijne rimpeltjes waarin ze lagen.

Het was verschrikkelijk warm in de kamer. Ik maakte het knoopje bij mijn hals los, zette mijn pet af en haalde mijn vingers door mijn haar – waarna ik mijn handpalm tegen de wol van mijn dij wreef om er de olie van af te vegen. En al die tijd keek ze naar me. Toen zei ze:

'Je zult me wel onbeleefd vinden.'

'Onbeleefd?'

'Om je helemaal mee te nemen zonder je naar je naam te vragen.'

Ik zei zonder aarzelen: 'Die is juffrouw Nancy King, en u zou me op zijn minst een sigaret kunnen aanbieden.'

Ze glimlachte, kwam naar me toe en stopte haar eigen peuk, half opgerookt en vochtig aan het uiteinde, tussen mijn lippen. Ik rook de lucht ervan in haar adem, samen met de nauwelijks merkbare geur van de wijn die ze had gedronken.

'*Als jij de Koning van het Genot was,*' zei ze, '*en ik de Koningin van de Smart...*' Toen op een andere toon: 'U bent heel erg knap, juffrouw King.'

Ik nam een diepe haal van de sigaret; die maakte me duizelig als een glas champie. Ik zei: 'Dat weet ik.' Hierop strekte ze haar handen uit naar de voorkant van mijn jasje – ze droeg nog steeds de handschoenen met de ringen erover – en streelde me zacht en langzaam, en zuchtte erbij. Onder de wol van mijn uniform sprongen mijn tepels stram in de houding als kleine sergeants. Mijn borsten – die eraan gewend waren geraakt om als het ware terzijde geschoven te worden met mijn korset en onderjurk – leken onder haar aanraking te rijzen en te zwellen en zich aan hun omhulsel te willen ontworstelen. Ik voelde me als een man die door een tovenares in een vrouw was veranderd. De sigaret smeulde vergeten aan mijn lip.

Haar handen gingen omlaag en stopten bij mijn schoot, die nu net als eerder heet begon te kloppen. De zijden das lag daar nog opgerold, en toen zij eraan friemelde, bloosde ik. Ze zei: 'Nu ben je weer preuts!' en begon mijn knopen los te maken. In een oogwenk had ze haar hand door de gleuf van mijn onderbroek gestoken en een hoek van de das gegrepen, en ze begon eraan te rukken. De zijde ontrolde zich, kronkelde en ritselde uit mijn broek.

Ze zag er absurd genoeg uit als een goochelaar die een zakdoek of een streng vlaggen tevoorschijn tovert uit een vuist, een oor of damestasje... en ze was natuurlijk te slim om dat niet te beseffen. Eén donkere wenkbrauw ging omhoog, haar lip krulde in een ironisch lachje en ze fluisterde '*Simsalabim!*' toen de das vrijkwam. Maar daarna veranderde haar blik. Ze hield de zijde tegen haar lippen en staarde me erboven aan. 'Je was zo'n grote belofte, en kijk nu eens,' zei ze. Toen lachte ze, deed een stap terug en knikte naar mijn broek – die nu natuurlijk wijd openstond bij de gulp. 'Trek die uit.' Ik deed het meteen, stuntelde in de haast met mijn schoenen en kousen. Mijn saffie besproeide me met as en ik wierp hem in de haard. 'En het ondergoed,' ging ze door, 'maar hou het jasje aan. Mooi zo.'

Nu lag er een berg uitgetrokken kleren aan mijn voeten. Mijn jasje kwam tot aan mijn heupen, en daaronder zagen mijn benen er in het zwakke licht heel erg wit uit en het driehoekje haar ertussen heel donker. De dame keek de hele tijd naar me, maakte geen aanstalten me nog eens aan te raken. Maar toen ik klaar was, liep ze naar een la in het bureau, en toen ze naar me terugkwam, had ze iets in haar handen. Het was een sleutel.

'In mijn slaapkamer,' zei ze, naar de tweede deur knikkend, 'vind je een kist die je hiermee kunt openmaken.' Ze gaf hem aan me. Hij voelde heel erg koud op mijn oververhitte handpalm en even gaapte ik er alleen maar dwaas naar. Daarop klapte ze in haar handen: 'Simsalabim!' zei ze weer, en deze keer glimlachte ze niet, maar klonk haar stem tamelijk schor.

De kamer ernaast was kleiner dan de zitkamer, maar even luxueus en net zo schemerig en warm. Aan de ene kant stond een scherm met daarachter een stilletje, aan de andere kant een gelakte muurkast met een hard, zwart glanzend oppervlak, als de rug van een kever. Aan het voeteneinde van het bed stond, zoals ze had gezegd, een kist: een mooie, antieke kist gemaakt van een geurend hout – rozenhout, denk ik – met vier klauwpoten, koperen hoeken en weelderig houtsnijwerk aan de zijkanten en op het deksel, dat in het matte schijnsel van het vuur een overdreven reliëf vertoonde. Ik knielde ervoor neer, stak de sleutel in het slot en voelde onder het draaien hoe ergens diep in het binnenwerk een veer versprong.

Een beweging in de hoek van de kamer maakte dat ik mijn hoofd draaide. Daar stond een psyché, zo groot als een deur, en ik zag er mijn spiegelbeeld in: bleek en met grote ogen, ademloos en nieuwsgierig, maar niettemin een onwaarschijnlijke Pandora, met mijn rode jasje en mijn kittige pet, mijn korte kapsel en mijn blote, blote kont. In de andere kamer was alles stil en rustig. Ik wendde me weer naar de kist en tilde het deksel op. In de kist lag een allegaartje aan flesjes en sjaals, koorden, pakjes en sensatieromannetjes. Maar ik keurde deze voorwerpen op dat moment nauwelijks een blik waardig, ik nam ze zelfs nauwelijks waar. Want boven op het allegaartje, op een vierkant stuk fluweel, lag het raarste, obsceenste ding dat ik ooit had gezien.

Het was een soort tuig, van leer: een soort riem, maar toch ook weer niet, want het had één wijde ceintuur met gespen, maar daaraan waren twee smallere, kortere riemen bevestigd, eveneens met gespen. Een beangstigend moment lang dacht ik dat het weleens een paardenhalster kon zijn, maar toen zag ik wat er aan de riemen en gespen hing. Het was een leren koker, iets langer dan mijn hand en ongeveer zo dik in omtrek als ik met mijn hand kon omvatten. Eén uiteinde ervan was rond en iets dikker, het andere zat vast aan een platte basis, waaraan met koperen ringen ook de riem en de kleinere banden waren bevestigd.

Kortom, het was een dildo. Ik had er nog nooit een gezien, en in die tijd wist ik nog niet dat dergelijke dingen bestonden en een naam hadden. Voorzover ik wist, kon dit best een origineel zijn dat de dame had laten maken naar een ontwerp van haarzelf.

Misschien dacht Eva dat ook, toen ze haar eerste appel zag.

Toch begreep ze wel waar de appel voor bedoeld was...

Maar voor het geval ik nog zou twijfelen, verhief de dame nu haar stem. 'Trek het aan,' riep ze – ze moest hebben gehoord dat ik de kist openmaakte – 'trek het aan en kom hierheen.'

Eventjes had ik moeite met het omdoen van de riemen en het vastsnoeren van de gespen. Het koper stak in de witte huid van mijn heupen, maar het leer was heerlijk soepel en warm. Ik wierp weer een blik in de spiegel. De basis van de fallus vormde een donkerder wig op mijn eigen driehoekige schild van haar en de onderste punt duwde heel suggestief tegen me aan. De dildo stak obsceen omhoog uit deze basis – niet recht, maar in een vernuftige hoek, zodat ik, als ik erop neerkeek, eerst de bolvormige kop zag, glimmend in de rode gloed van het vuur en gedeeld door een haast onzichtbare naad van minuscule, ivoorkleurige steekjes.

Toen ik een stap zette, knikte de kop.

'Kom hier,' zei de dame toen ze me in de deuropening zag, en terwijl ik naar haar toe liep, deinde de dildo nog heftiger. Om hem tot bedaren te brengen bracht ik mijn hand ernaartoe, en toen ze dat zag, legde ze haar eigen vingers over de mijne en dwong me de schacht vast te pakken en te strelen. Nu werden de stootjes van de basis nog suggestiever: algauw gingen mijn benen trillen en begon zij, zich bewust van mijn stijgend genot, steeds heviger te hijgen. Ze nam haar handen weg, draaide zich om, tilde het haar in haar nek omhoog en gebaarde dat ik haar moest uitkleden.

Ik vond de haakjes van haar japon en daarna de veters van haar korset; ik zag daaronder rode vlekken van de honderden minuscule plooitjes van haar hemd. Ze bukte om haar onderrok uit te trekken, maar hield haar onderbroek, haar kousen, haar laarsjes en ook haar handschoenen aan. Heel gewaagd – want ik had haar nog helemaal niet aangeraakt – liet ik een hand in de gleuf glijden, en met de andere pakte ik een van haar tepels en kneep daarin.

Daarop bracht ze haar mond naar mijn mond. Onze kussen waren niet volmaakt, als alle kussen van nieuwe geliefden, en smaakten naar tabak, maar – ook weer als alle kussen van nieuwe geliefden – het vreemde maakte ze des te spannender. Hoe meer ik haar vingerde, hoe hartstochtelijker ze me kuste en hoe heter ik werd tussen mijn benen, achter mijn leren schede. Ten slotte rukte ze zich los en greep mijn polsen.

'Nog niet,' zei ze. 'Nog niet, nog niet!'

Met mijn handen nog omklemd door de hare, bracht ze me naar een van de stoelen met rechte rug en zette me erop neer, waarbij de dildo de hele tijd tegen mijn schoot stootte, stram en stijf als een kegel. Ik raadde haar bedoeling. Met haar handen om mijn hoofd geklemd en haar benen schrijlings over de mijne liet ze zich voorzichtig op me zakken. Daarna ging ze omhoog en omlaag, omhoog en omlaag, steeds sneller. Eerst hield ik haar vast bij haar heupen, om haar te leiden. Toen ging ik weer met een hand in haar onderbroek en schoof de andere om haar dij naar haar billen. Mijn mond zette ik nu eens op haar ene tepel, dan weer op haar andere, vond soms het zout op haar huid, soms het vochtig wordende katoen van haar hemd.

Algauw ging haar adem over in gekreun, daarna in geschreeuw. En algauw kreunde ik met haar mee, want de dildo die haar genot verschafte, bevredigde ook mij – haar bewegingen drukten hem steeds sneller, steeds harder precies tegen dat deel van mij dat het liefst gedrukt werd. Ik had één kort moment van bewustzijn, dat ik mezelf van een afstand zag, in een onbekend huis met een vreemde schrijlings op me, in dat monsterlijke apparaat gegespt, hijgend van genot en zwetend van lust. Het volgende moment kon ik niet meer denken, alleen nog sidderen, en het genot – dat van mij en van haar – kwam tot een smartelijk, schrijnend hoogtepunt, en we waren verzadigd.

Even later hief ze zich op van mijn schoot, ging toen schrijlings op mijn dij zitten wiegen, schokte nog af en toe en kwam uiteindelijk tot rust. Haar haar, dat was losgeraakt, voelde warm op mijn kaak.

Ten slotte lachte ze en schoof weer tegen mijn heup aan.

'O, jij verrukkelijke kleine slet!' zei ze.

En zo omhelsden we elkaar, bevredigd en verzadigd, met onze benen, weinig elegant, schrijlings over die elegante stoel met hoge rug, en terwijl de minuten verstreken, dacht ik met iets als wanhoop aan de rest van de nacht. Ik dacht: Ik heb haar moeten naaien en nu stuurt ze me naar huis. Als ik geluk heb, krijg ik een pond voor de moeite. Het was het vooruitzicht op de soeverein geweest dat me ten slotte naar haar zitkamer had gelokt. Toch was het een vreselijk treurig idee haar te verlaten – het speeltje waaraan ik was vastgegespt, af te geven en de potterige lusten die het speeltje en zijn bezitster volkomen onverwacht weer tot leven hadden gewekt, weer te laten bedaren.

Ze hief haar hoofd op en zag, neem ik aan, mijn terneergeslagen blik.

'Arm kind,' zei ze. 'Ben je na afloop altijd zo verdrietig?' Ze bracht een hand naar mijn kin en tilde mijn gezicht naar het licht van de lamp, en ik greep haar pols en schudde mijn hoofd los. Mijn pet – die tijdens onze heftige kussen de hele tijd op mijn hoofd was gebleven – viel nu op de grond. Ze bracht meteen haar handen weer naar mijn gezicht en woelde door mijn haar dat stijf stond van de pommade. Toen lachte ze, stond op en liep naar haar slaapkamer. 'Schenk jezelf wat wijn in,' riep ze. 'En steek een sigaret voor mij op, wil je?' Ik hoorde het gesis van water tegen porselein en veronderstelde dat ze het stilletje gebruikte.

Ik liep naar de spiegel en bekeek mezelf. Mijn gezicht was bijna even rood als mijn jasje, mijn haar door de war en mijn lippen zagen er gekneusd en gezwollen uit. Ik herinnerde me de dildo op mijn heup en bukte me om hem los te maken. De glans was nu dof geworden en de onderste riemen waren doorweekt en slap van mijn eigen overvloedige afscheiding. Toch was hij nog even stijf en paraat als daarvoor – dát was bij de kerels in Soho nooit het geval. Op het tafeltje voor het vuur lag een zakdoek en daarmee veegde ik eerst de dildo schoon en daarna mezelf. Ik stak twee sigaretten op en liet er één smeulen. Daarna schonk ik mezelf een glas wijn in, en tussen de slokken door begon ik mijn kousen, mijn broek en mijn laarsjes te plukken uit de stapel kleren die kriskras over het vloerkleed lag.

De dame verscheen weer en pakte haar saffie. Ze had een kamerjas van zware groene zijde aangetrokken en haar voeten waren bloot. Ze had zo'n lange tweede teen die je soms ziet bij Griekse standbeelden. Haar haar was nu helemaal losgemaakt, uitgekamd en weer opgebonden in een lange, losse vlecht, en ze had eindelijk haar witte, zeemleren handschoenen uitgetrokken. De huid van haar handen was bijna even bleek.

'Laat dat maar allemaal achter,' zei ze met een knik naar de broek over mijn arm. 'Daar zorgt het dienstmeisje morgenvroeg wel voor.' Toen zag ze de dildo en pakte die op bij een van de riemen. 'Maar dít moeten we wél opruimen.'

Ik wist niet of ik haar wel goed had gehoord. 'Morgenvroeg?' vroeg ik. 'Bedoelt u dat ik moet blijven?'

'Maar natuurlijk.' Ze leek oprecht verbaasd. 'Kun je niet? Zullen ze je missen?' Ik voelde me plotseling licht in mijn hoofd. Ik vertelde haar dat ik woonde bij een dame die zich wel zou verbazen over mijn afwezigheid, maar zich geen zorgen zou maken. Toen vroeg ze of ik een werkgever had – misschien in de wasserij waarover ik het had gehad? – die me morgen zou verwachten. Daar moest ik om lachen, en ik schudde mijn hoofd: 'Er is niemand die me zal missen. Ik kan doen wat ik wil, ik hoef alleen maar met mezelf rekening te houden.'

Toen ik dat zei, begon het speeltje bij haar dij te zwaaien.

Ze zei: 'Dat was zo tot vannacht. Maar nu heb je mij...'

Haar woorden, haar uitdrukking, maakten al mijn werk met de zakdoek vergeefs: ik was weer nat voor haar. Ik wierp mijn broek weer naast haar afgegooide onderrok en legde ook mijn jasje op de stapel. In de aangrenzende kamer was de zijden beddensprei teruggeslagen, en de lakens eronder leken heel wit en koel. De kist stond nog op haar stille, mysterieuze plek aan het voeteneinde van het bed. De klok op de schoorsteenmantel wees half drie.

Het was vier uur of daaromtrent voor we in slaap vielen, en misschien elf uur toen ik wakker werd. Ik weet nog dat ik ergens vroeg in de ochtend naar het stilletje scharrelde en herinnerde me de hartstocht die weer kort opvlamde nadat ik in haar armen was teruggekeerd. Maar daarna had ik diep en droomloos geslapen, en toen het tot me doordrong in welk bed ik me bevond, lag ik er alleen in: ze had haar kamerjas aangetrokken en stond bij het halfgeopende raam te roken en peinzend naar het uitzicht te kijken. Ik bewoog, en zij draaide zich om en glimlachte.

'Je slaapt als een kind,' zei ze. 'Ik ben al een halfuur op en maak een verschrikkelijk kabaal, en jij slaapt maar door.'

'Ik was zo vreselijk moe.' Ik geeuwde – herinnerde me toen alles waarvan ik moe was geworden. Er leek een lichte gêne tussen ons te ontstaan. De kamer was vannacht onwerkelijk als een toneeldecor geweest: een plek van lamplicht en schaduwen, van kleuren, geuren en onbestaanbare glans, waarin we de vrijheid hadden gekregen om niet onszelf te zijn, of meer dan onszelf, zoals toneelspelers. Nu zag ik, in het licht van de late ochtend dat door de halfgeopende gordijnen stroomde, dat de kamer helemaal niets fantastisch had. Ik zag dat het een heel elegante en tamelijk streng ingerichte kamer was. Plotseling voelde ik me vreselijk misplaatst. Hoe neemt een hoer afscheid van haar klant? Ik wist het niet, ik had het nooit hoeven doen.

De dame stond nog steeds naar me te kijken. Ze zei: 'Ik heb gewacht tot je wakker was voordat ik om het ontbijt heb gebeld.' Er hing een schellenkoord aan de wand naast de haard. Dat had ik de avond tevoren ook niet gezien. 'Hopelijk heb je honger?'

Ik besefte dat ik heel erge honger had, maar dat ik ook een beetje misselijk was. Bovendien had ik een afschuwelijke smaak in mijn mond; ik hoopte dat ze niet zou proberen me weer te kussen. Dat deed ze niet, ze bleef op een afstand. Meteen begon ik, verbolgen over haar nieuwe, rare, stijve houding, te denken dat ze in ieder geval wel naar me toe had kunnen komen om haar lippen op mijn hand te drukken.

In de aangrenzende kamer klonk een zacht, eerbiedig klopje op de deur naar de gang. Op haar antwoord ging de deur open. Ik hoorde voetstappen en gerinkel van porselein. Tot mijn verbazing klonk het gerinkel steeds luider en naderden de voetstappen: de bediende – die naar ik had verwacht haar last in de andere kamer zou achterlaten om zich vervolgens discreet terug te trekken – verscheen in onze deuropening. Ik trok het laken tot aan mijn kin en bleef heel stil liggen, maar meesteres noch dienstmeisje leken op enigerlei wijze verlegen met mijn aanwezigheid daar. De laatste – niet de bleke vrouw die ik de avond ervoor had gezien, maar een iets jonger meisje dan ikzelf – maakte een knix en ruimde met neergeslagen ogen op de toilettafel plaats in voor een blad. Toen ze klaar was met het servies, bleef ze met gebogen hoofd en over haar schort gevouwen handen staan.

'Uitstekend, Blake, dat is alles voorlopig,' zei de dame. 'Maar zorg dat er om half twaalf een bad klaar is voor juffrouw King. En zeg tegen mevrouw Hooper dat ik het met haar nog over de lunch zal hebben.' Haar toon was uiterst beleefd, maar neutraal. Ik had allerlei dames en heren duizenden keren op die toon horen praten tegen koetsiers, winkelmeisjes en kruiers.

Het meisje boog weer even met haar hoofd – 'Jawel, m'vrouw' – en trok zich terug. Ze had geen blik op het bed geworpen.

Nu we ons bezig konden houden met de ontbijtspullen, verliepen de volgende paar minuten soepeltjes. Ik ging rechtop zitten – de hele tijd krimpend van de pijn, want het was alsof mijn lichaam was geranseld of op de pijnbank gelegd – en de dame voerde me koffie en warme broodjes met boter en honing. Zelf dronk ze alleen koffie en rookte naderhand een sigaret. Ze leek het prettig te vinden mij te zien eten – zoals ze de avond daarvoor met plezier had toegekeken hoe ik stond, me uitkleedde, sigaretten opstak – maar ze had nog steeds die verontrustende peinzende trek die me deed verlangen naar haar rauwe, wrede kussen van de avond tevoren.

Toen we de koffiepot hadden leeggedronken en ik alle broodjes had opgegeten, sprak ze, met een ernstiger stem dan ik tot dan toe van haar had gehoord: 'Gisteravond, op straat, nodigde ik je uit om met me mee te rijden en jij aarzelde. Waarom?'

'Ik was bang,' antwoordde ik eerlijk.

Ze knikte. 'Ben je nu dan niet meer bang?'

'Nee.'

'Je bent blij dat ik je heb meegenomen.'

Het was geen vraag, maar terwijl ze het zei, hief ze een hand en streelde mijn hals totdat ik rood aanliep en slikte. En ik kon alleen maar 'ja' antwoorden.

Toen nam ze de hand weg. Ze keek weer bedachtzaam en glimlachte. Ze zei: 'Als klein meisje heb ik een Perzisch sprookje gelezen, over een prinses en een bedelaar en een geest. De bedelaar laat de geest uit een fles en mag als beloning een wens doen. Maar aan zo'n wens is – zoals helaas altijd! – een voorwaarde verbonden. De man mag zeventig jaar lang een normaal, comfortabel leven leiden, of vijfhonderd dagen een leven van plezier – met een prinses als vrouw, dienaressen om hem te baden en gouden gewaden.' Ze zweeg even, vroeg toen: 'Wat zou jij kiezen, als je die bedelaar was?'

Ik aarzelde. 'Dat zijn dwaze verhalen,' zei ik ten slotte. 'Niemand wordt ooit gevraagd...'

'Wat zou jij kiezen? Het comfort of het plezier?' Ze legde haar hand op mijn wang.

'Dan het plezier, denk ik.'

Ze knikte: 'Natuurlijk, dat koos de bedelaar ook. Het zou me zwaar zijn tegengevallen als je het andere had gekozen.'

'Waarom?'

'Kun je dat niet raden?' Ze glimlachte weer. 'Je zegt dat er niemand is die jou mist. Heb je zelfs geen... geliefde?'

Ik schudde mijn hoofd en er kwam misschien een bittere trek over mijn gezicht, want ze zuchtte met een soort voldoening. 'Zeg me dan eens: blijf je hier bij mij? Om je te laten plezieren en, om, op jouw beurt, mij te plezieren?'

Even kon ik haar alleen maar dom aanstaren. 'Bij u blijven?' zei ik. 'Bij u blijven als wat? Uw gast, uw bediende...?'

'Mijn hoer.'

'Uw hoer!' Ik knipperde met mijn ogen, hoorde toen een harde toon in mijn stem komen. 'En wat krijg ik daarvoor betaald? Flink wat, mag ik aannemen...'

'Lieverd, ik heb je al gezegd: het plezier is je loon! Je woont hier bij mij en geniet mijn voorrechten. Je eet aan mijn tafel en rijdt in mijn coupé en draagt de kleren die ik voor je uitzoek – en trekt ze ook uit als ik dat vraag. Je wordt, zoals dat in de sensatieromans heet, "onderhouden".'

Ik staarde haar aan, keek toen weg – naar de zijden sprei op het bed, de gelakte muurkast, het schellenkoord, de rozenhouten kist... Ik haalde me mijn kamer bij mevrouw Milne voor de geest, waar ik de laatste tijd zowaar bijna gelukkig was geweest. Maar ik herinnerde me ook mijn toenemende verplichtingen, die me al meer dan eens een onbehaaglijk gevoel hadden bezorgd. Hoeveel vrijer zou ik, paradoxaal genoeg, zijn, gebonden aan deze dame – gebonden aan lust, gebonden aan plezier?

En toch maakte me het ook een beetje misselijk dat ze dergelijke beloften zo achteloos deed. Ik zei – en opnieuw met een harde toon in mijn stem: 'Bent ú dan niet bang voor sensatie? U lijkt nogal zeker van me – maar u weet niets van me! Bent u niet bang dat ik stennis zal schoppen, dat ik de kranten, de politie, uw geheim zal verklappen?'

'En daarmee je eigen geheim? O nee, juffrouw King. Ik ben niet bang voor sensatie, integendeel, ik ben er juist op uit! Ik zoek sensatie! En jij ook.' Ze boog naar me toe en friemelde aan een lok van mijn haar. 'Je zegt dat ik niets over je weet, maar ik heb je in de gaten gehouden op straat, weet je nog. Wat kun jij zelfverzekerd poseren en tippelen en flirten! Dacht je dat je voor eeuwig Ganymedes kon spelen? Dacht je dat er, als je een pik van zijde droeg, geen kut op de naad van je onderbroek zat?' Haar gezicht was nu heel dicht bij het mijne, ze dwong me haar te blijven aankijken en zei: 'Je bent zoals ik: dat heb je bewezen, dat bewijs je nu ook! Je verlangt in wezen naar je eigen geslacht! Misschien meende je je eigen lusten te kunnen onderdrukken, maar je hebt ze alleen maar groter gemaakt! En dáárom ga je geen heibel schoppen – blijf je hier als mijn hoer, zoals ik dat wil.' Ze gaf een gemene ruk aan mijn haar. 'Geef toe dat ik gelijk heb!'

'U hebt gelijk!'

Want ze had gelijk. Wat ze zei klopte: ze had al mijn geheimen geraden, ze had me een spiegel voorgehouden. Niet alleen met de heftige woorden van dat moment, maar ook met al het andere – de kussen, de strelingen, de neukpartij op de stoel – dat haar die woorden had ontlokt. En ik was blij! Ik had van Kitty gehouden – ik zou altijd van Kitty blijven houden. Maar ik had met haar een raar soort halfleven geleid, me verborgen voor mijn ware ik. Daarna had ik van niemand meer willen houden, was ik – althans dat dacht ik – een wezen zonder hartstocht geworden, dat anderen dreef naar hun geheim, naar vernederende bekentenissen van lust, zonder ooit mijn eigen geheim prijs te geven. Nu had deze dame het me ontfutseld – had me ontleed, zo trefzeker alsof ze het vlees van mijn witte botten had gerukt. Ze drukte zich nog steeds tegen me aan, en terwijl haar adem warm tegen mijn wang sloeg, voelde ik mijn lust opkomen als antwoord op die van haar, en ik wist dat ik in haar ban was.

Er zijn tenslotte momenten in ons leven die ons veranderen, die ons ontevreden maken over ons verleden en ons een nieuwe toekomst bieden. Die avond in het Canterbury Palace, toen Kitty haar roos naar me had geworpen en mijn bewondering voor haar halsoverkop was omgeslagen in liefde – was zo'n moment geweest. Dit was weer zo'n moment. Misschien was het zelfs alweer voorbij – misschien was het ogenblik dat ik het donkere inwendige van die wachtende koets was binnengeleid, het echte begin van mijn nieuwe leven. Hoe dan ook, ik wist dat ik nu niet meer kon terugkeren naar mijn oude leven. De geest was eindelijk uit de fles, en ik had voor het plezier gekozen.

Het kwam nooit bij me op te vragen wat er met de bedelaar in het sprookje gebeurde toen de vijfhonderd dagen voorbij waren.

II

De naam van de dame, zo kwam ik na verloop van tijd te weten, was Diana: Diana Lethaby. Ze was weduwe, kinderloos, rijk en avontuurlijk, en aldus – zij het op aanmerkelijk grootsere schaal – even bedreven in het plezieren van zichzelf als ikzelf en zeker zo hardvochtig. In die zomer van 1892 moet ze achtendertig zijn geweest – dat wil zeggen, jonger dan ik nu ben, al leek ze me toen, op mijn tweeëntwintigste, vreselijk oud. Haar huwelijk was, denk ik, liefdeloos geweest, want ze droeg trouwring noch rouwring en in geen enkele kamer in dat grote, mooie huis hing een afbeelding van meneer Lethaby. Ik heb nooit naar hem gevraagd en zij heeft mij nooit vragen over mijn verleden gesteld. Zij had me opnieuw geschapen: de oude donkere dagen van daarvoor telden niet voor haar.

En ze zouden natuurlijk ook niet meer voor mij moeten tellen, nu we onze transactie hadden gesloten. Die eerste, heftige ochtend van mijn tijd in haar huis moest ik haar weer kussen, toen een bad nemen, toen mijn oude garde-uniform weer aantrekken. En terwijl ik me aankleedde, stond ze me van opzij te observeren. Ze zei: 'We zullen wat nieuwe pakken voor je moeten kopen. Dit kostuum, hoe charmant ook, zal niet zo lang meegaan. Ik stuur mevrouw Hooper naar een herenmodezaak.'

Ik knoopte mijn broek dicht en trok de bretels over mijn armen. 'Ik heb nog andere kostuums,' zei ik, 'thuis.'

'Maar je wilt toch liever nieuwe.'

Ik trok mijn wenkbrauwen op. 'Natuurlijk, maar – ik moet mijn spullen halen. Ik kan ze niet zomaar achterlaten.'

'Ik kan ze door een jongen laten halen.'

Ik trok mijn jasje aan. 'Ik ben mijn hospita een maand huur schuldig.'

'Ik zal haar het geld sturen. Hoeveel moet ik sturen? Een pond? Twee pond?'

Ik antwoordde niet. Haar woorden hadden me opnieuw duidelijk gemaakt wat voor enorme verandering over me was gekomen. Voor het eerst dacht ik aan het bezoek dat ik zou moeten brengen aan mevrouw Milner en Gracie. Ik kon me er toch niet van af maken door een jongen met een brief en wat geld te sturen? Dat kon nu eenmaal niet.

'Ik moet zelf gaan,' zei ik ten slotte. 'Ik wil namelijk graag afscheid nemen van mijn vrienden.'

Ze trok een wenkbrauw op: 'Zoals je wilt. Ik zal Shilling vanmiddag de koets laten voorrijden.'

'Ik kan net zo goed met de tram...'

'Ik laat Shilling komen.' Ze kwam naar me toe en zette me mijn gardepet op het hoofd en streek over mijn rode schouder. 'Ik vind het heel stout van je dat je bij me weg wilt gaan. Ik moet er op zijn minst zeker van zijn dat je gauw terugkomt!'

Mijn bezoek was precies zo treurig als ik verwacht had. Op de een of andere manier kon ik het niet aan dat de coupé tot aan mevrouw Milnes voordeur zou rijden, dus vroeg ik aan meneer Shilling – Diana's zwijgzame koetsier – me af te zetten op het Percy Circus en daar op me te wachten. Toen ik het huis binnenging, was het dan ook net of ik had gewinkeld of een wandeling gemaakt, zoals ik de meeste dagen deed. Alleen uit de lengte van mijn afwezigheid hadden mevrouw Milne en Gracie misschien kunnen afleiden dat er een ommekeer in mijn leven was gekomen. Ik deed de deur heel zachtjes dicht. Toch moesten de scherpe oren van Gracie het geluid hebben opgevangen, want ik hoorde haar – ze was in de huiskamer – 'Nance!' gillen, en het volgende moment was ze de trap af gestommeld en had ze me in een stevige, halsbrekende omhelzing. Al snel stond ook haar moeder op de overloop.

'Lieverd!' riep ze. 'Je bent thuis, godzijdank! We hebben ons gek zitten piekeren – nietwaar, schat? – waar je was. Gracie was doodnerveus, het arme kind, maar ik heb tegen haar gezegd: "Maak je niet druk over Nancy, meisje. Nancy zal wel een of andere vriendin gevonden hebben bij wie ze kan slapen, of de laatste bus naar huis hebben gemist en de nacht in een pension doorgebracht. Nancy is morgen weer terug, wacht maar af."' Terwijl ze sprak, kwam ze langzaam de trap af, totdat we op gelijke hoogte stonden. Ze keek me aan met een blik van oprechte genegenheid, maar in haar woorden lag, dacht ik, een zweem van verwijt. Ik voelde me nog schuldiger over datgene wat ik haar ging vertellen – maar ook een beetje ontstemd. Ik was niet haar dochter, noch Gracies liefje. Ik was hun niets verschuldigd – hield ik mezelf voor – behalve de huur.

Nu maakte ik me voorzichtig los uit de omarming van Grace en knikte naar haar moeder. Ik zei: 'U hebt gelijk, ik ben inderdaad een vriendin tegengekomen. Een heel oude vriendin die ik allang niet meer had gezien. Dat was me een verrassing! Ze woont op kamers in Kilburn. Het was te ver om zo laat nog terug te komen.' Het verhaal klonk me vals in de oren, maar mevrouw Milne leek er heel tevreden mee.

'Zie je wel, Gracie,' zei ze, 'wat heb ik je gezegd? Hol jij nu naar beneden om water op te zetten. Nancy zal wel trek hebben in een kopje thee.' Ze glimlachte weer naar me, terwijl Gracie gehoorzaam wegsjokte. Toen ging ze de trap weer op en ik volgde haar.

'Het punt is, mevrouw Milne,' begon ik, 'die vriendin van mij zit met haar handen in het haar. Haar kamergenote is namelijk vorige week verhuisd' – mevrouw Milne hield even haar pas in en liep toen weer rustig verder – 'en ze heeft geen vervangster, en zelf kan ze niet de hele huur betalen, de arme ziel heeft maar een half baantje bij een hoedenmaakster...' We waren bij de huiskamer gekomen. Mevrouw Milne keerde haar gezicht naar mij toe en haar ogen stonden verdrietig.

'Dat is heel jammer,' zei ze meelevend. 'Een goede kamerbewoonster is tegenwoordig moeilijk te vinden, dat weet ik. Daarom – ik heb het je al eerder gezegd – daarom waren Gracie en ik zo blij met jou. Lieve hemel, als jij ons ooit zou verlaten, Nance...' Dit was wel de slechtst denkbare manier om het haar te vertellen, maar ik moest het zeggen.

'Ach, zegt u dat niet, mevrouw M!' zei ik luchtigjes. 'Want u moet weten dat ik u helaas gá verlaten. Die vriendin van mij heeft me gevraagd en, tja, ik heb toegezegd dat ik de plaats van dat andere meisje zou innemen – alleen maar om haar te helpen...' Mijn stem viel weg.

Mevrouw Milne zag grauw. Ze zeeg neer in een stoel en legde haar hand op haar hals.

'O, Nance...'

'Toe nou,' zei ik quasi luchthartig, 'toe nou, niet doen! Zo'n bijzondere huurster ben ik nou toch ook weer niet, en u hebt zo een ander aardig meisje gevonden.'

'Het gaat me niet zozeer om mezelf,' zei ze, 'maar om Gracie. Je bent zo aardig voor haar geweest, Nance. Er zijn er niet veel die haar zo goed begrijpen, die zoveel geduld hebben met haar hebbelijkheidjes.'

'Maar ik kom jullie bezoeken,' wierp ik tegen. 'En Grace...' Ik slikte terwijl ik het zei, want ik wist dat Gracie nooit welkom zou zijn in de rust, rijkdom en elegantie van Diana's villa – 'Gracie kan bij me op bezoek komen. Zo erg is het niet.'

'Is het om het geld, Nance?' vroeg ze vervolgens. 'Ik weet dat je niet veel hebt...'

'Nee, natuurlijk is het niet om het geld,' zei ik. 'Trouwens...' Ik herinnerde me het muntstuk in mijn zak, een pond, door Diana eigenhandig daarin gestopt. Dat was meer dan genoeg voor de huur die ik nog verschuldigd was en de veertien dagen opzegtermijn. Ik stak haar het geld toe, maar toen ze er alleen maar somber naar staarde en geen aanstalten maakte het aan te pakken, liep ik opgelaten naar de schoorsteenmantel en legde het er zachtjes op.

Er viel een stilte, die alleen werd verbroken door de zuchten van mevrouw Milne. Ik kuchte. 'Tja,' zei ik, 'dan ga ik mijn spullen maar pakken...'

'Hè! Je gaat toch niet vandáág al weg? Zo snel?'

'Dat heb ik mijn vriendin beloofd,' zei ik, op een toon die de suggestie wekte dat het allemaal mijn vriendins schuld was.

'Maar je blijft toch nog wel voor een kopje thee?'

Het idee van een treurige theevisite, met mevrouw Milne zo grauw en teleurgesteld en Gracie naar alle waarschijnlijkheid in tranen of erger, stond me tegen. Ik beet op mijn lip.

'Beter van niet,' zei ik.

Mevrouw Milne rechtte haar rug en haar mond verstrakte. Ze schudde langzaam haar hoofd. 'Dat zal het hart van mijn arme meisje breken.'

Haar toon had iets hards dat me meer angst en schaamte inboezemde dan haar verdriet van daarvoor, maar ik voelde weer een vage irritatie. Ik wilde net een of ander verschrikkelijk grapje maken, toen er een geschuifel bij de deur klonk en Grace zelf verscheen. 'De thee is klaar!' schreeuwde ze nietsvermoedend. Ik kon het niet verdragen. Ik glimlachte naar haar, knikte zonder iets te zien in de richting van haar moeder en maakte dat ik wegkwam. Haar stem – 'O, mama, wat is er aan de hand?' – achtervolgde me de trap op, gevolgd door het gemompel van mevrouw Milne. In een oogwenk was ik weer op mijn eigen kamer, met de deur stevig achter me dichtgetrokken.

De paar kleinigheden die ik bezat, waren natuurlijk in een mum van tijd bijeengepakt in mijn plunjezak en een reistas die mevrouw Milne me ooit had gegeven. Mijn beddengoed vouwde ik op en legde ik netjes op het voeteneind van de matras en het tapijt sloeg ik uit in het open raam. De paar plaatjes die ik op de wand had geprikt, haalde ik eraf om te verbranden in de haard. Mijn toiletspullen – een stuk gebarsten gele zeep, een half opgebruikte pot tandpoeder, een potje gezichtscrème met viooltjesgeur – gooide ik in de vuilnisbak. Ik hield alleen mijn tandenborstel en mijn haarolie; die stopte ik, samen met een ongeopend blikje sigaretten en een plak chocolade, bij de rest van mijn spullen in mijn reistas – zij het dat ik na een korte aarzeling de chocola er weer uithaalde en op de schoorsteenmantel achterliet, waar Grace hem hopelijk zou vinden. In een half-uur zag de kamer er weer precies zo uit als toen ik er introk. Niets herinnerde aan mijn verblijf hier, behalve de verzameling speldengaatjes in het behang, waar mijn plaatjes hadden gezeten, en een schroeiplek op het nachtkastje, waar ik ooit een kaars had laten vallen terwijl ik boven een tijdschrift in slaap sukkelde. Het leek een treurige gedachte, maar ik wilde niet triest worden. Ik liep niet naar het raam voor een laatste sentimentele blik op het uitzicht. Ik controleerde de laden niet, noch keek ik onder het bed of trok ik de kussens van de stoel weg. Ik wist dat Diana alles wat ik vergat zou vervangen door iets beters.

Beneden leek alles onheilspellend stil, en toen ik bij de huiskamer kwam, merkte ik dat de deur stevig achter mij was dichtgetrokken. Met bonzend hard klopte ik en duwde de klink naar beneden. Mevrouw Milne zat aan de tafel waar ik haar had achtergelaten. Ze zag minder grauw dan daarvoor, maar keek nog steeds bars. De theepot stond af te koelen op het blad, de inhoud niet uitgeschonken, de kopjes lagen bijeen op hun nest van schoteltjes. Gracie zat stijf en recht op de bank, haar gezicht angstvallig afgewend, haar blik strak – maar ook niets ziend, zo dacht ik – gericht op het uitzicht achter het raam. Ik had verwacht dat ze zou huilen om mijn nieuws, maar in plaats daarvan leek het haar kwaad te hebben gemaakt. Haar lippen waren op elkaar geklemd en volkomen kleurloos.

Mevrouw Milne leek zich tenminste te hebben verzoend met mijn vertrek, want ze sprak nu tegen me met iets van een glimlach. 'Ik ben bang dat Gracie niet helemaal zichzelf is,' zei ze. 'Je nieuws heeft haar helemaal in de war gemaakt. Ik heb haar gezegd dat je ons komt opzoeken, maar... tja... ze is zo koppig.'

'Koppig?' vroeg ik, alsof ik verbaasd was. 'Onze Gracie toch niet?' Ik deed een stap in haar richting en stak mijn hand uit. Met iets als een gil duwde ze me weg en schoof naar de andere kant van de bank, haar hoofd de hele tijd in een stijve, onnatuurlijke hoek. Ze was nog nooit zo kwaad op me geweest. Toen ik weer tegen haar sprak, was ik echt aangedaan.

'Ach, doe nou niet zo, Gracie, alsjeblieft. Zeg je geen woord meer tegen me, of geef je me geen zoen meer voor ik ga? Wil je me zelfs geen hand geven? Ik zal je zo missen, en ik zou het vreselijk vinden als we met ruzie uit elkaar gingen, na al het plezier dat we gehad hebben.' En in die trant ging ik door, half smekend, half verwijtend, totdat mevrouw Milne opstond, me op mijn schouder tikte en rustig zei: 'Laat haar maar, Nance, ga maar. Kom een andere dag nog maar eens terug, dan zal ze vast wel zijn bijgetrokken.'

Dus moest ik ten slotte vertrekken zonder een afscheidszoen van Gracie. Haar moeder liep met me mee naar de voordeur waar we ongemakkelijk voor *Het licht der wereld* en het blauwe, verwijfde afgodsbeeld stonden, zij met de armen over elkaar geslagen op haar boezem, ik behangen met tassen en nog steeds gekleed in mijn rode plunje.

'Het spijt me, mevrouw M, dat het zo plotseling is gegaan,' probeerde ik. Maar zij onderbrak me.

'Geeft niet, kind. Jij moet je eigen weg gaan.' Ze was te aardig om lang boos te zijn. Ik zei dat ik mijn kamer netjes had achtergelaten, dat ik haar mijn adres zou sturen (ik heb het nooit gedaan, nooit!) en ten slotte dat zij de beste hospita van de stad was en als haar volgende meisje haar niet wist te waarderen, ik persoonlijk zou uitzoeken waarom.

Ze glimlachte toen oprecht en we omarmden elkaar. Maar terwijl we uiteengingen, voelde ik dat haar iets dwarszat, en terwijl ik op de stoep stond voor mijn laatste groet, zei ze het.

'Nance,' zei ze, 'neem me niet kwalijk dat ik het vraag, maar... die vriendin: het is toch een meisje, hè?'

Ik snoof. 'O, mevrouw Milne! Dacht u nu werkelijk...? Dacht u nu werkelijk dat ik...?' Dat ik met een man zou gaan samenwonen, was wat ze bedoelde: ik, met mijn broek en mijn kortgeknipte haar! Ze bloosde.

'Het was maar een gedachte,' zei ze. 'Tegenwoordig laten meisjes zich heel gauw inpalmen door een vent. En omdat je zo snel verhuisde, was ik er al half van overtuigd dat je je door de een of andere meneer het hoofd op hol had laten brengen. Ik had beter moeten weten.'

Mijn gelach klonk een beetje hol, terwijl ik bedacht hoe dicht haar woorden bij de waarheid waren en hoe ver er toch ook weer van af.

Ik greep mijn tassen steviger beet. Ik had tegen haar gezegd dat ik naar een aapjesstandplaats op de King's Cross Road zou gaan, want die richting moest ik uit op weg naar Diana's koetsier. Haar ogen, die gedurende de eerste schrik van mijn nieuws droog waren gebleven, begonnen nu te glinsteren. Ze bleef op de stoep staan terwijl ik langzaam en onhandig de Green Street uit liep. 'Vergeet ons niet, lieverd!' riep ze, en ik draaide me om en zwaaide. In het huiskamerraam was een gedaante verschenen. Grace! Ze was dus zover ontdooid dat ze naar mijn vertrek kwam kijken. Ik zwaaide heftiger, pakte toen mijn pet en wapperde daarmee naar haar. Twee jongens, die buitelingen maakten aan een gebroken reling, stopten met hun spelletje om speels naar me te salueren. Ze zagen me waarschijnlijk aan voor een soldaat wiens verlof voorbij was, en mevrouw Milne voor mijn oude grijze moeder in tranen, en Gracie ongetwijfeld voor mijn zuster of vrouw. Maar ondanks mijn wuiven en kushandjes gaf ze geen teken, stond daar eenvoudigweg met haar hoofd en handen tegen de ruit, die in het midden van haar bleke voorhoofd en op de top van iedere stompe vinger een nog wittere kring op het venster drukten. En ten slotte vertraagde ik mijn arm en liet hem vallen.

'Die houdt niet zo veel van je,' zei een van de jongens. En toen ik van hem weer naar het huis keek, was mevrouw Milne verdwenen. Maar Gracie stond nog steeds te kijken. Haar blik – koud en hard als albast, priemend als een naald – achtervolgde me naar de hoek van de King's Cross Road. Zelfs nog op de steile klim naar het Percy Circus, waar de ramen van de Green Street helemaal niet meer te zien zijn, leek hij in de huid van mijn rug te prikken en te steken. Pas toen ik in de schemerige koets van Diana zat en de deur had dichtgetrokken, voelde ik me er helemaal van bevrijd en veilig op weg naar mijn nieuwe leven.

Maar ook toen was er nog een herinnering aan mijn niet-ingeloste schulden uit het oude leven. Want op onze tocht over de Euston Road kwamen we bij de hoek van de Judd Street, en plotseling herinnerde ik me de afspraak die ik had gemaakt met mijn nieuwe vriendin, Florence. Die was voor vrijdag, vandaag, zo realiseerde ik me. Ik had gezegd dat ik haar om zes uur zou ontmoeten bij de ingang van de kroeg en het moest inmiddels over zessen zijn... Op dat moment moest de koets langzamer rijden in het verkeer en zag ik haar daar, iets verderop in de straat, op me staan wachten. De coupé kwam nog moeizamer vooruit en vanachter het kant van de raampjes kon ik haar uitstekend zien, zoals ze met een frons naar links en rechts keek, haar hoofd boog naar het horloge op haar borst en haar hand hief om een krul terug te duwen. Ik vond haar gezicht zo vreselijk gewoon en aardig. Plotseling had ik de neiging aan de deurkruk te trekken en de straat af te rennen, naar haar toe. Ik kon in ieder geval zeggen dat de koetsier zijn paard moest inhouden, zodat ik haar een of ander excuus kon toeroepen...

Maar terwijl ik me daar zat af te vragen wat ik moest doen, kwam het verkeer weer op gang, schoot de koets met een schok vooruit en waren de Judd Street en de gewone en aardige Florence binnen de kortste keren ver achter me. Ik had niet de moed de grimmige meneer Shilling te vragen de paarden te laten keren, al was ik die middag ook zijn meesteres. En wat moest ik trouwens tegen haar zeggen? Ik nam aan dat ik haar nooit meer zou kunnen ontmoeten, en ik kon nauwelijks verwachten dat ze me kwam opzoeken bij Diana. Ze zou verbaasd zijn, dacht ik, en kwaad, als bleek dat ik niet kwam opdagen. De derde vrouw die ik die dag teleurstelde. Het speet mij ook – maar, bij nader inzien, niet zo erg. Helemaal niet zo erg.

Toen ik terugkeerde op het Felicity Place – want zo heette, zag ik nu, het plein waar het huis van mijn meesteres stond – werd ik verwelkomd met geschenken. Ik vond Diana in de zitkamer boven, eindelijk gebaad en aangekleed, het haar in vlechten en zorgvuldig opgestoken. Ze zag er knap uit, in haar grijs-met-rode lange jurk, met haar zeer smalle middel en kaarsrechte rug. Ik herinnerde me de veters en banden waar ik de vorige nacht aan had gefriemeld: daar was nu niets van te zien onder de gladde koker van haar lijfje. De gedachte aan dat onzichtbare ondergoed en korset, dat de vaste handen van een dienstmeid hadden vastgemaakt en verborgen en dat mijn eigen trillende handen, zo vermoedde ik, straks zouden ontbloten en losmaken, was heel opwindend. Ik ging naar haar toe, legde mijn handen op haar en kuste haar hard op haar mond, tot ze moest lachen. Ik was moe en met pijn wakker geworden, ik had een ellendige middag in de Green Street gehad, maar nu voelde ik me niet meer ellendig – ik voelde me lenig en heet. Als ik een pik had gehad, zou die zich hebben geroerd. We omhelsden elkaar een paar minuten, toen liep ze weg en nam mij bij de hand. 'Kom mee,' zei ze. 'Ik heb een kamer voor je klaar laten maken.'

In eerste instantie was ik enigszins teleurgesteld dat ik niet Diana's kamer zou delen, maar dat duurde niet lang. De kamer waar ze me heen bracht – een stukje verderop in de gang – was nauwelijks minder imposant dan die van haarzelf en even chic. De wanden waren kaal en crèmekleurig, de tapijten goudkleurig en het scherm en ledikant van bamboe. Bovendien stond de toilettafel vol spullen – een sigarettendoos van schildpad, een stel borstels met kam, een ivoren knopenhaakje en allerhande potten en flesjes met oliën en parfums. Een deur naast het bed voerde naar een diep kabinet met een laag plafond; hier hing over een knaapje een ochtendjas van karmozijnen zijde die paste bij Diana's groene. Hier ook hing het pak dat me was beloofd: een mooi kostuum van grijs kamgaren, vreselijk zwaar en vreselijk chic. Verder was er nog een ladekast met de opschriften:

manchetknopen, stropdassen, boorden en *boordknoopjes.* Die zaten allemaal vol, en op nog een rek met planken, waarop *linnengoed* stond, lagen stapels witte batisten overhemden.

Ik staarde naar dit alles, kuste Diana toen heel hard – gedeeltelijk in de hoop, zo moet ik bekennen, dat ze haar ogen zou sluiten en niet zou zien hoe geïmponeerd ik was. Maar toen ze weg was, danste ik gewoon van vreugde op de gouden vloer. Ik nam het pak, een overhemd, een boordje en een stropdas en legde die allemaal in de juiste volgorde op het bed. Toen maakte ik weer een dansje. De tassen die ik had meegenomen van mevrouw Milne, droeg ik naar het kabinet en gooide ik ongeopend in de verste hoek.

Bij het avondeten droeg ik mijn pak; ik wist dat het me heel goed stond. Diana zei echter dat de snit niet helemaal goed was en dat ze me de volgende dag goed de maat zou laten nemen door mevrouw Hooper, die deze dan kon doorgeven aan de kleermaker. Ik vond dat ze een buitengewoon groot vertrouwen in haar huishoudster had, en toen die dame ons had verlaten – want net als bij de lunch vulde zij onze borden en glazen en ging dan in een ernstige houding, die (mij althans) op de zenuwen werkte, staan wachten tot ze werd weggestuurd – zei ik dat. Diana moest lachen.

'Daar zit een geheim achter,' zei ze. 'Kun je het niet raden?'

'Je zult haar wel een vermogen aan loon betalen.'

'Tja, misschien. Maar heb je mevrouw Hooper niet door haar wimpers naar je zien staren terwijl ze je soep serveerde? Ze stond zelfs praktisch op je bord te kwijlen!'

'Je bedoelt toch niet... nee, dat kan niet... dat ze net zo is... als wíj?'

Ze knikte: 'Natuurlijk. En wat die kleine Blake betreft – nou, dat arme kind heb ik uit een cel in een verbeteringsgesticht gehaald. Daar hadden ze haar heen gestuurd omdat ze een dienstmeisje probeerde te onteren...'

Ze lachte opnieuw, terwijl ik me verbaasde. Toen boog ze naar voren om met haar servet een spat jus van mijn wang te vegen.

Er waren koteletjes en zwezerik, allemaal heel erg lekker. Ik liet het me goed smaken, net als het ontbijt. Maar Diana dronk meer dan ze at, en rookte meer dan ze dronk, en keek nog meer dan ze rookte. Na het gesprek over de bedienden viel er een stilte. Ik merkte dat veel van wat ik zei een trekje bij haar mond en voorhoofd veroorzaakte, alsof mijn woorden – die mij heel normaal in de oren klonken – haar amuseerden. Op het laatst zei ik maar niets meer, en zij evenmin, totdat alleen nog het geluid van de zachtjes sissende gasvlammen, het regelmatige tikken van de klok op de schoorsteenmantel en het getinkel van mijn mes en vork op mijn bord hoorbaar was. Onwillekeurig moest ik denken aan die vrolijke maaltijden in de huiskamer aan de Green Street, met Grace en mevrouw Milne. Ik moest denken aan het etentje dat ik met Florence in het café aan de Judd Street had kunnen hebben. Maar toen was ik klaar met eten en gooide Diana me een van haar roze sigaretten toe, en toen ik daar duizelig van werd, kwam ze naar me toe en kuste me. En toen herinnerde ik me dat ik niet in de eerste plaats voor de tafelgesprekken was aangenomen.

Die nacht vrijden we meer ontspannen dan de keer daarvoor – bijna teder zelfs. Toch verraste ze me toen ze me bij mijn schouder pakte terwijl ik in slaap aan het vallen was – mijn lichaam heerlijk verzadigd en mijn armen en benen verstrengeld met die van haar – en me wakker schudde. Die dag was een dag vol lessen voor mij geweest, en nu kwam de allerlaatste.

'Je kunt gaan, Nancy,' zei ze, op precies dezelfde toon die ik haar had horen gebruiken tegen haar dienstmeisje en mevrouw Hooper. 'Vannacht wil ik alleen slapen.'

Het was de eerste keer dat ze tegen me sprak als tegen een bediende en haar woorden verdreven alle warme slaperigheid uit mijn leden. Toch ging ik zonder te klagen weg en begaf me door de gang naar het bleke vertrek, waar mijn eigen koude bed wachtte. Ik vond haar kussen fijn, maar ik vond haar cadeaus nog fijner, en als ik die alleen kon houden door haar te gehoorzamen – tja, dan moest dat maar. Ik was gewend mannen in Soho te bedienen voor een pond per pijpbeurt. Gehoorzaamheid – aan zo'n dame en in zo'n omgeving – leek op dat moment een peulenschil.

12

Hoe vreemd die eerste paar dagen en nachten aan het Felicity Place voor mij ook waren, het kostte me weinig tijd om aan mijn rol daar te wennen en een nieuwe manier van leven te vinden. Die was al even indolent als mijn manier van leven bij mevrouw Milne, natuurlijk met het verschil dat mijn indolentie een beschermvrouw had, een dame die betaalde om me goed gevoed, goedgekleed en in goede conditie te houden en in ruil daarvoor slechts eiste dat mijn ijdelheid op haarzelf was gericht, als hoger doel.

Aan de Green Street was ik altijd vroeg wakker. Vaak had Grace me al rond een uur of half acht thee gebracht – vaak was ze ook in het warme bed naast me geklommen en dan lagen we te praten tot mevrouw Milne ons riep voor het ontbijt. Ik waste me dan later bij de grote gootsteen in de keuken beneden en soms kwam Grace dan mijn haar kammen. Aan het Felicity Place had ik niets om voor op te staan. Het ontbijt werd me gebracht, en ik kreeg het aan Diana's zijde – of in mijn eigen bed, als ze me de avond ervoor had weggestuurd. Terwijl zij zich kleedde, dronk ik mijn koffie en rookte een sigaret, geeuwde en wreef in mijn ogen. Dikwijls viel ik weer in een licht soort slaap om pas wakker te worden als zij terugkwam, in een jas en met een hoed op, om een gehandschoende hand onder de sprei te schuiven en me te wekken met een kneepje of een zinnelijke streling.

'Word wakker en geef je meesteres een afscheidskus,' zei ze dan. 'Ik eet vanavond niet thuis. Je moet jezelf maar vermaken tot ik terug ben.'

Dan fronste en mopperde ik. 'Waar ga je naartoe?'

'Op bezoek bij een vriendin.'

'Mag ik niet mee?'

'Vandaag niet.'

'Ik kan in de coupé blijven zitten, terwijl jij je bezoek aflegt...'

'Ik heb liever dat je hier blijft, zodat ik naar je terug kan keren.'

'Je bent wreed!'

Dan glimlachte ze en gaf me een kus. En dan ging ze weg en zakte ik weer terug in lamlendigheid.

Als ik dan eindelijk opstond, liet ik een bad klaarmaken. Diana had een mooie badkamer, waar ik dan een uur of langer in geurig water kon doorbrengen, legde een scheiding in mijn haar, deed er de makassarolie op, inspecteerde me voor de spiegel op pluspunten of onvolkomenheden. In mijn oude leven had ik het moeten doen met zeep, met coldcream, lavendelgeur en af en toe een veeg ogenzwart. Nu had ik voor ieder deel van me, van mijn kruin tot de curve van mijn teennagels, een smeerseltje – olie voor mijn wenkbrauwen en crème voor mijn wimpers, een pot tandpoeder, een doos blanc-de-perle, nagellak en een rode stift voor mijn mond, een pincet om de haartjes van mijn tepels uit te trekken en een steen om de eelt van mijn hielen te wrijven.

Het was precies alsof ik me weer kleedde voor het variété – behalve dat ik me toen natuurlijk moest omkleden naast het toneel, terwijl het orkest van tempo wisselde. Nu had ik hele dagen om me op te dirken, want Diana was mijn enige publiek, en de uren zonder haar vormden een soort vacuüm. Ik kon niet praten met de bedienden – niet met de vreemde mevrouw Hooper die me stiekeme en glibberige blikken toewierp, noch met Blake die me deed blozen met haar révérences en gejuffrouw, noch met de kokkin die me mijn lunch en avondeten stuurde, maar nooit haar gezicht buiten de keuken liet zien. Staande bij de groene gecapitonneerde deur die naar het souterrain voerde, hoorde ik hen weleens hun stem verheffen als ze plezier hadden of ruziemaakten. Maar ik wist dat ik niet bij hen hoorde en op mijn eigen afgebakende terrein moest blijven: de slaapkamers en Diana's zitkamer, de salon en bibliotheek. Mijn meesteres had gezegd dat ze liever niet had dat ik zonder chaperonne het huis uit ging – ze liet mevrouw Hooper zelfs de grote voordeur afsluiten, want elke keer dat ze die dichtdeed hoorde ik de sleutel in het slot omdraaien.

Ik vond mijn gebrek aan vrijheid niet zo erg. Zoals ik al zei, werd ik suffer en luier dan ooit door de warmte, de luxe, de kussen en het slapen. Dan zwierf ik van kamer naar kamer, geluidloos en gedachteloos, bleef misschien weleens staan kijken naar de schilderijen op de wanden of de stille straten en tuinen van St John's Wood of naar mezelf in een van Diana's vele spiegels. Ik was als een schim – de geest, verbeeldde ik me soms, van een knappe jongeling die in dat huis was gestorven en nog steeds door de gangen en vertrekken doolde, zoekend, zoekend naar herinneringen aan het leven dat hij daar had verloren.

'U jaagt me de stuipen op het lijf, juffrouw!' zei het dienstmeisje dan, met haar hand op haar hart, als ze me tegenkwam terwijl ik stond te talmen in een bocht van de trap of in het donker van een gordijn of nis. Maar als ik dan glimlachte en vroeg waarmee ze bezig was en of het een mooie of een druilerige dag was, bloosde ze alleen en keek me verschrikt aan: 'Ik zou het echt niet weten, juffrouw.'

Het hoogtepunt van mijn dag, de gebeurtenis die natuurlijk mijn gedachten beheerste en de voorafgaande uren zin en betekenis gaf, was Diana's thuiskomst. Er zat voor mij drama in het vertrek dat ik uitkoos en de pose waarin ik me voor haar opstelde. Ze kon me rokend in de bibliotheek aantreffen of doezelend, met losse knopen, in haar zitkamer. Dan deed ik net of ik verrast was als ze binnenkwam of liet ik me wekken als ik veinsde te slapen. Maar mijn blijdschap over haar thuiskomst was echt. Meteen was het gedaan met het idee een geest te zijn – het gevoel alsof ik wachtte in de coulissen – en maakte de gloed van haar aandacht me weer warm en werkelijk. Dan stak ik een sigaret voor haar op, schonk haar iets te drinken in. Als ze moe was, bracht ik haar naar haar stoel en streelde haar slapen. Als ze pijnlijke voeten had – ze droeg hoge, zwarte laarsjes, heel strak dichtgeregen – trok ik haar schoeisel uit en masseerde haar tenen tot het bloed erin terugkwam. Als ze in een amoureuze bui was – wat vaak gebeurde – kuste ik haar. Dan liet ze toe dat ik haar liefkoosde in de bibliotheek of de salon, zonder zich iets aan te trekken van de bedienden die langs de dichte deur liepen of die aanklopten en op onze hijgende stilte vertrokken zonder binnen te komen. Of ze gaf opdracht haar niet te storen en voerde me naar haar zitkamer, naar de geheime la met de sleutel van de rozenhouten kist.

Ik vond het nog steeds spannend en opwindend om hem te openen, al had ik snel geleerd wat ik met de inhoud ervan moest doen. Die was misschien niet zo vervaarlijk. Er was natuurlijk de dildo, die ik heb beschreven (hoewel ik die in navolging van Diana *het apparaat* of *het instrument* leerde noemen: ik denk dat ze het overbodige eufemisme, met zijn typische geur van de operatiekamer of de tuchtschool, aantrekkelijk vond. Pas als ze echt heet was, noemde ze het ding bij zijn juiste naam – en dan nog kon ze ook vragen om *Monsieur Dildo* of eenvoudigweg *Monsieur*). Daarnaast was er nog een album met foto's van meisjes met dikke billen en haarloze geslachtsdelen die veren in hun hand hadden. Ook was er een verzameling erotische pamfletten en romans die allemaal de lof zongen van wat ik de potterij zou noemen, maar wat zij, net als Diana, *Saffische Liefde* noemden. In hun soort zullen ze wel heel vulgair zijn geweest, maar ik had zoiets nog nooit gezien en zat er dan kronkelend naar te staren tot Diana moest lachen. Verder waren er nog koorden, riemen en zwepen – de spullen die je ook in de kast van een strenge gouvernante zou kunnen vinden, neem ik aan, maar zeker niets zwaarders. Ten slotte waren er meer van Diana's sigaretten met roze mondstuk. Zoals ik al heel vroeg raadde, bevatten die een geurige Franse tabak vermengd met hasjiesj. Voor mij waren die het allerheerlijkst, want in combinatie met de andere artikelen maakten ze de interessante effecten daarvan nog interessanter.

Al was ik nog zo moe en daas, misselijk van de drank, ongesteld door de pijn van mijn maandstonden, als die kist openging raakte ik, zoals ik zei, steeds weer opgewonden – ik was als een hond die trilde en kwijlde als zijn bazin *Kluif!* riep.

En iedere schokkende beweging, iedere druppel kwijl, maakte Diana zelfgenoegzamer.

'Wat ben ik trots op mijn kleine voorraad,' zei ze dan, terwijl we lagen te roken op de bevlekte lakens van haar bed. Zij had dan misschien niets anders aan dan een korset en een paar paarse handschoenen en ik de dildo om, misschien met een snoer parels eromheen gewonden. Dan stak ze haar hand uit naar het voeteneind van het bed, streek ermee over de openstaande kist en lachte. 'Van alle cadeaus die ik je heb gegeven,' zei ze ooit, 'is dit wel het fijnste, niet? Zoiets vind je nergens in Londen.'

'Nee!' antwoordde ik. 'Je bent het meest schaamteloze wijf van de hele stad!'

'Nou en of!'

'Jij bent het meest schaamteloze wijf, met de pienterste pruim. Als neuken een land was – nou, kut, dan zou jij de koningin zijn...!'

Dat waren de woorden die ik, aangespoord door mijn meesteres, nu gebruikte – obscene woorden, die me schokten en opwonden terwijl ik ze uitsprak. Het was nooit bij me opgekomen ze bij Kitty te gebruiken. Ik had haar niet *geneukt*, we hadden niet *genaaid*, we hadden alleen maar gekust en gesidderd. Ze had geen *pruim* of *kut* tussen haar benen – sterker nog, ik geloof niet dat we er in al onze nachten samen zelfs maar een naam aan gaven...

Ze moest me nú eens zien, dacht ik, terwijl ik naast Diana lag en het parelsnoer steviger om de dildo bond. En Diana zelf zou haar hand nog eens uitsteken om haar kist te strelen en dan vooroverbuigen om mij te strelen.

'Moet je zien waarvan ik meesteres ben,' zei ze dan met een zucht. 'Moet je zien – moet je zien wat ik bezit!'

Ik trok dan aan de sigaret tot het bed leek te kantelen, waarna ik lachend ging liggen en zij op me klauterde. Een keer liet ik een peuk op de zijden sprei vallen en zag lachend hoe hij smeulde terwijl we neukten. Een keer rookte ik zoveel dat ik misselijk werd. Diana belde om Blake en riep toen die kwam: 'Moet je mijn hoer eens zien, Blake, schitterend zelfs in haar misère! Heb je ooit zo'n mooi dier gezien? Ooit?' Blake zei van niet, doopte daarna een doek in water en veegde mijn mond af.

Uiteindelijk maakte Diana's pronkzucht een einde aan mijn detentieperiode. Ik was nu een maand bij haar – had het huis alleen verlaten voor een ommetje door de tuin, was die hele tijd zelfs nog niet met de neus van mijn schoenen op een Londense straat geweest – toen ze op een avond tijdens het eten verklaarde dat ik een barbier nodig had. Ik keek op van mijn bord, in de veronderstelling dat ze me daarvoor naar Soho zou brengen, maar ze belde alleen om de bedienden; ik moest op een stoel gaan zitten met een handdoek om me heen, terwijl Blake de kam vasthield en de huishoudster de schaar hanteerde. 'Voorzichtig aan met haar!' riep Diana, die toekeek. Mevrouw

Hooper kwam heel dicht bij me om het haar op mijn voorhoofd te kortwieken, en ik voelde haar ademhaling snel en heet op mijn wang.

Maar het knippen bleek slechts het voorspel tot iets beters. Toen ik de volgende morgen wakker werd in Diana's bed, zag ik dat ze aangekleed was en naar me staarde met haar oude, raadselachtige glimlach. Ze zei: 'Je moet opstaan. Vandaag heb ik een verrassing voor je. Twee verrassingen zelfs. De eerste is op je slaapkamer.'

'Een verrassing?' Ik geeuwde. Het woord had haast geen betekenis meer voor me. 'Wat is het, Diana?'

'Het is een pak.'

'Wat voor pak?'

'Een pak voor in het openbaar.'

'In het openbaar...?'

Ik ging meteen kijken.

De eerste tijd dat ik broeken droeg, bij mevrouw Dendy, had ik me vertoond in een geweldig assortiment herenkostuums. Van het eenvoudige tot het dandyachtige, van het militaire tot het verwijfde, van bruin laken tot geel fluweel – als soldaat, zeeman, lakei, schandknaap, boodschappenjongen, fat en lefgozer – ik had ze allemaal gedragen, geraffineerd en met verve. Maar het kostuum dat die dag op me lag te wachten in mijn slaapkamer in Diana's villa aan het Felicity Place, was het kostbaarste en het mooiste dat ik ooit heb gedragen, en ik kan het me nog herinneren, met al zijn prachtige details.

Het bestond uit een jasje en broek van ivoorkleurig linnen en een iets donkerder vest met een zijden rug. Deze zaten samen in een doos met fluwelen bekleding. In een afzonderlijk pakje vond ik drie piqué overhemden, elk steeds een tint lichter, en zo fijn en dicht geweven dat ze glansden als satijn of parelmoer.

Verder waren er boordjes, wit als kindertandjes, opalen knopen en gouden manchetknopen. Er waren een stropdas en een sjaaltje van amberkleurig moiré; ze glinsterden en golfden toen ik ze uit hun vloeipapier haalde en gleden als slangen van mijn vingers naar de vloer. In een platte houten doos zaten handschoenen – één paar van zeemleer met blinde knopen, het andere van geitenleer en geurig als muskus. In een fluwelen zak vond ik sokken, onderbroeken en onderhemden – niet van flanel, zoals mijn ondergoed tot dan toe, maar van gebreide zijde. Voor op mijn hoofd was er een crèmekleurige vilthoed met een rand die paste bij de stropdassen. Voor aan mijn voeten was er een paar schoenen – een paar schoenen van kastanjebruin leer, zo warm en luxueus dat ik het meteen tegen mijn wang legde, daarna tegen mijn lippen en ten slotte tegen mijn tong.

Het laatste, platte pakje zag ik bijna over het hoofd: daarin zat een stel zakdoeken, stuk voor stuk zo fijn en teer als mijn piqué hemden en stuk voor stuk geborduurd met een minuscuul, sierlijk *N.K.* Ik was verrukt van het pak, met alle onderdelen, met al zijn verfijnde, op elkaar afgestemde stoffen en tinten. Maar dit laatste onderdeel en het onmiskenbare stempel van duurzaamheid dat het verleende aan mijn relatie met de gepassioneerde en genereuze meesteres van mijn nieuwe thuis – dit laatste onderdeel schonk me nog de grootste bevrediging.

Ik ging vervolgens in bad en kleedde me aan voor de spiegel. En toen gooide ik de vensterluiken open, stak een sigaret op en bekeek mezelf terwijl ik stond te roken. Ik zag er – mag ik wel zeggen, zonder mezelf op de borst te kloppen – als een snoepje uit. Als alle dure kleren had het pak een uitstraling en glans van zichzelf: praktisch iedereen zou er knap in hebben uitgezien. Maar Diana had geraffineerd gekozen. Het gebleekte linnen complementeerde het doffe goud van mijn haar en het vervagende bruin van de schandknapenteint op mijn wangen en polsen. Door de amberkleurige vlam bij mijn keel kwamen mijn blauwe ogen en mijn donker gemaakte wimpers goed uit. De verticale plooi in de broek maakte mijn benen langer en slanker dan ooit en bij de knopen, waar ik een van de geparfumeerde geitenleren handschoenen had ingerold, bolde de broek op. Ik zag er, vond ik, haast verwarrend aantrekkelijk uit. In de houten lijst van de spiegel, mijn linkerbeen enigszins gebogen, één hand losjes aan mijn dij en de andere met tussen de vingers een saffie, halverwege op weg naar mijn licht met rood aangezette lippen, zag ik er helemaal niet uit als mijzelf, maar als een levend portret, een blonde aristocraat of engel die door een jaloerse kunstenaar was gevangen en gefixeerd achter de spiegel. Ik was diep onder de indruk.

Er was een beweging bij de deur. Ik draaide me om en zag Diana daar: ze had me staan bekijken terwijl ik naar mezelf staarde – ik was zo geobsedeerd aan het kijken naar mijn eigen knappe verschijning dat ik haar niet had opgemerkt. In haar hand hield ze een corsage, en nu kwam ze naar me toe om die op mijn jas vast te maken. Ze zei: 'Eigenlijk moeten het narcissen zijn, daar heb ik niet aan gedacht.' Het waren viooltjes. Ik boog mijn hoofd ernaar terwijl ze bezig was met mijn revers en ademde de geur in. Eén enkel bloemetje, dat was losgekomen van de steel, dwarrelde naar het tapijt en werd geplet onder haar hak.

Toen ze klaar was bij mijn borst, nam ze mijn sigaret over om die op te roken en deed een stap achteruit om haar creatie te aanschouwen – net als Walter, langgeleden bij mevrouw Dendy. Het leek mijn lot om door anderen te worden gekleed, gemodelleerd en bewonderd. Ik vond het niet erg. Ik dacht alleen terug aan mijn blauwe serge pak uit die onschuldige tijd en moest lachen.

De lach bracht een hardheid in mijn ogen, waardoor ze fonkelden. Diana zag het en knikte zelfvoldaan.

'We zullen een sensatie zijn,' zei ze. 'Ze zullen je adoreren, neem dat van mij aan.'

'Wie?' vroeg ik toen. 'Voor wie heb je me zo opgedirkt?'

'Ik neem je mee uit, om mijn vriendinnen te ontmoeten. Ik neem je mee uit' – ze legde een hand op mijn wang – 'naar mijn club.'

De Cavendish Dames Club was de naam en ze lag aan de Sackville Street, net boven het Piccadilly. Ik kende de straat goed, ik kende alle straten. Toch was het gebouw – het slanke gebouw met de grijze façade – waar Shilling ons nu van Diana heen moest brengen, me nog nooit opgevallen. De stoep is wel tamelijk donker, de naamplaat klein en de deur smal. Maar toen ik er één keer was geweest, ontging het me nooit meer.

Ga vandaag de dag maar eens naar de Sackville Street en probeer het te vinden: u zult wel drie of vier keer de hele straat af lopen. Maar als u het gebouw met de grijze façade hebt gevonden, blijf dan even staan en kijk ernaar omhoog, en als u een dame over de donkere drempel ziet gaan, neem haar dan goed op.

Ze komt – net als Diana en ik die dag – terecht in een hal. De hal ziet er chic uit en er zit een keurige, onopvallende, leeftijdloze vrouw achter een bureau. Toen ik daar voor het eerst kwam, heette die vrouw juffrouw Hawkins. Op het moment dat we aankwamen, was ze posten in een grootboek aan het afvinken, maar toen ze Diana zag, keek ze op en glimlachte. Toen ze mij zag, werd haar glimlach zuiniger.

Ze zei: 'Mevrouw Lethaby, wat fijn u te zien! Mevrouw Jex verwacht u in de dagsalon, dacht ik.' Diana knikte en boog voorover om haar naam op een vel papier te zetten. Mevrouw Hawkins keek weer naar mij. 'Zal meneer hier op u wachten?' vroeg ze.

Diana's pen bewoog vloeiend verder en ze sloeg haar ogen niet op. Ze zei: 'Niet zo vervelend, Hawkins. Dit is juffrouw King, mijn gezelschap.' Juffrouw Hawkins keek wat beter naar me en bloosde toen.

'Tja, ik kan natuurlijk niet spreken voor de dames, mevrouw Lethaby, maar sommige zouden dit weleens een beetje... ongebruikelijk kunnen vinden.'

'We zijn hier,' antwoordde Diana terwijl ze de pen dichtschroefde, 'voor het ongebruikelijke.' Toen draaide ze zich om en nam me op, strekte haar hand uit om een rukje aan mijn stropdas te geven, aan het topje van een gehandschoende vinger te likken om mijn wenkbrauwen glad te strijken en ten slotte mijn hoed van mijn hoofd te plukken en mijn haar te schikken.

De hoed liet ze bij juffrouw Hawkins achter. Toen stak ze stevig haar arm door de mijne en voerde me een trap op naar de dagsalon.

Net als de hal eronder was dit een indrukwekkend vertrek. Ik weet niet wat voor kleur het nu heeft, maar in die tijd was het bekleed met gouddamast, lagen er crèmekleurige tapijten en stonden er blauwe banken... Kortom, het was getooid in alle kleuren van mijn eigen, zeer knappe persoontje – of, liever gezegd, ik was getooid in bijpassende kleuren. Dit was, moet ik toegeven, een verontrustende gedachte, en even vond ik Diana's generositeit minder complimenteus dan ik gedacht had toen ik die ochtend voor de spiegel stond.

Maar alle artiesten stemmen hun kleren af op hun toneel, herinnerde ik me, en wat een toneel was dit... en wat een publiek!

Ze waren met zijn dertigen, denk ik – allemaal vrouwen, allemaal aan tafels gezeten met daarop drankjes, boeken en kranten. Je zou ze ieder afzonderlijk op straat hebben kunnen tegenkomen zonder dat je iets opviel, maar het effect van hun gezamenlijke verschijning was heel bijzonder. Hun kleren waren niet vreemd, maar wel apart. Ze droegen rokken – maar het soort rokken dat een kleermaker zou kunnen ontwerpen die bij wijze van provocatie een queu voor een heer maakte. Velen leken gekleed in wandelkostuum of amazonepak. Velen droegen een pince-nez of een monocle aan een lint. Er waren een paar opzienbarende kapsels en meer stropdassen dan ik ooit bij elkaar had gezien in een exclusief vrouwelijk gezelschap.

Ik zag al die details natuurlijk niet meteen, maar het was een groot vertrek en aangezien Diana alle tijd nam om me erdoorheen te voeren, kreeg ik ruim de kans om rond te kijken. Er viel een stilte zwaar als fluweel, want toen wij in de deuropening verschenen, hadden de vrouwelijke leden naar ons opgekeken en vervolgens rolden hun ogen uit hun kassen. Of ze me, net als juffrouw Hawkins, aanzagen voor een heer, of dat ze, net als Diana, direct door mijn vermomming heen keken, weet ik niet. Hoe dan ook, er klonk een kreet – 'Allemachtig!' – en toen opnieuw een uitroep, langgerekter: 'Nee, maar...' Ik voelde Diana naast me verstijven van pure voldoening.

Toen klonk er weer een schreeuw, terwijl een dame in de verste hoek overeind kwam. 'Diana, jij ouwe losbol! Je hebt het 'm eindelijk geflikt!' Ze klapte in haar handen. Naast haar keken nog twee dames op, met rode gezichten. Een van hen had een monocle en zette die nu voor haar oog.

Diana plaatste me voor de hele groep en stelde me voor – hoffelijker dan ze me had geïntroduceerd bij juffrouw Hawkins, maar ook nu weer als haar 'gezelschap'; en de dames lachten. De eerste van hen, de dame die was opgestaan om ons te begroeten, greep nu mijn hand. Tussen haar vingers klemde ze een stompje sigaar.

'Dat, lieve Nancy,' zei mijn meesteres, 'is mevrouw Jex. Ze is mijn alleroudste vriendin in Londen – en de allerberuchtste. Alles wat ze je vertelt, is verdorven bedoeld.'

Ik maakte een buiging voor haar. Ik zei: 'Dat mag ik hopen.' Mevrouw Jex bulderde het uit.

'Nee maar, het praat!' riep ze. 'Dit alles' – ze gebaarde naar mijn gezicht, mijn kostuum – 'en het schepsel kan nog praten ook!'

Diana glimlachte en trok een wenkbrauw op. 'In zekere zin,' zei ze.

Ik gaf een knipoog, maar mevrouw Jex hield nog steeds mijn hand vast en drukte die nu. 'Diana behandelt u honds, juffrouw Nancy, maar trekt u zich daar maar niets van aan. Hier in de Cavendish hebben we er bepaald naar uitgekeken u te leren kennen en persoonlijk vriendschap met u te sluiten. Noem me "Maria"' – ze sprak het op de ouderwetse manier uit – 'en dit is Evelyn, en Dickie. Zoals u ziet denkt Dickie dat ze hier de jongen is.'

Ik knikte een voor een naar de dames. De eerste glimlachte naar me. De dame die Dickie heette (die met de monocle die volgens mij beslist van vensterglas was), gaf alleen een knikje met haar hoofd en keek hooghartig.

'Is dat nu de nieuwe Callisto?' zei ze.

Ze droeg een rokoverhemd en een stropdas, en hoewel ze lang, opgebonden haar had, glansde het van de olie. Ze was twee- of drieëndertig jaar en had een dikke taille. Maar haar bovenlip was tenminste donker als die van een jongen. Rond 1880 zouden ze haar vast vreselijk knap gevonden hebben.

Maria drukte mijn vingers weer en rolde met haar ogen. Vervolgens hield ze haar hoofd schuin, en toen ik naar haar overboog – want ze was nogal klein – zei ze: 'Nu, lieverd, moet je onze honger stillen. We willen het hele vunzige verhaal van je ontmoeting met Diana. Zijzelf wil ons niets vertellen – alleen dat het een warme nacht was, dat de straten vrolijk verlicht waren, dat de maan door de wolken tolde als een dronken vrouw op zoek naar minnaars. Vertel op, juffrouw Nancy, vertel op! Tolde de maan echt door de wolken als een dronken vrouw op zoek naar haar minnaars?' Ze nam een trek van haar sigaar en keek aandachtig naar mij. Evelyn en Dickie leunden achterover en wachtten. Ik keek van hen weer naar Maria en slikte toen.

'Als Diana dat zei,' zei ik ten slotte, 'dan was dat zo.'

Daarop liet Maria een merkwaardige lach horen, laag en hard en snel als het geratel van een drilboor. En Diana nam me bij mijn arm, maakte plaats voor me op de bank en riep een kelnerin ons iets te drinken te brengen.

Aan de andere tafels keken de dames nog steeds toe – enkelen nogal kritisch, moest ik constateren. Er volgde nog wat gemompel en gefluister, een giechel of drie en een zucht. Niemand van ons groepje trok zich er ook maar iets van aan. Maria liet haar ogen niet van mij af, en toen onze drankjes arriveerden, keek ze me verlekkerd aan boven haar glas: 'Op beide uiteinden van het korset,' zei ze en gaf me een knipoog. Diana had haar gezicht afgewend om te luisteren naar een verhaal van de dame die Evelyn heette. Deze zei: 'Zo'n schandaal, Diana, heb je nog nooit gehoord! Ze heeft zich gegeven aan zeven vrouwen en ontmoet ze allemaal op verschillende dagen; één is haar schoonzuster! Ze heeft een album samengesteld – schat, ik bestierf het bijna toen ik het zag! – vol met stukjes en beetjes die ze bij ze heeft *afgeknipt* of *uitgetrokken*: oogwimpers en stukjes teennagel – oude maandverbanden, voorzover ik het kon zien, en ze heeft haren...'

'Háren, Diana,' onderbrak Dickie haar op veelbetekenende toon.

'... haren, waar ze ringen en aigrettes van heeft laten maken. Lord Myers zag een broche en vroeg haar waar ze die had gekocht, en Susan vertelde hem dat de broche was gemaakt van een vossenstaart en dat ze er een voor hem zou laten maken, voor zijn vrouw! Stel je voor! Nu loopt Lady Myers op alle chique feestjes rond met op haar boezem Susan Dacre's kuthaar!'

Diana glimlachte. 'En Susans man weet het allemaal en vindt het niet erg?'

'Vindt het niet erg? Híj betaalt de rekeningen van de juwelier! Je kunt hem horen opscheppen – ik heb het zelf gehoord – dat hij van plan is het landgoed te herdopen in *Nieuw Lesbos*.'

'*Nieuw Lesbos!*' zei Diana zachtjes. Toen gaapte ze. 'Met die aftandse oude lesbienne Susan Dacre zou het net zo goed het echte kunnen zijn...' Ze keerde zich naar mij en haar stem klonk een toon lager. 'Steek eens een sigaret voor me op, kindje?'

Ik nam twee saffies uit de schildpadden sigarettendoos in mijn borstzak, stak ze beide aan op mijn eigen lip en gaf er toen een door. De dames hielden me in de gaten – terwijl ze lachten en kletsten, observeerden ze nog al mijn bewegingen, mijn hele lichaam. Toen ik vooroverboog om de as van mijn sigaret te tikken, knipperden ze met hun ogen. Toen ik met mijn hand over de stoppeltjes langs de rand van mijn haar streek, kregen ze een kleur. Toen ik mijn in broekspijpen gestoken benen spreidde en de bobbel daar toonde, verschoven Maria en Evelyn tegelijk in hun stoel. En Dickie pakte haar cognacglas en goot de inhoud daarvan in één keer achterover.

Even later kwam Maria weer dichter naar me toe. Ze zei: 'Nou, juffrouw Nancy, we wachten nog steeds op uw verhaal. We willen alles over u weten, en tot dusverre hebt u ons alleen maar geplaagd.'

Ik zei: 'Er valt niets te weten. Vraag het maar aan Diana.'

'Diana doet alleen haar mond open om te sprankelen, niet om de waarheid te vertellen. Zeg me eens,' – haar stem had een vertrouwelijke toon gekregen – 'waar bent u geboren? Was het een ellende-oord? Was het een of ander krót, waar jullie met zijn tienen in één bed sliepen, samen met je zusters?'

'Een krót?' Plotseling en levendiger dan in maanden herinnerde ik me onze oude voorkamer thuis – het doek met de rafelige randen dat hing te wapperen boven de haard. Ik zei: 'Ik ben geboren in Kent, in Whitstable.' Maria staarde alleen maar. Ik zei opnieuw: 'Whitstable – waar de oesters vandaan komen.'

Hierop gooide ze haar hoofd achterover. 'Maar liever, je bent een zeemeermin! Diana, wist je dat? Een zeemeermin uit Whitstable! – zij het gelukkig,' en hierbij legde ze haar vrije hand op mijn knie en klopte erop, 'zij het gelukkig zonder de staart. Dat zou niks zijn, toch?'

Ik kon niet antwoorden. Na het beeld van onze woonkamer kwam de herinnering aan Kitty in haar kleedkamerdeur weer in alle heftigheid bij me boven. *Juffrouw Zeemeermin*, had ze me genoemd en ze had het nog eens gezegd die keer in Stamford Hill, toen ze me had horen huilen, naar me toe was gekomen en mijn tranen had gekust...

Ik slikte en stopte mijn sigaret tussen mijn lippen. Die was helemaal opgerookt en ik brandde me er bijna aan, en terwijl ik ermee zat te klungelen, viel ze. Ze raakte de bank, stuiterde en rolde tussen mijn benen. Ik stak mijn hand ernaar uit – wat de dames weer deed staren en grimassen, maar ze kwam, nog steeds smeulend, klem te zitten tussen mijn bil en de bank. Ik sprong op, vond ten langen leste de peuk en trok toen aan het linnen dat mijn achterste bedekte. Ik zei: 'Verdomme, als ik maar geen gat in deze rotbroek heb gebrand!'

De woorden kwamen er luider uit dan bedoeld, en werden met een schreeuw uit het vertrek achter mij beantwoord: 'Heus, mevrouw Lethaby, dit kan zo niet!' Een dame was opgestaan en kwam naar onze tafel toe.

'Ik moet bezwaar maken, mevrouw Lethaby,' zei ze toen ze bij ons was, 'ik moet echt bezwaar maken, namens alle aanwezige en afwezige dames, tegen de zeer zware schade die u onze club toebrengt!'

Diana sloeg traag haar ogen op. 'Schade, juffrouw Bruce? Doelt u op de aanwezigheid van mijn gezelschap, juffrouw King?'

'Inderdaad, mevrouw.'

'U mag haar niet?'

'Ik mag haar taal niet, mevrouw, noch haar kleren!' Zijzelf droeg een zijden overhemd met cummerbund en stropdas. In de stropdas stak een zilveren dasspeld in de vorm van een paardenkop. Ze stond nu verwachtingsvol naast Diana, en na een tijdje zuchtte Diana.

'Tja,' zei ze, 'ik begrijp dat we ons moeten neerleggen bij de wensen van de leden.' Ze stond op, trok mij vervolgens naast zich omhoog en leunde ostentatief op mijn arm. 'Nancy, lieverd, je kostuum blijkt uiteindelijk toch te gedurfd voor de Cavendish. Het ziet ernaar uit dat ik je naar huis moet brengen en het je moet uittrekken. Wie rijdt er met ons mee naar het Felicity Place om de pret voort te zetten?'

Er ging een deining door de ruimte. Maria kwam meteen overeind en pakte haar wandelstok. 'In galop, in galop!' gilde ze. Toen: 'Af, Satin!' Ik hoorde gekef, en onder haar stoel vandaan kwam – ik had het dier nog niet eerder gezien, omdat het lag te slapen achter het gordijn van haar rokken – een mooie kleine windhond aan een varkensleren riem.

Toen stonden ook Dickie en Evelyn op. Diana neeg haar hoofd naar juffrouw Bruce en ik maakte een nog diepere buiging. Alle ogen waren op ons gericht geweest toen we onze entree maakten, en alle ogen waren tijdens onze exit nog steeds op ons gericht. Ik hoorde juffrouw Bruce naar haar stoel terugkeren en iemand roepen: 'Groot gelijk, Vanessa!' Maar een andere dame hield mijn blik vast toen ik haar passeerde en knipoogde. En aan een tafeltje bij de deur stond een dame op om tegen Diana te zeggen dat ze hoopte dat de broek van juffrouw King niet al te zeer verschroeid was...

De broek was inderdaad min of meer verpest. Thuis op het Felicity Place liet Diana me rondlopen en bukken voor Maria, Evelyn en Dickie, om een oordeel te vellen. Ze zei dat ze een andere voor me zou bestellen, precies dezelfde.

'Wat een vondst, Diana!' zei Maria, terwijl Evelyn op de stof tikte. Ze zei het zoals ze het had kunnen zeggen van een beeld of een klok die Diana voor een habbekrats op de kop had getikt op de een of andere naargeestige markt. Het kon haar niet schelen dat ik het hoorde. En wat maakte het uit? Ze meende het, ze meende het! Uit haar blik sprak bewondering. En bewonderd te worden door dames met smaak – ik wist wel dat het niet hetzelfde was als bemind te worden, maar het was tenminste iets. En ik was er goed in.

Wie had ooit gedacht dat ik er zo goed in zou zijn!

'Trek je overhemd uit, Nancy,' zei Diana toen, 'en laat die dames je ondergoed eens zien.'

Ik deed het, en Maria riep weer: 'Wat een vondst!'

13

Diana's bredere vriendenkring vond onze verbintenis, geloof ik, fantastisch. Ik zag hen soms naar ons kijken en hoorde hen fluisteren – 'Diana's *caprice*', noemden ze me, alsof ik een bevlieging voor een heerlijk gerecht was waar een verfijnde smaak snel genoeg van zou krijgen. Maar Diana zelf leek, nu ze me eenmaal gevonden had, alleen maar steeds minder geneigd me te laten gaan. Met dat ene korte bezoek aan de Cavendish Club had ze me gelanceerd in mijn nieuwe loopbaan als haar permanente gezelschap. Er volgden nu meer uitstapjes, meer bezoekjes, meer tochtjes, en meer pakken die ik dan kon dragen. Ik werd zelfingenomen. Ooit had ik mismoedig in een stoel in haar zitkamer zitten wachten tot ze mij met een soeverein naar huis zou sturen. Nu de dames fluisterden over 'die *gril* van Diana Lethaby', borstelde ik pluisjes van de mouw van mijn jas, trok mijn gemonogrammeerde zakdoekje uit mijn zak en glimlachte. Toen de herfst van 1892 overging in de winter en die vervolgens weer in de lente van 1893 en ik nog steeds mijn bevoorrechte plaats aan Diana's zijde innam, verstomde het gefluister. Uiteindelijk werd ik niet Diana's *caprice*, maar gewoon haar *jongen*.

'Kom bij me eten, Diana.'

'Kom bij me ontbijten, Diana.'

'Kom om negen uur, Diana, en neem de jongen mee.'

Want ik ging nu altijd met haar mee als jongen, zelfs als we ons in de openbare wereld begaven, de gewone wereld buiten de kring van Cavendish Saffisten, de wereld van de winkels en restaurants en ritjes in het park. Als iemand naar me vroeg, introduceerde ze me schaamteloos als 'Mijn pupil, Neville King'. Ik geloof ook dat haar meer dan eens is gevraagd door dames met huwbare dochters om me voor te stellen. Dat wees ze af. 'Hij is anglo-katholiek, mevrouw,' fluisterde ze dan, 'en voorbestemd voor de Kerk. Dit is zijn laatste jaar, voordat hij wordt gewijd...'

Met Diana ook keerde ik terug naar het theater – kromp ineen als ik merkte dat ze me naar een loge naast de voetlichten bracht en kromp weer ineen als de kroonluchters uitgingen. Maar ze waren vreselijk chic, de theaters waar zij naartoe ging. Er was elektrische verlichting in plaats van gasverlichting, en het publiek was rustig. Ik zag er het plezier niet van in. De stukken vond ik wel mooi, maar vaker staarde ik naar het publiek – en natuurlijk waren er altijd heel wat ogen en kijkers die zich van het toneel losmaakten en zich op mij richtten. Ik zag een aantal gezichten dat ik herkende uit mijn oude schandknapentijd. Een keer stond ik mijn handen te wassen op het herentoilet van een theater en voelde dat een kerel me opnam – hij wist niet dat hij mijn lippen al op zich had gehad in een zijsteegje van de Jermyn Street. Naderhand zag ik hem in het publiek met zijn vrouw. Een andere keer zag ik Lieve Alice, de truus die zo aardig voor me was geweest op het Leicester Square. Ook hij zat in een loge, en toen hij me herkende, wierp hij me een kushand toe. Hij was met twee heren: ik trok mijn wenkbrauwen op en hij rolde met zijn ogen. Toen zag hij met wie ik was – met Diana en Maria – en zijn ogen werden groot. Ik haalde mijn schouders op en hij keek nadenkend, rolde toen weer met zijn ogen alsof hij wilde zeggen: *Wat een vak!*

Naar al deze gelegenheden ging ik, zoals ik al zei, gekleed als jongen – ik kleedde me nu alleen nog maar als meisje als we naar de Cavendish gingen. Dat was de enige plek in de stad waar Diana me in een broek kon laten rondlopen zonder zich erom te bekommeren wie het wist, maar na de klacht van juffrouw Bruce was daar een nieuwe regel ingesteld, en sindsdien ging ik er altijd in een rok naartoe; Diana had iets voor me laten maken, snit en kleur ben ik nu vergeten. In de club ging ik altijd wat zitten drinken en roken, terwijl Maria met me flirtte en de andere dames naar me gluurden, en Diana haar vriendinnen ontmoette of brieven schreef. Dat deed ze heel vaak, want ze stond bekend – ik denk dat ik het in zekere zin wel had kunnen raden – als filantrope, en allerlei dames probeerden haar te winnen voor hun projecten. Ze gaf geld aan bepaalde charitatieve instellingen. Ze stuurde boeken naar meisjes in de gevangenis.

Ze werkte mee aan de uitgave van een tijdschrift voor het algemeen kiesrecht, genaamd *Shafts*. Dat deed ze allemaal met mij aan haar zijde. Als ik voorover leunde om een krant of een lijst te pakken en die loom te lezen, nam zij me de bladzij af, alsof het vermoeiend voor me was om te ingespannen naar te veel woorden te turen. Uiteindelijk bekeek ik dan maar de spotprenten in de *Punch*.

Tot zover mijn optreden in het openbaar. Dat bleef beperkt – ik beschrijf hier een periode die ongeveer een jaar duurde. Diana hield me meestal verborgen en vertoonde me in huis. Ze liet liever niet zoveel mensen naar me gapen, zei ze. Ze zei dat ze bang was dat ik net als een foto zou verbleken van te veel aanraken.

Als ik *vertoonde* zeg, bedoel ik dat natuurlijk ook: een deel van Diana's geheim was dat ze de woorden die andere mensen bij wijze van metafoor of grap zeiden, tot werkelijkheid maakte. Ik had in mijn broek met de schroeiplek en mijn zijden ondergoed geposeerd voor Maria, Dickie en Evelyn. Toen ze de tweede keer weer kwamen, met nog een dame, liet Diana me opnieuw voor hen poseren in een ander pak. Daarna werd het voor haar een soort sport om me in een nieuw kostuum te steken en me voor of tussen haar gasten te laten paraderen terwijl ik glazen vulde en sigaretten aanstak. Eén keer kleedde ze me als lakei, met kniebroek en pruik. Het was min of meer hetzelfde kostuum als ik had gedragen voor *Assepoester* – hoewel mijn kniebroek in het Brit niet zo nauwsluitend was geweest, noch zo omvangrijk bij het kruis.

De gril met de kniebroek gaf haar weer nieuwe inspiratie. De mannenpakken gingen haar vervelen en ze vond het nu leuk om me maskerades te laten opvoeren: dan moest ik in de salon achter een fluwelen gordijntje gaan staan. Dat gebeurde ongeveer één keer per week. Er kwamen dan dames eten en ik at mee, in broek, maar terwijl zij natafelden bij hun koffie en hun sigaretten rolden, verliet ik hen om naar mijn kamer te glippen en me te verkleden. Tegen de tijd dat ze zich naar de salon begaven, stond ik in de een of andere pose achter het gordijn, en als ze zover was, trok Diana aan een koord met een kwastje het gordijn weg om me te onthullen.

De ene keer was ik Perseus, met een kromzwaard, een Medusahoofd en sandalen met riempjes die bij de knie waren vastgegespt.

268

De andere keer was ik Cupido, met vleugels en een boog. Eénmaal was ik Sint Sebastianus, vastgebonden aan een boomstronk – ik herinner me nog wat een karwei het was de pijlen zo vast te maken dat ze niet gingen hangen.

Op een avond was ik een Amazone. Ik droeg de boog van Cupido, maar ditmaal had ik één ontblote borst. Diana had rouge op de tepel gedaan. De week daarop – nu ik er één had laten zien, vond ze dat ik ze net zo goed allebei kon laten zien – was ik de Franse Marianne, met een Frygische muts en een vlag. De week daarna was ik Salome: ik droeg weer het Medusahoofd, maar nu op een schaal, en had er een baard aan vastgeplakt. En onder het applaus van de dames danste ik tot ik niet meer dan mijn onderbroek aanhad.

En de week daar weer na – nou, die week was ik Hermaphroditus. Ik droeg een lauwerkrans, een laag zilverschmink – en verder niets dan de om mijn heupen gegespte *Monsieur Dildo* van Diana. Toen de dames hem zagen, stokte hen de adem in de keel.

En terwijl de trilling het gebruikelijke effect op me had, dacht ik aan Kitty. Ik vroeg me af of ze nog steeds pakken en hoge hoeden droeg, nog steeds liedjes zong als 'Sweethearts and Wives'.

Toen kwam Diana, stak een roze sigaret tussen mijn lippen, zette me midden tussen de dames en liet hen het leer strelen. Ik weet niet meer of ik toen ook aan Kitty dacht, of zelfs maar aan Diana. Ik dacht, geloof ik, dat ik weer schandknaap was, op het Piccadilly – of niet een schandknaap, maar de vent van een schandknaap. Want toen ik kronkelde en schreeuwde, waren er glimlachjes in de donkere hoekjes, en toen ik huiverde en huilde, werd er voluit gelachen.

Ik kon er niets aan doen. Het kwam allemaal door Diana. Ze was zo schaamteloos, zo hartstochtelijk, ze was zo verduiveld slim. Ze was net een koningin, met haar eigen excentrieke hofhouding – ik zag het op die feestjes. Vrouwen kwamen op haar af en letten op haar. Ze namen cadeaus voor haar mee, 'voor je verzameling' – haar verzameling was het onderwerp van gesprek, en afgunst! Als ze een gebaar maakte, reikhalsden ze om het op te vangen. Als ze sprak, luisterden ze. Het was haar stem, denk ik, die hen bekoorde – die lage muzikale klanken die mij ooit uit mijn middernachtelijke zwerftochten naar het hart van haar eigen duistere wereld hadden gelokt. Telkens weer hoorde ik argumenten verschrompelen bij een roep of tegenwerping uit haar keel, telkens weer stokten en verstomden overal de gesprekken in een volgepakte ruimte als de ene na de andere spreker de dunne draad van een anekdote of inval prijsgaf om de dwingender cadansen van de hare op te pakken.

Haar schaamteloosheid was besmettelijk. Vrouwen kwamen op haar af en werden licht in het hoofd. Ze was als een zanger, die glazen liet trillen. Ze was als een kanker, ze was als een schimmel. Ze was als de heldin van een van haar eigen obscene romannetjes – je kon haar in een kamer zetten met een gouvernante en een non, en binnen een uur trokken die hun haar uit om er een zweep van te maken.

Het klinkt alsof ik genoeg van haar had. Ik had toen niet genoeg van haar. Hoe kon het ook? We vormden een volmaakt duo. Ze was obsceen, ze was vermetel – maar wie maakte die vermetelheid zichtbaar? Wie kon getuigen van die passie van haar, dat inlevingsvermogen van haar, die zeldzame, betoverde sfeer van haar huis aan het Felicity Place, waar alle gewone manieren en regels niet leken te gelden en de losbandigheid heerste? Wie anders dan ik?

Ik was het bewijs van al haar genietingen. Ik was de vlek die haar lust achterliet. Als ze mij niet hield, zou ze alles verliezen.

En als ik haar niet hield, zou ik niets meer hebben. Een leven dat niet door haar was gevormd, kon ik me niet voorstellen. Ze had bepaalde begeerten in mij gewekt. En waar anders, dacht ik, dan bij Diana, in het gezelschap van de Saffisten – waar anders konden die excentrieke begeerten worden bevredigd?

Ik heb het gehad over het *tijdloze* dat mijn nieuwe leven kenmerkte, hoe ik het normale gevoel voor het verloop van de uren, de dagen en de weken kwijtraakte. Diana en ik vrijden vaak tot het licht werd en ontbeten tegen het vallen van de avond. Of we werden op de gewone tijd wakker, maar bleven in bed met de gordijnen dicht en gebruikten onze lunch bij kaarslicht. Eén keer schelden we om Blake en kwam die in haar nachtjapon: het was half vier en we hadden haar uit bed gehaald. Een andere keer werd ik wakker van vogelgezang: ik tuurde naar de lichtstrepen rond de luiken en besefte dat ik een week lang de zon niet had gezien. In een huis dat overal even warm werd gehouden door bedienden en met een koets die ons ophaalde en afzette waar we maar wilden, verloren zelfs de seizoenen hun betekenis of kregen een nieuwe betekenis. Ik wist alleen dat het winter was doordat Diana's wandelkostuums veranderden van zijde in ribfluweel, haar mantels van grenadine in sabelbont, en toen mijn eigen stang in het kabinet doorzakte onder het gewicht van astrakan, mohair en tweed.

Maar er was één verjaardag uit mijn vroegere leven die ik, zelfs in de betoverde sfeer van het Felicity Place, omringd door zoveel bedwelmende luxe, niet helemaal kon vergeten. Op een dag, toen ik bijna een jaar Diana's geliefde was, werd ik wakker van het geritsel van een nieuwsblad. Mijn meesteres bevond zich naast me met de ochtendkrant en toen ik mijn ogen opendeed, vielen ze op een krantenkop. *Wetsontwerp Zelfbestuur*, luidde hij, *Ieren gaan 3 juni demonstreren*. Ik slaakte een kreet. Het waren niet de woorden die me troffen – die zeiden me niets. De datum was me echter even vertrouwd als mijn eigen naam. 3 juni was mijn verjaardag. Over een week zou ik drieëntwintig worden.

'Drieëntwintig!' zei Diana, toen ik het haar min of meer verrukt vertelde. 'Wat een heerlijke leeftijd is dat. Met je jeugd nog warm op je, als een hijgende minnaar, en de tijd die met zijn gezicht om het gordijn heen komt gluren.' Zo kon ze praten, zelfs 's ochtends vroeg. Ik gaapte alleen. Maar toen ze zei dat we het moesten vieren, kwam er een levendiger blik in mijn ogen. 'Wat kunnen we doen,' vroeg ze, 'dat we nog niet hebben gedaan? Waar zal ik je mee naartoe nemen...?'

Uiteindelijk kwam ze op de opera.

Het leek mij vreselijk, al liet ik dat liever niet merken – ik deed nog niet chagrijnig tegen haar, zoals later. En ik was nog te veel kind om niet opgetogen te zijn over mijn eigen verjaardag toen het ten slotte zover was. En natuurlijk waren er cadeautjes – en cadeautjes verloren nooit hun bekoring.

Ik kreeg ze bij het ontbijt, in twee gouden pakketten. Het eerste was groot en bevatte een cape – en wel een echte cape om naar de opera te gaan, en heel chic, maar ja, ik had dat verwacht en beschouwde het ook nauwelijks als cadeau. Het tweede pakje bleek echter nog fantastischer. Het was klein en licht: ik wist direct dat het een of ander sieraad moest zijn, een stel manchetknopen, misschien, of een dasspeld, of een ring. Dickie droeg een ring aan de pink van haar linkerhand en die had ik vaak bewonderd – ja, ik wist zeker dat het een ring was, een ring zoals die van Dickie.

Maar het was geen ring. Het was een horloge, van zilver, met een smal leren bandje. Het had twee donkere wijzers om de minuten en uren aan te geven en een sneller, heen en weer gaand wijzertje om de seconden te tellen. Hieroverheen zat glas: er was een knopje om aan de wijzers te draaien. Ik keerde het om in mijn handen, waarbij Diana stond te glimlachen. 'Het is voor aan je pols,' zei ze ten slotte.

Ik staarde haar verbaasd aan – mensen droegen geen polshorloges in die tijd, het was een fantastische nouveauté – en probeerde vervolgens het horloge om mijn pols te doen. Het lukte me natuurlijk niet; als bij zoveel dingen in het Felicity Place had je eigenlijk een meid nodig om het goed te doen. Uiteindelijk deed Diana het voor me, en toen zaten we allebei te staren naar de kleine wijzerplaat, de snelle wijzer, en te luisteren naar het tikken.

Ik zei: 'Diana, zoiets prachtigs heb ik nog nooit gezien!' En zij bloosde en keek vergenoegd: ze was een kreng, maar ze was ook menselijk.

Later, toen Maria op bezoek kwam, liet ik haar het horloge zien, en ze knikte en glimlachte ernaar en streelde mijn pols onder het leer van het bandje. Toen lachte ze. 'Schat, de tijd klopt niet! Je hebt hem op zeven uur gezet, terwijl het pas kwart over vier is!'

Ik keek weer naar de wijzerplaat en trok verbaasd mijn wenkbrauwen op. Ik had het slechts gedragen als een soort armband, het was niet bij me opgekomen er de tijd op af te lezen. Nu zette ik de wijzers op 4 en 3, om Maria een plezier te doen – maar het was natuurlijk nooit echt nodig dat ik het opwond.

Het horloge was mijn mooiste cadeau, maar er was ook een geschenk van Maria zelf: een ebbenhouten wandelstok met een kwastje op de top en een zilveren punt. Hij paste uitstekend bij mijn nieuwe operakledij. Die avond vormden we dan ook een heel markant stel, Diana en ik, want zij droeg een pakje in zwart met wit en zilver dat paste bij mijn kostuum. Het was afkomstig van Worth's; volgens mij zagen we eruit alsof we zo uit de bladzijden van een modetijdschrift waren gestapt. Als we liepen, zorgde ik ervoor dat ik mijn linkerarm heel recht hield, zodat het horloge zichtbaar was.

We dineerden in een kamer in het Solferino. We dineerden samen met Dickie en Maria – Maria had Satin, haar whippet, meegenomen, en voerde hem lekkernijen van een bord. De obers hadden gehoord dat ik jarig was en schonken overdreven veel aandacht aan me, boden wijn aan. 'Hoe oud is de jongeheer vandaag geworden?' vroegen ze aan Diana, en uit de manier waarop ze het vroegen, bleek dat ze me jonger schatten dan ik was. Misschien zagen ze Diana wel aan voor mijn moeder, wat ik om allerlei redenen geen prettig idee vond. Maar op een keer was ik blijven staan bij een schoenpoetser, terwijl Diana en haar vriendinnen van nabij toekeken, en de man – die Dickie in het oog had gekregen en als veel hetero's een potterig uiterlijk interpreteerde als een soort familiegelijkenis – vroeg me of zij, Dickie, mijn tante was, die me een dagje mee uit had genomen. Haar gezichtsuitdrukking alleen al maakte het de moeite waard om voor schooljongen te worden aangezien. Eén- of tweemaal probeerde ze op het gebied van pakken met me te wedijveren. De avond van mijn verjaardag, bijvoorbeeld, droeg ze een overhemd met manchetknopen en op haar rok een korte herencape. Maar bij haar hals droeg ze een jabot – zoiets verwijfds zou ik nooit gedragen hebben. Ze wist het niet – ze zou gegruwd hebben van het idee! – maar ze leek nog het meest op een vermoeide oude mie, zo een die je soms jour ziet houden, met jongere jongens op het Piccadilly: ze hebben zo lang de schandknaap gespeeld dat ze bekendstaan als *nicht*.

Ons diner was voortreffelijk, en na afloop liet Diana een ober een huurkoets aanroepen. Zoals ik zei, vond ik haar plan niet geweldig, maar zelfs ik raakte opgewonden toen ons aapje zich voegde in de rij wiegende rijtuigen voor de ingang van de Royal Opera en wij – Diana, Maria, Dickie en ik – ons mengden in de menigte dames en heren in de hal. Ik was daar nog nooit geweest, had in dat jaar van ongeregeld chaperonneren nooit eerder deel uitgemaakt van zo'n rijk en elegant publiek – de heren net als ik allemaal in capes, met zijden hoeden op en toneelkijkers in de hand, de dames behangen met diamanten en met handschoenen zo lang en slank dat het was alsof ze net allemaal hun armen tot aan de oksels in een melkbus hadden gedoopt.

We stonden een paar tellen in het gedrang van de hal, Diana knikkend naar bepaalde dames die ze kende en Maria met Satin tegen haar boezem geklemd, buiten het bereik van hakken, slepen en zwierende capes. Dickie zei dat ze een blad met drankjes voor ons ging halen en vertrok. Diana zei: 'Kun jij onze jassen aannemen, Neville?', met een knikje naar een balie waar twee mannen in uniform mantels stonden aan te nemen. Ze draaide zich om, zodat ik haar uit haar jas kon helpen. Maria deed hetzelfde, en ik baande me met de mantels een weg door de hal, bleef toen staan om me te ontdoen van mijn eigen cape – waarbij ik de hele tijd slechts kon denken wat een chic publiek het was en wat voor goed figuur ik ertussen sloeg! Intussen zorgde ik ervoor dat de mantels die ik droeg, niet over mijn pols vielen en het horloge bedekten. Er stond een rij voor de balie, en onder het wachten keek ik ongeïnteresseerd naar de mannen die de jassen van de heren moesten aannemen en hun bonnetjes geven. Eén van hen was tenger, met een olijfkleurig gezicht – het kon een Italiaan zijn. De andere was een zwarte. Toen ik eindelijk de balie had bereikt en hij zijn gezicht hief naar de kledingstukken die ik hem gaf, zag ik dat het Billy-Boy was, mijn oude rookpartner van het Brit.

Eerst staarde ik alleen maar naar hem. Eigenlijk bedacht ik hoe ik me het best uit de voeten kon maken voor hij me zag. Maar toen hij aan de jassen trok en ze niet loskreeg, sloeg hij zijn ogen op – en ik wist dat hij me helemaal niet herkende, zich alleen afvroeg waarom ik aarzelde. En bij die gedachte voelde ik me vreselijk treurig. Ik zei: 'Bill', en hij keek nog eens beter. Toen zei hij: 'Meneer?'

Ik slikte. Ik zei opnieuw: 'Bill. Weet je niet meer wie ik ben?' Daarna boog ik naar voren en dempte mijn stem. 'Ik ben het, Nan,' zei ik. 'Nan King.' Zijn uitdrukking veranderde. Hij zei: 'Mijn god!'

Achter me was de rij langer geworden. Nu werd er geroepen: 'Komt er nog wat van?' Bill nam ten slotte de jassen van me over, liep er snel mee naar een haak en gaf me een bonnetje. Toen deed hij een paar stappen opzij en liet zijn vriend even alleen met de mantels worstelen. Ik deed ook een paar passen opzij, weg van de opdringende kerels, en we stonden elkaar hoofdschuddend over de balie aan te kijken. Zijn voorhoofd glom van het zweet. Als uniform droeg hij een wit kort jasje met een goedkoop rood vlinderdasje.

Hij zei: 'Jee, Nan, laat jij me effe schrikken! Ik dacht dat je de een of andere heer was die nog geld van me kreeg.' Hij keek naar mijn broek, mijn jasje, mijn haar. 'Wat ben jij van plan, om híer zo rond te lopen?' Hij veegde zijn voorhoofd af, keek toen om zich heen. 'Ben je hier met een agent? Je zit toch niet in de voorstelling, Nan?'

Ik schudde mijn hoofd. Toen zei ik heel zachtjes: 'Je moet nu niet "Nan" zeggen, Bill. Het is namelijk zo...' Het was namelijk zo dat ik er niet over had nagedacht wat ik hem moest vertellen. Ik aarzelde, maar het was onmogelijk tegen hem te liegen. 'Bill, ik leef op dit moment als jongen.'

'Als jóngen?' Hij zei het hardop, sloeg toen een hand voor zijn mond. Niettemin draaiden een of twee van de mopperende kerels in de rij hun hoofd om. Ik schoof nog iets verder van hen vandaan. Ik zei weer: 'Ik leef als jongen bij een dame die voor me zorgt...' Daarop kwam er eindelijk enig begrip in zijn blik, en hij knikte.

Achter hem liet de Italiaan de hoed van een heer vallen, en de heer pruttelde. Bill zei: 'Kun je even wachten?' En hij schoot zijn vriend te hulp door weer een stel mantels aan te nemen. Toen kwam hij weer naar mij toe. De Italiaan keek zuur.

Ik wierp een blik in de richting van Diana en Maria. De hal was nu iets leger, en ze stonden op me te wachten. Maria had Satin op de vloer gezet en hij krabde aan haar rok. Diana probeerde mijn aandacht te trekken. Ik keek naar Bill.

'Hoe gaat het met jóú?' vroeg ik hem.

Hij keek quasi-zielig en hief zijn hand: hij droeg een trouwring. Hij zei: 'Tja, om te beginnen ben ik nou getrouwd!'

'Getrouwd! O, Bill, wat fijn voor je! Wie is het meisje? Het is toch niet Flora? Flora, onze oude kleedster?' Hij knikte en zei dat het zo was.

'Ik werk hier vanwege Flora,' voegde hij eraan toe. 'Zij heeft een baan om de hoek, een maand in het Old Mo. Ze is nog steeds, je weet wel' – plotseling leek hij enigszins opgelaten – 'ze is nog steeds, je weet wel, de kleedster van Kitty...'

Ik staarde hem aan. Er kwamen meer morrende geluiden uit de rij kerels en meer zure blikken van de Italiaan, en hij deed weer een paar passen terug om te helpen met de mantels, hoeden en bonnetjes. Ik hief een hand naar mijn hoofd, haalde mijn vingers door mijn haar en probeerde tot me door te laten dringen wat hij me verteld had. Hij was getrouwd met Flora en Flora was nog steeds bij

Kitty, en Kitty had een nummer in de Middlesex Music Hall. En dat was ongeveer drie straten van de plek waar ik nu stond.

En Kitty was natuurlijk getrouwd met Walter.

Zijn ze gelukkig? wilde ik Bill toen toeroepen. *Heeft ze het nog weleens over mij? Denkt ze aan mij? Mist ze mij?* Maar toen hij terugkeerde – met een nog geagiteerder en bezweter gezicht – vroeg ik alleen: 'Hoe is... hoe is het nummer, Bill?'

'Het nummer?' Hij snoof. 'Niet zo goed, als je 't míj vraagt. Niet zo goed als vroeger...'

We staarden elkaar aan. Ik keek beter naar zijn gezicht en zag dat hij wat dikker was onder de kin en dat de huid rond zijn ogen flink wat donkerder was dan in mijn tijd. Toen riep de Italiaan: 'Bill, kom je nog?' En Bill zei dat hij moest gaan.

Ik knikte en stak hem mijn hand toe. Terwijl hij die schudde, leek hij weer te aarzelen. Toen zei hij heel snel: 'Weet je, we vonden 't allemaal heel erg toen je 'm zo smeerde bij het Brit.' Ik haalde mijn schouders op. 'En Kitty,' vervolgde hij, 'nou, Kitty vond 't het ergste van ons allemaal. Ze heeft samen met Walter advertenties in de *Era* en de *Ref* gezet, weken achter mekaar. Heb je ze dan nooit gezien, Nan, die advertenties?'

'Nee, Bill, nooit.'

Hij schudde zijn hoofd. 'En nou sta je hier, opgedirkt als een heer!' Maar hij wierp een weifelende blik op mijn kostuum en voegde eraan toe: 'Je weet toch wel zeker dat het goed met je gaat?'

Ik gaf hem geen antwoord. Ik keek alleen weer in de richting van Diana. Ze hield haar hoofd schuin om me goed te kunnen observeren. Naast haar stonden Maria met Satin en Dickie. Dickie had het blad met onze glazen in haar handen en haar monocle in haar oog. Ze zei: 'De wijn wordt warm, Diana', op een kribbige toon; de hal was grotendeels leeggelopen, ik kon haar heel duidelijk horen.

Diana hield haar hoofd weer schuin. 'Wat dóét de jongen toch?'

'Hij praat met de nikker,' antwoordde Maria, 'bij de garderobe!'

Ik voelde mijn wangen gloeien en keek snel om naar Bill. Zijn blik had de mijne gevolgd, maar was nu gevangen door een heer die een jas aanbood, en hij tilde het kledingstuk over de balie en draaide zich al om naar de rij haken.

'Dag, Bill,' zei ik, en hij knikte over zijn schouder en wierp me een treurig afscheidslachje toe. Ik was al op weg – maar keerde toen heel snel terug naar de balie en legde mijn hand op zijn arm. Ik zei: 'Op welke plaats staat Kitty, in het programma van het Mo?'

'Haar plaats?' Hij dacht erover na terwijl hij een nieuwe mantel over zijn arm legde. 'Ik weet het niet zeker. Na de pauze, bij het begin, half tien of zo...'

Toen klonk Maria's stem die me riep: 'Is er een probleem, Neville, met de fooi?'

Ik wist dat er een verschrikkelijk soort scène zou volgen als ik nog langer bij hem bleef dralen. Ik keek niet meer naar hem, maar liep meteen terug naar Diana en zei dat er niets aan de hand was en verontschuldigde me. Maar toen ze een hand hief om het haar dat ik in de war had gemaakt, weer glad te strijken, week ik achteruit, want ik voelde Bills ogen op me. En toen ze mijn arm door de hare stak en Maria om me heen liep om mijn andere arm te pakken, leek er een huivering over mijn rug te gaan, alsof iemand er een pistool op richtte.

De zaal zelf, groots en magnifiek als hij was, kreeg slechts een verveelde blik van mij. We hadden geen loge – we waren te laat geweest om een loge te bespreken – maar we hadden prima plaatsen, midden in een van de voorste rijen van de stalles. Door mij waren we echter laat, en de stalles zaten bijna vol; we moesten over twintig paar benen struikelen om bij onze plaatsen te komen. Dickie morste haar wijn en Satin hapte naar een dame met een vos om haar hals. Toen Diana eindelijk zat, was dat met opeengeklemde lippen en een strak gezicht: dit was geenszins de entree die ze voor ons in gedachten had gehad.

En ik zat daar, doof voor haar, doof voor alles. Ik kon alleen aan Kitty denken. Dat ze nog steeds in het variété zat, optrad met Walter. Dat Bill haar iedere dag zag – haar later zou zien, na de voorstelling, als hij Flora ging halen. Dat ze op ditzelfde moment dat de operazangers voor wie we kwamen hun schmink opbrachten, in een kleedkamer drie straten verder háár schmink zat op te brengen.

Terwijl ik dit alles overdacht, verscheen de dirigent, en er werd geapplaudisseerd. De lichten gingen uit en het publiek werd stil. Toen de muziek begon en eindelijk het doek opging, staarde ik als verdoofd naar het toneel. En toen het zingen begon, kromp ik ineen. De opera was *De bruiloft van Figaro*.

Ik kan me er nauwelijks iets van herinneren. Ik dacht alleen aan Kitty. Mijn stoel leek onmogelijk krap en hard, en ik zat erin te schuiven en draaien tot Diana zich naar me over boog om me toe te fluisteren dat ik stil moest zitten. Ik dacht aan alle keren dat ik door de stad was gelopen, bang een hoek om te slaan en Kitty te treffen. Ik dacht aan mijn vermomming, bedoeld om haar te vermijden. In mijn schandknapentijd was het zelfs een soort tweede natuur voor me geworden om Kitty te vermijden, zodat er hele stukken Londen waren waar ik als vanzelf nooit was gekomen, straten waar ik me zonder te hoeven nadenken omdraaide om een andere straat te zoeken. Ik was als iemand met een wond of gebroken been die leert in een menigte te lopen zonder dat zijn kwetsuur in het gedrang komt. Nu ik wist dat Kitty zo dichtbij was, was het alsof ik gedwongen werd zelf op de blauwe plek te drukken, aan het schreeuwende lichaamsdeel te draaien. De muziek zwol aan en ik begon hoofdpijn te krijgen. Mijn stoel leek krapper dan ooit. Ik keek op mijn horloge, maar er was te weinig licht om de tijd te kunnen aflezen. Ik moest het schuin houden, zodat het schijnsel van het podium op de wijzerplaat viel. Daarbij raakte mijn elleboog Diana, en die slaakte een zucht van ergernis en wierp me een kwade blik toe. Het horloge gaf vijf voor negen aan – wat was ik nu blij dat ik het had opgewonden! De opera was precies op het belachelijke punt waar de gravin en de dienstmeid de travestierol hebben gedwongen een jurk aan te trekken, hem in een kabinet hebben opgesloten en ze als gekken zingen en rondrennen. Ik draaide me naar Diana. Ik zei: 'Diana, ik kan er niet tegen. Ik zal op je moeten wachten in de hal.' Ze pakte me bij mijn arm, maar ik schudde haar af en stond op – zei: 'Neem me niet kwalijk, ach, neem me niet kwalijk!' tegen iedere mopperende dame en heer over wier benen ik struikelde of die ik op de voeten trapte – en baande me moeizaam een weg door de rij in de richting van de zaalwachter en de deur.

Buiten was de hal heerlijk rustig na al dat gegil op het podium. Bij de garderobe zat de Italiaan met een krant. Toen ik naar hem toe ging, snoof hij. 'Hij is hier niet,' zei hij toen ik naar Bill vroeg. 'Hij blijft niet als de voorstelling is begonnen. Wilde u uw cape?'

Ik zei van niet. Ik ging het theater uit in de richting van de Drury Lane – me heel erg bewust van mijn pak, mijn glimmende schoenen en de bloem op mijn revers. Toen ik bij het Middlesex kwam, trof ik daar een groep jongens die het affiche bekeek en de nummers becommentarieerde. Ik ging ernaartoe en tuurde over hun schouders mee, op zoek naar bepaalde namen en een nummer.

Walter Waters en Kitty, zag ik ten slotte: het was een schok voor me dat Kitty haar *Butler* kwijt was en werkte onder de oude toneelnaam van Walter. Zoals Bill had gezegd, waren ze geplaatst bij het begin van de tweede helft – veertiende op de lijst, na een zanger en een Chinese goochelaar.

Bij het loket binnen zat een meisje in een paarse jurk. Ik liep naar haar raampje en knikte toen naar de zaal. 'Wie staat er op het podium?' vroeg ik. 'Bij welk nummer zijn ze?' Ze keek op, en toen ze mijn pak zag, giechelde ze.

'Je bent de weg kwijtgeraakt, schat,' zei ze. 'Je moet bij de opera zijn, om de hoek.' Ik beet op mijn lip en zei niets, en haar glimlach verdween. 'Al goed, Lord Alfred,' zei ze vervolgens. 'Het is het twaalfde nummer, Belle Baxter, Cockney Zangeres.'

Ik kocht een goedkoop kaartje – daarop trok zij natuurlijk een gezicht. 'Dacht dat we minstens de rode loper hadden moeten uitleggen.' Ik durfde namelijk niet te dicht bij het podium te zitten. Ik stelde me voor dat Billy-Boy naar het theater was gekomen en Kitty had verteld van onze ontmoeting en van mijn kleding. Ik herinnerde me hoe dichtbij het publiek soms leek, vanaf een podium in een kleine zaal, als je uit het voetlicht stapte, en met mijn jasje en strikje zou ik opvallen. Wat zou het vreselijk zijn geweest als Kitty me naar haar zou zien kijken – als ze haar ogen op me had gericht terwijl ze Walter toezong!

Dus ging ik naar de engelenbak. De trappen waren smal: toen ik een hoek om ging stuitte ik op een vrijend stel. Ik moest van heel dichtbij om hen heen stappen. Net als het meisje achter het loket staarden ze naar mijn pak en giechelden. Ik kon het orkest door de muur heen horen bonken. Terwijl ik naar de deur boven aan de trap klom en het gebonk harder werd, was het alsof mijn eigen hart op de maat meebonsde. Toen ik ten slotte de zaal binnenging – in het spookachtige halfduister en de warmte, de rook en de geur van het roepende publiek – verloor ik bijna mijn evenwicht.

Op het podium stond een meisje in een gevlamde jurk aan haar rokken te trekken, zodat haar kousen te zien waren. Terwijl ik daar steun zocht bij een pilaar, beëindigde ze een lied en begon toen een nieuw lied. Het publiek leek het te kennen. Er werd geklapt en gefloten en nog voor dat was weggestorven, liep ik over het gangpad naar een lege stoel. Die bleek zich te bevinden aan het einde van een rij jongens – een slechte keuze, want toen ze mij daar in mijn operapak zagen met mijn bloem op mijn revers, stootten ze elkaar natuurlijk aan en gniffelden. Een van hen hoestte in zijn hand – alleen klonk de hoest als *Fat!* Ik keerde mijn gezicht van hen af en staarde naar het podium. Even later nam ik een sigaret en stak die op. Mijn hand trilde terwijl ik de lucifer aanstreek.

Ten slotte was de Cockney Zangeres klaar met haar nummers. Er klonk gejuich, toen was er een kort oponthoud met geroep, geschuifel en geritsel, waarna het orkest de eerste maten voor het volgende optreden inzette – een tingelende Chinese melodie, die voor een jongen verderop in mijn rij aanleiding was om op te staan en te roepen: 'Poepchinees!' Toen ging het doek op voor een goochelaar, een meisje en een zwartgelakte kast – een kast die wel iets weghad van die in Diana's slaapkamer. Toen de goochelaar met zijn vingers knipte, volgden er een flits, een knal en een wolk paarse rook; en hierop staken de jongens hun vingers tussen hun lippen en floten.

Ik had wel duizend van dergelijke nummers gezien – althans zo voelde het – en ik bekeek dit optreden nu met mijn sigaret stijf tussen mijn lippen geklemd, steeds misselijker en onzekerder. Ik herinnerde me hoe ik in mijn loge in het Canterbury Palace zat, met bonzend hart en met mijn handschoenen met de strikjes: het leek een oneindig lang geleden en vreemde tijd. Maar net als toen omklemde ik het plakkerige fluweel van mijn stoel, staarde naar de plek waar een glimp van een hangend touw en stoffige planken aangaf dat het toneel overging in de coulissen, en ik dacht aan Kitty. Ze was daar ergens, vlak achter de rand van het doek; misschien streek ze haar kostuum – wat dat ook wezen mocht – glad, misschien kletste ze wat met Walter of Flora, misschien staarde ze wat voor zich uit, terwijl Billy haar over mij vertelde – misschien glimlachte ze, misschien huilde ze, misschien zei ze alleen zachtjes: 'Stel je voor!' – en vergat me daarna weer...

Dit bedacht ik allemaal, en de goochelaar deed zijn laatste truc. Er volgden weer een lichtflits en nog meer rook. De rook dreef helemaal tot aan de engelenbak en het hele publiek moest hoesten, maar juichte hem toe door het hoesten heen. Het doek viel, er was weer een oponthoud voor het changement en toen een flikkering in blauw, wit en oranje, terwijl de belichter het filter over zijn bundel verwisselde. Mijn sigaret was op en ik pakte een nieuwe. Dit keer zagen alle jongens in mijn rij het, dus hield ik hun de doos voor, en ze namen allemaal een saffie: 'Heel vriendelijk.' Ik dacht aan Diana. Stel dat de opera voorbij was en zij stond te wachten, vloekend en met haar programma tegen haar dij slaand?

Stel dat ze terugging naar het Felicity Place, zonder mij?

Maar toen begon de muziek en klonk het geknars van het doek. Ik keek naar het podium – en Walter stond erop.

Hij leek heel fors – veel forser dan ik me herinnerde. Misschien was hij dikker geworden, misschien was zijn kostuum een beetje opgevuld. Hij had zijn snor opgekamd, zodat die er nogal komisch uitzag. Hij droeg een geruite heupbroek en een groen fluwelen jasje. Op zijn hoofd had hij een kalotje en in zijn zak stak een pijp. Achter hem hing een doek met het decor van een huiskamer. Naast hem stond een leunstoel waarop hij steunde onder het zingen. Hij was helemaal alleen. Ik had hem nog nooit eerder gekostumeerd en gegrimeerd gezien. Hij leek zo weinig op de persoon die ik nog steeds, soms, in mijn dromen zag – de persoon met het loshangende overhemd, de vochtige baard, de hand op Kitty – dat ik naar hem keek en fronste: het deed me nauwelijks iets toen ik hem daar zo zag staan.

Hij had een lichte bariton, allerminst onaangenaam. Bij zijn opkomst was er een applaus losgebarsten en nu volgde weer tevreden geklap, met een paar toejuichingen. Maar hij zong een vreemd lied, over een zoon die hij had verloren, 'Kleine Jacky' genaamd. Het bestond uit een aantal coupletten die allemaal eindigden met hetzelfde refrein – zoiets als: 'Waar, o waar is Kleine Jacky toch?' Ik vond het raar dat hij daar in zijn eentje zo'n liedje stond te zingen. Waar was Kitty? Ik nam een diepe trek van mijn sigaret. Ik kon me niet voorstellen hoe ze in dit nummer moest passen, met een hoge zijden hoed, een vlinderdasje en een bloem...

Plotseling begon een verschrikkelijke gedachte bij me op te

komen. Walter had een zakdoek uit zijn zak genomen en depte er zijn ogen mee. Zijn stem klonk luider voor het voorspelbare refrein en niet weinigen uit de zaal zongen mee: 'Maar waar, o waar is Kleine Jacky toch?' Ik verschoof op mijn stoel. Ik dacht: Alsjeblieft niet dat! Alsjeblieft, alsjeblieft, niet dat nummer!

Maar het was het wel. Terwijl Walter zijn klaaglijke vraag stelde, piepte een stemmetje uit de coulissen: 'Hier is je Kleine Jacky, vader! Hier!' Een gedaante rende het podium op, greep zijn hand en kuste die. Het was Kitty. Ze droeg een matrozenpakje voor jongens – een wijde witte bloes met een blauwe sjerp, een witte knickerbocker, witte kousen en platte bruine schoenen en over haar rug hing een strohoed aan een lint. Haar haar was veel langer en gekamd in een krul. Nu zette het orkest een nieuw wijsje in en zij zong met Walter een duet.

Het publiek klapte voor haar en glimlachte. Zij maakte een sprongetje, en Walter boog naar haar toe en schudde zijn vinger, en ze lachten. Ze vonden dit een leuk nummer. Ze vonden het leuk om Kitty – mijn mooie, uitdagende, zwierige Kitty – in kniekousen het kind te zien spelen met haar man. Ze konden niet zien hoe ik daar zat te blozen en me te generen, en als ze het wel hadden gezien, zouden ze niet weten waarom. Ik wist het zelf amper. Ik voelde alleen een verschrikkelijke schaamte door me heen snijden. Als ze haar hadden uitgejouwd of met eieren bekogeld, had ik me niet erger kunnen voelen! Maar ze vonden haar leuk!

Ik keek nog wat nauwkeuriger naar haar. Toen herinnerde ik me dat ik mijn toneelkijker bij me had, haalde die uit mijn zak en zette hem aan mijn ogen. Ik zag haar vlak voor me, zo dichtbij als in een droom. Haar haar was weliswaar langer, maar nog steeds roodbruin. Ze had nog steeds lange wimpers en ze was nog steeds zo slank als een den. Ze had haar eigen, lieftallige sproeten weggeschminkt en vervangen door een paar komische vegen, maar ik – die er zo vaak met mijn vingers langs was gegaan – dacht de vorm te zien door de poeder heen. Haar lippen waren nog steeds vol en ze glansden als ze zong. Ze hief haar mond omhoog en plantte tussen de coupletten door een zoen op Walters snor...

Op dat moment liet ik de kijker vallen. Ik zag de jongens in de rij met afgunst ernaar kijken, dus gaf ik hem door – ik denk dat hij uit-

282

eindelijk naar een meisje op het balkon werd gegooid. Toen ik weer naar het toneel keek, leken Kitty en Walter heel klein. Hij had zich in de stoel laten zakken en Kitty op zijn knie getrokken. Ze had haar handen ineengevouwen op haar borst en liet haar voeten, in hun platte jongensschoenen, bungelen. Maar ik kon het niet langer verdragen. Ik sprong op. De jongens riepen iets – hun woorden gingen verloren. Ik struikelde het duistere gangpad in en vond de uitgang.

Terug in de Royal Opera gilden de zangers nog steeds op het podium en schalden de hoorns ook nog steeds. Maar dat hoorde ik alleen door de deuren heen. Ik had geen zin me een weg door de stalles te banen naar Diana en haar ongenoegen over me heen te krijgen. Ik gaf mijn bonnetje aan de Italiaan bij de garderobe en ging toen in de hal op een fluwelen stoel zitten kijken hoe de straat zich vulde met wachtende aapjes, bloemenverkoopsters, meisjes van plezier en schandknapen.

Ten slotte klonken de 'bravo'-kreten en toejuichingen voor de sopraan. De deuren werden wijd opengegooid en de hal vulde zich met kletsende mensen, en na verloop van tijd verschenen Diana, Maria, Dickie en de hond, die me zagen wachten en op me af liepen, gapend en vittend, en vroegen wat er aan de hand was. Ik zei dat ik had overgegeven op het herentoilet. Diana legde een hand op mijn wang.

'De opwinding van vandaag is je te veel geworden,' zei ze.

Maar ze zei het tamelijk koel, en de hele weg terug naar het Felicity Place zaten we in stilte. Nadat mevrouw Hooper ons had binnengelaten en de zware voordeur achter ons had vergrendeld, liep ik met Diana naar haar slaapkamer, en ging toen langs haar heen naar die van mij. Daarop legde zij een hand op mijn arm. 'Waar ga je naartoe?'

Ik trok mijn arm los. 'Diana,' zei ik, 'ik voel me rot. Laat me met rust.'

Ze greep me opnieuw vast. 'Jij voelt je rot,' zei ze, met hoon in haar stem. 'Denk je dat het mij wat kan schelen hoe jíj je voelt over wat dan ook? Ga direct naar mijn slaapkamer, kleine heks dat je bent, en trek je kleren uit.'

Ik aarzelde. Toen: 'Nee, Diana.'

Ze kwam dichter naar me toe. 'Wat?'

Rijkelui kunnen dat *Wat?* op een bepaalde manier zeggen. Het woord krijgt iets scherps en stekeligs. Het komt uit hun mond als een dolk uit zijn schede. Zo zei Diana het nu ook, in die schemerige gang. Ik voelde hoe het me doorboorde en hoe mijn knieën verslapten.

'Ik zei: "Néé, Diana."' Het was niet meer dan een gefluister. Maar toen ze het hoorde, greep ze me bij mijn overhemd zodat ik struikelde. Ik zei: 'Laat me los, je doet me pijn! Laat me los, laat me los! Diana, je ruïneert mijn overhemd!'

'Wat, dit overhemd?' antwoordde ze. En ze stak haar vingers achter de knopen en trok eraan tot het kapot scheurde en mijn blote borsten te zien waren. Toen greep ze het jasje en rukte dat ook van me af – de hele tijd hijgend en met haar lijf dicht tegen het mijne gedrukt. Ik wankelde en zocht steun bij de muur, hield toen mijn arm voor mijn gezicht – ik dacht dat ze me zou gaan slaan. Maar toen ik ten slotte naar haar keek, zag ik dat haar gezicht lijkbleek was, niet van kwaadheid, maar van lust. Ze pakte mijn hand en legde mijn vingers op de hals van haar japon, en hoe ellendig ik me ook voelde, toen ik begreep wat ze van me wilde, voelde ik mijn eigen adem versnellen en gaf mijn kut een stoot. Ik trok aan de kant en hoorde een paar naden scheuren, en het geluid had op mij het effect van een zweep die neerknalt op het achterste van een paard. Ik rukte hem van haar af, de japon in zwart, wit en zilver, die van Worth's was en bij mijn pak paste. Toen hij kapot en vertrapt op het vloerkleed lag, moest ik erop neerknielen en haar neuken tot ze klaarkwam, en weer klaarkwam.

Daarna stuurde ze me toch nog naar mijn eigen kamer.

Ik lag in het donker te schokken en legde mijn handen op mijn mond om niet te gaan huilen. Op de kast naast het bed lag, glimmend waar het sterrenlicht erop viel, mijn verjaarsgeschenk, het polshorloge. Ik pakte het op en voelde het koud tussen mijn vingers. Maar toen ik het tegen mijn oor hield, moest ik huiveren, want het enige wat ik hoorde was: *Kitty, Kitty, Kitty...*

Ik wierp het toen van me af en legde mijn kussen over mijn oren om het geluid uit te bannen. Ik zou niet huilen. Ik zou niet huilen!

284

Ik zou zelfs niet denken. Ik zou me slechts voor altijd overgeven aan de harteloze, seizoenloze gewoonten van het Felicity Place.

Dat dacht ik toen, maar mijn dagen daar waren geteld. En de wijzers van mijn mooie horloge veegden ze langzaam weg.

14

De ochtend na mijn verjaardag sliep ik uit, en toen ik wakker werd en Blake schelde voor koffie, merkte ik dat Diana was uitgegaan toen ik nog lag te slapen.

'Uitgegaan?' vroeg ik. 'Waarheen? Met wie?' Blake maakte een knix en zei dat ze het niet wist. Ik leunde achterover in mijn kussen en nam het kopje van haar aan. 'Wat had ze aan?' vroeg ik vervolgens.

'Ze had haar groene pakje aan, juffrouw, en had haar tas bij zich.'

'Haar tas. Dan is ze misschien naar de Cavendish Club. Heeft ze niet gezegd dat ze naar haar club ging? Heeft ze niet gezegd wanneer ze weer terug was?'

'Het spijt me, juffrouw, ze heeft niets gezegd. Ze zegt zoiets nooit tegen mij. Misschien kunt u het mevrouw Hooper vragen...'

Misschien, maar mevrouw Hooper had iets – zoals ze naar me staarde als ik in bed lag – dat me niet zo aanstond. Ik zei: 'Nee, het doet er niet toe.' Terwijl Blake bukte om mijn haard te vegen en het vuur aan te maken, zuchtte ik. Ik dacht aan Diana's ruwe kussen die nacht – hoe die me hadden opgewonden, en misselijk gemaakt, terwijl mijn hart nog steeds hunkerde naar Kitty. Ik kreunde, en toen Blake opkeek, zei ik enigszins weifelend: 'Krijg jij er geen genoeg van, Blake, om mevrouw Lethaby te dienen?'

De vraag deed haar blozen. Ze keek weer in de haard en zei toen: 'Ik zou van iedere bazin genoeg moeten krijgen.'

Ik antwoordde dat ik dat begreep. Omdat het geheel nieuw was om met haar te praten – en omdat Diana was uitgegaan zonder mij te wekken en ik humeurig en landerig was – zei ik vervolgens: 'Dus je vindt mevrouw Lethaby geen harde?'

Ze werd weer rood. 'Ze zijn allemaal hard, juffrouw. Hoe kunnen ze anders bazin zijn?'

'Tja, maar vind je het hier prettig? Vind je het prettig om hier in dienst te zijn?'

'Ik heb een kamer voor mij alleen, wat meer is dan de meeste dienstmeisjes hebben. Bovendien,' ze kwam overeind en veegde haar handen af aan haar schort, 'mevrouw Lethaby betaalt lang geen gek loon.'

Ik bedacht hoe ze iedere ochtend met de koffie kwam en iedere avond met kannen water voor de kommen. Ik zei: 'Ik bedoel het niet onbeleefd, maar... wanneer kun je dat ooit uitgeven?'

'Ik spaar het, juffrouw!' zei ze. 'Ik ga emigreren. Mijn vriendin zegt dat een meisje in de kolonies met twintig pond een pension kan beginnen met eigen dienstmeisjes.'

'O ja?' Ze knikte. 'En jij zou een pension willen beginnen?'

'Nou en of! Ze zullen altijd pensions nodig hebben in de kolonies, moet u weten, met al die mensen die komen.'

'Ja, dat klopt. En hoeveel heb je gespaard?'

Ze bloosde weer. 'Zeven pond, juffrouw.'

Ik knikte. Toen dacht ik na en zei: 'Maar de kolonies, Blake! Denk je dat je de reis aankunt? Je moet leven op een boot – stel dat er stormen zijn?'

Ze pakte de kolenkit op. 'O, dat kan me niet schelen, juffrouw!'

Ik lachte, en zij ook. We hadden nooit eerder zo vrij met elkaar gepraat. Ik was gewend haar alleen 'Blake' te noemen, net als Diana. Ik was gewend aan haar knixen, ik was eraan gewend dat ze me zag zoals ik nu was: met opgezwollen ogen en opgezwollen mond, naakt in bed met het laken tot voor mijn boezem en de afdrukken van Diana's kussen in mijn hals. Ik was inmiddels gewend niet naar haar te kíjken, haar helemaal niet te zíen. Nu ze lachte, merkte ik dat ik eindelijk naar haar keek, naar haar blozende wangen en naar haar wimpers, die donker waren, en dacht: *O!* Want ze was eigenlijk heel mooi.

En terwijl ik dat dacht, kwam die oude verlegenheid weer over ons. Ze hees haar kolenkit iets hoger, kwam toen mijn blad halen en me vragen: 'Is er nog iets van uw dienst?' Ik antwoordde dat ze een bad kon laten vollopen voor me, en ze maakte een knix.

En toen ik lag te weken in de badkamer, hoorde ik de voordeur slaan. Het was Diana. Ze kwam naar me toe. Ze was naar de Cavendish geweest, maar alleen om een brief door een andere dame te laten ondertekenen.

'Ik wilde je niet wakker maken,' zei ze, terwijl ze haar hand in het water dompelde.

Toen dacht ik niet meer aan Blake, en aan haar schoonheid.

Ik dacht zelfs een maand of langer niet meer aan Blake. Diana gaf etentjes, en ik poseerde en droeg kostuums. We gingen naar de club en naar Maria's huis in Hampstead. Alles bleef bij het oude. Af en toe was ik chagrijnig, maar net als op de avond van ons uitje naar de opera, slaagde Diana erin mijn chagrijn voor haar eigen zinnelijke doeleinden te gebruiken – op het laatst wist ik nauwelijks meer of ik echt kwaad was of alleen maar deed alsof om haar op te geilen. Eénof tweemaal hoopte ik zelfs dat ze me kwaad zou maken – ik had ontdekt dat het opwindender kon zijn om haar op het juiste ogenblik te neuken in woede dan haar te neuken uit vriendelijkheid.

Hoe dan ook, zo gingen we door. Toen was er op een avond een ruzie om een pak. We waren ons aan het kleden voor een souper bij Maria en ik wilde de kleren die ze voor me had uitgezocht, niet dragen. 'Uitstekend,' zei ze, 'je draagt maar wat je wilt!' En ze nam de koets en ging zonder mij naar Hampstead. Ik smeet een kopje tegen de muur – liet toen Blake komen om het op te ruimen. En toen ze er was, herinnerde ik me hoe gezellig ik eerder met haar gekletst had, en ik zei dat ze naast me moest komen zitten en me meer over haar plannen vertellen.

En daarna kwam ze altijd een paar minuten bij me zitten als Diana uit was. En ze ging zich meer op haar gemak voelen bij me en ik ging vrijer met haar om. En ten slotte zei ik tegen haar: 'Hemeltje, Blake, je leegt nu al meer dan een jaar mijn pot voor me en ik weet niet eens je voornaam!'

Ze lachte, en zag er weer knap uit.

Ze heette Zena.

Ze heette Zena en haar levensverhaal was triest. Ze vertelde het me op een ochtend in de herfst van dat jaar, toen ik in Diana's bed lag en zij als gewoonlijk het ontbijt kwam brengen en het vuur verzorgen.

Diana zelf was vroeg opgestaan en uitgegaan. Toen ik ontwaakte, zag ik Zena geknield bij de haard, stilletjes in de weer met de kolen om me niet te storen. Ik verschoof onder de lakens, loom als een paling. Mijn pruim – gewiekst als pruimen zijn – was nog heel glibberig van de passie van de nacht ervoor.

Ik lag naar haar te kijken. Ze hief een hand om haar voorhoofd te krabben, en toen ze de hand weghaalde, bleef er een veeg roet achter. Door die veeg leek haar gezicht heel bleek en mager. Ik zei: 'Zena', en zij schrok op: 'Ja, juffrouw?'

Ik aarzelde, zei toen: 'Zena, neem me niet kwalijk dat ik het vraag, maar ik moet er de hele tijd aan denken. Diana heeft me ooit verteld... tja, dat ze je uit de gevangenis heeft gehaald. Is dat waar?'

Ze wendde zich weer naar de haard en ging door met kolen op het vuur te stapelen, maar ik zag haar oren vuurrood worden. Ze zei: 'Ze nóémen het een verbetergesticht. Het was geen gevangenis.'

'Een verbetergesticht, dan. Maar het is waar dat je erin hebt gezeten?' Ze gaf geen antwoord. 'Ik vind het niet erg,' voegde ik er snel aan toe.

Ze gaf een ruk met haar hoofd en zei: 'Nee, nú vind ik het óók niet meer erg...'

Had ze zoiets, op zo'n toon, tegen Diana gezegd, dan denk ik dat Diana haar een klap zou hebben gegeven. Ze keek nu zelfs een beetje angstig naar mij, maar ik trok een grimas. 'Het spijt me,' zei ik. 'Vind je me erg onbeleefd? Het is alleen... tja, het is wat Diana zei, wat de reden was dat je daar zat. Is het waar, wat ze zei? Of heeft ze het weer eens verzonnen? Is het waar dat je daarnaartoe bent gestuurd omdat je... een ander meisje hebt gezoend?'

Ze liet haar handen in haar schoot vallen, ging toen op haar hielen zitten en staarde in de onaangestoken haard. Daarna draaide ze haar gezicht naar mij en zuchtte.

'Ik ben een jaar in het verbetergesticht geweest,' zei ze, 'toen ik zeventien was. Het was daar erg naar, ja, maar niet zo naar als in andere gevangenissen waar ik van gehoord heb. De bazin daar is een dame die mevrouw Lethaby kent van haar club, en zo heeft ze me gekregen. Ik ben naar het verbetergesticht gestuurd door het geklets van een meisje met wie ik bevriend was in een huis in Kentish Town. We waren daar allebei dienstmeisje.'

'Was je al dienstmeisje voor je hier kwam?'

'Ik was al een hitje toen ik tien was: vader was erg arm. Dat was in een huis in Paddington. Op mijn veertiende ging ik naar het huis in Kentish Town. Daar was het veel beter. Ik was toen dienstmeisje en kon het heel goed vinden met een ander meisje daar, Agnes heette ze. Agnes had een vent, en ze liet die vent zitten, juffrouw, voor mij. Zó goed konden we 't vinden...'

Ze staarde heel droevig naar haar handen in haar schoot, en de kamer werd stil, en ik kreeg medelijden. Ik zei: 'En was het Agnes die het verhaal vertelde waardoor je in het verbetergesticht bent beland?'

Ze schudde haar hoofd. 'O, nee! Wat er gebeurde was dat Agnes haar baan kwijtraakte omdat de dame haar niet meer wilde. Ze ging naar een huis in Dulwich – wat heel ver weg is van Kentish Town, zoals u wel zult weten, maar niet zo ver dat we elkaar 's zondags niet konden zien en mekaar briefjes en pakjes sturen over de post. Maar toen – nou, toen kwam er een ander meisje. Ze was niet zo aardig als Agnes, maar ze was gek op mij. Volgens mij was ze niet helemaal goed, juffrouw, niet goed wijs, juffrouw. Ze doorzocht al m'n spullen – en natuurlijk vond ze m'n brieven en al m'n kleine dingetjes. Ik moest haar zoenen! En toen ik op het laatst zei dat ik dat niet wou, om Agnes – nou, toen ging ze naar de mevrouw en vertelde dat zij mij had moeten zoenen en dat ik haar op een bepaalde manier aanraakte. Terwijl zij het de hele tijd was, alleen maar zij! En toen de mevrouw niet wist of ze haar moest geloven, bracht ze haar naar mijn doosje met brieven en liet haar die zien.'

'O!' zei ik. 'Wat een kreng!'

Ze knikte. 'Een kreng was ze zeker. Alleen wou ik het eerst niet zeggen.'

'En die mevrouw heeft er dus voor gezorgd dat je naar het verbetergesticht moest?'

'De beschuldiging was aanstootgevend en oneerbaar gedrag. En ze zorgde er ook voor dat Agnes haar baan verloor. En ze zouden haar samen met mij naar de gevangenis hebben gestuurd – maar ze kreeg weer verkering met een vriend, zomaar ineens. En nu is ze met hem getrouwd, en ik hoor dat hij haar gemeen behandelt.'

Ze schudde haar hoofd, en dat deed ik ook. Ik zei: 'Nou, het lijkt erop dat de vrouwen je flink te pakken hebben genomen!'

'Zeg dat wél!'

Ik knipoogde naar haar. 'Kom hier, dan steken we er eentje op.'

Ze liep naar het bed, en ik diepte twee sigaretten voor ons op. En een tijdje zaten we samen in stilte te roken, zo nu en dan zuchtend en hoofdschuddend ''t is me wat' mompelend.

Op het laatst zag ik haar peinzend naar me kijken. Toen ik haar blik opving, bloosde ze en keek weg. Ik vroeg: 'Wat is er?'

'Niets, juffrouw.'

'Nee, er is iets,' zei ik, glimlachend. 'Waar denk je aan?'

Ze nam nog een haal aan haar sigaret, die ze rookte zoals je ruwe kerels op straat ziet roken, met haar vingers om de peuk heen, zodat het brandende uiteinde bijna haar handpalm verbrandde. Toen zei ze: 'Nou, misschien vindt u me brutaler dan hoort.'

'O ja?'

'Ja. Maar ik brand van nieuwsgierigheid, vanaf het eerste moment dat ik u goed heb kunnen bekijken.' Ze haalde diep adem. 'U hebt in het variété gezeten, hè? U hebt in het variété gezeten, samen met Kitty Butler, en u noemde zich gewoon Nan King. Was me dat schrikken, toen ik u hier voor het eerst zag! Ik heb nog nooit niet voor een beroemdheid gediensterd.'

Ik bestudeerde het puntje van mijn sigaret en gaf haar geen antwoord. Haar woorden hadden míj een soort schok gegeven: ik had iets heel anders verwacht. Toen zei ik met een geveinsde lach: 'Tja, weet je, ik ben nu helemaal niet beroemd meer. Dat is allemaal heel lang geleden, die tijd...'

'Niet zó lang,' zei ze. 'Ik weet nog dat ik u in Camden Town heb gezien, en nog een keer in het Peckham Palace. Dat was met Agnes – wat hebben we gelachen!' Ze liet haar stem dalen. 'Vlak daarna begonnen mijn problemen...'

Ik herinnerde me het Peckham Palace heel goed, want Kitty en ik hadden daar maar éénmaal gespeeld. Het was de december voor onze première in het Brit, dus ook tamelijk kort voor mijn eigen problemen begonnen. Ik zei: 'Het idee dat jij daar zat met Agnes naast je, en ik op het podium met Kitty Butler...'

Ze moest iets hebben opgevangen in mijn toon, want ze sloeg haar ogen naar me op en zei: 'En ziet u juffrouw Butler tegenwoordig nooit meer...?' En toen ik mijn hoofd schudde, wierp ze me een blik van verstandhouding toe. 'Nou,' zei ze toen, 'het is toch geweldig, om een ster op het toneel te zijn geweest!'

Ik zuchtte. 'Dat zal wel. Maar...' Ik dacht aan iets anders. 'Mevrouw Lethaby mag het niet horen. Zij, tja, zij vindt het variété maar niets.'

Ze knikte. 'Vast niet.' Toen sloeg de klok op de schouw het uur en daarop stond ze op, drukte haar saffie uit en wapperde met haar hand voor haar mond om de lucht van de rook weg te waaien. 'Hemeltje, kijk mij nou es!' riep ze. 'Straks krijg ik het nog aan de stok met mevrouw Hooper.' Ze pakte mijn lege koffiekopje, nam haar blad op en liep naar haar kolenkit.

Toen draaide ze zich om en kreeg weer een rood gezicht. Ze zei: 'Is er nog iets van uw dienst, juffrouw?'

We staarden elkaar enkele hartslagen lang aan. Op haar voorhoofd zat nog steeds de veeg kolenstof. Ik verschoof onder de lakens, en voelde weer dat glibberige plekje tussen mijn dijen – alleen was het nu glibberiger dan ooit. Ik had Diana nu haast anderhalf jaar iedere nacht genaaid. Voor mij was naaien zoiets als handen schudden geworden: je kon het, bij wijze van beleefdheid, met iedereen doen. Maar zou Zena zich door mij hebben laten kussen, als ik haar in bed had gevraagd?

Ik weet het niet. Ik vroeg het haar niet. Ik zei alleen: 'Dank je, Zena, nu niet.' En ze tilde de kit op en ging weg.

Ik was nog steeds een beetje preuts in deze dingen.

En Diana zou, zo wist ik, furieus zijn geweest.

Zoals ik al zei, was dit ergens in de herfst van dat jaar. Ik herinner me die periode en de twee of drie maanden daarna heel goed, want het was een heel drukke tijd: mijn verblijf bij Diana leek iets hectisch te krijgen – zoals sommige zieken ook schijnen te krijgen – toen het einde ervan met rasse schreden naderde. Zo gaf Maria een feest in haar huis. Dickie bouwde een feest op een boot – die was gehuurd om met ons van Charing Cross naar Richmond te varen – waarop we dansten, tot vier uur in de morgen op de klanken van een damesorkest. Kerstmis vierden we bij Kettner's, waar we gans aten in een privé-vertrek. Het nieuwejaar luidden we in op de Cavendish Club; op een gegeven moment ging het er aan onze tafel zo luidruchtig en liederlijk aan toe dat juffrouw Bruce weer naar ons toe kwam om zich over onze manieren te beklagen.

En toen, in januari, kwam de veertigste verjaardag van Diana. En ze werd overgehaald die aan het Felicity Place zelf te vieren, met een gekostumeerd bal.

We noemden het een bal, maar zo groots was het eigenlijk niet. Voor de muziek was er slechts één vrouw met een piano, en voorzover er werd gedanst – in de eetkamer, waar het tapijt was opgerold – gebeurde dat heel tam. Maar niemand was gekomen voor een wals. Ze kwamen voor Diana's reputatie, en voor die van mij. Ze kwamen voor de wijn, het eten en de sigaretten met de roze filters. Ze kwamen voor het schandaal.

Ze kwamen en keken hun ogen uit.

Het huis was, om te beginnen, prachtig versierd. We behingen de wanden met fluweel en de plafonds met pailletten, en deden alle lampen uit en verlichtten de kamers uitsluitend met kaarsen. We haalden de hele salon leeg op het Turkse tapijt na, waarop we kussens legden. De marmeren vloer van de hal bezaaiden we met rozen – en ook op de vuren strooiden we rozen, voor de geur: aan het einde van de avond was je er misselijk van. Er was champagne te drinken, en brandewijn en bisschopswijn: Diana had die warm laten maken in een koperen kom boven een spiritusstel. Al het eten kwam van het Solferino. Ze maakten voor haar een koud gebraad op z'n Romeins, gans gevuld met kalkoen gevuld met kip gevuld met kwartel – en in de kwartel zat, dacht ik, een truffel. Er waren ook oesters, die op tafel stonden in een tonnetje met *Whitstable* erop. Maar één dame, die het kunstje met de schelpen niet kende, probeerde er een te openen met een sigarenmesje. Het mesje schoot uit en sneed bijna tot op het bot in haar vinger. En toen er bloed in het ijs was gekomen, had niemand meer trek in de oesters. Diana liet ze weghalen.

De halve Cavendish Club was op dat feest – en ook nog andere vrouwen, vrouwen uit Frankrijk en uit Duitsland en zelfs een van Capri. Het was alsof Diana een algemene uitnodiging had gestuurd aan alle rijke kringen ter wereld – maar natuurlijk wel op de kaart had gezet: *Uitsluitend Saffisten*. Dat was haar eerste voorwaarde. Haar tweede voorwaarde was, zoals ik zei, dat ze gekostumeerd kwamen.

Het resultaat was niet helemaal bevredigend. Veel dames beschouwden de avond slechts als een gelegenheid om eindelijk eens hun rijmantel thuis te kunnen laten en een broek aan te trekken. Zoals Dickie: ze kwam gekleed in wandelkostuum, met een sering in haar knoopsgat, en noemde zich 'Dorian Gray'. Maar andere kostuums waren schitterender. Maria Jex had haar gezicht gekleurd, een snor opgeplakt en kwam in het gewaad van een Turkse pasja. Diana's vriendin Evelyn arriveerde als Marie-Antoinette – al kwam er later nog een Marie-Antoinette, en na haar nog een. Dat was inderdaad een van de smetten van de avond: ik telde in totaal al vijf Sappho's, allemaal met een lier. En er waren zés Ladies van Llangollen – voordat ik Diana kende, had ik zelfs nog nooit gehoord van de Ladies van Llangollen. Maar de vrouwen die een gewaagder kostuum hadden gekozen, liepen de kans dat niemand hen herkende. 'Ik ben koningin Anne!' hoorde ik een dame heel boos zeggen, toen Maria haar niet kon thuisbrengen – maar toen Maria een andere dame met een kroon als zodanig aansprak, was die zelfs nog bozer. Zij bleek koningin Christina, van Zweden.

Diana zelf had ik nog nooit zo mooi gezien als die avond. Ze was gekleed als haar Griekse naamgenoot, in een chiton, met aan haar voeten sandalen die haar lange tweede teen toonden en haar haar was hoog opgekamd met een maansikkel erin. En over haar schouder droeg ze een koker vol pijlen en een boog. Ze beweerde dat de pijlen waren bedoeld om heren neer te schieten, hoewel ik haar later hoorde zeggen dat ze waren bedoeld om de harten van jonge meisjes te doorboren.

Mijn eigen kostuum hield ik geheim en liet ik aan niemand zien: ik was van plan me pas te vertonen als alle gasten aanwezig waren en zo mijn meesteres hulde te brengen. Het was geen erg gewaagd kostuum, maar ik vond het heel slim bedacht, want het hield verband met het cadeau dat ik voor Diana's verjaardag had gekocht. Het jaar daarvoor had ik voor diezelfde feestelijke gelegenheid geld van haar gevraagd om voor haar een cadeau te kopen, en haar een broche gegeven, een ding dat ze best mooi vond. Maar dit jaar had ik mezelf overtroffen, meende ik. Ik had voor haar, via de post en in het geheim, een marmeren buste van de Romeinse page Antinoüs gekocht. Zijn verhaal had ik gelezen in een krant in de Cavendish, met een glimlach, want het leek wel op dat van mij – behalve natuurlijk het detail dat Antinoüs er zo ellendig aan toe was en zich uiteindelijk in de rivier de Nijl wierp. Ik had het borstbeeld bij het ontbijt aan Diana gegeven, en ze was er meteen weg van en had het op een piëdestal in de salon geplaatst. 'Wie had gedacht dat de jongen zo slim was!' had ze even later gezegd. 'Maria, jij hebt het voor hem gekozen, hè?' Nu de dames zich allemaal beneden verzamelden voor het feest, stond ik me in mijn slaapkamer trillend voor de spiegel te kleden als Antinoüs. Ik had een krappe kleine toga die tot mijn knie reikte, met een Romeinse riem eromheen – wat ze een 'zone' noemen. Ik had mijn wangen gepoederd om ze kwijnend te maken en kool rond mijn ogen opgebracht om ze donker te maken. Mijn haar was totaal bedekt door een pruik van sabelbont die in krullen over mijn schouders viel. Om mijn hals hing een slinger van lotusbloemen – en ik kan u wel zeggen, de lotusbloemen waren in januari vreselijk moeilijk te bemachtigen in Londen.

Ik had nog een slinger om aan Diana te overhandigen, en die had ik ook om mijn hals gehangen. Toen ging ik naar de deur en luisterde, en aangezien het moment daar leek, holde ik naar Diana's kabinet, pakte een van haar mantels, wikkelde die strak om me heen en zette de kap op. En toen ging ik naar beneden.

Daar, in de hal, trof ik Maria.

'Nancy, lieve jongen!' riep ze. Haar lippen zagen er heel rood en vochtig uit door de spleet van haar pasja baard. 'Diana heeft me eropuit gestuurd om je te zoeken. De salon krioelt werkelijk van de vrouwen die allemaal snakken naar een blik op je *pose plastique!*'

Ik glimlachte – een krioelend publiek was precies wat ik wilde – en ik liet me door haar de kamer binnenleiden, nog steeds met de mantel om me heen, en naar de nis achter het fluwelen gordijn brengen. Nadat ik mijn kostuum had onthuld en in mijn pose was gaan staan, fluisterde ik naar haar, en zij trok aan het koord met het kwastje, en het fluweel schoot opzij en daar was ik. Terwijl ik me tussen de gasten begaf, viel iedereen stil en keek veelbetekenend naar Diana, en Diana – die precies stond waar ik haar zou wensen, naast het borstbeeld van Antinoüs op zijn kleine piëdestal – trok een wenkbrauw op. Bij de aanblik van mij in mijn toga, met mijn riem om, ging er een gezucht en gemompel op onder de dames.

Ik gaf hun een ogenblik, liep toen naar Diana, tilde de tweede slinger van mijn hals en legde die om haar hals. Toen knielde ik voor haar, nam haar hand en kuste die. Zij glimlachte. De dames mompelden weer en begonnen toen verrukt te klappen. Maria kwam naar me toe en legde een hand op de zoom van mijn toga.

'Je ziet er vanavond uit als een juweeltje, Nancy – nietwaar, Diana? Wat zou mijn man je mooi vinden! Je bent net een plaatje uit een homocatalogus!'

Diana lachte en beaamde het. Toen legde ze haar vingers onder mijn kin en kuste me – zo hard dat ik haar tanden op de zachte huid van mijn lippen voelde.

En toen begon in de kamer aan de andere kant van de hal de muziek. Maria bracht me een glas warme bisschopswijn plus een sigaret uit Diana's speciale doos. Een van de Marie-Antoinettes kwam door de menigte gezigzagd, pakte mijn hand en kuste die. '*Enchantée*,' zei ze – dit was een echte Française. 'Wat een schouwspel was dat! Zoiets is absoluut nooit te zien in de Parijse salons...'

Het had een geweldige avond kunnen worden, het had zelfs het hoogtepunt van mijn zegetocht als Diana's jongen kunnen zijn. Maar ondanks al mijn voorbereiding, ondanks alle succes van mijn kostuum en mijn tableau, kon ik er niet van genieten. Diana zelf – het was tenslotte haar verjaardag – deed afstandelijk tegen me en leek andere dingen aan haar hoofd te hebben. Al na een minuut of twee deed ze de krans lotusbloemen, die ik om haar hals had gehangen, af met het excuus dat hij niet paste bij haar kostuum. Ze hing hem aan een hoek van de piëdestal, waar hij algauw van af viel – later zag ik een dame met één van de bloemen op haar revers. Ik kan niet zeggen waarom – God weet dat ik zwaardere beledigingen heb moeten verduren van Diana en dat ik ze altijd glimlachend onderging! – maar haar nonchalance met de bloemenslinger maakte me chagrijnig. Wel was het vreselijk warm en vreselijk geparfumeerd, en door mijn pruik had ik het warmer dan iedereen en hij jeukte – toch kon ik hem niet afzetten, want dat zou míjn kostuum misschien bederven. Na Marie-Antoinette kwamen meer dames me vertellen hoe mooi ze me vonden, maar de ene dame bleek nog teuter en schunniger dan de andere en ik begon er genoeg van te krijgen. Ik dronk glas na glas bisschopswijn en champagne om even onverschillig als zij te worden, maar de wijn – of waarschijnlijker de hasjiesj die ik had gerookt

– leek me eerder cynisch dan vrolijk te maken. Toen één dame in het voorbijgaan mijn dij probeerde te strelen, duwde ik haar ruw weg. 'Wat een kleine brúút!' riep ze verrukt. Op het laatst stond ik half verborgen in de schaduw toe te kijken en mijn slapen te masseren. Mevrouw Hooper stond achter de tafel met de warme wijn en schepte die op. Ik zag haar mijn kant op kijken en glimlachte haar min of meer toe. Zena moest met een blad lekkernijen tussen de dames lopen, maar als ze mijn blik leek te willen vangen, keek ik de andere kant op. Zelfs van haar voelde ik me vervreemd die avond.

Ik was dan ook haast blij toen om een uur of elf de stemming omsloeg doordat Dickie riep dat er meer licht moest komen, dat de dame achter de piano moest ophouden met spelen en dat alle aanwezige dames moesten komen luisteren.

'Wat is er aan de hand?' riep een dame. 'Waarom is het zo licht?'

Evelyn zei: 'We gaan luisteren naar de geschiedenis van Dickie Reynolds, uit een boek geschreven door een dokter.'

'Een dokter? Is ze ziek?'

'Het is haar *vie sexuelle!*'

'Lieve schat, ik ken het al, het is uitermate treurig...' Dit kwam van een vrouw die naast me in de schaduw stond, gekleed als monnik. Toen ik me naar haar toe draaide, gaapte ze, glipte vervolgens stilletjes de kamer uit op zoek naar ander vermaak. Maar de rest van de gasten leek zo geïnteresseerd als Dicky maar kon wensen. Ze stond naast Diana en het boek waarover Evelyn het had gehad, lag in Diana's handen – het was een klein, dichtbedrukt zwart boekje zonder enige afbeelding. Het leek in niets op de dingen die de mensen Diana altijd gaven voor haar kist. En toch sloeg ze gefascineerd de bladzijden om. Een dame dook met haar hoofd naar beneden om de titel op de rug te lezen en riep toen: 'Maar het is in het Latijn! Dickie, wat heb je nou aan een vies verhaal als het in het Latijn is geschreven?'

Dickie keek nu wat nuffig. 'Alleen de titel is in het Latijn,' antwoordde ze, 'en bovendien is het geen vies boek, het is een heel moedig boek. Het is geschreven door een man die probeert ons soort te verklaren zodat de gewone wereld ons begrijpt.'

Een dame in Sappho-tenue haalde de sigaar uit haar mond en keek Dickie enigszins ongelovig aan. Ze zei: 'Dit boek circuleert in het openbaar met jouw geschiedenis erin? Het verhaal van jouw leven, als minnares van vrouwen? Maar Dick, ben je gek geworden! Die man is vast een pornograaf van het ergste soort!'

'Ze heeft natuurlijk een *nom de plume*,' zei Evelyn.

'Dan nog. Dickie, je bent niet goed bij je hoofd!'

'Je begrijpt het niet,' zei Dickie. 'Dit is iets heel nieuws. Dit boek zal ons helpen. Het is publiciteit voor ons.'

Er ging een soort collectieve huivering door de salon. De Sappho met haar sigaar schudde haar hoofd. 'Zoiets heb ik nog nooit gehoord,' zei ze.

'Nou,' zei Dickie nadrukkelijk, 'je zult er meer van horen, heus.'

'We willen er nú meer van horen!' schreeuwde Maria, en iemand anders riep: 'Ja, Diana, lees het eens voor!'

En dus werden er nog meer kaarsen gehaald en bij Diana's schouder gezet. De dames gingen er gemakkelijk voor zitten en het voorlezen begon.

Ik kan me de woorden nu niet meer herinneren. Ik weet alleen dat ze, zoals Dickie beloofd had, helemaal niet vies waren; ze waren zelfs tamelijk dor. Maar toch verleende juist die saaiheid van de taal haar verhaal ook een soort wellust. De hele tijd dat Diana voorlas, riepen de dames schunnige commentaren. Toen Dickies geschiedenis uit was, lazen ze er nog een, die een stuk obscener was. Daarna lazen ze een heel pikant verhaal in het herengedeelte. Ten slotte was de atmosfeer benauwder en warmer dan ooit, en chagrijnig als ik was, begon zelfs ik opgewonden te raken van de preutse beschrijvingen van de dokter. Het boek ging van dame tot dame, terwijl Diana weer een sigaret opstak. Toen zei een dame: 'Dat moet je Bo vragen, die heeft zeven jaar onder de hindoes geleefd,' waarop Diana riep: 'Wat, wat moet ze vragen?'

'We lezen het verhaal,' riep de vrouw, 'van een dame met een clitoris zo groot als de pik van een kleine jongen! Ze beweert dat ze de ziekte heeft opgedaan van een Indiase dienstmeid. Ik zei: was Holliday Bo maar hier, dan kon ze het voor ons bevestigen, want tijdens haar jaren in Hindoestan kon ze het goed vinden met de hindoes.'

'Dat gaat niet op voor Indiase meisjes,' zei een andere dame vervolgens, 'maar wel voor de Turkse. Die zijn zo opgevoed, zodat ze zichzelf kunnen bevredigen in de harem.'

'O ja?' zei Maria terwijl ze over haar baard streek.

'Wis en waarachtig.'

'Maar dat gaat ook op voor onze eigen arme meisjes!' zei iemand anders. 'Ze liggen in hun jeugd met z'n twintigen in een bed. Door de voortdurende frottage groeit hun clitoris. Dat weet ik zeker.'

'Wat een onzin!' zei de Sappho met de sigaar.

'Neem van mij aan dat het geen onzin is,' antwoordde de eerste dame fel. 'Als er hier nu een meisje uit de achterbuurten aanwezig was, dan zou ik haar de onderbroek uittrekken en jullie het bewijs tonen!'

Er werd gelachen om haar woorden, en toen werd het heel stil in de kamer. Ik keek naar Diana, en intussen draaide ze langzaam haar hoofd om naar mij te kijken. 'Ik vraag me af...' zei ze nadenkend, en een of twee andere dames begonnen me ook te observeren. Mijn maag trok samen. Ik dacht: *Dat doet ze toch niet!* En terwijl ik dat dacht, zei een heel andere dame: 'Maar Diana, jij hebt precies het schepsel dat we nodig hebben! Jouw dienstmeisje komt toch uit de achterbuurt? Je hebt haar toch uit een gevangenis of een tehuis gehaald? Je weet toch wat de vrouwen uithalen in een gevangenis? Ik denk dat ze frotteren tot hun genitaliën zo groot zijn als paddestoelen!'

Diana wendde haar ogen van mij af, nam een trek van het saffie met de roze filter en glimlachte toen. 'Mevrouw Hooper!' riep ze. 'Waar is Blake?'

'Ze is in de keuken, mevrouw,' antwoordde de huishoudster vanaf haar plaats naast de wijnkom. 'Ze is haar blad aan het volladen.'

'Ga haar halen.'

'Ja, mevrouw.'

Mevrouw Hooper verdween. De dames keken naar elkaar en toen naar Diana. Ze stond heel kalm en onverstoorbaar naast het borstbeeld van de koude Antinoüs, maar toen ze haar glas naar haar lippen hief, zag ik dat haar hand enigszins beefde. Ik verplaatste mijn gewicht van het ene op het andere been, mijn kort opgevlamde lust geheel gedoofd. Even later was mevrouw Hooper terug, met Zena. Toen Diana haar riep, liep Zena met knipperende ogen naar het midden van de kamer. De dames weken uiteen om haar voorbij te laten en sloten de rijen weer achter haar.

Diana zei: 'We vroegen ons iets af over jou, Blake.'

Zena knipperde weer met haar ogen. 'M'vrouw?'

'We vroegen ons iets af over jouw tijd in het gesticht.' Nu kleurde Zena. 'We vroegen ons af hoe je je tijd doodde. We dachten dat er wel een bezigheidje moest zijn waarmee je jouw vingers onledig hield, in je eenzame cel.'

Zena aarzelde. Toen zei ze: 'Neemt u me niet kwalijk, m'vrouw, bedoelt u zakken naaien?'

Daarop barstten de dames uit in een bulderend gelach. Zena kromp ineen, bloosde nog erger en bracht haar hand naar haar keel. Diana zei heel langzaam: 'Nee, kind, ik bedoelde niet zakken naaien. Ik bedoelde dat je in die kleine cel van je vast wel bent gaan vingeren. Dat je jezelf hebt gevingerd tot je kut beurs was. Dat je jezelf zo lang en zo hard moet hebben gevingerd dat je er een pik van hebt gekregen. We denken dat je een pik hebt, Blake, in je onderbroek. We willen dat je je rok optilt en ons laat kijken!'

De dames lachten opnieuw. Zena keek naar hen en toen naar Diana. 'Alstublieft, m'vrouw,' zei ze, terwijl ze begon te beven, 'ik begrijp niet wat u bedoelt!'

Diana stapte op haar af. 'Ik denk het wel,' zei ze. Ze had het boek van Dickie overgenomen, opende het nu en drukte het in Zena's gezicht, en Zena kromp weer ineen. 'We lezen een boek vol verhalen over meisjes als jij,' zei ze. 'En durf jij nu te beweren dat de dokter die dit boek schreef – dit boek dat ik van juffrouw Reynolds voor mijn verjaardag heb gekregen – gek is?'

'Nee, m'vrouw!'

'Nou dan, die dokter zegt dat jij een pik hebt. Kom op, til je rok op! Mijn hemel, meisje, we willen alleen maar naar je kijken...!'

Ze had Zena's rok vastgepakt, en ik zag hoe alle andere dames, op hun beurt meegesleept door haar opwinding, aanstalten maakten haar te helpen. Ik walgde van het schouwspel. Ik stapte uit de schaduw en zei: 'Laat haar, Diana! In godsnaam, laat haar toch!'

Het was direct stil in het vertrek. Zena staarde angstig naar me, en Diana keerde zich om en knipperde met haar ogen. Ze zei: 'Wil jij soms zelf je rok optillen?'

'Ik wil dat je Blake met rust laat! Ga maar, Blake,' en ik knikte naar Zena. 'Ga maar terug naar de keuken.'

'Jij blijft waar je bent!' gilde Diana tegen haar. 'En jíj,' zei ze, terwijl ze me met één, tot een spleet geknepen, zwart, glinsterend oog aanstaarde, 'denk je dat jij hier de baas bent, dat je mijn bedienden opdrachten geeft? Jij bent zélf een bediende! Wat heb jij ermee te maken als ik mijn meisje vraag haar achterste voor mij te ontbloten? Jij hebt het jouwe vaak genoeg voor me ontbloot! Ga weer achter je fluwelen gordijn staan! Misschien nemen we, als we klaar zijn met kleine Blake, allemaal om beurten Antinoüs.'

Haar woorden leken op mijn pijnlijke hoofd te drukken – en toen, alsof mijn hoofd van glas was, leek het te verbrijzelen. Ik pakte de krans van verwelkende bloemen rond mijn hals en trok die los. Toen deed ik hetzelfde met de pruik van sabelbont en wierp die op de grond. Mijn haar was met olie plat op mijn hoofd geplakt en mijn wangen waren rood van de wijn en de kwaadheid – ik moet er afschuwelijk hebben uitgezien. Maar ik voelde me niet afschuwelijk, ik voelde me vervuld van macht en licht. Ik zei: 'Spreek niet zo tegen me. Hoe durf je zo tegen me te spreken!'

Dickie, naast Diana, rolde met haar ogen. 'Werkelijk, Diana, wat een zeur!'

'Wat een zeur!' wendde ik me tot haar. 'Moet je jezelf eens zien, oud wijf, met dat satijnen overhemd opgedirkt als een jongen van zeventien. Dorian Gray? Je lijkt meer op dat verdomde portret, als Dorian een paar uitstapjes naar de haven heeft gemaakt!'

Dickies gezicht vertrok en werd toen bleek. Verschillende dames lachten, en een ervan was Maria. 'Lieve jongen toch...!' begon ze.

'Hou dat "lieve jongen" maar voor je, jij lelijke heks!' zei ik vervolgens tegen haar. 'Je bent al net zo erg als zij, met je Turkse broek. Wat ben je aan het doen, je harem aan het zoeken? Geen wonder dat ze elkaar neuken met hun enorme gevallen, met jou als meesteres. Je hebt anderhalf jaar lang aan me gezeten, maar als een echt meisje ooit haar tiet zou ontbloten en in je hand zou leggen, zou je je meid moeten roepen om je te laten zien wat je ermee moet doen!'

'Nu is het uit!' Dat was Diana. Ze staarde me aan met een gezicht wit van woede, maar nog steeds vreselijk kalm. Ze draaide zich om en richtte zich tot de groep gapende dames. Ze zei: 'Nancy vindt het soms leuk om haar kontje tegen de krib te gooien en soms is het natuurlijk ook leuk. Maar vanavond niet. Vanavond is het, vrees ik, alleen maar vervelend.' Ze keek weer naar mij, maar sprak nog steeds als tegen haar gasten. 'Ze gaat naar boven,' zei ze zonder stemverheffing, 'tot ze spijt heeft. Dan verontschuldigt ze zich bij de dames die ze heeft geschoffeerd. En dan zal ik een kleine straf voor haar bedenken.' Haar blik flitste over de resten van mijn kostuum. 'Misschien een passende Romeinse straf.'

'Romeins?' repliceerde ik. 'Nou, dat zul jij wel weten. Hoe oud ben je vandaag geworden? Jij was er toch bij, nietwaar, in het paleis van Hadrianus?'

Dat was nauwelijks een belediging, na alles wat ik had gezegd. Maar toen ik het zei, klonk er gegiechel in de groep. Het was niet noemenswaardig, maar als er iemand was die er niet tegen kon om uitgelachen te worden, dan was het Diana wel. Ik denk dat ze nog liever door het hoofd werd geschoten. Nu ze die gesmoorde lach hoorde, werd ze nog bleker. Ze deed een stap in mijn richting en hief haar hand. Ze deed het zo snel dat ik alleen tijd had om in een flits iets donkers aan het uiteinde van haar arm te zien – toen volgde een soort kleine explosie op mijn wang.

Ze had al die tijd Dickies boek in haar handen gehad en me er nu mee geslagen.

Ik slaakte een gil en wankelde. Toen ik mijn hand naar mijn gezicht bracht, voelde ik bloed – uit mijn neus, maar ook uit een snee onder mijn oog, waar de rand van de in leer gebonden rug terecht was gekomen. Ik strekte mijn hand uit naar een schouder of een arm om steun te vinden, maar nu weken alle dames achteruit voor me, en ik struikelde bijna. Ik keek één keer naar Diana. Ook zij was bijna gevallen nadat ze me de klap had verkocht, maar Evelyn stond naast haar met haar arm om haar middel. Ze zei niets tegen me, en ik was eindelijk niet meer in staat iets te zeggen. Ik denk dat ik hoestte of snoof. Er spetterde bloed op het Turkse tapijt, waardoor de dames nog verder van me weg deinsden en pruilmondjes trokken van verbazing en afgrijzen. Toen draaide ik me om en wankelde de kamer uit.

Bij de deur stond Maria's windhondje Satin, en toen die me zag, blafte hij. Maria had hem daar neergezet met aan beide zijden van zijn halsband een hondenkop van papier-maché: hij moest de hond verbeelden die de wacht hield bij de toegang tot de Hades.

De marmeren vloer van de hal hadden we, zoals ik zei, bezaaid met rozen. Het was vreselijk moeilijk om die op blote voeten over te steken, met mijn suizende hoofd en mijn hand aan mijn wang. Voor ik bij de trap was, hoorde ik een stap achter me en een klap. Ik draaide me om en zag Zena daar staan: Diana had haar achter mij aan de kamer uit gestuurd en vervolgens de deur achter ons dichtgegooid. Zena staarde me aan en kwam toen naar me toe om een hand op mijn arm te leggen: 'O, juffrouw...'

En ik – die haar had gered van Diana's woede, alleen maar, zo leek het, om die woede zelf over me heen te krijgen – schudde haar van me af. 'Raak me niet aan!' schreeuwde ik. Toen rende ik van haar weg, naar mijn eigen kamer, en deed de deur achter me dicht.

En zat daar als een hoopje ellende, in de duisternis, met mijn hand op mijn bloedende wang. Onder me klonk na een paar minuten stilte het geluid van de piano, en toen gelach en geschreeuw. Ze gingen gewoon door met hun jool, zonder mij! Ik kon het niet geloven. De grap ten koste van Zena, de beledigingen, de klap en de bloedneus – ze leken alleen maar te hebben bijgedragen aan de feestvreugde.

Had Diana haar gasten maar naar huis gestuurd. Had ik maar mijn hoofd onder het kussen gestopt en hen vergeten. Was ik maar niet treurig en chagrijnig en wraakzuchtig geworden toen ik hoorde hoe vrolijk ze waren.

Had Zena me mijn uitval in de hal maar niet vergeven – was ze maar niet naar mijn deur geslopen om me te vragen of ik erge pijn had en of ze iets kon doen om me te troosten.

Toen ik haar klopje hoorde, kromp ik ineen: ik wist zeker dat het Diana was, die naar me toe kwam om me te martelen of – misschien, wie zou het weten? – te strelen. Toen ik zag dat het Zena was, gaapte ik haar aan.

'Juffrouw,' zei ze. Ze had een kaars in haar hand met een wapperende en flakkerende vlam die bizarre dansende schaduwen op de wanden wierp. 'Ik kon niet naar boven gaan terwijl ik wist dat u hier was met die bloedende wond – en dat alles, o! alles voor mij!'

Ik zuchtte. 'Kom binnen,' zei ik, 'en sluit de deur.' En toen ze dat had gedaan en een paar passen dichterbij was gekomen, legde ik mijn hoofd in mijn handen en kreunde. 'O, Zena,' zei ik, 'wat een avond! Wat een avond!'

Ze zette haar kaars neer. 'Ik heb hier een doek,' zei ze, 'met een klein beetje ijs erin. Als u me... toestaat...' Ik tilde mijn hoofd op en zij legde de doek tegen mijn wang, waardoor ik huiverde. 'Wat zal dat een kanjer van een oog worden,' zei ze. Toen, op andere toon: 'Wat een duivelin is dat mens!' Ze begon de korst bloed bij mijn neusvleugel weg te vegen – waarbij ze naast me over het bed heen boog en haar vrije hand op mijn schouder plaatste om op mij te steunen.

Geleidelijk aan drong echter tot me door dat ze trilde. 'Het komt door de kou, juffrouw,' zei ze. 'Alleen de kou, en, nou ja, dat beetje angst dat ik beneden had...' Maar terwijl ze het zei voelde ik haar heviger beven dan ooit, en ze begon te huilen. 'De waarheid is,' zei ze door haar tranen heen, 'dat ik er niet aan moet denken om boven op mijn eigen kamer te liggen, met die gemene dames overal in het huis. Ik was bang dat ze zouden komen en het nog eens zouden proberen...'

'Rustig maar,' zei ik. Ik nam de doek van haar over en legde die op de vloer. Toen trok ik de sprei van het bed en hing die om haar schouders. 'Je blijft hier bij mij, waar de dames je niet te pakken kunnen krijgen...' Ik sloeg mijn arm om haar heen en haar hoofd kwam tegen mijn oor. Ze droeg nog steeds haar diensterskapje. Ik haalde nu de spelden eruit en trok het van haar hoofd, en haar haar viel op haar schouders. Het geurde naar verbrande rozen en naar de kruiden van de wijn. Toen ik het rook, met Zena warm tegen mijn schouder, voelde ik me ineens dronkener dan tevoren. Misschien kwam het alleen doordat mijn hoofd nog tolde door de kracht van Diana's klap.

Ik slikte. Zena bracht een zakdoek naar haar neus en kalmeerde enigszins. Van de begane grond klonk het geluid van rennende voetstappen, een woeste roffel op de piano en gillend gelach.

'Moet je ze horen!' zei ik, weer verbitterd. 'Feesten als gekken! Terwijl wij hier triest zitten te wezen, zijn ze ons helemaal vergeten.'

'O, dat hoop ik maar!'

'Natuurlijk, we kunnen doen wat we willen, het interesseert ze geen lor! We kunnen zelfs een eigen feestje bouwen!' Ze snoot haar neus en giechelde toen. Mijn hoofd viel enigszins opzij. Ik zei: 'Zena, waarom bouwen we niet een feestje, wij met z'n tweetjes! Hoeveel flessen champagne zijn er nog in de keuken?'

'Massa's.'

'Nou, dan. Ren jij even naar beneden om er een voor ons te halen.'
Ze beet op haar lip. 'Ik weet het niet...'

'Ga maar, ze zien je toch niet. Ze zijn allemaal in de salon en je
kunt de achtertrap nemen. En als iemand je ziet en vraagt wat je
ermee moet, kun je zeggen dat je hem voor mij haalt. Wat klopt.'

'Tja...'

'Ga nou! Neem je kaars mee!' Ik stond op, greep vervolgens haar
handen en trok haar overeind, en zij – ten slotte aangestoken door
mijn nieuwe roekeloosheid – giechelde nog eens, legde haar vingers
tegen haar lippen en liep toen op haar tenen de kamer uit. Terwijl ze
weg was, stak ik een lamp aan, maar draaide die heel laag. Ze had
haar kapje op het bed laten liggen. Ik pakte het en zette het op mijn
hoofd, en toen ze vijf minuten later terugkwam en mij ermee zag,
lachte ze voluit.

Ze had een beparelde fles en een glas bij zich. 'Heb je een van de
dames gezien?' vroeg ik haar.

''k Heb d'r een stel gezien, maar die hebben mij niet gezien. Ze
stonden bij de bijkeukendeur en... o! Die zoenden zich suf.'

Ik stelde me voor hoe ze er in de schaduw naar stond te kijken. Ik
ging naar haar toe en nam de fles van haar over, haalde toen het lood
van de hals. 'Je hebt ermee geschud,' zei ik. 'Dat zal me een knal
geven!' Ze legde haar handen over haar oren en sloot haar ogen. Ik
voelde de kurk heel even bewegen in het glas, toen sprong hij uit
mijn vingers, en ik gaf een gil: 'Gauw! Gauw! Een glas!' Een romige
schuimfontein spoot op uit de hals van de fles, plensde op mijn vingers en maakte mijn benen nat – ik had natuurlijk nog steeds de
korte witte toga aan. Zena greep het glas van het blad en hield het,
opnieuw giechelend, onder de spuitende wijn.

We gingen op het bed zitten. Zena met het glas in haar handen, ik
drinkend uit de schuimende fles. Toen ze dronk, moest ze hoesten,
maar ik vulde haar glas opnieuw en zei: 'Drink op! Net als die wijven
beneden.' En ze nam een slok, en nog een tot haar wangen rood
waren. Ik werd bij iedere slok duizeliger en mijn gezwollen gezicht
begon heftiger te kloppen. Ten slotte zei ik: 'O! Wat doet dat pijn!' En
Zena zette haar glas neer om haar vingers heel zachtjes op mijn
wang te leggen. Toen ze daar een paar tellen lagen, nam ik haar hand
in de mijne, boog voorover en kuste haar.

Ze maakte zich niet los, tot ik aanstalten maakte om op het bed te gaan liggen en haar mee te trekken. Toen zei ze: 'O, dat kunnen we niet doen! Stel dat mevrouw Lethaby komt?'

'Die komt niet. Ze laat me alleen, als een soort straf.' Ik raakte haar knie aan en toen haar dij, door de lagen van haar rokken heen.

'Dat kunnen we niet doen...' zei ze weer, maar ditmaal met een zwakkere stem. En toen ik aan haar jurk trok en zei: 'Kom nou, trek die nou uit – of moet ik de knopen losrukken?' antwoordde ze met een soort dronken lachje. 'Dat doet u niet! Help me nu maar netjes.'

Naakt was ze heel mager, met een vreemde kleur: vlammend rood op haar wangen, grover rood van haar ellebogen tot haar vingertoppen en bleekwit – bijna blauwachtig wit – op haar romp, bovenarmen en dijen. Het haar tussen haar benen was – zoiets kun je van tevoren nooit raden – heel rossig.

Toen ik mijn lippen erop drukte, slaakte ze een gil: 'O! Wat doe je nou!' Maar even later omvatte ze mijn hoofd en duwde het omlaag. Op dat moment was ze kennelijk helemaal niet begaan met mijn gezwollen neus. Ze zei alleen: 'Draai je om, draai je snel om, dan doe ik het ook bij jou!'

Daarna trok ik de sprei over ons heen en dronken we nog meer champagne, waarbij we om beurten een slok uit de fles namen. Ik legde mijn hand op haar. Ik zei: 'Héb je jezelf nou gevingerd in het verbetergesticht?' Ze gaf me een klap en zei: 'O, je bent al even gemeen als die lui van beneden! Ik bestierf het haast!' Ze duwde de deken terug en gluurde naar haar pruim. 'Ik met een pik! Het idee!'

'Het idee? O, Zena, ik zou je zo graag met een pik zien! Ik zou je zo graag...' Ik ging rechtop zitten. 'Zena, ik zou je zo graag zien met de dildo van Diana!'

'Dat ding? Ze heeft je schunnig gemaakt! Ik zou nog eerder sterven van schaamte dan zo'n ding omdoen!' Haar wimpers trilden.

Ik zei: 'Je bloost! Je hebt er wel zin in, hè? Je hebt wel zin in zo'n spelletje – ontken het maar niet!'

'Echt niet, een meisje als ik!' Maar ze was roder dan ooit en wilde me niet aankijken. Ik greep haar hand en trok haar omhoog.

'Kom mee,' zei ik. 'Je hebt me hartstikke geil gemaakt. Diana komt het nooit te weten.'

'O!'

Ik trok haar naar de deur, gluurde toen de gang in. De muziek en het gelach van beneden klonken weliswaar iets zwakker, maar nog steeds luid en heel wild. Zena viel tegen me aan en sloeg haar armen om mijn middel. Daarna wankelden we samen, helemaal naakt en met onze handen voor ons gezicht om niet te lachen, naar de kleine zitkamer van Diana.

Daar was in een oogwenk de geheime lade van het bureau geopend, de sleutel van de rozenhouten kist eruit gehaald en die geopend. Zena keek toe, de hele tijd angstige blikken naar de deur werpend. Toen ze echter de dildo zag, kleurde ze weer, maar kon haar ogen er kennelijk niet van afhouden. Een dronken golf van macht en trots kwam over me. 'Ga rechtop staan,' zei ik – ik klonk haast als Diana. 'Ga rechtop staan en maak de gespen vast.'

Toen ze dat had gedaan, bracht ik haar naar de spiegel. Ik huiverde bij het zien van mijn rode, gezwollen gezicht, met in de plooien nog steeds restjes bloed. Maar de aanblik van Zena – die daar stond te staren naar zichzelf met de vooruitstekende dildo, een hand op de schacht legde en slikte toen ze het leer voelde bewegen – drong de pijn van de wond naar de achtergrond. Ten slotte draaide ik haar om, legde mijn handen op haar schouders en duwde de top van de dildo tussen mijn dijen. Als mijn pruim een tong had gehad, kon hij niet welsprekender zijn geweest, en als Zena's pruim er een had gehad, zou die nu zijn lippen aflikken.

Ze slaakte een kreet. We strompelden naar het bed en vielen dwars over het satijn. Mijn hoofd hing over de rand van het bed – het bloed stroomde naar mijn wang, die nu pijn deed – maar Zena had de schacht in me, en terwijl ze begon te kronkelen en te stoten, voelde ik me gedwongen mijn mond op te heffen en haar te kussen.

Terwijl ik dat deed, hoorde ik een geluid, heel duidelijk, boven het trillen van de bedpoten en het bonken van mijn hartslag in mijn oren uit. Ik liet mijn hoofd zakken en opende mijn ogen. De deur van de kamer was open en vol damesgezichten. Het gezicht in het midden van al die gezichten, bleek van woede, was dat van Diana.

Een seconde lang lag ik volledig verstijfd. Ik zag wat zij moest zien: de open kist, de kluwen van ledematen op het bed, de pompende, met leer omgorde kont (want helaas had Zena haar ogen stijf dicht en bleef stoten en hijgen terwijl haar verbolgen bazin toekeek). Toen zette ik mijn handen op Zena's schouders en pakte ze stevig beet. Ze opende haar ogen, zag wat ik zag en slaakte een kreet van angst. Onwillekeurig probeerde ze op te staan, zonder te denken aan de schacht die haar zwetende heupen aan de mijne klonk. Even lagen we weinig elegant te spartelen. Ze barstte uit in een nerveus gelach, schriller dan haar eerste schrille angstkreet.

Ten slotte maakte ze een wrikkende beweging. Er klonk – weerzinwekkend duidelijk in de plotselinge stilte en als een afschuwelijke aanklacht – een soort zuigend geluid, en toen was ze vrij. Ze stond naast het bed, de dildo deinend vóór haar. Een van de dames aan Diana's zijde zei: 'Ze heeft toch een lul!' En Diana antwoordde: 'Die lul is van mij. Die kleine sletten hebben hem gestolen!'

Haar stem was schor – van de drank misschien, maar volgens mij ook van de schok. Ik keek weer naar de wijdopen, boordevolle kist waar ze zo trots en bezitterig over deed, en voelde een worm van voldoening in me kronkelen.

En ik herinnerde me ook een andere kamer, een kamer die ik dacht zorgvuldig te hebben vergeten – een kamer waar ík degene was die sprakeloos in de deur stond, terwijl mijn geliefde rilde en bloosde naast haar minnaar. En de aanblik van Diana op mijn oude plaats maakte me aan het lachen.

Het was die lach, denk ik, die haar ten slotte tot waanzin dreef. 'Maria,' zei ze – want Maria was ook bij haar, samen met Dickie en Evelyn; misschien waren ze allemaal naar de slaapkamer gekomen om een vies boek te halen – 'Maria, laat mevrouw Hooper komen. Ik wil dat Nancy's spullen hierheen worden gebracht: ze vertrekt. En een jurk voor Blake. Ze gaan allebei terug naar de goot waar ik ze uit heb gehaald.' Haar stem was koud, maar toen ze een stap in mijn richting deed, klonk ze meer verhit. 'Jij kleine slet!' zei ze. 'Jij kleine sloerie! Jij hoer, jij del, jij snol, jij teef!' Maar die woorden had ze me al duizendmaal naar mijn hoofd gegooid, uit lust of passie. En nu ze ze gebruikte uit haat, misten ze vreemd genoeg ieder venijn.

Naast me was Zena echter gaan beven. Daarbij wipte de dildo heen en weer, en toen Diana de beweging zag, brulde ze: 'Haal dat ding van je heupen!' Zena begon direct aan de riemen te friemelen, maar met zulke nerveuze vingers dat ze de gespen nauwelijks kon vastpakken, en ik liep naar haar toe om haar te helpen. Ondertussen slingerde Diana haar beledigingen naar haar hoofd – ze was een halve gare, een straathoer, een ordinaire kleine vingeraarster. De dames bij de deur keken toe en lachten. Een van hen – misschien was het Evelyn – knikte naar de kist en riep: 'Geef haar met de karwats, Diana!' Diana's lippen krulden.

'Ze zal d'r genoeg van langs krijgen in het verbetergesticht,' zei ze, 'als ze daar naar teruggaat.'

Daarop viel Zena op haar knieën en begon te huilen. Diana lachte honend en trok haar voet weg, zodat de tranen niet op haar sandaal zouden vallen. Dickie – de stropdas bij haar hals losgetrokken, de sering op haar revers geplet en bruin verlept – zei: 'Mogen we ze niet nog eens zien neuken? Diana, toe dwing ze, voor ons!'

Maar Diana schudde haar hoofd, en de blik die ze op mij richtte, was koud en dood als het oog van een lantaarn wanneer de vlam erin helemaal gedoofd is. Ze zei: 'Die hebben voor de laatste keer geneukt in mijn huis. Ze kunnen op straat gaan neuken, als honden.'

Een andere dame, zeer dronken, zei dat ze ons dan altijd nog uit het raam konden bekijken. Maar ik keek alleen naar Diana, en voor het eerst tijdens heel die verschrikkelijke avond begon ik angst te voelen.

Nu kwam Maria terug met mevrouw Hooper. De ogen van mevrouw Hooper straalden. Ze droeg mijn oude plunjezak, die ik had meegenomen van mevrouw Milne en in de verste hoek van mijn kabinet had gegooid, een verschoten zwarte jurk en een stel laarsjes met dikke zolen. Terwijl alle dames toekeken, gooide Diana de jurk en de laarsjes naar Zena. Daarna stak ze haar hand met opgetrokken neus in de plunjezak en trok er een verkreukelde jurk en een paar schoenen uit, die ze me toewierp. De jurk had ik gedragen in mijn vorige leven en toen goed genoeg gevonden. Nu voelde hij koud en een beetje klam aan en rond de naden zat stof van motten.

Zena begon haar sombere zwarte jurk en de laarsjes meteen aan te trekken. Maar ik hield mijn eigen jurk in mijn handen, keek naar Diana en slikte.

'Ik trek dit niet aan,' zei ik.

'Je trekt het aan,' antwoordde ze kortaf, 'of ik laat je naakt op het Felicity Place gooien.'

'O, gooi haar naakt, Diana!' zei een vrouw achter haar. Het was een Lady van Llangollen, zonder haar hoge zijden.

'Ik doe dit niet aan,' zei ik weer. Diana knikte. 'Prima,' zei ze, 'dan zal ik je dwingen.' En terwijl ik nog te verbaasd was een hand uit te steken om me te verdedigen, was zij door de kamer gelopen, had het kledingstuk uit mijn vingers getrokken en de zoom van de rokken over mijn hoofd laten zakken. Toen begon ik te kronkelen en te schoppen. Zij duwde me naar het bed, drukte me met één hand erop neer en probeerde met de andere de plooien van de stof om me heen te trekken. Ik verzette me heftiger. Algauw scheurde een zoom kapot.

Toen ze dat hoorde, riep Diana: 'Kan niemand me helpen met haar? Maria! Mevrouw Hooper! Jij meisje...' Ze bedoelde Zena. 'Wil je per se terug naar dat verdomde verbetergesticht?'

Onmiddellijk waren wat aanvoelde als vijftig handen op me, die allemaal aan de jurk trokken, me knepen en naar mijn schoppende benen grepen. Ze leken wel een eeuwigheid aan me te zitten. Ik kreeg het warm en benauwd onder de lagen wol. Mijn gezwollen hoofd kreeg klappen en begon te kloppen en pijn te doen. Iemand zette haar duim – ik herinner me dat nog heel goed – boven aan mijn dij, in de glibberige holte van mijn kruis. Misschien was het Maria, misschien mevrouw Hooper, de huishoudster.

Ten slotte lag ik hijgend op bed met de jurk aan. De schoenen werden over mijn voeten geduwd en dichtgeknoopt. 'Sta op!' zei Diana, en toen ik dat had gedaan, greep ze me bij de schouder en duwde me haar slaapkamer uit en door de zitkamer de donkere gang in. Achter me volgden de dames, mevrouw Hooper en Maria met Zena tussen zich in geklemd. Toen ik talmde, porde Diana me vooruit, zodat ik bijna struikelde en viel.

Nu begon ik eindelijk te huilen. Ik zei: 'Diana, dit meen je niet...' Maar haar blik was koud. Ze pakte me vast, kneep me en dreef me nog sneller voort. Naar beneden gingen we – allemaal rood aangelopen, hijgend en fantastisch gekostumeerd als we waren – door het midden van dat hoge huis naar beneden in een grote, onregelmatige spiraal, als een tableau van de verdoemden op weg naar de hel. We kwamen door de salon: daar hingen nog enkele dames rond op de kussens en toen ze ons zagen, riepen ze wat we aan het doen waren. En een dame in onze groep antwoordde dat Diana haar jongen en haar meid had betrapt in haar eigen bed en ze nu het huis uit gooide – ze moesten beslist komen kijken.

En hoe lager we kwamen, hoe groter het gedrang werd van de dames in mijn rug en hoe luider het gelach en de obscene kreten. We kwamen in het souterrain en het werd kouder. Toen Diana de deur van de keuken naar de tuin achter het huis opende, blies de wind hard op mijn huilende ogen, waardoor ze gingen schrijnen. Ik zei: 'Dat kun je niet doen, dat kun je niet doen!' De kou bracht me tot bezinning. Ik had een visioen gehad van mijn kamer, mijn kabinet, mijn toilettafel, mijn linnengoed, mijn sigarettendoos, mijn manchetknopen, mijn wandelstok met de zilveren knop, mijn pak van ivoorkleurig linnen, mijn schoenen met het leer zo mooi en fijn dat ik ooit mijn tong had uitgestoken en het had gelikt. Mijn horloge met het bandje waarmee ik het om mijn pols bond.

Diana duwde me vooruit, en ik draaide me om en greep haar arm. 'Verstoot me niet, Diana!' zei ik. 'Laat me blijven! Ik zal braaf zijn! Laat me blijven, dan zal ik je plezieren!' Maar terwijl ik smeekte, liet ze me achterwaarts doorlopen, tot we ten slotte de hoge houten poort naast het koetshuis, aan het andere eind van de tuin, bereikten. In de poort zat een kleinere deur, en Diana liep erheen om die open te trekken. Daarachter lag de volmaakte duisternis. Ze nam Zena over van mevrouw Hooper en greep haar bij haar nek. 'Als jij je gezicht nog eens op het Felicity Place laat zien,' zei ze, 'of me met een woord of daad aan je verachtelijke, miserabele bestaantje herinnert, dan zal ik woord houden en je terugsturen naar die gevangenis en ervoor zorgen dat je daar blijft tot je bent weggerot. Begrepen?' Zena knikte. Ze werd het duistere vierkant in geduwd en erdoor verzwolgen. Toen keerde Diana zich naar mij.

Ze zei: 'Hetzelfde geldt voor jou, sloerie dat je d'r bent.' Ze duwde me naar de opening, maar ik hield me vast aan de poort. 'Alsjeblieft, Diana! Laat me dan alleen mijn spullen halen!' Ik keek langs haar heen, naar Dickie en Maria. De blik die zij op me richtten, was furieus en troebel, van de wijn en de achtervolging, en zonder één zachte vonk van medeleven. Ik keek naar de gapende dames in hun wapperende gewaden. 'Kunnen jullie me niet helpen?' schreeuwde ik naar hen. 'Help me in godsnaam! Hoe vaak hebben jullie niet naar me gegluurd en me begeerd! Hoe vaak zijn jullie niet komen vertellen hoe knap jullie me vinden, hoe jullie Diana benijden om mij. Jullie kunnen me nu stuk voor stuk hebben! Stuk voor stuk! Maar zorg dat ze me niet op straat zet, in het donker, zonder een sou op zak! O! Stelletje vervloekte teven, als jullie haar dat laten doen!'

Ik schreeuwde het uit, de hele tijd huilend, toen draaide ik me om en veegde mijn loopneus af aan de mouw van mijn goedkope jurk. Mijn wang voelde twee keer zo dik als normaal en mijn haar was samengeklit op de plek waar ik erop had gelegen. En ten slotte wendden de dames min of meer verveeld de ogen van me af, en ik wist dat het met me gedaan was. Mijn handen gleden los van de poort, Diana gaf me een duw, en ik struikelde het steegje in. Achter me aan kwam mijn plunjezak, die met een klap op de keien aan mijn voeten belandde.

Ik keek omhoog voor een laatste blik op Diana's huis. De ramen van de salon waren roze van het licht en de dames baanden zich al een weg ernaartoe door het gras. Ik ving een glimp op van mevrouw Hooper, van Dickie die haar monocle voor haar waterige oog zette, van Maria, en van Diana. Enkele slierten van haar donkere haar waren ontsnapt aan de spelden en werden door de wind over haar wangen gezwiept. Haar huishoudster zei iets tegen haar, en ze lachte. Toen deed ze de deur dicht en draaide de sleutel om. En ik was de lichten en het gelach van het Felicity Place voor altijd kwijt.

Deel drie

15

U zou kunnen denken dat ik, nu ik toch al zo diep gezonken was, zonder te aarzelen zou hebben gebonsd op de deur die achter me gesloten was of zelfs boven op de poort zou zijn geklommen om vandaar te smeken tot mijn oude meesteres. Misschien overwoog ik zoiets ook wel op het moment dat ik daar als verdoofd stond te snotteren in die donkere, eenzame steeg. Maar ik had Diana's blik gezien – een blik ontdaan van alle vuur, van liefde of wellust. Erger nog, ik had de uitdrukking op de gezichten van haar vriendinnen gezien. Hoe kon ik hen ooit nog, trots en knap, onder ogen komen?

Bij die gedachte begon ik nog harder te huilen; ik had misschien wel tot zonsopgang daar voor die poort kunnen zitten huilen. Maar na korte tijd was er een beweging naast me, en ik keek op en zag Zena daar staan, met haar armen over haar borst gekruist en een krijtbleek gezicht. In al mijn ellende was ik haar vergeten. Nu zei ik: 'O, Zena! Dat het zo moest aflopen! Wat doen we nu?'

'Wat doen wé nu?' antwoordde ze. Ze klonk helemaal niet als haar oude zelf. 'Wat doen wé nu? Ik weet wat ík moet doen. Ik zou u hier moeten achterlaten en hopen dat dat wijf u weer mee terugneemt en rot behandelt. Meer verdient u niet!'

'O, ze zal me toch niet komen halen, hè?'

'Nee, natuurlijk niet, mij ook niet. Ziet u nou waar al uw sentimentele praatjes ons hebben gebracht! Buiten in het donker in de koudste nacht van januari, zonder hoed of zelfs maar onderbroek of zelfs maar zakdoek! Wás ik maar in de gevangenis. U hebt me mijn zeven pond loon gekost die ik had gespaard voor de kolonies. O! Wat ben ik stom geweest om me door u te laten zoenen! Wat bent ú stom geweest om te denken dat de mevrouw niet... O! Ik kan u wel slaan!'

'Sla me dan!' gilde ik, nog steeds snotterend. 'Geef me nog een blauw oog, ik verdien het!' Maar ze schudde alleen haar hoofd, sloeg haar armen nog steviger om zich heen en wendde zich af.

Toen veegde ik mijn ogen af aan mijn mouw en probeerde een beetje kalmer te worden. Het was pas middernacht geweest toen ik, nog steeds gekleed als Antinoüs, uit de zitkamer was gewankeld. Ik dacht dat het nu ongeveer half een was – een afschuwelijk tijdstip, want het betekende dat we de langste, koudste uren voor zonsopgang nog vóór ons hadden. Ik zei, zo nederig als ik kon: 'Wat móét ik doen, Zena? Wat móét ik doen?'

Ze keek over haar schouder naar mij. 'Ik denk dat u naar uw familie moet. U hebt toch familie, niet? U hebt toch wat vrienden?'

'Ik heb niemand meer...'

Ik legde mijn hand weer over mijn gezicht. Zij draaide zich om en begon op haar lip te kauwen. 'Als u echt niemand hebt,' zei ze ten slotte, 'dan zitten we in hetzelfde schuitje, want ik heb ook niemand. Mijn familie heeft me totaal uitgekotst, om die toestand met Agnes en de politie.' Ze wierp een blik op mijn plunjezak en gaf er een duwtje tegen met haar voet. 'Hebt u niet ergens een beetje geld? Wat zit daar in?'

'Al mijn kleren,' antwoordde ik. 'Al de jongenskleren waarmee ik naar Diana ben gekomen.'

'Zijn ze goed?'

'Vroeger dacht ik van wel.' Ik hief mijn hoofd op. 'Bedoel je dat we ze moeten aantrekken en net doen of we kerels zijn...?'

Ze had zich over de zak gebogen en tuurde erin. 'Ik bedoel dat we ze moeten verkopen.'

'Verkopen?' Mijn garde-uniform en mijn wijde broek? 'Ik weet het niet...'

Ze bracht haar handen naar haar mond om op haar vingers te blazen. 'U kunt ze verkopen, juffrouw, of u kunt naar de Edgware Road lopen en tegen een lantaarnpaal gaan staan tot een kerel u een muntstuk aanbiedt...'

We verkochten ze. We verkochten ze aan een handelaar in oude kleren die een stal had op een markt in een zijstraat van de Kilburn Road. Hij was zijn spullen aan het inpakken toen Zena hem vond –

316

de markt was tot ongeveer middernacht open geweest, maar toen wij er kwamen, waren de meeste handkarren leeg, lag de straat vol afval, werden de petroleumlampen gedoofd en de emmers met water leeggegooid in het riool. De man zag ons aankomen en zei meteen: 'Jullie zijn te laat. Ik verkoop niks meer.' Maar toen Zena de zak opende en er de pakken uit trok, hield hij zijn hoofd schuin en snoof. 'Voor die soldatenplunje hoef ik nauwelijks mijn kraam open te houden,' zei hij, het jasje over zijn arm uitspreidend, 'maar ik neem het om de serge, waar misschien een knap vest van gemaakt kan worden. De jas en broek zijn mooi, en de schoenen ook. Je krijgt er een gienje voor.'

'Een gienje!' zei ik.

'Meer dan een gienje krijg je niet vannacht.' Hij snoof opnieuw. 'Er zal wel een luchtje aan zitten.'

'Er zit helemaal geen luchtje aan,' zei Zena. 'Maar die gienje moet maar, en als jij er een paar damesdingetjes en een stel hoeden met strikjes bij doet, dan houden we het op een pond.'

De onderbroeken en kousen die hij ons gaf waren geel van ouderdom, de hoeden afschuwelijk en we hadden allebei natuurlijk nog steeds een korset nodig. Maar Zena leek in ieder geval tevreden met de koop. Ze stopte het geld in haar zak en bracht me naar een stalletje met gepofte aardappels, en we aten elk een aardappel en deelden een kop thee. De aardappels smaakten naar modder. De thee was niet meer dan gekleurd water. Maar bij de stal was een komfoor en daar konden we ons aan warmen.

Zena leek, zoals ik al zei, erg veranderd sinds we uit huis waren gezet. Ze beefde niet – ik was nu degene die beefde – en ze straalde wijsheid en gezag uit, alsof ze zich op straat volkomen op haar gemak voelde. Ik had me daar ooit ook op mijn gemak gevoeld. Als ik haar hand had mogen vasthouden, had ik dat nog gedaan ook – maar zoals de zaken ervoor stonden, kon ik slechts achter haar aan strompelen en zielig zeggen: 'Wat gaan we nu doen, Zena?' En: 'O, Zena, wat is het koud!' En zelfs: 'Wat denk je dat ze nu doen, Zena, aan het Felicity Place? O, kun jij echt geloven dat ze me eruit heeft gegooid!'

'Juffrouw,' zei ze ten slotte tegen me, 'u moet me niet verkeerd begrijpen, maar als u uw kop niet houdt, zal ik uiteindelijk toch gedwongen zijn u te slaan.'

Ik zei: 'Het spijt me, Zena.'

Uiteindelijk bond ze een gesprek aan met een meisje van plezier dat ook naast het komfoor was komen staan, en van haar kreeg ze het adres van een logement in de buurt dat de hele nacht door mensen opnam. Het bleek een vreselijk oord, met één kamer voor de vrouwen en één voor de mannen, en iedereen die er sliep hoestte. Zena en ik lagen met z'n tweeën in bed – zij hield haar jurk aan voor de warmte en ik, nog steeds inzittend over de kreukels in de mijne, legde hem onder het voeteneinde van de matras, in de hoop dat hij 's nachts plat geperst zou worden.

We lagen heel recht en stram naast elkaar, ons hoofd op hetzelfde prikkende kussen, maar het hare van mij afgekeerd en haar ogen stijf dicht. Het gehoest van de andere slapers, mijn pijnlijke wang en mijn algehele ellende en paniek hielden me wakker. Toen Zena huiverde, legde ik mijn hand op haar, en toen ze die niet wegduwde, schoof ik wat dichter naar haar toe. Ik zei heel zachtjes: 'O, Zena, ik kan niet slapen, omdat ik er de hele tijd aan moet denken!'

'Dat mag ik hopen.'

Ik trilde. 'Haat je me, Zena?' Ze gaf geen antwoord. 'Ik neem het je niet kwalijk als je me haat. Maar ach! Weet je hoeveel spijt ik heb?' Een vrouw in het bed naast ons gaf een gil – ik denk dat ze dronken was – en daardoor schrokken we allebei op en kwamen onze gezichten nog dichter bij elkaar.

Ze hield haar ogen nog steeds stijf dicht, maar ik merkte dat ze luisterde. Ik bedacht hoe anders we nog een paar uur geleden bij elkaar hadden gelegen. Daarna had mijn ellende alle vuur in me gedoofd, maar omdat geen van ons beiden het nog had gezegd en ik vond dat dat wel moest, fluisterde ik nu: 'O, als Diana maar niet was gekomen. Het was fijn – niet? – voor Diana er een eind aan maakte...'

Ze opende haar ogen. 'Het was fijn,' zei ze triest. 'Het is altijd fijn voor ze je pakken.' Toen staarde ze me aan en slikte.

Ik zei: 'Zo erg is het toch ook niet, Zena? Jij bent nu de enige pot die ik ken in Londen, en aangezien je alleen bent, dacht ik, kunnen we er iets van maken, toch? We kunnen een kamer zoeken in een pension. Jij kunt werk zoeken als naaister of schoonmaakster. Ik koop een nieuw pak en als mijn gezicht weer helemaal genezen is –

nou, ik ken een paar trucjes om geld te verdienen. We hebben binnen een maand jouw zeven pond terug. Binnen de kortste keren hebben we twintig pond. En dan kan jij je reis naar de koloniën maken, en ik' – ik haalde adem – 'ik kan met je meegaan. Je zei dat er daar altijd hospita's nodig zijn; en er zullen dan toch ook altijd herenhoeren nodig zijn – zelfs in Australië...?'

Ze keek me aan terwijl ik lag te prevelen, zonder iets te zeggen. Toen boog ze haar hoofd en kuste me één keer, heel licht, op mijn lippen. Toen draaide ze zich weer af en ten slotte viel ik in slaap.

Toen ik wakker werd was het licht. Ik hoorde het geluid van hoestende, rochelende vrouwen die met zachte, chagrijnige stemmen praatten over de nachten die ze hadden doorgemaakt en de dagen die nog voor hen lagen. Ik lag met mijn ogen dicht en mijn handen voor mijn gezicht; ik wilde niet naar hen kijken, of naar enig deel van die erbarmelijke wereld die ik nu met hen moest delen. Ik dacht aan Zena en het plan dat ik haar had voorgelegd. Ik dacht: Het zal moeilijk zijn, het zal vreselijk moeilijk zijn, maar Zena zal me behoeden voor de ergste moeilijkheden. Zonder Zena zou het pas echt moeilijk zijn...

Toen haalde ik eindelijk mijn handen voor mijn gezicht weg en draaide me naar de kant van het bed naast me, en die was leeg. Zena was verdwenen. Het geld was verdwenen. Ze was vroeg opgestaan, uit gewoonte, en had mij slapend achtergelaten, met niets.

Toen ik het ten slotte begreep, liet het me merkwaardig koud: ik denk dat ik te daas was om nog verdwaasder te raken, te ellendig om tot nog grotere diepten te zinken. Ik stond op en trok de jurk onder het matras vandaan – hij was erger gekreukt dan ooit – en knoopte hem dicht. De dronken vrouw in het bed naast me had voor een halve penny een kom lauw water gehaald en dat mocht ik, nadat zij erin had gestaan en zich van top tot teen had gewassen, gebruiken om de laatste resten bloed van mijn wangen te wassen en mijn haar plat te strijken. Toen ik in de scherf spiegel keek die aan de muur was vastgeplakt, zag mijn gezicht eruit als een wassen gezicht dat te dicht bij een spirituslamp was gezet. Toen ik op mijn voeten ging staan, leken ze het uit te schreeuwen: de schoenen had ik als schandknaap gedragen, maar sindsdien waren ofwel mijn voeten gegroeid ofwel was ik al te zeer gewend geraakt aan zachter leer. Tijdens de wandeling naar de Kilburn Road had ik blaren opgelopen, en nu gingen die blaren open en kwam er vocht uit, en waren de kousen gaan rafelen.

We mochten niet de hele ochtend blijven hangen in de slaapkamer van het logement: om elf uur kwam een vrouw die ons er met een bezem uit joeg. Ik liep een stukje op met de dronken vrouw. Toen we uiteengingen, boven aan Maida Vale, haalde ze een piepklein puntzakje tabak tevoorschijn, rolde twee flinterdunne sigaretten en gaf mij er een. Tabak, zei ze, was het beste geneesmiddel voor een wond. Ik ging op een bank zitten en rookte tot mijn vingers verschroeiden, en toen dacht ik na over mijn benarde situatie.

Die was me uiteindelijk belachelijk vertrouwd: ik was even koud, even ziek en ellendig als vier jaar geleden, na mijn vlucht van Stamford Hill. Maar toen had ik tenminste geld en mooie kleren gehad. Ik had eten en sigaretten gehad – had alles wat nodig was om me, weliswaar niet gelukkig, in leven te houden. Nu had ik niets. Ik was misselijk van de honger en de nawerking van de wijn, en om zelfs maar aan een penny voor een puntzakje paling te komen zou ik moeten bedelen – of doen wat Zena me had aanbevolen en mijn geluk beproeven als hoer tegen een of andere druipende muur. Het idee te moeten bedelen stond me tegen – ik vond het een onverdraaglijke gedachte dat ik medelijden en muntstukken moest loskrijgen van het soort heren dat twee weken tevoren de snit van mijn pak of de schittering van mijn manchetknopen had bewonderd toen ik aan Diana's zijde langs hen liep. De gedachte door een van hen te worden genaaid, als meisje, vond ik nog erger.

Ik stond op: het was te koud om de hele dag op de bank te blijven zitten. Ik herinnerde me wat Zena de vorige avond had gezegd – dat ik naar mijn familie moest gaan, dat mijn familie me zou opnemen. Ik had gezegd dat ik niemand had, maar nu bedacht ik dat er misschien toch wel één plek was waar ik naartoe kon. Ik dacht niet aan mijn echte familie, in Whitstable. Met hen had ik, zo leek het me toen, voor altijd gebroken. Maar ik dacht aan een dame die ooit als een moeder, en aan de dochter die als een soort zuster voor me was geweest. Ik dacht aan mevrouw Milne en Gracie. Ik had al sinds anderhalf jaar geen contact meer met hen gehad. Ik had beloofd hen te bezoeken, maar nooit de gelegenheid gehad. Ik had beloofd hun een adres te sturen; ik had hun nooit zelfs maar een briefje gestuurd om te laten merken dat ik hen miste, of een kaart op Gracies verjaardag. Ik had hen na die eerste, vreemde dagen aan het Felicity Place namelijk helemaal niet gemist. Maar nu herinnerde ik me hoe aardig ze waren geweest en kon wel huilen. Diana en Zena samen hadden een verschoppeling van me gemaakt, maar mevrouw Milne – dat wist ik zeker! – zou me beslist opnemen.

En dus liep ik van Maida Vale naar de Green Street – liep in slakkengang, met al mijn ellende, mijn schaamte en mijn knellende schoenen, alsof ik iedere stap blootsvoets over zwaarden zette. Toen ik eindelijk het huis bereikte, leek het armoedig – maar ik wist wat het was om een plek te verruilen voor iets elegants en die nog bescheidener terug te vinden dan je je herinnerde. Er stond geen bloem voor de deur en er was geen driepotige kat – maar het was winter en het was heel koud en guur op straat. Ik kon alleen maar denken aan mijn eigen treurige situatie, en toen ik aan de bel trok en er niemand verscheen, dacht ik: Nou, dan ga ik op de stoep zitten wachten, mevrouw Milne is nooit lang weg, en als ik verkleum, heb ik dat verdiend ook...

Maar toen drukte ik mijn gezicht tegen de ruit naast de deur en tuurde de gang in, en ik zag dat de wanden – waar vroeger Gracies plaatjes, *Het licht der wereld* en de hindoe-afgod en de andere hingen – ik zag dat die leeg waren, dat er alleen nog sporen waren van de plekken waar de plaatjes hadden gehangen. En daarop huiverde ik, greep de deurklopper en sloeg daarmee in een soort paniek. En ik riep in de brievenbus: 'Mevrouw Milne! Mevrouw Milne!' En: 'Gracie! Grace Milne!' Maar mijn stem klonk hol en de gang bleef donker.

Toen kwam er een schreeuw van de huurkazerne achter me.

'Zoek je de oude dame en haar dochter? Die zijn vertrokken, schat – een maand geleden!'

Ik draaide me om en keek omhoog. Van een balkon boven de straat riep een man naar me en knikte naar het huis. Ik liep de stoep af, keek vol ellende naar hem omhoog en vroeg waar ze naartoe waren.

Hij haalde zijn schouders op. 'Naar d'r zuster, heb ik gehoord. De dame is in het najaar erg ziek geworden en omdat het meisje onnozel was – dat wist u toch? – vonden ze het niet handig om het tweetal aan zichzelf over te laten. Ze hebben al het meubilair weggehaald. Ik denk dat het huis te koop komt...' Hij keek naar mijn wang. 'Wat een prachtig blauw oog heb je daar,' zei hij, alsof ik het misschien niet had gemerkt. 'Precies zoals in het liedje, niet? Alleen heb jij d'r maar één!'

Ik staarde naar hem en huiverde terwijl hij lachte. Een klein blond meisje was naast hem op het balkon verschenen, greep zich nu vast aan de reling en zette haar voetjes op de stangen. Ik vroeg: 'Waar woont die dame – de zuster waar ze naartoe zijn gegaan?' en hij trok aan zijn oor en keek peinzend.

'Tja, ik héb het geweten, maar ben het vergeten... Ik dacht dat het Bristol was, of misschien was het Bath...'

'Dus niet in Londen?'

'O, nee, beslist niet Londen. Eh, was het niet Brighton...?'

Ik draaide me van hem af om weer naar mevrouw Milnes huis te staren – naar het raam van mijn oude kamer en naar het balkon waar ik in de zomer graag had gezeten. Toen ik weer naar de man keek, had hij zijn kleine meisje in zijn armen en speelde de wind met haar gouden haar en liet het rond haar wangen wapperen. En toen herinnerde ik me hen allebei, als de vader en dochter die ik in hun handen had zien klappen op de klanken van een mandoline, op die zoele avond in juni, in de week dat ik Diana ontmoette. Ze hadden hun huis verloren en een nieuw gekregen. Ze hadden bezoek gehad van die liefdadigheidsdame met de romantisch klinkende naam.

Florence! Ik wist niet dat ik me haar nog herinnerde. Een jaar of langer was ze niet meer in mijn gedachten geweest.

Kon ik haar nu maar ontmoeten! Ze zocht huizen voor de armen; misschien kon ze een huis voor mij vinden. Ze was ooit aardig tegen me geweest – zou ze niet nog eens aardig tegen me zijn, als ik een beroep op haar deed? Ik dacht aan haar aardige gezicht en haar krullende haar. Ik had Diana verloren, ik had Zena verloren, en nu had ik mevrouw Milne en Grace verloren. In heel Londen was zij op dat moment de enige die ik misschien een vriendin kon noemen – en het was nu vooral een vriendin waar ik behoefte aan had.

De man op het balkon boven me had zich omgedraaid. Nu riep ik hem terug: 'Hela, meneer!' Ik liep naar de muur van de huurkazerne en keek naar hem omhoog. Hij en zijn dochter bogen zich over de balkonreling – ze zag eruit als een engeltje op het gewelf van een

kerk. Ik zei: 'U zult me niet herkennen, maar ik heb hier ooit gewoond, bij mevrouw Milne. Ik zoek een meisje dat bij u op bezoek
was toen u hier kwam wonen. Ze werkte voor de mensen die u uw
etage hebben bezorgd.'

Hij fronste zijn voorhoofd. 'Een meisje, zegt u?'

'Een meisje met krullend haar. Een meisje met een niet zo mooi
gezicht dat Florence heette. Weet u niet wie ik bedoel? Weet u niet de
naam van de liefdadigheidsinstelling waarvoor ze werkte? Die werd
geleid door een dame – een dame met een heel intelligent gezicht.
Die dame speelde mandoline.'

Hij stond nog steeds fronsend op zijn hoofd te krabben, maar bij
dit laatste detail klaarde zijn gezicht op. 'O, die,' zei hij, 'ja, haar herinner ik me wel. En die griet die haar hielp, was dat jouw maatje?'

Ik zei dat het zo was. Toen: 'En de liefdadigheidsinstelling? Herinnert u zich die, en waar hun kantoor is?'

'Waar hun kantoor is, es kijken... Ik ben d'r ooit geweest, maar 'k
weet niet of ik me het precieze númmer nog kan herinneren. Ik weet
wel dat het heel dicht bij de Angel in Islington was.'

'In de buurt van het Sam Collins's?' vroeg ik.

'Voorbíj het Sam Collins's, in de Upper Street. Nog voor het postkantoor. Een kleine deur links, ergens tussen een kroeg en een kleermakerij...'

Meer kon hij zich niet herinneren. Ik dacht dat het misschien wel
genoeg was. Ik bedankte hem, en hij glimlachte. 'Wat een prachtig
blauw oog,' zei hij weer, maar dit keer tegen zijn dochter. 'Precies
zoals in het liedje – nietwaar Betty?'

Inmiddels had ik het gevoel alsof ik een maand lang op de been
was. Ik vermoedde dat mijn schoenen mijn kousen volledig aan flarden hadden gereten en nu waren begonnen aan de blote huid van
mijn tenen, hielen en enkels. Maar ik stopte niet nog eens bij een
bank om mijn veters los te knopen en mijn voeten te inspecteren. De
wind was enigszins aangewakkerd en hoewel het pas een uur of twee
was, zag de lucht loodgrijs. Ik wist niet wanneer liefdadigheidskanto-
ren dichtgingen, ik wist niet hoe lang het zou duren voor ik het gevonden had en ik wist niet of Florence er wel zou zijn als ik het vond.
Ik liep dan ook heel snel de Pentonville Hill op en liet mijn voeten tot
pudding wrijven, en intussen probeerde ik te bedenken wat ik tegen

haar moest zeggen als ik haar vond. Dat bleek echter moeilijk. Ten slotte was het een meisje dat ik amper kende, erger nog – ik moest het me nu wel herinneren – ik had ooit een afspraak met haar gemaakt en haar toen laten stikken. Zou ze zich me nog wel herinneren? In die sombere doorgang van de Green Street was ik daar zeker van geweest. Maar met iedere schrijnende stap was ik daar minder zeker van.

Het kostte me uiteindelijk niet veel tijd om het juiste kantoor te vinden. De man had een goed geheugen en de Upper Street zelf leek wonderbaarlijk weinig veranderd sinds zijn laatste bezoek daar: de kroeg en de kleermakerij waren precies zoals hij ze had beschreven, dicht bij elkaar aan de linkerkant van de straat, iets voorbij het variététheater. Ertussen waren drie of vier deuren die naar de kamers en kantoren erboven voerden, en op één daarvan was een emaillen plaatje geschroefd waarop stond: *Ponsonby's Modelwoningen. Directrice Juffrouw J. A. D. Derby* – wat, zoals ik me nu heel goed herinnerde, de naam van de dame met de mandoline was. Achter het plaatje stak een handgeschreven, door de regen gevlekt briefje met een pijl die naar een belkoord naast de deur wees. *Bellen a.u.b.*, stond erop, *en binnenkomen*. Dus, met enige schroom, deed ik beide.

De gang achter de deur was heel lang en heel schemerig. Hij leidde naar een raam dat uitzag op bakstenen en lekkende afvoerpijpen, en vandaar was er maar één weg verder, en dat was omhoog, langs een kale trap. De leuning was kleverig, maar ik greep die vast en begon omhoog te klimmen. Vóór ik de derde of vierde tree had bereikt, ging boven aan de trap een deur open en verscheen een hoofd in de opening, en een vrouwenstem riep vriendelijk: 'Hallo daar beneden! Het is tamelijk steil, maar de moeite van het klimmen waard. Hebt u licht nodig?'

Ik antwoordde van niet en klom sneller door. Eenmaal boven, enigszins buiten adem, werd ik door de dame een piepklein kamertje binnengeleid, met een bureau, een kast en een stel niet bij elkaar passende stoelen. Toen ze een gebaar maakte, ging ik zitten. Zelf liet ze zich neer op de rand van het bureau en sloeg haar armen over elkaar. Uit een kamer dichtbij kwam het onregelmatige geratel van een tikmachine.

'Vertel eens,' zei ze, 'wat kunnen we voor u doen? Nee maar, dat is me een oog!' Ik had mijn hoed afgezet alsof ik een man was, en terwijl ze mijn wang inspecteerde – en vervolgens, omzichtiger, mijn kortgeknipte hoofd, zat ik enigszins opgelaten aan het hoedenlint te friemelen. Ze vroeg: 'Hebt u een afspraak?' En ik antwoordde dat ik helemaal niet voor een huis was gekomen. Ik was gekomen voor een meisje.

'Een meisje?'

'Een vrouw, zou ik moeten zeggen. Ze heet Florence en ze werkt hier, voor de liefdadigheidsinstelling.'

Ze fronste. 'Florence,' zei ze. Toen: 'Weet u het zeker? Hier werken alleen juffrouw Derby, ikzelf en nog een dame.'

'Juffrouw Derby,' zei ik snel, 'weet wie ik bedoel. Ze hééft hier in ieder geval gewerkt, want de laatste keer dat ik haar zag, zei ze... zei ze...'

'Zei ze...?' herhaalde de dame, nog omzichtiger – want mijn mond was opengevallen en mijn hand naar mijn gezwollen wang geschoten. En nu vloekte ik, in een moedeloos en treurig soort kwaadheid.

'Ze zei dat ze deze betrekking zou verlaten,' zei ik, 'voor een andere. Wat dom van me! Het schiet me ineens weer te binnen. Dat betekent dat Florence hier al anderhalf jaar of langer niet meer werkt!'

De dame knikte. 'Ach, tja, dat was vóór mijn tijd, ziet u. Maar zoals u zegt, juffrouw Derby zal zich haar vast herinneren.'

Die werkte er tenminste nog wel. Ik hief mijn hoofd. 'Kan ik haar dan spreken?'

'Dat kan – maar niet vandaag, zelfs morgen niet, ben ik bang. Ze komt pas weer op vrijdag...'

'Vrijdag!' Dat was verschrikkelijk. 'Maar ik moet Florence vandaag spreken, heus! U hebt toch zeker wel een lijst of een boek of zoiets, waarin staat waar ze naartoe is. Er zal hier toch wel iemand zijn die het weet?'

De dame leek verrast. 'Tja,' zei ze, 'dat kan zijn... Maar ik kan dat soort gegevens eigenlijk niet verstrekken aan vreemden.' Ze dacht even na. 'Kunt u haar geen brief schrijven, zodat wij die kunnen doorsturen...?' Ik schudde mijn hoofd en voelde dat mijn ogen begonnen te prikken. Dat moest ze hebben gezien, en verkeerd begrepen, want ze zei vervolgens heel vriendelijk: 'Ach – misschien bent u niet zo erg handig met de pen...?'

Ik zou alles hebben toegegeven voor een vriendelijk woord. Ik schudde weer met mijn hoofd: 'Nee, niet zo erg, nee.'

Ze zweeg even. Misschien dacht ze dat er niet zoveel kwaad achter mijn zoektocht kon steken als ik niet eens kon lezen en schrijven. Hoe dan ook, ze stond ten slotte op en zei: 'Blijf hier maar wachten.' Daarna ging ze de kamer uit en aan de overkant van de gang een andere kamer in. Het lawaai van de tikmachine nam even toe en hield toen helemaal op. In plaats daarvan hoorde ik mompelende stemmen, langdurig papiergeritsel en ten slotte de klap van een dichtgegooide la.

De dame verscheen weer, met in haar hand een wit vel papier – een brief, zo te zien. 'We hebben geluk! Dankzij de voortreffelijke administratie van juffrouw Derby hebben we uw Florence kunnen traceren – althans, een Florence. Ze is hier weggegaan vlak voor juffrouw Bennet en ik begonnen, in 1892. Maar' – ze werd ernstig – 'we denken echt niet dat we u haar eigen adres kunnen geven. Ze is hier vertrokken om te gaan werken in een tehuis voor meisjes zonder vrienden en dat adres kunnen we u wel geven. Het heet Freemantle House, aan de Stratford Road.'

Een tehuis voor meisjes zonder vrienden! Ik voelde me slap en rillerig bij het idee alleen al. 'Dat moet haar zijn,' zei ik. 'Maar... Stratford? Zo ver?' Ik verschoof mijn voeten onder de stoel en voelde het leer langs mijn bloedende hielen wrijven. De laarsjes zelf zaten onder de modder en onder aan mijn rok koekte een vijftien centimeter brede strook vuil. Tegen het raam kletterde de regen. 'Stratford,' zei ik weer, zo triest dat de vrouw dichterbij kwam en een hand op mijn arm legde.

'Hebt u geen geld voor een kaartje?' vroeg ze vriendelijk.

Ik schudde mijn hoofd. 'Ik heb al mijn geld verloren. Ik heb alles verloren!' Ik legde een hand over mijn ogen en leunde uitgeput op het bureau. Toen zag ik wat daarop lag. Het was de brief. De dame had hem daar neergelegd, met de beschreven kant naar boven, in de wetenschap – de veronderstelling – dat ik hem niet kon lezen. Hij was heel kort en ondertekend door Florence zelf – ik zag nu dat haar volledige naam Florence Banner was – en gericht aan juffrouw Derby. *Hierbij dien ik mijn ontslag in...* luidde het. Dat deel las ik niet, want rechtsboven aan de bladzijde stonden een datum en een adres –

niet dat van het Freemantle House, maar duidelijk het privé-adres dat ik niet mocht weten. Een cijfer, gevolgd door de naam van een straat: *Quilter Street, Bethnal Green, Londen O.* Ik prentte het in mijn hoofd.

Intussen praatte de dame goedhartig door. Ik had nauwelijks naar haar geluisterd, maar nu tilde ik mijn hoofd op en zag wat ze van plan was. Ze had een sleuteltje uit haar zak gehaald en een van de bureauladen ontsloten. Ze was aan het zeggen: '... zeker niet iets waar we een gewoonte van maken, maar ik kan zien dat u doodmoe bent. Als u van hier een bus naar Aldgate neemt, kunt u daar over-stappen op een andere, dacht ik, die u over de Mile End Road naar Stratford zal brengen.' Ze stak haar hand uit, waarin drie penny's lagen. 'En misschien wilt u onderweg een kopje thee drinken?'

Ik nam de muntstukken aan en prevelde enkele woorden van dank. Op dat moment rinkelde er dichtbij een bel en we schrokken allebei. Ze wierp een blik op een klok aan de wand. 'Mijn laatste cliënten vandaag,' zei ze.

Ik begreep de wenk, kwam overeind en zette mijn hoed op. Nu klonken er voetstappen in de gang beneden en gestommel op de trap. Ze bracht me naar de deur en riep naar haar bezoekers: 'Kom maar boven, prima. Het is heel steil, ja, maar de moeite van het klim-men waard...' Een jongeman gevolgd door een vrouw kwam uit het halfduister tevoorschijn. Ze waren allebei tamelijk donker – Italia-nen, nam ik aan, of Grieken – en zagen er verschrikkelijk verkleumd en arm uit. Een moment lang schuifelden we allemaal glimlachend en onhandig rond in de deuropening van het kantoor, daarna waren de dame en het jonge stel eindelijk in de kamer en stond ik alleen boven aan de trap.

De dame hief haar hoofd en keek me aan.

'Succes!' riep ze, enigszins afwezig. 'Ik hoop oprecht dat u uw vriendin vindt.'

Aangezien ik absoluut niet van plan was naar Stratford te reizen, nam ik geen bus, zoals de dame me had aangeraden. Ik kocht wel een kop thee, aan een kraam met een luifel in de High Street. En toen ik mijn kopje teruggaf aan het meisje, knikte ik. 'Hoe kom ik,' vroeg ik, 'in Bethnal Green?'

Alleen en te voet was ik nooit veel verder naar het oosten geweest dan Clerkenwell. Nu, terwijl ik de City Road af strompelde naar de Old Street, voelde ik een nieuw soort nervositeit over me komen. Het was donkerder geworden in de tijd dat ik op het kantoor was, en nat en mistig. Alle straatlantaarns waren aangestoken en aan iedere koets zwaaide een lamp. Maar de City Road was niet als Soho, waar de stoepen baadden in het licht van duizenden flakkerende lantaarns en etalages. Als ik tien passen door een plas gaslicht liep, moest ik twintig passen in het donker lopen.

Het was iets minder donker in de Old Street zelf, want daar waren kantoren en drukke bushaltes en winkels. Maar terwijl ik naar de Hackney Road liep, leek de duisternis alleen maar dieper te worden en mijn omgeving armoediger. De kruising bij de Angel was nog heel netjes geweest, maar hier lagen de straten onder zo'n dikke laag mest dat ik, telkens als een voertuig voorbijrolde, een straal viezigheid over me heen kreeg. Ook de andere voetgangers – tot dan toe allemaal oprechte werklieden, mannen en vrouwen met jassen en hoeden die even vaal als de mijne waren – werden armer. Hun kleren waren niet alleen maar sjofel, het waren gewoonweg lompen. Ze droegen weliswaar schoenen, maar geen kousen. De mannen hadden geen boord maar een sjaal om hun nek, en geen bolhoed maar een pet op hun hoofd. De vrouwen droegen omslagdoeken, de meisjes smerige schorten of helemaal geen schort. Iedereen leek een of andere last mee te voeren: een mand, een bundel of een kind op de heup. Het regende harder.

Van het theemeisje bij de Angel had ik gehoord dat ik naar Columbia Market moest. Nu, een eindje verderop in de Hackney Road, stond ik plotseling aan de rand van een groot, schemerig plein. Ik huiverde. De enorme granieten hal met zijn torens en gedetailleerde maaswerk als van een gotische kathedraal, was geheel in duisternis gehuld en stil. Enkele ruwe kwanten met sigaretten en flessen hingen onder de arcaden, blazend op hun handen om de kou te verdrijven.

Een plotseling gebeier in de klokkentoren schrikte me op. Een gecompliceerd klokkenspel – even druk en nutteloos als de grote, verlaten markthal zelf – sloeg het uur: het was kwart over vier. Dat was veel te vroeg om bij Florence langs te gaan, als ze de hele dag op haar werk was, dus bleef ik nog een uur onder een van de arcaden van de markt, waar niet zo'n snijdende wind stond en het minder hard regende. Pas toen de klokken half zes sloegen, stapte ik het plein weer op en keek om me heen. Ik was nu bijna verkleumd. In de buurt liep een klein meisje dat om haar nek een groot blad droeg vol bundels waterkers. Ik ging naar haar toe en vroeg hoe ver het nog was naar de Quilter Street. En toen kocht ik, omdat ze zo treurig en koud en nat leek – en ook omdat ik het verwarde idee had dat ik niet met lege handen aan Florence' deur kon verschijnen – het grootste boeket waterkers. Het kostte een halve penny.

Met dit boeketje onhandig in de holte van mijn stijve arm begon ik aan de korte wandeling naar de straat die ik zocht. Algauw bevond ik me aan het eind van een lange rij lage, saaie huizen – absoluut niet armoedig, maar ook niet erg chic, want het glas van sommige straatlantaarns was gebroken of ontbrak geheel en de stoep was hier en daar versperd door stapels kapotte meubelen en door bergen van wat in de romans netjes 'vuilnis' heet. Ik keek naar het nummer van de dichtstbijzijnde deur: nummer 1. Ik liep langzaam de straat af. Nummer 5... nummer 9... nummer 11... Ik voelde me slapper dan ooit... 15... 17... 19...

Daar bleef ik staan, want nu kon ik het huis dat ik zocht heel duidelijk zien. De gordijnen sloten de duisternis buiten en lichtten op door lamplicht erachter. En toen ik ze zag, was ik plotseling misselijk van de angst. Ik legde een hand tegen de muur om steun te zoeken. Een jongen liep fluitend langs en gaf me een knipoog – ik neem aan dat hij dacht dat ik had gedronken. Toen hij voorbij was, keek ik in een soort paniek om me heen naar de onbekende huizen; ik herinnerde me hoe zeker ik van mezelf was geweest in de Green Street, maar nu leek het louter waanzin, louter idiotie – als ik het Florence vertelde, zou ze me in mijn gezicht uitlachen.

Maar ik was zover gekomen en ik kon nergens meer heen. Dus sloop ik naar het roze venster en vervolgens naar de deur, en toen klopte ik en wachtte. Het was alsof ik die dag op wel duizend drempels had gestaan en bij allemaal wreed was teleurgesteld of afgewezen. Als er hier geen vriendelijk woord voor me was, dacht ik, zou ik sterven.

Ten slotte hoorde ik een gemompel en stappen, en de deur ging open. En daar stond Florence zelf – opmerkelijk weinig veranderd sinds ik haar voor het eerst had gezien – de duisternis in te turen, afgetekend tegen het licht en met hetzelfde schitterende aureool van vurig haar. Ik slaakte een zucht die ook een huivering was – toen zag ik een beweging bij haar heup en wat ze daar droeg. Het was een kindje. Ik keek van het kindje naar de kamer achter hen, en daar was nog een gedaante: een man die in zijn hemdsmouwen voor een brandend vuur zat en zijn ogen van de krant op zijn knie had genomen om met een licht vragende blik naar mij te kijken.

Ik keek van hem weer naar Florence.

'Ja?' zei ze. Ik zag dat ze me helemaal niet meer kende. Ze kende me niet meer en – erger nog – ze had een man en een kind.

Ik dacht dat ik het niet kon verdragen. Mijn hoofd tolde. Ik sloot mijn ogen – en viel op haar stoep in zwijm.

16

Toen ik weer bijkwam, lag ik plat op een vloerkleed met mijn voeten kennelijk iets hoger op een kussen. Naast me was een warm, knappend vuur, en ergens dichtbij het zachte gefluister van stemmen. Ik opende mijn ogen: de kamer draaide verschrikkelijk en het vloerkleed leek onder me vandaan te zinken, dus sloot ik ze meteen weer en hield ze stijf dicht totdat de vloer, als een tollend muntje, langzaam leek op te houden met draaien en stil kwam te liggen.

Daarna was het heerlijk om gewoon in de gloed van het vuur te liggen en het leven te voelen terugkruipen in mijn verkleumde en pijnlijke leden. Ik dwong mezelf echter na te denken over mijn situatie en een beetje te letten op mijn omgeving. Ik besefte dat ik me in de huiskamer van Florence bevond: zij en haar man moesten me over hun drempel hebben getild en voor hun haard hebben neergevlijd. Het was hun gefluister dat ik hoorde: ze stonden iets achter me – het was hun kennelijk ontgaan dat ik even mijn ogen had opengedaan – en ze praatten over me, op een tamelijk verbaasde toon.

'Maar wie kan het toch zíjn?' hoorde ik de man zeggen.

'Ik weet het niet.' Dat was Florence. Ik hoorde een gekraak, gevolgd door een stilte, waarin ik voelde dat ze naar mijn gezicht gluurde. 'En toch,' vervolgde ze, 'heeft haar gezicht iets dat me bekend voorkomt...'

'Moet je d'r wang zien,' zei de man op gedempter toon. 'Moet je d'r armoedige jurk en hoed zien. En dat haar! Denk je dat ze in de gevangenis heeft gezeten? Is ze misschien een van jouw meisjes, pas uit het verbetergesticht?' Er viel opnieuw een stilte. Misschien haalde Florence haar schouders op. 'Ze moet wel in de gevangenis hebben gezeten,' vervolgde de man, 'als je ziet hoe d'r haar eraan toe is.'

Daarop voelde ik een lichte verontwaardiging, die me deed bewegen. 'Pas op!' zei de man toen. 'Ze wordt wakker.'

Ik opende mijn ogen opnieuw en zag dat hij zich over me heen boog. Het was een man met een heel vriendelijk gezicht, kortgeknipt haar met een rossig-gouden gloed en volle bakkebaarden, waardoor hij eruitzag als de matroos op de pakjes Players. Bij die gedachte verlangde ik ineens naar een sigaret, en ik gaf een droog hoestje ten beste. De man ging op zijn hurken zitten en tikte op mijn schouder. 'Hé daar, juf,' zei hij. 'Voel je je goed, meisje? Voel je je weer goed? Je bent hier onder vrienden, wees maar niet bang.' Zijn stem en zijn manier van doen waren zo goedhartig dat ik – nog zwak en enigszins verward na mijn flauwte – de tranen in mijn ogen voelde komen en een hand naar mijn voorhoofd bracht om ze terug te dringen. Toen ik mijn hand weghaalde, leek er bloed op te zitten. Ik slaakte een kreet, in de veronderstelling dat mijn neus weer was gaan bloeden. Maar het was geen bloed. De regen had mijn goedkope hoed doorweekt en de verf was in grote knalrode strepen over mijn voorhoofd gelopen.

Wat een vent had Diana van me gemaakt! Bij die gedachte begon ik eindelijk pas echt te huilen, met verschrikkelijke, beschamende uithalen. Daarop haalde de man een zakdoek tevoorschijn en gaf me weer een tikje op de arm. 'Ik neem aan,' zei hij, 'dat u wel een kop met wat warms wil?' Ik knikte, en hij stond op en ging weg. Zijn plaats werd ingenomen door Florence. Ze moest haar kindje ergens hebben neergelegd, want ze had haar armen nu stijf over haar borst geslagen.

Ze vroeg me: 'Voelt u zich al wat beter?' Haar stem klonk minder vriendelijk dan die van de man en haar blik leek harder. Ik knikte naar haar, kwam vervolgens met haar hulp overeind van de vloer en ging in een leunstoel bij het vuur zitten. Ik zag dat het kindje op zijn rug op een andere stoel lag, zijn handjes open en dicht knijpend. In een belendend vertrek – de keuken, nam ik aan – hoorde ik gerinkel van serviesgoed en vals gefluit. Ik snoot mijn neus en veegde over mijn hoofd. Daarna huilde ik nog wat en daarna kalmeerde ik enigszins.

Ik keek weer naar Florence en zei: 'Het spijt me dat ik hier in deze toestand ben gekomen.' Ze zei niets. 'U zult zich wel afvragen wie ik ben...'

Ze glimlachte lichtjes. 'Dat kunt u wel zeggen, ja.'

'Ik ben,' begon ik – stopte toen, en kuchte om mijn aarzeling te maskeren. Wat kon ik tegen haar zeggen? Ik ben het meisje dat anderhalf jaar geleden met je flirtte? Ik ben het meisje dat je uit eten vroeg en je toen zonder enig bericht heeft laten zitten op de Judd Street?

'Ik ben bevriend met juffrouw Derby,' zei ik ten slotte.

Florence knipperde met haar ogen. 'Juffrouw Derby?' zei ze. 'Juffrouw Derby van de Ponsonby Trust?'

Ik knikte. 'Ja. Ik... ik heb u ooit ontmoet, langgeleden. Ik liep door Bethnal Green, op weg naar iemand, en ik dacht, kom, laat ik eens bij haar langsgaan. Ik heb wat waterkers voor u meegenomen...' We draaiden onze hoofden en keken ernaar. De waterkers was op een tafel bij de deur gelegd en zag er weinig florissant uit, want ik was erop terechtgekomen toen ik flauwviel. De blaadjes waren geplet en zwart geworden, de stelen gebroken, het papier vochtig en groen.

Florence zei: 'Dat was erg aardig van u.' Ik glimlachte enigszins nerveus. Even viel er een stilte – toen begon het kindje te trappen en te krijsen, en zij boog zich voorover om hem op te pakken en tegen haar borst te drukken, ondertussen zeggend: 'Zal mama je vasthouden? Rustig maar.' Toen verscheen de man weer, met een kop thee en een bord met beboterd brood, die hij met een glimlach op de armleuning van mijn stoel zette. Florence legde haar kin op het hoofd van het kindje. 'Ralph,' zei ze, 'deze dame is bevriend met juffrouw Derby – weet je nog, juffrouw Derby, bij wie ik vroeger gewerkt heb.'

'Goeie genade,' zei de man – Ralph. Hij was nog steeds in hemdsmouwen, en nu pakte hij zijn jasje van de rug van een stoel en trok het aan. Ik concentreerde me op mijn kopje en bord. De thee was heel heet en zoet, de beste thee, dacht ik, die ik ooit had gedronken. Het kindje krijste weer, en Florence begon het te wiegen en schommelen en afwezig met haar wang over zijn hoofd te strijken. Al snel ging het gekrijs over in een gemurmel en vervolgens in een zucht. Toen ik dat hoorde, zuchtte ik ook – maar ik deed net alsof ik op mijn thee blies, om die af te koelen, voor het geval ze zouden denken dat ik weer ging huilen.

Opnieuw viel er een stilte, toen zei Florence: 'Ik ben je naam vergeten.' Aan Ralph legde ze uit: 'Het schijnt dat we elkaar ooit hebben ontmoet.'

Ik schraapte mijn keel en zei: 'Juffrouw Astley, juffrouw Nancy Astley.' Florence knikte. Ralph stak zijn hand uit naar de mijne en schudde die hartelijk.

'Prettig kennis met u te maken, juffrouw Astley,' zei hij. Toen gebaarde hij naar mijn wang. 'Een fiks blauw oog is dat.'

Ik zei: 'Dat kun je wel zeggen, ja.'

Hij keek vriendelijk. 'Misschien kwam het door de klap, dat u flauwviel. U hebt ons erg aan het schrikken gemaakt.'

'Het spijt me. Ik denk dat u gelijk hebt, het zal wel door de klap zijn gekomen. Ik... ik ben geraakt door een man met een ladder in de straat.'

'Een ladder!'

'Ja, hij... hij draaide heel onverwacht, zag me niet en...'

'Jeminee!' zei Ralph. 'Niet te geloven dat zoiets kan gebeuren, hè, behalve dan in een klucht in het theater!'

Ik lachte zwakjes naar hem, sloeg toen mijn ogen neer en begon mijn brood met boter te eten. Florence zat me, zo dacht ik, heel aandachtig te bestuderen.

Toen niesde het kindje, en terwijl Florence haar zakdoek naar zijn neus bracht, zei ik met weinig overtuiging: 'Wat een mooi kindje!' Meteen richtten zijn ouders hun blik op hem en keken naar hem met hetzelfde dwaze glimlachje, vrolijk en bezorgd tegelijk. Florence hield hem een stukje van zich af, waardoor het licht van de lamp op hem viel. En ik zag tot mijn verrassing dat het echt een mooi jongetje was, dat niets weghad van zijn moeder, met zijn fijne trekken, pikzwarte haar en zijn piepkleine, vooruitspringende roze lip.

Ralph leunde voorover om het schokkende hoofdje van zijn zoon te strelen. 'Hij is een schoonheid,' zei hij, 'maar vanavond is hij slaperiger dan normaal. Overdag brengen we hem naar een meisje aan de overkant van de straat en we zijn ervan overtuigd dat ze laudanum in zijn melk doet, zodat hij niet huilt. Niet,' voegde hij er snel aan toe, 'dat ik haar iets verwijt. Ze moet zoveel kinderen in huis nemen om aan geld te komen, dat het een oorverdovend lawaai moet zijn als ze allemaal beginnen. Toch had ik liever dat ze het niet deed. Ik denk niet dat het erg gezond is...' We hadden het daar even over, bewonderden toen de baby weer en vielen vervolgens stil.

'Dus,' zei Ralph vasthoudend, 'u bent een vriendin van juffrouw Derby?'

Ik wierp een snelle blik op Florence. Ze wiegde het kindje weer, maar keek nog steeds oplettend. Ik zei: 'Inderdaad.'

'En hoe gáát het met juffrouw Derby?' vroeg Ralph vervolgens.

'O, goed. U kent juffrouw Derby!'

'Nog altijd hetzelfde, dus?'

'Precies hetzelfde,' zei ik. 'Precies.'

'Nog steeds bij Ponsonby, dus?'

'Nog steeds bij Ponsonby. Doet nog steeds haar goede werken. Speelt nog steeds mandoline, weet u wel.' Ik hief mijn handen en maakte een paar halfhartige tokkelbewegingen. Maar terwijl ik dat deed, hield Florence op met wiegen, en ik zag haar blik harder worden. Ik richtte mijn ogen snel weer op Ralph. Hij had geglimlacht bij mijn woorden.

'Juffrouw Derby's mandoline,' zei hij, alsof de herinnering hem amuseerde. 'Hoeveel dakloze gezinnen zal ze daarmee niet hebben opgevrolijkt!' Hij knipoogde. 'Ik was het helemaal vergeten...'

'Ik ook.' Dat was Florence, en het klonk allerminst ironisch. Ik kauwde heel hard en verbeten op een stuk korst. Ralph glimlachte weer en zei toen heel vriendelijk: 'En waar hebt u Flo ontmoet?'

Ik slikte. 'Nou...' begon ik.

'Ik dacht,' zei Florence zelf, 'ik dacht dat het in de Green Street was, nietwaar, juffrouw Astley? In de Green Street, vlak bij de Gray's Inn Road?' Ik zette mijn bord neer en sloeg mijn ogen op naar de hare. Ik smaakte heel even het genoegen te ontdekken dat ze het meisje dat haar zo brutaal had bestudeerd op die warme juni-avond zo lang geleden, uiteindelijk niet helemaal was vergeten. Maar toen zag ik haar harde blik en begon te trillen.

'O jee,' zei ik, terwijl ik mijn ogen sloot en mijn hand naar mijn voorhoofd bracht, 'ik voel me toch niet zo heel goed.' Ik merkte dat Ralph een stap naar me toe deed en toen bleef staan. Florence moest hem met een blik hebben tegengehouden.

'Ik denk dat Cyril nu naar boven kan, Ralph,' zei ze kalm. Ik hoorde dat het kindje werd overhandigd, vervolgens dat een deur openging en sloot en ten slotte dat schoenen op de trap klonken en de vloerplanken in de kamer boven ons kraakten. Toen was er een stilte. Florence liet zich in de andere leunstoel zakken en zuchtte.

'Maak ik u echt heel erg ziek, juffrouw Astley,' zei ze met vermoei-

de stem, 'als ik u vraag me te vertellen waarom u eigenlijk hier bent?'
Ik keek haar aan, maar kon niets uitbrengen. 'Ik kan niet geloven dat juffrouw Derby u echt heeft gevraagd hierheen te komen.'

'Nee,' zei ik. 'Ik heb juffrouw Derby alleen maar die ene keer in de Green Street gezien.'

'Wie heeft u dan verteld waar ik woon?'

'Een andere dame op het kantoor van Ponsonby,' zei ik. 'Althans, ze heeft het me niet vertéld, maar uw adres lag op haar bureau en ik... zag het.'

'U zag het.'

'Ja.'

'En dacht, ik ga eens langs...'

Ik beet op mijn lip. 'Ik heb een ongelukje gehad,' zei ik. 'Ik herinnerde me u...' Herinnerde me u, voegde ik er bijna aan toe, als veel vriendelijker dan u blijkt te zijn. 'De dame op het kantoor zei dat u werkte in een tehuis voor meisjes zonder vrienden...'

'Dat is ook zo! Maar dit is het niet. Dit is míjn tehuis.'

'Maar ik zit helemaal zonder vrienden.' Mijn stem beefde. 'U kunt zich niet voorstellen hoe weinig vrienden ik heb.'

'U bent wel erg veranderd,' zei ze even later, 'sinds ik u voor het laatst heb gezien.' Ik keek neer op mijn gekreukelde jurk, mijn vreselijke schoenen. Toen keek ik naar haar. Zij was, zo zag ik nu, ook veranderd. Ze leek ouder en magerder, en dat magere stond haar niet. Haar haar, dat in mijn herinnering krullerig was, had ze naar achteren getrokken in een stijf knotje op haar achterhoofd, en de jurk die ze droeg, was eenvoudig en heel donker. Al met al zag ze er even stemmig uit als mevrouw Hooper van het Felicity Place.

Ik haalde diep adem om mijn stem onder controle te krijgen. 'Wat moet ik doen?' vroeg ik eenvoudigweg. 'Ik kan nergens heen. Ik heb geen geld, geen huis...'

'Dat spijt me voor u, juffrouw Astley,' antwoordde ze bot. 'Maar Bethnal Green zit vol arme meisjes. Als ik die allemaal onderdak zou moeten geven, zou ik in een kasteel moeten wonen! Bovendien, ik... ik ken u niet en weet ook niets van u.'

'Alstublieft,' zei ik. 'Voor één nachtje maar. U moest eens weten bij hoeveel deuren ik ben weggejaagd. Als u me de straat op stuurt, denk ik echt dat ik blijf lopen tot aan een rivier of kanaal, en dan verdrink ik mezelf.'

Ze fronste haar wenkbrauwen, legde toen een vinger op haar lippen en beet op een nagel. Al haar nagels, zo zag ik nu, waren heel kort en afgekloven.

'Wat was dat precies voor ongelukje?' vroeg ze ten slotte. 'Meneer Banner dacht dat u misschien uit de... tja, uit de gevangenis kwam.'

Ik schudde mijn hoofd en zei toen vermoeid: 'Het komt erop neer dat ik bij iemand heb gewoond, en daar hebben ze me eruit gegooid. Ze hebben mijn spullen gehouden... O! Ik had zulke mooie spullen! En ze hebben me laten zitten, ellendig en arm en in de war...' Mijn stem werd schor. Florence keek me even zwijgend aan. Toen zei ze, nogal argwanend, vond ik: 'En wie was die persoon...?'

Maar nu aarzelde ik. Als ik haar de waarheid zou vertellen, wat zou ze er dan wel niet van denken? Ooit had ik haar bijna potterig gevonden, maar nu – misschien was ze altijd alleen maar een gewoon meisje geweest dat me uit vriendschap voor een lezing had uitgenodigd. Of misschien had ze ooit van meisjes gehouden, en hen toen de rug toegekeerd – net als Kitty! Die gedachte maakte me voorzichtig: als zich aan Kitty's deur een pot met een wond zou aandienen, wist ik maar al te goed wat voor onthaal die zou krijgen. Ik legde mijn hoofd in mijn handen. 'Het was een vent,' zei ik zachtjes. 'Ik heb anderhalf jaar in het huis van een vent gewoond, in St John's Wood. Ik heb me' – ik herinnerde me een uitdrukking van mevrouw Milne – 'het hoofd op hol laten brengen. Hij overlaadde me met geschenken. En nu...' Ik sloeg mijn ogen naar haar op. 'U zult me wel heel zondig vinden. Hij zei dat hij met me zou trouwen!'

Ze keek heel verrast. Maar er was ook medelijden in haar blik gekomen. 'Die kerel heeft u natuurlijk dat blauwe oog bezorgd,' zei ze, 'en helemaal niet die man met die ladder.'

Ik knikte en bracht mijn hand naar de wond op mijn wang. Toen ging ik met mijn vinger naar mijn haar en herinnerde me dat. 'Wat een duivel was dat!' zei ik vervolgens. 'Hij was stinkend rijk, kon doen wat hij wilde. Hij had me net als u in een broek op het balkon gezien. Hij...' Ik bloosde. 'Hij vond het leuk als ik me als een jongen verkleedde, in een matrozenpak...'

'O!' riep ze, alsof ze nog nooit zoiets afschuwelijks had gehoord. 'Maar de rijken zijn het ergst, neem dat van mij aan! Hebt u geen familie om naartoe te gaan?'

'Ze... ze hebben me allemaal uitgekotst, vanwege die affaire.'

Daarop schudde ze haar hoofd, kreeg toen weer een nadenkende trek op haar gezicht en wierp een snelle blik op mijn middel. 'U... u hebt toch geen ongelukje gehad?' vroeg ze zachtjes.

'Een ongelukje? Ik...' Ik kon er niets aan doen: het was alsof ze me de tekst van mijn rol aanreikte, zodat ik haar die kon voorlezen. 'Ik hád een ongelukje,' zei ik, met mijn ogen op mijn schoot, 'maar die kerel heeft dat opgelost toen hij me sloeg. Daarom voelde ik me, denk ik, zo slecht, daarnet...'

Hierop verscheen een heel vreemde en zachte uitdrukking op haar gezicht, en ze knikte en slikte – en ik zag dat ik haar had overtuigd.

'Als u nergens naartoe kunt, kan het, neem ik aan, geen kwaad dat u een nacht – één nacht – hier bij ons blijft. En morgen geef ik u dan een paar adressen waar u een bed kunt vinden...'

'O!' Ik kon wel weer flauwvallen, van pure opluchting. 'En meneer Banner,' vroeg ik, 'zou die het goedvinden?'

Meneer Banner bleek er helemaal geen bezwaar tegen te hebben dat ik bleef. Net als tevoren was hij vriendelijker dan zijn vrouw en bereid zich allerlei moeite voor me te getroosten. Toen ze gingen eten – want ik was gekomen op het moment dat ze aan hun avond-eten begonnen – zette hij een bord voor me neer en schepte daar hutspot op. Hij bracht me een omslagdoek toen ik huiverde, en toen hij me door de kamer zag hinken, na een bezoek aan het privaat, liet hij me mijn schoenen uittrekken en haalde een kom water met zout om mijn voeten vol blaren in te weken. En het mooiste van alles was dat hij ten slotte een blikje tabak van de plank in de boekenkast pakte, twee keurige sigaretten rolde en mij er een van aanbood.

Florence zat de hele avond een stukje van ons vandaan aan de eet-tafel een stapel papieren door te werken – lijsten, zo stelde ik me naïef voor, van meisjes zonder vrienden, rekeningen, misschien van het Freemantle House. Toen we onze sigaretten aanstaken, keek ze op en snoof, maar klaagde niet. Zo nu en dan zuchtte of geeuwde ze, of wreef ze over haar nek alsof ze daar pijn had, en dan sprak haar man haar bemoedigend of liefdevol toe. Eén keer huilde het kindje, waarop zij haar hoofd schuin hield, maar niet van haar plaats kwam. Het was Ralph die zonder morren opstond om naar hem toe te gaan. Zij werkte gewoon door: schreef, las, vergeleek pagina's, schreef adressen op enveloppen... Zij werkte terwijl Ralph geeuwde en ten slotte opstond, zich uitrekte, met zijn lippen haar wang raakte en ons beiden vriendelijk goedenacht wenste. Zij werkte terwijl ík geeuwde en begon te doezelen. Ten slotte schoof ze rond een uur of elf haar papieren bij elkaar en streek met haar hand over haar gezicht. Toen ze mij zag, schrok ze. Ik geloof echt dat ze me, in al haar ijver, was vergeten.

'Ik ga maar naar boven, juffrouw Astley,' zei ze. 'Hopelijk vindt u het niet erg om hier te slapen? Ik ben bang dat we geen andere plek voor u hebben.' Ik glimlachte. Ik vond het niet erg – al dacht ik dat er een lege kamer boven moest zijn en vroeg ik me in stilte af waarom ze mij daar niet liet slapen. Ze hielp me de twee leunstoelen tegen elkaar te schuiven en ging toen een kussen, een deken en een laken halen.

'Hebt u alles wat u nodig hebt?' vroeg ze toen. 'Het privaat is buiten, zoals u weet. Er is een kan schoon water in de keukenkast, mocht u dorst krijgen. Ralph staat om een uur of zes op en ik om zeven uur – of vroeger, als Cyril me wakker maakt. U zult natuurlijk om acht uur, gelijk met mij, moeten vertrekken.' Ik knikte vlug. Ik wilde nog niet aan de volgende ochtend denken.

Er viel een pijnlijke stilte. Ze zag er zo moe en gewoontjes uit dat ik de dwaze neiging had om haar, net als Ralph, een nachtzoen te geven. Dat deed ik natuurlijk niet. Ik zette alleen een stap in haar richting toen zij naar me knikte en aanstalten maakte om naar boven te gaan, en zei: 'Ik kan u niet zeggen, mevrouw Banner, hoe dankbaar ik u ben. U bent heel aardig voor me geweest – terwijl u me nauwelijks kent, en vooral uw man, die me helemaal niet kent.'

Ze draaide zich naar mij om en knipperde met haar ogen. Toen plaatste ze haar hand op de rug van een stoel en glimlachte eigenaardig. 'Dacht u dat hij mijn man was?' vroeg ze. Ik aarzelde, plotseling van de wijs.

'Tja, ik...'

'Hij is mijn man niet! Hij is mijn broer.' Haar broer! Ze bleef glimlachen om mijn verwarring en lachte toen voluit: even was ze weer de vrolijke meid die ik had gesproken in de Green Street, al die maanden geleden...

Maar toen slaakte het kindje in de kamer boven ons een kreet en we sloegen allebei onze ogen op naar het geluid, en ik voelde dat ik bloosde. En toen zij dat zag, verdween haar glimlach. 'Cyril is niet van mij,' zei ze snel, 'al zeg ik wel dat hij van mij is. Zijn moeder woonde bij ons in en wij hebben hem aangenomen toen ze... bij ons wegging. Wij houden heel veel van hem, nu...'

Ze zei het zo onbeholpen dat ik vermoedde dat er een verhaal achter stak – misschien zat de moeder in de gevangenis, misschien was het kindje in werkelijkheid van een nicht of van een zuster of van een liefje van Ralph. Die dingen kwamen ook heel vaak voor in Whitstable; ik vond het verder niet interessant. Ik knikte alleen maar, en gaapte. En toen ze dat zag, gaapte zij ook.

'Goedenacht, juffrouw Astley,' zei ze vanachter haar hand. Ze zag er nu niet meer uit als het meisje van de Green Street. Ze zag er alleen maar weer vermoeid uit, en heel gewoon.

Ik wachtte even terwijl zij naar boven liep. Ik hoorde haar boven me schuifelen en nam natuurlijk aan dat ze een kamer deelde met het kindje – toen pakte ik een lamp en ging op weg naar het privaat. De tuin was heel klein en aan alle kanten omgeven door muren en verduisterde vensters. Ik talmde een moment op de kille tegels, staarde naar de sterren en snoof de onbekende geuren van Oost-Londen op, met hun vage rivier- en koollucht. Ik schrok op van een geritsel uit de tuin van de buren, bang voor ratten. Maar het waren geen ratten, het waren konijnen: vier, in een hok, hun ogen oplichtend als juwelen in de lamp die ik op hen richtte.

Ik sliep in mijn onderrok, half liggend, half zittend tussen de twee leunstoelen, met de dekens om me heen gewikkeld en mijn jurk eroverheen gespreid voor extra warmte. Het klinkt niet erg comfortabel, maar het was in feite heel knus, en hoewel ik met al mijn zorgen eigenlijk ziek en chagrijnig had moeten zijn, kon ik slechts geeuwen en glimlachen toen ik de kussens zo zacht in mijn rug voelde, met het smeulende vuur naast me. Ik werd die nacht tweemaal wakker: de eerste maal van het geluid van geschreeuw in de straat en van dichtslaande deuren en geratel van de pook in de haard in het buurhuis, en de tweede maal van het gehuil van het kindje in Florence' kamer. Dit geluid in de duisternis deed me huiveren, want het herinnerde me aan de vreselijke nachten bij mevrouw Best in de grauwe kamer die uitkeek over de Smithfield Market. Het duurde echter niet lang. Ik hoorde Florence opstaan en over de vloer lopen en toen terugkeren – met Cyril, neem ik aan – naar bed. En daarna roerde hij zich niet meer, en ik ook niet.

De volgende morgen werd ik wakker van het dichtslaan van de achterdeur. Dat was Ralph, dacht ik, die naar zijn werk ging, want de klok wees zeven uur. Algauw daarna was er een beweging boven mijn hoofd, toen Florence opstond en zich aankleedde, en heel wat drukte buiten op straat – wonderbaarlijk dichtbij klonk het allemaal voor mij, die gewend was in Diana's rustige villa te slapen, ongestoord door vroege vogels.

Ik bleef heel stil liggen, terwijl de tevredenheid van de nacht volledig uit me wegsijpelde. Ik wilde niet opstaan en de dag onder ogen zien, mijn stekende schoenen weer aantrekken, Florence gedag zeggen en weer een meisje zonder vrienden worden. Het was 's nachts heel koud geworden in de huiskamer, en mijn kleine tijdelijke bed leek de enige warme plek. Ik trok de dekens over mijn hoofd en kreunde. Dat kreunen schonk me veel voldoening, merkte ik, dus kreunde ik nog harder... Ik hield pas op toen ik de klik van de huiskamerdeur hoorde, tilde daarna de dekens van mijn gezicht en zag Florence ernstig naar me turen door het halfduister.

'Bent u weer ziek?' vroeg ze. Ik schudde mijn hoofd.

'Nee, ik... kreunde alleen maar.'

'O.' Ze keek weg. 'Ralph heeft wat thee achtergelaten. Zal ik een kopje voor u halen?'

'Ja, graag.'

'En dan... dan moet u opstaan, ben ik bang.'

'Natuurlijk,' zei ik. 'Ik zal nu opstaan.' Maar toen ze weg was, merkte ik dat ik helemaal niet kon opstaan. Ik kon alleen maar liggen. Ik moest weer naar het privaat, heel nodig. Ik wist dat het vreselijk onbeleefd was hier zo te blijven liggen, in de huiskamer van een vreemde. Maar ik voelde me alsof ik die nacht bezoek had gehad van een dokter die al mijn botten had weggenomen en er staven lood voor in de plaats had gezet. Ik kon helemaal niets... alleen liggen...

Florence bracht me thee en ik dronk die, ging toen weer liggen. Ik hoorde haar in de keuken scharrelen, Cyril wassen. Toen kwam ze terug en trok nadrukkelijk de gordijnen open.

'Het is kwart voor acht, juffrouw Astley,' zei ze. 'Ik moet Cyril naar de overkant brengen. U zult toch op en aangekleed zijn als ik terugkom, hè? Toch?'

'O, maar natuurlijk,' zei ik, maar toen ze vijf minuten later terugkwam, had ik nog geen vin verroerd. Ze keek me aan en schudde haar hoofd. Ik beantwoordde haar blik.

'U weet toch dat u hier niet kunt blijven. Ik móét naar mijn werk, en ik moet nú gaan. Als u me nog langer ophoudt, kom ik te laat.' Met die woorden greep ze het uiteinde van de deken vast. Maar ik greep het boveneinde vast.

'Ik kan het niet,' zei ik. 'Waarschijnlijk ben ik toch ziek.'

'Als u ziek bent, moet u ergens naartoe waar ze goed voor u kunnen zorgen!'

'Zo ziek ben ik niet!' huilde ik toen. 'Als ik alleen nog wat mag blijven liggen om weer op krachten te komen... Ga maar naar uw werk, ik kom er wel uit en ben al lang en breed weg als u thuiskomt. U kunt me wel vertrouwen in uw huis, hoor. Ik zal niets wegnemen.'

'Alsof er zoveel weg te nemen is!' riep ze. Toen gooide ze haar eind van de deken naar me toe en legde haar hand op haar voorhoofd. 'O,' zei ze, 'wat heb ik een hoofdpijn!' Ik keek naar haar, zonder iets te zeggen. Ten slotte leek ze zich tot een soort kalmte te dwingen, en haar stem klonk gedecideerd: 'U doet maar wat u niet laten kunt en komt er zelf wel uit.' Ze pakte haar jas van de achterkant van de deur en trok die aan. Toen nam ze haar tas, stak haar hand erin en haalde er een vel papier en een muntstuk uit. 'Ik heb een lijst voor u gemaakt,' zei ze, 'van pensions en huizen waar u een slaapplaats kunt proberen te vinden. Het geld' – een halve kroon – 'is van mijn broer. Hij vroeg me u te groeten en succes te wensen.'

'Hij is een heel aardige man,' zei ik.

Ze haalde haar schouders op, knoopte vervolgens haar jas dicht, zette haar hoed op haar hoofd en duwde er een pen door. De jas en hoed hadden de kleur van modder. Ze zei: 'In de keuken is nog wat warm spek, dat u wel als ontbijt kunt nemen. En dan... o! Dan moet u echt gaan.'

'Dat beloof ik!'

Ze knikte en trok de deur open. Er kwam een vlaag ijskoude lucht van de straat die me deed huiveren. Ook Florence huiverde. De wind blies de rand van haar hoed van haar voorhoofd, en ze kneep haar reebruine ogen dicht tegen de wind en klemde haar kaken op elkaar.

Ik zei: 'Juffrouw Banner! Misschien... misschien mag ik nog eens op bezoek komen? Ik zou graag... ik zou graag uw broer nog eens zien en hem bedanken...' Ik zou graag háár nog eens zien, was wat ik bedoelde. Ik was gekomen om een vriendin van haar te worden. Maar ik wist niet hoe ik dat moest zeggen.

Ze bracht haar hand naar haar kraag en knipperde in de wind. 'Doe wat u wilt,' zei ze. Toen trok ze de deur dicht, de huiskamer koud achterlatend, en ik zag haar schaduw op de de vitrage voor het raam terwijl ze wegliep.

Toen ze weg was, leken mijn loden leden plotseling op wonderbaarlijke wijze lichter te worden. Ik stond op en trotseerde opnieuw het kille privaat. Toen vond ik de plak spek die voor me opzij was gelegd, en ik pakte een stuk brood en een bosje waterkers en at, staande voor het keukenraam en met niets ziende ogen naar het onbekende uitzicht starend mijn ontbijt op.

Daarna wreef ik in mijn handen, keek om me heen en begon me af te vragen wat ik moest doen.

De keuken was tenminste warm, want iemand – Ralph vermoedelijk – had eerder een klein vuur in het fornuis aangestoken en de kolen waren nog maar voor de helft op. Het leek zonde die heerlijke warmte verloren te laten gaan en het kon geen kwaad, vond ik, wat water te koken om me wat te wassen. Ik opende een kastdeur, op zoek naar een pan om op de kookplaat te zetten, en ontdekte een strijkijzer. Toen ik dat zag, dacht ik: Ze zouden het vast niet erg vinden als ik dat ook warm maakte en mijn toegetakelde jurk een beetje opstreek...

Terwijl ik wachtte tot deze dingen warm waren, slenterde ik terug naar de huiskamer om de stoelen die mijn bed hadden gevormd, uit elkaar te trekken en de dekens netjes op te vouwen. Daarna deed ik wat ik de vorige avond niet had gedaan omdat ik er eerst te verward en naderhand te slaperig voor was geweest: ik keek eens goed rond.

Zoals ik al heb gezegd, was de kamer heel klein – in ieder geval veel kleiner dan mijn oude slaapkamer aan het Felicity Place – en er waren geen gaslampen, alleen olielampen en kaarsen. Ik vond de inrichting een vreemd allegaartje. De wanden waren niet behangen, zoals die van Diana, maar vlekkerig blauw geverfd, als een werkplaats. De enige decoraties waren een stel almanakken – van dit jaar en van vorig jaar – en twee of drie saaie prenten. Op de vloer lagen twee kleden, een heel oud en versleten kleed, en een nieuw kleed, bont, grof en tamelijk boers: het soort kleed, dacht ik, dat een herder met een oogziekte had kunnen weven om de eindeloze, sombere uren van een winter op de Hebriden door te komen. Op de schouw lag een wapperende omslagdoek gedrapeerd, net als bij mijn moeder, en daarop stond het soort snuisterijen dat ik als kind in alle huizen van mijn vrienden en neven en nichten had gezien: een stoffig herderinnetje van porselein, haar staf gebroken en onhandig hersteld, een stukje koraal onder een glazen stolp met roetvlekken, een glanzende tafelklok. Maar er waren ook minder voorspelbare voorwerpen te zien: een gekreukte prentbriefkaart met een afbeelding van werklieden en de woorden *Dokwerkers Loonsverhoging of Dokwerkers Staken!*, een oosters afgodsbeeld, nogal dof geworden, een gekleurde prent van een man en een vrouw in werkkleding, hun rechterhanden gebald, hun linkerhanden een opbollend spandoek dragend: *Eendracht maakt macht!*

Deze dingen vond ik weinig interessant. Vervolgens keek ik naar de nis naast de schoorsteenmantel, met een zelfgemaakte boekenkast die gewoonweg uitpuilde van de boeken en tijdschriften. Ook deze verzameling was een allegaartje en zat onder het stof. Er waren heel wat stuiversklassieken – Longfellow, Dickens, dat soort werk – en een of twee goedkope romannetjes, maar ook politieke teksten en twee of drie bundels met wat je belangwekkende poëzie zou kunnen noemen. Zeker één daarvan – *Grashalmen* van Walt Whitman – had ik gezien op Diana's boekenplanken aan het Felicity Place. Ik had het ooit in een leeg uurtje proberen te lezen en het vreselijk saai gevonden.

Deze planken en wat erop stond hielden mijn aandacht een minuut of zo vast. Daarna werd mijn aandacht getrokken door twee foto's die aan de stang erboven hingen. De eerste was een familieportret, stijf, curieus en geweldig intrigerend zoals portretten van andere families altijd zijn. Ik zocht eerst naar Florence en vond haar – misschien een jaar of vijftien oud en heel pril, mollig en ernstig – zittend tussen een dame met wit haar en een jonger, donkerder meisje, een opzichtige barmeidenschoonheid in de dop dat volgens mij een zusje moest zijn. Achter hen stonden drie jongens: Ralph, zonder zijn matrozensnor en met een heel hoge kraag, een broer die een stuk ouder was en erg op hem leek en een nog oudere broer. Er was geen vader.

Het tweede portret was een foto op een prentbriefkaart: het was in de rand van de lijst van de grote foto gestoken, maar de hoek was een beetje omgekruld, zodat een lus van een verbleekt handschrift op de achterzijde te zien was. Het was een portret van een vrouw – een vrouw met zware wenkbrauwen en slordig donker haar, ze leek kaarsrecht te zitten en keek heel ernstig. Ik dacht dat ze misschien het inmiddels volwassen zusje uit de familiegroep was, of misschien was het een vriendin van Florence of een nicht of – tja, wie dan ook. Ik boog voorover en probeerde het handschrift te lezen waar de kaart omkrulde. Maar het was niet te zien en ik had geen zin de kaart eruit te trekken – zó interessant was het ook weer niet. Toen ving ik het borrelende geluid op van de pan met water die ik op het fornuis had gezet en haastte me ernaartoe.

Ik vond een blikken kommetje om me bij te wassen en een stuk groene keukenzeep. En daarna ging ik – aangezien er geen handdoek was en ik het niet echt beleefd vond de theedoek te gebruiken – voor het fornuis staan dansen tot ik zo droog was dat ik me weer in mijn vieze onderrok kon hijsen. Met een lichte zucht dacht ik terug aan Diana's luxueuze badkamer – aan dat kastje met smeerseltjes die ik vaak uren achtereen zat te testen. Niettemin was het heerlijk om weer schoon te zijn, en nadat ik mijn haar had gekamd en mijn gezicht had verzorgd (ik wreef wat azijn in de wond en vervolgens wat bloem), en het vuil uit mijn rokken had geklopt, ze had gestreken en weer had aangetrokken, voelde ik me fit en warm en onbegrijpelijk opgewekt. Ik liep terug naar de huiskamer – dat waren tien stappen of daaromtrent – bleef daar even staan en ging weer terug naar de keuken. Het was een heel prettig huis, vond ik, maar zoals me al was opgevallen, erg schoon was het niet. De vloerkleden moesten allebei nodig worden geklopt. De plinten zaten onder de kale plekken en de modder. Iedere plank en prent was al net zo stoffig als de beroete schouw. Als dit míjn huis was, dacht ik, zou ik zorgen dat het glom als een spiegel.

Toen kreeg ik een geweldige inval. Ik holde weer naar de huiskamer en keek op de klok. Er was nog geen uur verstreken sinds Florence was weggegaan, en zowel zij als Ralph zouden pas om een uur of vijf thuis zijn. Dan had ik acht hele uren de tijd – iets minder, veronderstelde ik, als ik me voor het donker wilde verzekeren van een kamer in een logement of pension. Hoeveel schoonmaakwerk kon je doen in acht uur? Ik had geen idee: thuis had Alice moeder meestal geholpen en ik had in mijn hele leven nog bijna nooit iets schoongemaakt. De laatste tijd had ik bedienden gehad om voor me schoon te maken. Maar nu had ik de ingeving om dit huis netjes te maken – dit huis waar ik het, zij het kort, zo genoeglijk had gehad. Het zou een soort afscheidscadeau zijn, dacht ik, voor Ralph en Florence. Ik zou zijn als een meisje in een sprookje, dat het huisje van de dwergen of de grot van de rovers veegt, terwijl de dwergen of de rovers aan het werk zijn.

Volgens mij heb ik die dag harder gewerkt dan ooit, en sindsdien heb ik, als ik terugdacht aan die vlijtige uren, me vaak afgevraagd of ik niet eigenlijk mijn bezoedelde ziel schoonwaste. Allereerst maakte ik een groter vuur in het fornuis, om meer water mee te verwarmen. Toen kwam ik erachter dat ik al het water in huis had opgebruikt; ik moest met twee grote emmers de Quilter Street op en neer hompelen, op zoek naar een waterpunt. En toen ik er een vond, vond ik er ook een rij vrouwen bij en moest ik een halfuur wachten tot de kraan – die slechts een dun straaltje gaf en soms alleen maar sputterde en stokte – vrij was. De vrouwen bekeken me van onder tot boven – ze keken naar mijn oog en vooral naar mijn haar, want ik had een pet van Ralph opgezet in plaats van mijn vochtige hoed en ze konden zien waar het was afgeknipt en opgeschoren. Maar ze waren absoluut niet onvriendelijk. Een of twee, die me uit het huis hadden zien komen, vroegen me of ik bij de Banners logeerde, en ik antwoordde dat ik alleen maar op doorreis was. Daar leken ze volkomen tevreden mee, alsof er in deze buurt regelmatig mensen op doorreis waren.

Nadat ik met het water naar huis was gewankeld, het op het fornuis had gezet en me had gewikkeld in een grote, vuile schort die ik aan de binnenkant van de keukenkast had aangetroffen, begon ik aan de huiskamer. Eerst wreef ik alle doffe, beroete spullen af met een natte doek. Daarna lapte ik het raam en toen maakte ik de plinten schoon. De kleden droeg ik naar de tuin; daar hing ik ze over een waslijn en klopte ze tot mijn arm zeer deed. Terwijl ik daarmee bezig was, werd de achterdeur van het buurhuis opengetrokken en verscheen er op de stoep een vrouw, net als ik met opgerolde mouwen en een rood aangelopen gezicht. Toen ze me zag, knikte ze, en ik knikte terug.

'Daar doe je goed aan,' zei ze, 'om het huis van de Banners schoon te maken.' Ik lachte, blij dat ik even kon rusten, en veegde het zweet van mijn voorhoofd en bovenlip.

'Staan ze dan bekend als smeerpoetsen?'

'Ja,' zei ze, 'in deze straat wel. Ze doen te veel in andermans huizen en te weinig in hun eigen. Dat is het probleem.' Maar ze zei het heel luchthartig; ze leek niet te bedoelen dat Ralph en Florence bemoeials waren. Ik wreef over mijn pijnlijke schouder. 'U zult wel de nieuwe huurder zijn?' vroeg ze me vervolgens. Ik schudde mijn hoofd en herhaalde wat ik tegen de andere buren had gezegd – dat ik alleen op doorreis was. Dat scheen op haar al even weinig indruk te maken als op de andere buren. Ze keek nog een minuut of twee naar me terwijl ik mijn werk hervatte en ging naar binnen zonder nog iets te zeggen.

Nadat de vloerkleden waren geklopt, veegde ik de haard in de huiskamer aan. Toen vond ik in de keukenkast wat zwartsel en begon er de haard mee te doen. Sinds ik van huis weg was, had ik geen haard meer gezwart – maar wel had ik Zena die van Diana honderdmaal zien zwarten, en in mijn herinnering was het een heel gemakkelijk werkje. In werkelijkheid was het natuurlijk een lastig en smerig karwei, en ik was er een uur mee bezig en na afloop niet half zo opgewekt meer als daarvoor. Niettemin nam ik geen rustpauze. Ik veegde de vloeren en daarna schrobde ik ze. Toen dweilde ik de keukentegels en daarna maakte ik het fornuis en het keukenraam schoon. Ik waagde me liever niet boven, maar de huiskamer en de keuken en zelfs het privaat en de tuin pakte ik aan tot ze brandschoon waren, tot alles wat moest glimmen ook glom, tot iedere kleur weer helder en niet meer dof en vaal van het stof was.

Mijn ultieme triomf was het stoepje van de voordeur: dat veegde en dweilde ik, en ten slotte boende ik het met een stuk schuursteen tot het even wit was als ieder stoepje in de straat – en mijn armen, die zwart van het zwartsel waren geweest – van mijn vingernagels tot mijn ellebogen, onder het krijt zaten. Toen ik klaar was, ging ik even op mijn knieën zitten om het effect te bewonderen en mijn pijnlijke rug te strekken, zo warm door het werk dat de januariwind me niet deerde. Daarna zag ik een gedaante uit het buurhuis komen, en toen ik opkeek, kwam er een klein meisje in een haveloze jurk en met een paar te grote schoenen aan op me af geklost met een boordevolle kop thee.

'Moeder zegt dat u afgepeigerd moet zijn en dat ik u dit moet geven,' zei ze. Daarna boog ze haar hoofd. 'Maar ik moet bij u blijven terwijl u 'm opdrinkt, om d'r zeker van te zijn dat we het kopje terugkrijgen.'

De thee was ondoorzichtig gemaakt met een wolkje melk en was mierzoet. Ik dronk hem snel op, terwijl het meisje rillend met haar voeten stond te stampen. 'Hoef je vandaag niet naar school?' vroeg ik.

'Vandaag niet. Het is wasdag en ik moet thuisblijven om te zorgen dat de kinderen moeder niet voor de voeten lopen.' Al de tijd dat ze met me praatte, was haar blik gericht op mijn kortgeknipte hoofd. Zelf had ze blond haar, dat – zo ongeveer als vroeger dat van mij – tussen haar uitstekende schouderbladen in een lange, slordige vlecht naar beneden golfde.

Het was nu ongeveer half vier, en toen ik terugkeerde naar de keuken van Florence om mijn vuile handen en armen te wassen, zag ik dat het al heel donker was in huis. Ik deed mijn schort af en stak een lamp aan. Daarna liep ik een paar minuten heen en weer door de kamers en gaapte naar de metamorfose die ik had bewerkstelligd. Als een klein kind dacht ik: Wat zullen ze blij zijn! Zo blij... Zelf was ik echter niet meer zo vrolijk als zes uur geleden. Zoals de donkerende dag achter het huiskamerraam, was er een somber besef dat mijn plezier verdrong – het besef dat ik moest vertrekken en onderdak voor mezelf moest zoeken. Ik pakte de lijst die Florence voor me had gemaakt. Haar handschrift was keurig, maar er was inkt op haar vingers gekomen en op de plek waar ze haar vermoeide hand op het vel papier had gelegd, zat een vlek.

Ik kon het idee dat ik weg moest nog niet aan – dat ik de lijst van pensions af moest werken, een bed zou krijgen in net zo'n kamer als die waarin ik met Zena had geslapen. Ik zou over een uur gaan.

Voorlopig wilde ik er alleen aan denken hoe geweldig Ralph en Florence het zouden vinden om thuis te komen in een net huis – en daarna dacht ik, nog geestdriftiger: Wat zouden ze nog veel blijer zijn om thuis te komen in hun nette huis met hun avondeten pruttelend op het fornuis! Voorzover ik kon zien was er niet veel eten in de kasten, maar ik had natuurlijk wel de halve kroon die ze voor me hadden achtergelaten... Ik stond er niet bij stil dat ik hem voor mezelf nodig had. Ik pakte het muntstuk – het lag nog precies op de plek waar Florence het gelegd had, want ik had het alleen opgetild om er met een doek onder te vegen en het weer terug te leggen – en strompelde de Quilter Street af, naar de kraampjes en handkarren van de Hackney Road.

Een halfuur later was ik terug. Ik had brood, vlees en groenten gekocht, en – alleen omdat die er zo aantrekkelijk had uitgezien op de kar van de fruitverkoper – een ananas. Anderhalf jaar lang had ik niets anders gegeten dan koteletjes en ragouts, patés en gekonfijte vruchten. Maar er was een gerecht dat mevrouw Milne maakte, bestaande uit gestampte aardappelen, gestampte kool, cornedbeef en uien – Gracie en ik smakten altijd als het voor ons op tafel werd gezet. Ik dacht dat het niet zo'n moeilijk recept was en begon het nu voor Ralph en Florence klaar te maken.

Ik had de aardappelen en de kool opgezet en was net de uien aan het bakken, toen ik op de deur hoorde kloppen. Daar schrok ik van op, en ik werd vervolgens een beetje zenuwachtig. Ik voelde me zo thuis dat ik instinctief dacht dat ik de deur moest openen. Maar moest ik het wel doen? Was er niet een punt waarop overdreven behulpzaamheid in opdringerigheid overging? Ik keek naar de pan met uien, naar mijn opgerolde mouwen. Was ik dat punt niet al voorbij?

Terwijl ik me dat afvroeg, werd er weer geklopt, en ditmaal aarzelde ik niet, maar ging direct naar de deur en opende die. Voor de deur stond een meisje – een heel knap meisje, met donker haar dat onder een fluwelen baret uit kwam. Toen ze me zag, zei ze: 'O! Is Florrie niet thuis?' en wierp een snelle blik op mijn armen, mijn jurk, mijn oog, en toen mijn haar.

Ik zei: 'Juffrouw Banner is inderdaad niet aanwezig. Ik ben alleen.' Ik snoof, en meende de lucht van aangebrande uien te ruiken. 'Hoor eens,' vervolgde ik, 'ik ben wat aan het bakken. Vindt u het erg...?' Ik rende terug naar de keuken om mijn gerecht te redden. Tot mijn verrassing hoorde ik de voordeur dichtploffen en merkte dat het meisje me was gevolgd. Toen ik omkeek, stond ze haar jas los te knopen en vol verbazing om zich heen te staren.

'Mijn god,' zei ze – haar stem had iets beschaafds, maar absoluut niet hooghartig. 'Ik kwam langs omdat ik de stoep zag en dacht dat Florrie een vlaag van verstandsverbijstering had gekregen. Nu zie ik dat ze haar verstand helemaal heeft verloren of anders de kabouters op bezoek heeft gehad.'

Ik zei: 'Ik heb het allemaal gedaan...'

Ze lachte, haar tanden ontblotend. 'Dan moet u de kabouterkoning in eigen persoon zijn. Of is het de kabouterkoningin? Valt uw haar nu uit de toon bij uw kostuum, of is het andersom? Als dat' – ze lachte weer – 'iets betekent.'

Ik wist niet wat het zou kunnen betekenen. Ik zei alleen stijfjes dat ik wachtte tot mijn haar weer was aangegroeid. En zij antwoordde: 'Aha', en haar lach werd iets minder uitbundig. Daarna zei ze op een verbaasd soort toon: 'En u logeert zeker bij Florrie en Ralph?'

'Ze hebben me vannacht in de huiskamer laten slapen, bij wijze van gunst, maar vandaag moet ik weer weg. Hoe laat is het eigenlijk?' Ze liet me haar horloge zien: kwart voor vijf, veel later dan ik had gedacht. 'Ik moet echt gauw gaan.' Ik nam de pan van het fornuis – de uien waren wat bruiner geworden dan ik had bedoeld – en begon te zoeken naar een kom.

'Ach,' zei ze, terwijl ze mijn haast wegwuifde, 'drink dan tenminste een kop thee met me.' Ze zette wat water op, en ik begon met een vork in de aardappelen te prikken. Het gerecht dat ik bereidde, leek niet helemaal op de maaltijd die mevrouw Milne altijd maakte. En toen ik ervan proefde, was het ook niet zo smakelijk. Ik zette het aan de kant en keek er afkeurend naar. Het meisje gaf me een kopje. Daarna leunde ze tegen een kast, volkomen op haar gemak, nipte aan haar thee en geeuwde toen.

'Wat een dag heb ik gehad!' zei ze. 'Stink ik als een rat? Ik heb de hele middag in een rioolbuis gezeten.'

'In een rióólbuis?'

'In een rioolbuis. Ik ben assistente van een inspecteur van volksgezondheid. Je hoeft niet zo'n gezicht te trekken. Het was al heel wat dat ik die baan heb gekregen, neem dat van mij aan. Ze vinden vrouwen te fijn voor dat soort werk.'

'Ik denk dat ik liever fijn ben,' zei ik, 'dan zoiets te doen.'

'O, maar het is geweldig werk! Ik hoef alleen maar af en toe in riolen te gluren, zoals vandaag. Meestal doe ik metingen en praat met werklieden, om te kijken of ze het niet te warm of te koud hebben, of ze genoeg frisse lucht hebben, genoeg toiletten. Ik werk in opdracht van de regering en weet je wat dat betekent? Het betekent dat ik kan eisen om een kantoor of een werkplaats te inspecteren, en als het niet in orde is, kan ik eisen dat het in orde wordt gemáákt. Ik kan gebouwen laten sluiten, gebouwen laten verbeteren...' Ze zwaaide met haar handen. 'Voorlieden haten me. Gierige bazen van Bow tot Richmond kunnen me niet luchten of zien. Ik zou absoluut geen ander werk willen hebben.' Ik glimlachte bij het enthousiasme in haar stem; ze mocht dan een inspecteur van volksgezondheid zijn, maar ze was ook, zag ik, een uitstekend actrice. Nu nam ze nog een slok thee. 'Zo,' zei ze, toen ze die had doorgeslikt, 'hoe lang ben je al met Florrie bevriend?'

'Tja, bevriend is eigenlijk niet het juiste woord...'

'Ken je haar dan niet erg goed?'

'Helemaal niet.'

'Dat is jammer,' zei ze, hoofdschuddend. 'Ze is de laatste paar maanden niet zichzelf. Helemaal niet zichzelf...' Ze was doorgegaan met praten, denk ik, als op dat moment niet het geluid had geklonken van de voordeur die openging, en daarna dat van stappen in de huiskamer.

'O, verdómme!' zei ik. Ik zette mijn kopje neer, keek even wild om me heen en rende toen langs het meisje naar de deur van de keukenkast. Ik dacht geen moment na, ik zei geen woord tegen haar en keek haar zelfs niet aan. Ik sprong gewoon in de kleine kast en trok de deur achter me dicht. Toen drukte ik mijn oor ertegen en luisterde.

'Is daar iemand?' Het was de stem van Florence. Ik hoorde haar op haar hoede de keuken in stappen. Toen moest ze haar vriendin hebben gezien. 'Annie, o, jij bent het! Godzijdank. Even dacht ik... wat is er?'

'Ik weet het niet.'

'Waarom kijk je zo raar? Wat is er aan de hand? Wat is er met het stoepje voor het huis gebeurd? En wat is dit voor rommel op het fornuis?'

'Florrie...'

'Wat?'

'Ik kan het je net zo goed vertellen. Ja, eigenlijk ben ik wel verplicht het je te vertellen...'

'Wát? Je maakt me bang.'

'Er zit een meisje in je keukenkast.'

Toen viel er een stilte, waarin ik snel overdacht wat me te doen stond. Dat was niet veel, merkte ik, dus koos ik voor het meest eervolle. Ik pakte de klink van de keukenkastdeur en duwde die langzaam open. Florence zag me, en haar gezicht vertrok.

'Ik wilde net gaan,' zei ik. 'Eerlijk.' Ik keek naar het meisje dat Annie heette en zij knikte.

'Dat klopt,' zei ze. 'Dat klopt.'

Florence gaapte me aan. Ik stapte uit de keukenkast en schuifelde langs haar heen de huiskamer in. Ze fronste.

'Wat hebt u in hemelsnaam uitgevoerd?' vroeg ze, terwijl ik mijn hoed zocht. 'Waarom ziet alles er zo vreemd uit?' Ze pakte een doosje lucifers en stak de twee olielampen aan en daarna een stel kaarsen. Het licht weerkaatste in duizend geboende oppervlakken, en ze deinsde achteruit. 'U hebt het huis schoongemaakt!'

'Alleen de kamers op de begane grond. En de tuin. En het stoepje,' zei ik, op steeds ellendiger toon. 'En ik heb eten voor jullie gekookt.'

Ze staarde me aan. 'Waaróm?'

'Uw huis was niet schoon. De buurvrouw zei dat u daar bekend om staat...'

'Hebt u met de buurvrouw gepraat?'

'Ze heeft me thee gegeven.'

'Ik laat u één dag in mijn huis en u maakt er een totaal ander huis van. U papt aan met mijn buren. U zult ook wel de beste maatjes zijn met mijn beste vriendin. En wat heeft zíj u allemaal verteld?'

'Ik heb haar niets verteld, heus!' riep Annie vanuit de keuken.

Ik trok aan een losse draad van mijn manchet. 'Ik dacht dat u het fijn zou vinden,' zei ik zachtjes, 'om in een opgeruimd huis te wonen. Ik dacht...' Ik had gedacht dat ze me nu zou mogen. In de wereld van Diana zou dat ook zo zijn geweest. Dat of iets dergelijks.

'Mijn huis beviel me zoals het was,' zei ze.

'Ik geloof u niet,' antwoordde ik, en vervolgens, toen ze aarzelde, zei ik wat ik, denk ik, de hele tijd al van plan was tegen haar te zeggen: 'Mag ik blijven, juffrouw Banner! O, alstublieft, mag ik blijven?'

Ze keek me verbijsterd aan. 'Juffrouw Astley, dat kan niet!'

'Ik kan dan hier slapen, zoals vannacht. Ik kan schoonmaken en koken, zoals vandaag. Ik kan uw was doen.' Ik werd steeds driester en wanhopiger. 'O, wat had ik die dingen graag gedaan in het huis in St John's Wood! Maar de duivel bij wie ik woonde, zei dat ik het aan de bedienden moest overlaten – dat het mijn handen zou bederven. Maar als ik hier blijf, nou, dan kan ik voor uw kleine jongen zorgen als u aan het werk bent. Ik geef hem geen laudanum als hij huilt!'

Nu had Florence ogen als schoteltjes. 'Schoonmaken en mijn was doen? Op Cyril passen? Ik kan u niet al die dingen laten doen!'

'Waarom niet? In uw straat ben ik vandaag vijftig vrouwen tegengekomen die allemaal precies die dingen doen! Dat is toch heel normaal? Als ik uw vrouw was – of Ralphs vrouw, bedoel ik – zou ik het zeker doen.'

Nu sloeg ze haar armen over elkaar. 'Dat is in dit huis misschien wel het slechtste argument waarmee u kon komen, juffrouw Astley.' Maar terwijl ze sprak, ging de voordeur open en verscheen Ralph. Hij had een avondkrant onder zijn ene arm en Cyril onder zijn andere.

'Nee maar,' zei hij, 'moet je zien hoe die stoep blinkt. Ik durf er geen stap op te zetten.' Hij zag mij en glimlachte – 'Hallo, nog hier?' – en keek toen de kamer rond. 'En moet je dit allemaal zien! Ik ben toch niet in de verkeerde huiskamer terechtgekomen?'

Florence liep naar hem toe om het kindje over te nemen en duwde hem toen in de richting van de keuken. Daar hoorde ik hem blije uitroepen slaken – eerst over Annie, toen over het vlees met de aardappels en ten slotte over de ananas. Florence was even in de weer met Cyril, die druk en lastig was en op het punt stond te gaan huilen. Ik ging naar haar toe, en zei – wat verschrikkelijk gewaagd was, want het laatste kindje dat ik had vastgehouden, was dat van mijn nicht geweest, vier jaar geleden, en dat had me in mijn gezicht geschreeuwd: 'Geef hem mij maar, kinderen zijn gek op mij.' Ze overhandigde hem en door een groot wonder – misschien hield ik hem zo onhandig vast dat het hem met stomheid sloeg – viel hij tegen mijn schouder, zuchtte en kwam tot bedaren.

Als ik meer ervaring had gehad in dit soort zaken, had ik misschien bedacht dat de aanblik van haar pleegzoon, zo tevreden en stil in de armen van een ander meisje, het laatste zou zijn wat een moeder ertoe zou overhalen dat meisje in haar huis te laten blijven. Maar toen ik weer naar Florence keek, zag ik dat haar ogen op mij gericht waren en dat ze – net als één keer de vorige avond – een vreemde en haast trieste, maar ook wanhopig liefdevolle uitdrukking op haar gezicht had. Eén krul had zich losgewurmd uit haar haarknotje en hing nogal slap over haar voorhoofd. Toen ze een hand ophief om de krul uit haar oog te vegen, leek de vingertop een beetje vochtig.

Ik dacht: Verdomd, ik had mijn talent niet moeten verspillen aan de mannenimitatie, ik had in het melodrama moeten gaan. Ik beet op mijn lip en maakte een slikbeweging. 'Dag, Cyril,' zei ik met een stem die een beetje beefde. 'Ik moet nu mijn klamme hoed opzetten en de donkere nacht in gaan om een bank te vinden waar ik op kan slapen...'

Maar dat bleek ten slotte te veel. Florence snoof en er kwam weer een strenge trek op haar gezicht.

'Goed dan,' zei ze. 'U kunt blijven – een week. En als die week goed uitpakt, zullen we het een maand proberen. U krijgt een deel van het gezinssalaris, neem ik aan, omdat u op Cyril past en het huis schoonhoudt. Maar als het niet werkt, moet u me belóven, juffrouw Astley, dat u zult gaan.'

Dat beloofde ik. Toen duwde ik het kindje een beetje hoger op mijn schouder, en Florence draaide zich om. Ik keek niet om te zien wat ze nu voor uitdrukking op haar gezicht had. Ik glimlachte slechts, en toen bracht ik mijn lippen naar Cyrils hoofd – hij rook heel zuur – en kuste hem.

Wat was ik toen dankbaar dat ik had gelogen over Diana! Wat maakte het uit dat ik helemaal niet was wie ik voorgaf? Ooit was ik een normaal meisje geweest. Ik kon weer normaal worden – normaal zijn zou weleens een soort vakantie kunnen blijken. Ik dacht terug aan mijn jongste verleden en huiverde, en toen wierp ik een blik op Florence en was blij – zoals ik al eens eerder blij was geweest – dat ze niet zo mooi en tamelijk gewoon was. Ze had een zakdoek gepakt en wreef over haar neus, en nu riep ze naar Ralph dat hij de ketel op het fornuis moest zetten. Mijn lusten waren sterk geweest en hadden me tot wanhopig genot gedreven, maar zij, zo wist ik, zou ze nooit wekken. Mijn al te liefdevolle hart had zich ooit verhard en was de laatste tijd nog harder geworden – maar in de Quilter Street was geen kans, dacht ik, dat het weer zacht zou worden.

17

Een van de dames die zich op Diana's verschrikkelijke feest hadden verkleed als Marie-Antoinette, was niet gekomen als koningin, maar als herderinnetje, met een staf. Ik had haar horen vertellen aan een andere gast (die haar abusievelijk voor het herderinnetje Bo Peep uit het kinderrijmpje had aangezien) dat Marie-Antoinette een klein boerenhuisje had laten bouwen in de tuin van haar paleis en het leuk vond zich daar te vermaken, met al haar vrienden vermomd als melkmeiden en boerenpummels. In de eerste paar weken van mijn tijd aan de Quilter Street herinnerde ik me dat verhaal met enige bitterheid. Ik denk dat ik me precies Marie-Antoinette voelde, die dag dat ik een schort voordeed en voor Florence het huis schoonmaakte en het avondeten kookte. Ook op de tweede dag voelde ik me precies Marie-Antoinette. Maar tegen de derde dag – de derde dag van wachten in de rij voor het waterpunt tot de kraan zijn sputterende beetje troebel water zou uitspugen, van zwarten van de haarden en het fornuis, van witten van de stoep, van schrobben van het privaat – was ik eraantoe om mijn herdersstaf aan de wilgen te hangen en terug te keren naar mijn paleis. Maar de paleisdeuren waren natuurlijk voor mij gesloten: ik moest nu serieus werken. En ik moest ook werken met een kindje dat op mijn arm spartelde – of over de vloer rolde en zijn hoofd tegen de meubels stootte – of, zoals meestal, in zijn wieg boven lag te krijsen om melk en brood met boter. In weerwil van al mijn beloften aan Florence denk ik dat ik hem gin gegeven zou hebben als die in huis was geweest, of die anders zelf achterover had geslagen om het werk wat op te vrolijken. Maar er was geen gin en Cyril bleef levendig en het werk bleef zwaar. En ik mocht niet klagen, zelfs niet tegen mezelf, want ik wist dat dit leven, hoe naargeestig het ook was, niet zo naargeestig zou zijn als het leven dat ik zou moeten leiden wanneer ik wegging uit Bethnal Green en helemaal zonder vrienden en in de winter mijn geluk op straat zou moeten zoeken.

Dus klaagde ik niet, maar ik dacht vaak terug aan het Felicity Place, hoe rustig en mooi dat plein was, hoe voornaam Diana's villa, hoe aangenaam de vertrekken, hoe licht, hoe warm, hoe geurig, hoe verfijnd – kortom, hoe anders dan het huis van Florence dat in een van de armste, lawaaiigste buurten van de stad lag, met één donkere kamer die dienstdeed als slaapkamer, eetkamer, bibliotheek en huiskamer, met rammelende ramen en lekkende schouwen en een deur die voortdurend openging, dichtging of een klap van een vuist kreeg. De hele straat had net zo goed van gummi kunnen zijn – zoveel schreeuwen en lachsalvo's en mensen en geuren en honden gingen er tussen de huizen heen en weer. Ik had me er niets van moeten aantrekken – tenslotte was ik opgegroeid in eenzelfde soort straat, in een huis waar neefjes en nichtjes de trappen op en af denderden en de huiskamer iedere willekeurige avond van de week vol mensen kon zijn die bier dronken en kaart speelden en soms ruziemaakten. Maar ik kon er niet meer tegen, en nu werd ik er alleen maar moe van.

En bovendien kwamen er zovéél mensen langs. Zoals Florence' familie: een broer met zijn vrouw en kinderen, en een zus Janet. De broer was de oudste zoon op het familieportret (de middelste was naar Canada geëmigreerd). Hij was slager en bracht soms vlees voor ons mee. Maar het was een opschepper. Hij was verhuisd naar een huis in Epping en hij vond het raar dat Ralph in de Quilter Street bleef, waar de hele familie was opgegroeid. Ik mocht hem niet erg. Maar Janet, die vaker kwam, vond ik meteen aardig. Ze was achttien of negentien, fors en knap. Een typisch barmeisje had ik haar gevonden toen ik de foto bekeek. Ik voelde me dan ook gestreeld toen ik hoorde dat ze als schenkster werkte in een kroeg in de City en bij de familie die de kroeg dreef inwoonde, op kamers erboven. Florence maakte zich zorgen over haar. Hun moeder was overleden toen de zusjes nog heel jong waren (hun vader jaren daarvoor). Florence had de hele opvoeding van het meisje alleen moeten doen en was er, zoals alle oudere zusters, zeker van dat Janet zich op het slechte pad zou laten brengen door de eerste de beste jongen die haar aanraakte. 'Ze zal zich zonder na te denken in het huwelijk storten,' zei ze vermoeid tegen mij, toen Janet voor het eerst sinds ik daar woonde langskwam. 'Het zal haar slopen als ze het ene na het andere kind krijgt en dan verliest ze haar schoonheid, en op haar drieënveertigste zal ze uitgeput sterven, net als onze eigen moeder.' Als Janet bij ons kwam eten, bleef ze slapen. Dan sliep ze boven in het bed van Florence en hoorde ik beneden in de huiskamer hun gemompel en gelach – van dat geluid werd ik verschrikkelijk ongedurig. Maar Janet zelf leek absoluut niet verwonderd toen ze me bij het ontbijt de bokkingen zag opdienen of op wasdag haar broers ondergoed door de mangel zag halen. 'Prima, Nancy,' zei ze – ze noemde me al meteen Nancy. Bij onze eerste ontmoeting had ik nog steeds de wond onder mijn oog, en toen ze die zag, floot ze. Ze zei: 'Dat heeft een meisje gedaan, hè? Een meisje mikt steeds op de ogen, altijd. Een vent mikt op de tanden.'

Als het huis niet op zijn grondvesten stond te schudden door Janets stampende voetstappen op de trap, trilde het van de discussies en het gelach van Florence' vriendinnen, die regelmatig met boeken, pamfletten en roddeltjes langskwamen voor een kopje thee. Ik vond het een heel raar slag, die meisjes. Ze werkten allemaal, maar net als Annie Page, de inspecteur van volksgezondheid, had geen van hen een saai, simpel baantje – vilthoeden of verentooien maken of werken in een winkel. In plaats daarvan werkten ze allemaal in de liefdadigheid of in tehuizen: ze hadden allemaal lijsten met invaliden of landverhuizers of verweesde meisjes, die ze aan banen, huizen of verzekeringen wilden helpen. Elk verhaal dat ze vertelden, begon hetzelfde: 'Vandaag kwam er een meisje op kantoor...'

'Vandaag kwam er een meisje op kantoor, zo uit de gevangenis, en haar moeder heeft haar kindje meegenomen en is ermee verdwenen...'

'Vandaag kwam er een arme vrouw op kantoor; ze was meegenomen uit India als dienstmeid en nu wil de familie haar terugreis niet betalen...'

'Vandaag kwam er een vrouw; ze is geruïneerd door een kerel en die kerel heeft haar zo'n opdoffer gegeven dat ze...' Maar dit verhaal werd nooit afgemaakt. Het meisje dat het vertelde, kreeg mij ineens in het oog, neergestreken op een leunstoel aan Florence' elleboog. Toen bloosde ze hevig, bracht haar kopje naar haar lippen en veranderde van onderwerp. Ze hadden allemaal mijn verhaal gehoord – mijn verzonnen verhaal – van Florence zelf. Als ze niet boven hun theekopjes over dat verhaal zaten te blozen, namen ze me apart om me onder vier ogen te vragen: ging het nu goed met me? En om een man aan te bevelen die me goed zou kunnen helpen als ik mijn zaak voor het gerecht wilde brengen, of anders wel een kruidenbehandeling voor de wond op mijn wang...

De hele vriendenkring van Ralph en Florence was eigenlijk weerzinwekkend aardig en oprecht en gewetensvol in dit soort zaken. Ik kwam er al heel snel achter dat de Banners belangrijke figuren in de lokale arbeidersbeweging waren – ze hadden altijd wel een of ander uitzichtloos project onder handen, een of ander plan om een wet aanvaard te krijgen of tegen te houden. Daarom zat de huiskamer altijd vol mensen die spoedvergaderingen of saaie debatten hielden. Ralph was coupeur in een zijdefabriek en secretaris van de zijdewerkersbond. Florence werkte niet alleen in het Stratfordse meisjestehuis, het Freemantle House, maar ook als vrijwilligster voor iets dat het Coöperatieve Vrouwengilde heette; het was het werk voor het gilde (en niet, zoals ik me had verbeeld, lijsten meisjes zonder vrienden) dat haar die avond van mijn komst in haar huis zo laat had beziggehouden – en dat haar nog heel wat volgende nachten laat bezighield met het sluitend maken van saldo's en het schrijven van brieven. In die eerste dagen wierp ik zo nu en dan een blik op de bladzijden waaraan ze werkte, maar bij alles wat ik zag, fronste ik mijn wenkbrauwen. 'Wat betekent dat, "coöperatief"?' vroeg ik haar een keer. Het was een woord dat ik op het Felicity Place nooit had gehoord.

Maar toch waren er momenten in de Quilter Street, als ik kopjes thee uitdeelde, sigaretten rolde, kinderen verzorgde terwijl anderen discussieerden en lachten, dat ik dacht dat ik net zo goed in Diana's salon had kunnen zijn, gekleed in een tuniek. Daar had niemand me ooit iets gevraagd, omdat ze dachten dat mijn mening niet de moeite waard was. Maar ze hadden tenminste graag naar me gekeken. In het huis van Florence keek niemand naar me – erger nog, ze veronderstelden allemaal dat ik net zo goed en energiek was als zijzelf. Ik was dan ook voortdurend bang dat ik ze per ongeluk zou teleurstellen – dat iemand mijn mening zou vragen over de SDF of de ILP, en

dat uit mijn antwoord zou blijken dat ik niet alleen de s D F had verward met de w L F, de I L P met de w T U L, maar ook absoluut geen idee
had, noch ooit had gehad, waar de letters eigenlijk voor stonden.
Toen ik op een keer, ongeveer zes weken nadat ik daar was ingetrok-
ken, verlegen bekende dat ik nauwelijks het verschil wist tussen een
Tory en een Liberal, dachten ze dat het een scherpzinnig grapje was.
'U hebt helemaal gelijk, juffrouw Astley!' had een man geantwoord.
'Er is helemaal geen verschil, en als iedereen nu maar zo'n scherpe
blik had als u, zouden wij het een stuk makkelijker hebben.' Ik glimlachte en zei niets meer. Toen verzamelde ik de kopjes en nam Cyril
mee naar de keuken, en terwijl ik wachtte tot het water kookte, zong
ik een oud liedje van het variété voor hem, waardoor hij met zijn
beentjes schopte en kirde.

Toen verscheen Florence. 'Wat een mooi liedje,' zei ze afwezig. Ze
wreef in haar ogen. 'Ralph en ik gaan weg – je vindt het toch niet erg
om op Cyril te passen? Verderop in de straat is een gezin waar de
deurwaarder schijnt te zijn. Ik zei dat wij zouden komen voor het
geval de mannen handtastelijk zouden worden...' Er was altijd zoiets
– altijd een of andere buur in moeilijkheden, die geld nodig had of
hulp, of voor wie ze een brief moesten schrijven of een bezoek aan
de politie afleggen. En ze kwamen altijd naar Ralph en Florence – ik
was er nog geen week of ik zag Ralph weglopen van zijn eten en in
hemdsmouwen de straat af hollen om een man die zijn baan had
verloren te troosten en wat geld toe te stoppen. Ik vond dat ze gek
waren. Thuis in Whitstable waren we heel vriendelijk geweest tegen
onze buren, maar die vriendelijkheid had zijn grenzen; moeder had
een hekel aan lamlendige vrouwen of luiwammesen of dronkaards.
Florence en Ralph hielpen echter iedereen, zelfs – of juist, zo leek
het mij – die werkschuwe vaders, die slonzige moeders aan wie heel
Bethnal Green zich ergerde. Nu ik hoorde dat Florence van plan was
naar het gezin te gaan waar de deurwaarder in aantocht was, schoot
ik uit mijn slof. 'Jullie zijn een stel regelrechte heiligen, allebei,' zei
ik, terwijl ik een kom met zeepwater vulde. 'Jullie hebben nooit een
moment voor jezelf. Jullie hebben een fijn huis – nu ik het hier mooi
maak – en geen moment om ervan te genieten. Jullie verdienen
samen een behoorlijk inkomen, maar jullie geven alles weg!'

'Als ik niets te maken wilde hebben met mijn buren en de hele avond naar mijn mooie wanden wilde kijken,' antwoordde ze, nog steeds met een hand over haar uitgeputte gezicht strijkend, 'zou ik naar Hampstead verhuizen! Ik heb mijn hele leven in dit huis gewoond. Er is hier geen gezin dat niet eens een keer mijn moeder heeft geholpen, toen wij klein waren en het leven heel zwaar was. Je hebt gelijk, we verdienen samen een behoorlijk inkomen, Ralph en ik, maar denk je dat ik zou kunnen genieten van mijn dertig shilling, in de wetenschap dat mevrouw Monks van hiernaast met al haar meisjes moet leven van tien? Dat mevrouw Kenny van de overkant, met haar zieke man, het moet doen met de drie shilling die ze verdient met het maken van papieren bloemen, waarvoor ze hele nachten opblijft, turend naar die ellendige dingen tot ze er halfblind van wordt...'

'Al goed,' zei ik. Ze hield dit soort toespraken vaak – waarbij ze me altijd in de oren klonk als een Dochter van het Volk in een of andere sentimentele roman over het leven in het East End. Maria Jex las altijd dat soort romans, en Diana mocht haar daar graag om uitlachen. Ik zei dat echter niet tegen Florence. Ik zei helemaal niets. Maar als zij en Ralph en hun vakbondsvrienden weg waren, zeeg ik zwaar neer in de leunstoel in de huiskamer. Ik had namelijk een hekel aan hun liefdadigheid, een hekel aan hun goede werken, hun missies, hun verweesde beschermelingen. Ik had er een hekel aan omdat ik wist dat ik er één van was. Ik had gedacht dat Florence me in huis had genomen uit een speciaal soort genegenheid voor mij. Maar wat was dat voor compliment als zij en haar broer regelmatig een willekeurige berooide ouwe sok die toevallig door de straat wankelde, naar binnen haalden en te eten gaven? Niet dat ze onverschillig tegen me deden. Een lievere man dan Ralph was niet te vinden. Niemand, zelfs niet de meest verstokte Saffist in de stad, had met Ralph kunnen samenwonen zonder een beetje van hem te houden. En ik – die mezelf was gaan zien als een onverbeterlijke pot – ging al snel heel veel van hem houden. Ook Florence was heel aardig voor me, op haar eigen vermoeide, afwezige manier. Maar al at ze de maaltijden die ik bereidde, al overhandigde ze me Cyril om hem te wassen, aan te kleden en te wiegen, en al vond ze het na een maand goed dat ik bleef als ik dat wilde en stuurde ze Ralph naar de zolder om een klein rolbed voor me te halen, dat volgens haar comfortabeler zou zijn in de huiskamer dan de twee leunstoelen – al deed ze al die din-gen, het was nooit alsof ze het voor míj deed. Ze deed het omdat ze dankzij mijn eten en kinderverzorging meer tijd had voor haar ande-re zaken. Ze had mij werk gegeven, zoals een dame een meisje dat net uit de gevangenis kwam en niets om handen had, werk zou geven.

Ik zou mezelf niet zijn geweest als haar onverschilligheid me niet heel erg had gestoken. Ik had aan het Felicity Place achttien maan-den de tijd gehad om mijn gedrag bij te schaven ten behoeve van wellustige dames, totdat ik zo vaardig en subtiel was als een hand-schoenenmaker. Ik kon die vaardigheden nu niet overboord gooien, alleen maar omdat ik ook had geleerd hoe een haard te zwarten. Maar bij Florence bleken deze vaardigheden niet te werken. 'Dat kan echt geen pot zijn,' zei ik vaak tegen mezelf – want ze flirtte niet al-leen nooit met mij, maar ik heb haar ook nooit, niet één keer, zien flirten met een van de talloze andere meisjes die over de vloer kwa-men. Maar ik zag haar ook nooit flirten met een vent. Uiteindelijk bedacht ik dat ze te goed was om op iemand verliefd te worden.

En tenslotte was ik niet naar de Quilter Street gekomen om te flir-ten. Ik was gekomen om gewoon te zijn. En de wetenschap dat er geen enkel oog was om te bekoren of te kwellen, maakte me alleen nog maar gewoner. Mijn haar – dat na een week of twee zijn strakke, militaire snit toch al had verloren – liet ik groeien. Ik begon het aan de uiteinden zelfs te krullen. Mijn knellende schoenen werden min-der stijf naarmate ik er langer op liep, maar ik ruilde ze bij een kraam met tweedehands kleren voor een paar schoenen met strikjes. Dat deed ik ook met mijn hoed en mijn jurk – ik ruilde ze in voor een hoed met een met draad verstevigde bloem en een jurk met een lint bij de hals. 'Wat een leuke jurk, zeg!' zei Ralph tegen me, toen ik die voor het eerst aantrok. Maar Ralph zou me ook hebben gezegd dat ik er mooi uitzag in een stuk pakpapier, als hij dacht dat het een lach op mijn gezicht zou brengen. Het punt was dat ik er vreselijk had uitgezien sinds ik uit St John's Wood weg was. En nu, in een bloemetjesjurk, zag ik er nog vreselijker uit. Ik had het soort kleren gekocht dat ik altijd in Whitstable en bij Kitty had gedragen en ik meende me te herinneren dat ik destijds doorging voor best wel een knap meisje. Maar het was alsof het dragen van mannenpakken me mijn meisjesachtige uiterlijk voor altijd had ontnomen – alsof mijn kaak krachtiger, mijn wenkbrauwen zwaarder, mijn heupen smaller en mijn handen extra groot waren geworden, om te passen bij de kleren waarin Diana me had gestoken. Mijn blauwe oog was vrij snel verdwenen, maar de klap met Dickies boek had een litteken op mijn wang achtergelaten – en het zit er nog steeds. En dat, samen met mijn krachtiger schouders en dijen, dankzij het dragen van emmers en het witten van stoepen, gaf me iets potigs. Als ik me 's morgens waste bij een kom in de keuken en mezelf in het donkere venster weerspiegeld zag, in een bepaalde hoek, zag ik eruit als een joch dat zich in een achterkamer van een jongensclub stond af te spoelen na een bokswedstrijd. Wat zou Diana me mooi hebben gevonden! Maar, zoals ik al zei, in de Quilter Street was niemand om me aan te gapen. Tegen de tijd dat Ralph en Florence naar beneden kwamen voor hun ontbijt, had ik mijn jurk aan en mijn haar in een krul. En meestal slokte Florence alleen haar thee naar binnen en zei dat ze geen tijd had om te eten, aangezien ze op weg naar haar werk nog even bij het Gilde langs moest. Ralph nam dan de bokkingen die op haar bord waren blijven liggen – 'Nee maar, Cyril, die zien er lekker uit!' – en dan vertrok ze zonder nog een blik op mij te werpen, een sjaal om haar hals slaand als een vrouw van negentig.

Hoeveel ik ook over haar nadacht – en dat waren heel wat uren, want huishoudelijk werk vergt weinig van je hersenen en waarom zou ik dan niet over haar piekeren? – ik kreeg absoluut geen hoogte van haar. De Florence die ik in het begin had leren kennen, de Florence van de Green Street, was vrolijk geweest; ze had haar gehad dat als springveren uit haar hoofd kronkelde, rokken gedragen zo licht van kleur als mosterd, haar tanden bloot gelachen. Maar de Florence Banner van Bethnal Green was alleen maar serieus en moe. Haar haar hing slap en haar jurken waren donker of hadden de kleur van roest of stof of as. En als ze glimlachte, reageerde je verrast en schrok je.

Want haar humeur, zo ontdekte ik, was grillig. Ze was lief als een engel voor de onwaardige armen van Bethnal Green, maar thuis was ze soms neerslachtig en heel vaak boos – dan zag ik haar broer en vrienden op hun tenen om haar stoel lopen, om haar maar niet te storen; hun geduld verbaasde me. Ze kon dagen achter elkaar heel erg vrolijk zijn, maar dan ineens kwam ze somber thuis van een wandeling of ontwaakte op een morgen als uit een nare droom. Het vreemdst van al was in mijn ogen haar gedrag jegens Cyril: want hoewel ik wist dat ze van hem hield alsof het haar eigen kind was, leek ze soms haar ogen van hem af te wenden of zijn graaiende handjes weg te duwen alsof ze hem haatte. Maar andere keren pakte ze hem weer vast en overlaadde hem met kussen tot hij een keel opzette. Ik was al een paar maanden op de Quilter Street toen op een avond het gesprek op verjaardagen kwam, en ik me met een schokje van verrassing realiseerde dat die van Cyril ongemerkt voorbij moest zijn gegaan. Toen ik er Ralph naar vroeg, antwoordde hij dat hij, precies zoals ik dacht, in juli jarig was geweest, maar dat ze het niet de moeite waard hadden gevonden er aandacht aan te schenken. Ik zei lachend: 'O, doen socialisten dan niet aan verjaardagen?' En hij had geglimlacht. Florence was echter zonder iets te zeggen opgestaan en de kamer uit gegaan. Ik vroeg me opnieuw af wat voor verhaal er achter het kindje zat, maar Florence liet niets los en ik stelde geen vragen, want ik dacht dat ze me dan misschien vragen ging stellen over de kerel die me zogenaamd in weelde had onderhouden en daarna een blauw oog had geslagen. Ze had het na die eerste avond nooit meer over hem gehad. Daar was ik blij om. Ze was tenslotte zo goed en eerlijk – ik zou het vreselijk hebben gevonden als ik tegen haar had moeten liegen.

Ik zou het vreselijk hebben gevonden als ik op welke manier dan ook misbruik van haar had moeten maken. Wanneer ze zo hard werkte en zo moe werd, ijsbeerde ik handenwringend door de kamer en wilde haar het liefst door elkaar schudden. Het was niet haar werk in het tehuis voor meisjes dat haar zo uitputte, het was het eeuwige werk voor het Gilde en de vakbond – de stapels lijsten en grootboeken die ze op de eettafel legde als de tafel was afgeruimd en waar ze de hele avond in tuurde tot haar ogen rood waren en rimpelig als krenten. Aangezien ik toch niets anders te doen had, pakte ik soms een stoel, ging naast haar zitten en zei dat ik ook iets wilde doen. Dan gaf ze me enveloppen om te adresseren of andere onschuldige karweitjes die ik niet kon verknoeien. Toen het Gilde in het voorjaar een plaatselijke naaistersbond opzette en Florence bezoeken ging afleggen bij de thuiswerksters van Bethnal Green – al die arme vrouwen die lange eenzame uren werkten in smerige kamers voor een armzalig loon – ging ik met haar mee. We zagen ellendige taferelen, de vrouwen waren blij met het bezoek en het Gilde was dankbaar. Maar in feite ging ik alleen mee voor Florence. Ik vond het geen prettig idee dat ze voor dat akelige werk 's avonds in haar eentje door de straten van East End moest lopen.

En toen – zoals ik al zei, grijpt een huishoudster ieder kleinigheidje aan om haar dag te verlevendigen – begon ik voor haar te zwoegen, in de keuken. Ze was mager en dat stond haar niet: de schaduwen op haar wangen stemden me droevig. Dus terwijl het Coöperatieve Vrouwengilde zich ten doel stelde de thuiswerksters van het East End te organiseren in een vakbond, stelde ik me ten doel Florence vet te mesten, met ontbijten en lunches, met boterhammen bij de thee, met maaltijden om zes uur en 's avonds laat, beschuiten en melk. In het begin had ik daar niet zoveel succes mee – want hoewel ik nu de vleeskramen van de Whitechapel Market afstruinde naar gehaktballen en worst, konijn en pens en zakken vol vleesresten die we in Whitstable 'stukken en oren' noemden, was ik in feite een heel middelmatige kokkin en was de kans groot dat ik een aangebrand of bloederig in plaats van smakelijk stuk vlees opdiende. Het viel Florence en Ralph niet op, denk ik, want die waren niet beter gewend. Maar toen zag ik op een dag aan het einde van augustus dat het oesterseizoen was begonnen, en ik kocht een tonnetje natives en een oestermes. En toen ik het lemmet op het scharnier zette, was het alsof ik een sleutel omdraaide waarmee ik toegang kreeg tot alle recepten uit mijn moeders oestersalon en die naar mijn vingertoppen liet vloeien. Ik serveerde een oesterpastei – en Florence legde het artikel dat ze aan het schrijven was, opzij om de pastei te eten en prikte daarna met haar vork in de korst die in de vorm was overgebleven. De avond daarop zette ik oesterbeignets op tafel, de avond daarop oestersoep. Ik maakte geroosterde oesters, oesters in het zuur, oesters in de bloem gerold en gestoofd in room.

Toen ik Florence een bord met dit laatste gerecht aanreikte, glimlachte ze. En toen ze ervan had geproefd, slaakte ze een zucht. Ze pakte een stuk brood met boter en vouwde dat samen om de saus mee te soppen, en het brood liet room achter op haar lippen, die ze aflikte met haar tong en daarna afveegde met haar vingers. Ik moest denken aan een andere tijd in een andere huiskamer, toen ik een ander meisje een portie oesters voorzette en haar per ongeluk het hof maakte. En terwijl ik daaraan terugdacht, bracht Florence een lepel oesters naar haar mond en slaakte opnieuw een zucht.

'O,' zei ze, 'als er in het paradijs maar één gerecht zou worden opgediend, waren dat vast en zeker oesters, denk je ook niet, Nance?'

Ze had me nooit eerder Nance genoemd, en in al die maanden dat ik bij haar woonde, had ik haar nog nooit zoiets geweldigs horen zeggen. Ik moest erom lachen, en haar broer ook, en zij ook.

'Dat is best mogelijk,' zei ik.

'In mijn paradijs zou het marsepein zijn,' zei Ralph; hij was een erge zoetekauw.

'En na het eten,' zei ik toen, 'zou er een sigaret moeten zijn, anders was het niet de moeite waard.'

'Dat is zo. En mijn eettafel zou op een heuvel staan, maar met uitzicht op een stad – en in die stad zou geen schoorsteen te zien zijn: ieder huis zou worden verlicht en verwarmd met elektriciteit.'

'O, Ralph!' zei ik. 'Denk je eens in hoe saai het zou zijn om in alle hoeken te kunnen kijken! In mijn paradijs zouden geen elektrische lichten zijn, of zelfs maar huizen. Er zouden...' Dwergpony's en feeën aan een draad zijn, wilde ik zeggen, terugdenkend aan mijn avonden in het Brit. Maar ik had geen zin om het uit te leggen.

En terwijl ik aarzelde, zei Florence: 'Dus we komen allemaal in een eigen paradijs?'

Ralph schudde zijn hoofd. 'Nou, jij zou natuurlijk in het mijne zijn,' zei hij. 'En Cyril.'

'En mevrouw Besant, neem ik aan.' Ze nam nog een hap van haar eten, wendde zich toen tot mij: 'En wie zou er in jouw paradijs zijn, Nancy?'

Ze glimlachte, en ik had ook geglimlacht. Maar al op het moment dat ze haar vraag stelde, voelde ik dat mijn glimlach verdween. Ik staarde naar mijn handen die op de tafel lagen: aan het Felicity Place waren ze lelieblank geworden, maar nu waren de knokkels rood en de nagels gescheurd en roken ze naar soda en zaten er vetvlekken op de volants aan de manchetten erboven – ik had het trucje om damesmouwen op te stropen nog niet geleerd, er leek altijd te weinig stof om op te rollen. Nu plukte ik aan een van die manchetten en beet op mijn lip. Het geval wilde dat ik niet wist wie er bij mij in mijn paradijs zou zijn. Het geval wilde dat er niemand was die me in zijn paradijs wenste...

Ik keek weer naar Florence. 'Nou, jij en Ralph,' zei ik ten slotte, 'zullen wel in ieders paradijs zijn om iedereen te leren hoe ze ermee om moeten gaan.'

Ralph lachte. Florence hield haar hoofd schuin en lachte haar eigenaardige trieste lach. Even later knipperde ze met haar ogen en zag mij kijken. 'En jij,' zei ze, 'moet natuurlijk in het mijne komen...'

'Echt waar, Florence?'

'Natuurlijk – wie stooft er anders mijn oesters?'

Ik had weleens betere complimenten gekregen, maar de laatste tijd niet. Ik voelde me rood worden bij haar woorden en liet mijn hoofd zakken.

Toen ik weer naar haar keek, zat ze naar een hoek van de kamer te staren. Ik draaide me om en zag waar ze naar keek: het was het familieportret, en ik veronderstelde dat ze aan haar moeder dacht. Maar in de hoek van de lijst zat natuurlijk de kleinere foto van de ernstig kijkende vrouw met de uiterst zware wenkbrauwen. Ik was nooit te weten gekomen wie ze was. Nu zei ik tegen Ralph: 'Wie is dat meisje op de kleine foto? Die mag haar haar weleens borstelen.'

Hij keek naar me, maar antwoordde niet. Het was Florence die sprak. 'Dat is Eleanor Marx,' zei ze, met een soort trilling in haar stem.

'Eleanor Marks? Ken ik die? Is dat die niet van je, die bij de poelier werkt?'

Ze staarde me aan alsof ik het niet had gevraagd, maar gebruld. Ralph legde zijn vork neer. 'Eleanor Marx,' zei hij, 'is schrijfster en spreekster en een heel groot socialiste...'

Ik bloosde: dit was erger dan vragen wat 'coöperatief' betekende. Maar toen Ralph mijn wangen zag, keek hij vriendelijk: 'Trek het je niet aan. Hoe kon jij dat nou weten? Jij kunt vast tien schrijvers noemen die jij hebt gelezen zonder dat Flo en ik er ook maar één van kennen.'

'Dat is waar,' zei ik, heel dankbaar. Maar hoewel ik bij Diana wel fatsoenlijke boeken had gelezen, herinnerde ik me op dat moment alleen de ónfatsoenlijke – en die waren allemaal van dezelfde schrijver: *Anoniem*.

Daarom zei ik niets, en we eindigden ons maal in stilte. En toen ik weer naar Florence keek, waren haar ogen van me weggedraaid en leek ze heel somber. Ik dacht toen dat ze uiteindelijk nooit echt een meisje als ik bij zich in het paradijs zou willen, niet eens om de oesters voor haar avondeten te stoven. En op dat moment leek me dat een treurige gedachte.

Maar ik had me compleet in haar vergist. Of ik nu in haar paradijs was of niet, ze had het niet gemerkt, en het was ook niet haar moeder die ze daar hoopte te zien, niet eens Eleanor Marx of zelfs maar Kárl Marx. Ze had een heel andere persoon in gedachten – maar pas enkele weken later, op een avond in het najaar, kwam ik erachter wie dat was.

Zoals ik zei, ging ik nu altijd met Florence mee op haar bezoeken voor het Gilde, en op die avond bevond ik me in het huis van een naaister aan het Mile End. Het was een vreselijk armoedig huis: de kamers van de vrouw bevatten nauwelijks meubilair, alleen een stel matrassen, een versleten vloerkleed en één gammele tafel met stoel. In het vertrek dat doorging voor huiskamer, stonden op een omgekeerde theekist de restanten van een treurig avondmaaltje: een korst brood, wat braadvet in een potje en een half kopje blauwachtige melk. De eettafel was overdekt met de attributen van het werk van de vrouw – opgevouwen kledingstukken en zijdepapier, spelden, klosjes katoengaren en naalden. Die naalden, zei ze, vielen voortdurend op de vloer en de kinderen trapten er voortdurend op. Haar kindje had pasgeleden een speld in zijn mond gestopt; die speld was in zijn verhemelte blijven steken en hij was er bijna in gestikt.

Ik luisterde naar haar verhaal en keek vervolgens toe terwijl Florence haar vertelde over het Vrouwengilde en over de naaistersbond die het had opgericht. Wilde ze niet eens naar een vergadering komen? vroeg Florence. De vrouw schudde haar hoofd en zei dat ze geen tijd had, dat ze niemand had om op de kinderen te passen, dat ze bang was dat de bazen van de herenmodezaak voor wie ze werkte, het zouden horen en haar shillings stopzetten.

'Trouwens, juffrouw,' zei ze ten slotte, 'mijn man zou niet willen dat ik ging. Niet dat-ie zelf geen vakbondsman is, maar hij vindt het maar niks dat vrouwen wat te zeggen krijgen in die dingen. Hij vindt het nergens voor nodig.'

'Maar wat denkt ú, mevrouw Fryer? Vindt u een vrouwenbond geen goede zaak? Wilt u niet graag dat de dingen veranderen – dat de bazen worden gedwóngen u meer te betalen en beter te behandelen?' Mevrouw Fryer wreef in haar ogen.

'Ze zouden me zo d'r uitgooien, juffrouw – 't is niet anders – en een meisje zoeken wat 't goedkoper doet. Daar zijn d'r zat van – zat meisjes die me zelfs om die paar armzalige shillings benijden...'

Het gesprek ging door totdat de vrouw ten slotte onrustig werd en zei dat ze ons bedankte, maar dat ze geen tijd had om ons langer aan te horen. Florence haalde haar schouders op. 'Denkt u er nog eens over na? Ik heb u gezegd wanneer de vergadering is. U kunt uw kindertjes meebrengen, als u wilt – we vinden wel iemand die er een uurtje of twee voor kan zorgen.' We stonden op. Ik keek weer naar de tafel, naar de berg klosjes en kledingstukken. Er was een vest, een stel zakdoeken, wat herenondergoed – ik merkte dat ik ernaartoe werd getrokken en dat mijn vingers jeukten om de kledingstukken op te pakken en te strelen. Ik ving de blik van de vrouw op en knikte naar het tafelblad.

Ik vroeg: 'Wat doet u precies, mevrouw Fryer? Sommige zien er prachtig uit.'

'Ik ben borduurster, juffrouw,' antwoordde ze. 'Ik doe de sierletters.' Ze tilde een overhemd op en liet me het borstzakje zien: er stond een gebloemd monogram op, keurig genaaid in ivoorkleurige zijde. ''t Ziet d'r wat raar uit, niet?' vervolgde ze treurig, 'al die stukjes mooiigheid in deze armzalige kamer...'

'Inderdaad,' zei ik – maar ik kon de woorden nauwelijks uitbrengen. Het mooie monogram had me plotseling aan het Felicity Place herinnerd en aan al de prachtige pakken die ik daar had gedragen. Ik zag die gedistingeerde jasjes, vesten en overhemden weer voor me, die minuscule, weelderige *N.K.'s* die ik zo opwindend had gevonden. Ik had niet geweten dat ze in kamers als deze werden genaaid, door vrouwen als mevrouw Fryer. Maar als ik het wel had geweten, had het me dan iets kunnen schelen? Ik wist dat het me niets had kunnen schelen, en nu voelde ik me ontzettend onbehaaglijk en beschaamd. Florence was naar de deur gelopen en stond daar op me te wachten. Mevrouw Fryer had zich gebukt om haar jongste kind, dat was gaan huilen, op te tillen. Ik voelde in mijn jaszak. Daarin zaten een shilling en een penny, overgebleven van een bezoek aan de markt. Ik haalde ze tevoorschijn en legde ze op de tafel tussen de chique overhemden en zakdoeken, stiekem als een dief.

Maar mevrouw Fryer zag het en schudde haar hoofd.

'O, toe nou, juffrouw...' zei ze.

'Voor het kindje.' Ik voelde me verlegener en naarder dan ooit. 'Voor de kleine, dan. Alstublieft.' De vrouw boog haar hoofd en mompelde een bedankje. En ik keek niet meer naar haar noch naar Florence, totdat we beiden weer op straat waren en de naargeestige kamer ver achter ons lag.

'Dat was aardig van je,' zei Florence ten slotte. Het was helemaal niet aardig. Het voelde alsof ik de vrouw een klap had gegeven in plaats van een gift. Maar ik wist niet hoe ik Florence iets van dit alles moest uitleggen. 'Je had het natuurlijk niet moeten doen,' zei ze. 'Nu denkt ze dat het Gilde bestaat uit vrouwen die meer zijn dan zij, niet uit vrouwen als zijzelf, die proberen zichzelf vooruit te helpen.'

'Je hebt niet veel met haar gemeen,' zei ik – in weerwil van mezelf een beetje gepikeerd door haar opmerking. 'Je denkt het, maar het is niet zo, niet echt.'

Ze snoof. 'Je zult wel gelijk hebben. Maar ik heb meer met haar gemeen dan je zou verwachten. Ik heb meer met haar gemeen dan sommigen van de dames die je ziet werken voor de armen, daklozen en werklozen...'

'Dames als juffrouw Derby,' zei ik.

Ze glimlachte. 'Ja, dat soort dames. Juffrouw Derby, je grote vriendin.' Ze gaf me een knipoog en nam mijn arm. En omdat het prettig was haar zo opgewekt te zien, begon ik de kleine schok die ik in de huiskamer van de naaister had gehad, te vergeten en op te fleuren. Arm in arm liepen we langzaam verder door de vallende herfstavond naar de Quilter Street, en Florence geeuwde. 'Arme mevrouw Fryer,' zei ze. 'Ze heeft helemaal gelijk: de vrouwen zullen nooit strijden voor kortere werkdagen en minimumlonen, zolang zoveel meisjes zo arm zijn dat ze ieder werk aannemen, hoe beroerd ook...'

Ik luisterde niet. Ik keek naar het lamplicht dat, bij de randen van haar hoed, op haar haar viel en het in een gloed zette, en vroeg me af of niet ooit een mot zich tussen de krullen zou nestelen, in de waan dat het kaarsvlammen waren.

Ten slotte kwamen we thuis, en Florence hing haar jas op en zette zich, zoals gewoonlijk, aan haar stapel papieren en boeken. Ik ging stilletjes naar boven om even te kijken naar Cyril, die lag te slapen in zijn wieg. Toen ging ik bij Ralph zitten, terwijl Florence doorwerkte. Het werd kil en ik maakte een vuurtje in de haard: 'Het eerste dit najaar,' zoals Ralph opmerkte. En zijn woorden – en het idee dat ik drie hele seizoenen aan de Quilter Street had meegemaakt – vond ik merkwaardig ontroerend. Ik sloeg mijn ogen naar hem op en glimlachte. Zijn snor was gegroeid en hij leek meer dan ooit op de matroos van het Playerspakje. Hij leek ook meer dan ooit op zijn zuster, waardoor ik hem des te meer mocht en me afvroeg hoe ik hem ooit voor haar man had kunnen houden.

Het vuur vlamde op, werd toen warm en assig, en om ongeveer half elf geeuwde Ralph, gaf een klap op zijn stoel, stond op en wenste ons beiden welterusten. Alles was precies zoals mijn eerste avond daar – behalve dat hij tegenwoordig niet alleen Florence maar ook mij een kus gaf. En dan waren er mijn rolbedje, dat rechtop in de hoek stond, en mijn schoenen naast het vuur, en mijn jas aan de haak achter de deur.

Ik staarde min of meer voldaan naar al die dingen, moest toen geeuwen en stond op om de ketel te halen. 'Hou daar nu mee op,' zei ik tegen Florence, met een knik naar haar boeken. 'Kom bij mij zitten, dan praten we nog wat.' Het was geen vreemd verzoek – we bleven nu meestal op nadat Ralph naar bed was gegaan, om nog wat na te praten over de gebeurtenissen van de dag – en nu keek ze naar me, glimlachte en legde haar pen neer.

Ik hing de ketel boven het vuur, en Florence stond op en rekte zich uit – spitste toen de oren.

'Cyril,' zei ze. Ik luisterde ook en hoorde hem even later zachtjes en onregelmatig huilen. Ze ging naar de trap. 'Ik ga hem sussen voor hij Ralph wakker maakt.'

Ze was zeker vijf minuten weg en toen ze terugkwam, had ze Cyril bij zich, zijn wimpers glinsterend in het lamplicht en zijn haar klam en donker door het zweet van een onrustige slaap.

'Hij wordt maar niet rustig,' zei ze. 'Ik laat hem maar een tijdje bij ons.' Ze installeerde zich in de leunstoel bij het vuur, en het kind lag zwaar tegen haar aan. Ik gaf haar haar thee, en ze nam een zijwaarts slokje en geeuwde. Daarna keek ze naar mij en wreef in haar ogen.

'Wat ben jij de laatste maanden een steun voor mij geweest, Nance!' zei ze.

'Ik help alleen maar,' antwoordde ik naar waarheid, 'om ervoor te zorgen dat jij jezelf niet uitput. Je doet te veel.'

'Er is zoveel te doen!'

'Toch kan ik niet geloven dat alles op jouw schouders moet neerkomen. Ben je het nooit moe?'

'Ik word wel moe,' zei ze en geeuwde weer, 'zoals je ziet! Maar nooit hét.'

'Maar Flo, als het zo'n taak is waar nooit een einde aan komt, waarom dan dat geploeter?'

'Nou, omdat ik moet! Want hoe kan ik rusten in een wereld die zo wreed en hard is en zo mooi zou kunnen zijn... Het soort werk dat ik doe, is een vervulling op zichzelf, of het nu succes heeft of niet.' Ze nam een slokje van haar thee. 'Het is als de liefde.'

'De liefde!' snoof ik. 'Jij denkt dus dat de liefde een beloning op zichzelf is?'

'Jij dan niet?'

Ik staarde in mijn kopje. 'Ooit wel, geloof ik,' zei ik. 'Maar...' Ik had haar nooit over die tijd verteld. Cyril spartelde, en zij kuste zijn hoofd en prevelde wat in zijn oor, en even heerste er volkomen stilte – misschien dacht ze dat ik aan het peinzen was over de kerel met wie ik zogenaamd had samengeleefd in St John's Wood, maar toen sprak ze weer, energieker.

'Trouwens, ik vind het geen taak waar nooit een einde aan komt. Er verandert wel degelijk iets. Er zijn overal vakbonden – niet alleen voor mannen, maar ook voor vrouwen. Vrouwen doen vandaag de dag dingen die in de ogen van hun moeders, twintig jaar geleden, belachelijk zouden zijn geweest. Binnenkort zullen ze zelfs stemrecht hebben! Als mensen als ik niet werken, komt dat omdat ze naar de wereld kijken, naar alle onrecht en troep, en alleen maar een natie zien die ineenstort en hen meesleept in die val. Maar uit de troep komen nieuwe dingen voort – mooie dingen! – nieuwe methoden van werken, nieuwe soorten mensen, nieuwe manieren om te leven en lief te hebben...' Weer die liefde. Ik legde een vinger over het litteken op mijn wang, waar Dickies boek van de dokter die had geraakt.

Florence boog haar hoofd om te kijken naar het kindje dat lag te zuchten op haar borst.

'Stel je voor,' ging ze zachtjes voort, 'hoe de wereld eruitziet over nog twintig jaar! Dan is er een nieuwe eeuw. Cyril zal een jongeman zijn – bijna, maar niet helemaal zo oud als ik nu ben. Stel je voor wat hij zal zien, wat hij zal doen...' Ik keek naar haar en toen naar hem, en heel even voelde ik me bijna in staat met haar mee te kijken door de jaren, naar de vreemde nieuwe wereld waarin Cyril zou leven, als een man...'

Terwijl ik keek, verschoof zij in haar stoel, strekte haar hand uit naar de boekenkast naast haar en trok een boek van de boordevolle planken. Het was *Grashalmen*. Ze bladerde erin en vond een passage die ze leek te kennen.

'Moet je dit eens horen,' zei ze. Ze begon voor te lezen. Haar stem klonk zacht en tamelijk verlegen, maar ze beefde van passie – ik had nog nooit zoveel passie in haar stem gehoord.

'*O mater! O fils!*' las ze. '*O gebroed van het vasteland! O bloemen van de prairies! O grenzeloze ruimte! O gezoem van machtige producten! O jullie krioelende steden! O zo onoverwinnelijk, woelig, trots! O ras van de toekomst! O vrouwen! O vaders! O jullie mensen van storm en passie! O schoonheid! O jullie zelf! O jullie gebaarde bruten! O barden! O al die sluimeraars! O ontwaakt! de keel van de ochtendvogel klinkt schril! Hoort u de haan niet kraaien?*'

Ze zat even roerloos neer te kijken op de bladzij, toen sloeg ze haar ogen naar me op en ik zag tot mijn verbazing dat ze glinsterden van de onvergoten tranen. Ze zei: 'Vind je dat niet geweldig, Nancy? Vind je dat geen geweldig, geweldig gedicht?'

'Eerlijk gezegd niet,' zei ik; de tranen hadden me van mijn stuk gebracht. 'Eerlijk gezegd ben ik mooiere gedichten tegengekomen op de muren van sommige toiletten' – wat ook echt zo was. 'Als het een gedicht is, waarom rijmt het dan niet? Wat het nodig heeft, is wat goed rijm en een mooie, vlotte melodie.' Ik nam het boek van haar en bestudeerde de passage die ze had voorgelezen – die was ooit onderstreept, met potlood – en ik zong die passage toen, min of meer op de wijs en het ritme van een variétéliedje van die dagen. Florence lachte en probeerde, met één hand op Cyril, het boek uit mijn handen te graaien.

'Je bent een barbaar!' riep ze. 'Je bent een vreselijke cultuurbarbaar.'

'Ik ben een purist,' zei ik nuffig. 'Ik heb een neus voor een mooi stukje poëzie, en dat is dit niet.' Ik bladerde door het boek, zonder te proberen de hortende regels in een melodie te dwingen, maar las alle belachelijke passages die ik kon vinden – het waren er heel veel – en allemaal op de dwaze lijzige toon van een toneelyankee. Ten slotte vond ik nog een onderstreept gedeelte en begon daaraan. '*O mijn kameraad!*' begon ik. '*O jij en ik eindelijk – en wij twee alleen; O macht, vrijheid, eeuwigheid eindelijk! O om verlost te zijn van verschillen! Om evenveel te geven voor zonden als voor deugden! O om de beroepen en geslachten gelijk te stellen! O om allen bijeen te brengen! O hechtheid! O de weemoedige hunkering naar het samenzijn – jij weet niet waarom, en ik weet niet waarom...*'

Mijn stem stierf weg. Ik had mijn yankee-lijzigheid verloren en sprak de laatste woorden verlegen mompelend uit. Florence lachte niet meer en staarde nu, kennelijk heel ernstig, in het vuur; ik zag de oranje vlammen van de kolen in allebei haar reebruine ogen weerspiegeld. Ik deed het boek dicht en legde het terug op de plank. Er viel een stilte, een vrij lange stilte.

Ten slotte haalde ze diep adem en toen ze sprak, klonk ze helemaal niet als zichzelf en heel vreemd.

'Nance,' begon ze, 'weet je nog die dag in de Green Street, toen we met elkaar hebben gepraat? Weet je nog dat we hadden afgesproken elkaar te ontmoeten, en dat je niet kwam...?'

'Natuurlijk,' zei ik, een beetje schaapachtig. Ze glimlachte, een merkwaardig vage, naar binnen gerichte glimlach.

'Ik heb je nooit verteld,' vervolgde ze, 'wat ik die avond heb gedaan, hè?' Ik schudde mijn hoofd. Ik wist nog heel goed wat ík die avond had gedaan – ik had gesoupeerd met Diana en haar toen geneukt in haar mooie slaapkamer en was er vervolgens uit gestuurd, afgekoeld en gelouterd, naar mijn eigen kamer. Maar ik was me altijd blijven afvragen wat Florence had gedaan, en zij had het me nooit verteld.

'Wat heb je dan gedaan?' vroeg ik nu. 'Ben je alleen naar die... die lezing gegaan?'

'Ja,' zei ze. Ze haalde nog eens diep adem. 'Ik... heb daar een meisje ontmoet.'

'Een meisje?'

'Ja. Ze heette Lilian. Ik zag haar meteen en kon mijn ogen niet van haar afhouden. Ze zag er zo... interessant uit. Je weet hoe dat soms is, met een meisje? Ach, misschien weet je dat ook niet...' Maar ik wist het wel, ik wist het wel! En nu staarde ik naar haar en voelde me warm worden, en toen weer heel koud. Ze hoestte en hield haar hand voor haar mond. Toen zei ze, nog steeds naar de kolen starend: 'Na de lezing stelde Lilian een vraag. Het was een heel slimme vraag, die de spreker helemaal van de wijs bracht. Toen keek ik naar haar en wist dat ik haar moest leren kennen. Ik ging naar haar toe en we begonnen te praten. We praatten en praatten maar, Nance, een uur lang, zonder te stoppen! Ze had heel bijzondere meningen. Het was alsof ze alles had gelezen en ze had overal een mening over.'

Het verhaal ging verder. Ze waren vriendinnen geworden. Lilian was op bezoek gekomen...

'Je hield van haar!' zei ik.

Florence bloosde en knikte toen. 'Je kon haar niet kennen zonder een beetje van haar te houden.'

'Maar Flo, je híéld van haar! Je hield van haar – als een pot!'

Ze knipperde met haar ogen, legde een vinger op haar lip en bloosde dieper dan ooit. 'Ik dacht,' zei ze, 'dat je dat wel had geraden...'

'Geraden! Ik... ik weet het niet zeker. Ik had nooit gedacht dat jij... ach, ik kan niet zeggen wat ik dacht...'

Ze wendde haar hoofd af. 'Zij hield ook van mij,' zei ze even later. 'Ze hield vreselijk veel van me! Maar niet op dezelfde manier. Ik wist dat dat nooit zo zou zijn en vond het niet erg. Ze had namelijk een vriend die met haar wilde trouwen. Maar zij wilde niet, zij geloofde in de vrije liefde. Nance, ze wist precies wat ze wilde.'

Ze leek me onuitstaanbaar, maar dat 'wist' was me niet ontgaan. Ik slikte, en Florence wierp een blik op mij en keek toen weer in het vuur.

'Een paar maanden na onze eerste ontmoeting,' ging ze verder, 'begon het me op te vallen dat het niet... goed met haar ging. Op een dag verscheen ze hier met een koffer. Ze was in verwachting en was om die reden haar kamers kwijtgeraakt, en de man – die uiteindelijk waardeloos bleek – schaamde zich te veel om haar op te nemen. Ze kon nergens heen... Natuurlijk namen wij haar op. Ralph vond het niet erg, hij hield bijna evenveel van haar als ik. We waren van plan samen te leven en het kind op te voeden als ons eigen kind. Ik was blij – wat was ik blij – dat de man haar had laten zitten, dat haar hospita haar eruit had gegooid...'

Ze trok een grimas en schraapte toen met haar nagel een stukje as weg dat uit het vuur was gezweefd en op haar rok was gevallen. 'Dat waren, denk ik, de gelukkigste maanden van mijn hele leven. Lilian hier te hebben was... ik kan niet zeggen hoe het was. Het was verrukkelijk. Ik was verrukt van geluk. Ze veranderde het huis – veranderde het echt, bedoel ik, niet alleen de sfeer. Zij liet ons het behang van de wanden halen en ze schilderen. Zij maakte dat vloerkleed.' Ze knikte naar het bonte kleed voor het vuur – waarvan ik dacht dat het op een onbewaakt ogenblik was geweven door de een of andere blinde Schotse herder – en ik haalde snel mijn voeten ervan af. 'Het gaf niet dat we geen geliefden waren, we waren zo hecht, hechter dan zussen. We sliepen boven, samen. We lazen samen. Zij leerde me dingen. Die afbeelding van Eleanor Marx' – ze knikte naar het fotootje – 'was van haar. Eleanor Marx was haar grote heldin. Ik zei altijd dat ze op haar leek. Ik heb geen foto van Lily. Dat boek van Whitman was ook van haar. De passage die jij voorlas, doet me altijd denken aan haar en mij. Ze zei dat we kameraden waren – als vrouwen kameraden kunnen zijn.' Haar lippen waren droog geworden en ze ging er met haar tong overheen. 'Als vrouwen kameraden kunnen zijn,' zei ze weer, 'was ik haar kameraad...'

Ze zweeg. Ik keek naar haar en naar Cyril – naar zijn blozende, slapende gezichtje met de fijne wimpers en vooruitstekende roze lip. Ik zei met een soort huivering van angst: 'En toen...?'

Ze knipperde met haar ogen. 'En toen... nou, toen ging ze dood. Ze was te broos, het was een zware bevalling, en ze ging dood. We konden zelfs geen vroedvrouw voor haar vinden, want ze was niet getrouwd... Uiteindelijk moesten we een vrouw uit Islington halen, iemand die ons niet kende, en zeggen dat ze de vrouw van Ralph was. De vrouw noemde haar "mevrouw Banner" – stel je voor! Ze was heus wel goed, denk ik, maar heel streng. We mochten niet in de kamer, we moesten hier blijven zitten en het gekerm aanhoren, en Ralph wrong zijn handen en huilde de hele tijd. Ik dacht: Laat het kindje sterven, o, laat het kindje alsjeblieft sterven, zolang zij maar veilig is...!

Maar Cyril stierf niet, zoals je ziet, en Lilian zelf leek in orde, was alleen moe, en de vroedvrouw had gezegd dat we haar moesten laten slapen. Dat deden we – en toen ik een tijdje later naar haar toe ging, zag ik dat ze aan het bloeden was. Inmiddels was de vroedvrouw natuurlijk verdwenen. Ralph holde naar een dokter – maar ze kon niet gered worden. Haar lieve, goede, gulle hart bloedde helemaal leeg...'

Haar stem stokte. Ik ging naar haar toe, hurkte naast haar neer en ging met mijn knokkels over haar mouw, en zij accepteerde het dankbaar, met een lichte, afwezige glimlach.

'Ik wou dat ik het had geweten,' zei ik zachtjes. Maar inwendig was het alsof ik mezelf bij de keel had gegrepen en met mijn hoofd tegen de huiskamerwand bonkte. Hoe kon ik zo dom zijn geweest dat niet allemaal te raden? Neem dat overslaan van die verjaardag – de jaardag van Lilians dood, zo realiseerde ik me nu. Neem Florence' vreemde depressies, haar vermoeidheid, haar boosheid, haar broers zachtaardige geduld, de bezorgdheid van haar vriendinnen. Neem haar eigenaardige tweeslachtigheid jegens het kindje – Lilians zoon, maar ook natuurlijk haar moordenaar, die Florence ooit dood had gewenst opdat de moeder zou leven...

Ik keek weer naar haar en wilde dat ik haar kon troosten. Ze was zo somber, maar toch ook zo ver weg. Ik had haar nooit omhelsd en durfde haar niet vast te pakken, zelfs nu niet. Dus bleef ik alleen maar naast haar zitten en streek zachtjes over haar mouw... en ten slotte vermande ze zich en wierp me een soort glimlach toe, en toen ging ik naast haar weg.

'Wat heb ik zitten praten,' zei ze. 'Ik weet echt niet wat me heeft bezield om vanavond over dit alles te praten.'

'Ik ben blij dat je het hebt gedaan,' zei ik. 'Je zult ... je zult haar wel vreselijk missen.' Ze staarde me een moment uitdrukkingsloos aan – alsof *missen* een heel onbeduidende emotie was, een veel en veel te zwak woord voor haar diepe droefheid – en toen knikte ze en keek de andere kant op.

'Het is zwaar geweest, ik heb me vreemd gedragen; soms wenste ik dat ik zelf ook doodging. Ik weet dat ik heel belabberd gezelschap ben geweest voor jou en Ralph! En ik was, denk ik, niet erg aardig toen je hier voor het eerst kwam. Ze was toen iets minder dan zes maanden dood en de gedachte dat er een ander meisje in huis zou zijn – vooral jij, die ik in dezelfde week had ontmoet als haar – nou! En toen was jouw verhaal hetzelfde als dat van haar, jij was ook bij een vent geweest die je eruit had gegooid, nadat je een ongelukje had gehad – het leek al te raar. Maar op een bepaald moment, toen je Cyril opnam – waarschijnlijk herinner je je dat niet eens meer – maar je hield Cyril in je armen, en ik dacht aan haar, die hem helemaal nooit had gewiegd... Ik wist niet of ik ertegen zou kunnen jou dat te zien doen, maar ook niet of ik het zou kunnen verdragen als je ermee ophield. En toen sprak je – en toen was je natuurlijk helemaal niet als Lilian. En, o! Mijn hele leven ben ik nergens zo blij om geweest!'

Ze lachte. Ik maakte een soort geluid dat door kon gaan voor een lach, trok een soort gezicht dat in dat schemerige licht kon worden misverstaan als een glimlach. Toen moest ze vreselijk geeuwen en stond op, schoof Cyril een beetje hoger tegen haar hals en streek met haar wang over zijn hoofd. En even later glimlachte ze en liep vermoeid naar de deur.

Maar voor ze daar was, riep ik haar naam.

Ik zei: 'Flo, er is nooit een kerel geweest die me eruit heeft gegooid. Ik heb bij een dame gewoond. Maar ik loog om bij je te mogen blijven. Ik ben... ik ben een pot, net als jij.'

'Dus tóch!' Ze gaapte me aan. 'Annie zei het de hele tijd al, maar ik heb er nooit meer zo aan gedacht, na die eerste avond.' Ze fronste. 'En als er nooit een man was, leek je verhaal dus helemaal niet op dat van Lilian...' Ik schudde mijn hoofd. 'En dan had je ook nooit een ongelukje...'

'Niet zó'n ongelukje.'

'En al die tijd dat je hier bent en ik denk dat je het ene bent, en...' Ze keek naar me met een vreemde uitdrukking. Ik wist niet of ze kwaad was of verdrietig of verbijsterd of zich verraden voelde of wat dan ook.

Ik zei: 'Het spijt me.' Maar zij schudde alleen haar hoofd en legde even een hand over haar ogen. En toen ze die hand weghaalde, leek haar blik volkomen helder en bijna geamuseerd.

'Annie heeft het altijd al gezegd,' zei ze weer. 'Zal die blij zijn! Vind je het erg als ik het haar vertel?'

'Nee, Flo,' zei ik, 'je kunt het vertellen aan wie je maar wilt.'

Toen ging ze de kamer uit, nog steeds met haar hoofd schuddend, en ik zat te luisteren naar haar voetstappen op de trap en het gekraak in de kamer boven mijn hoofd. Toen nam ik wat tabak en een vloeitje uit een blikje op de schoorsteenmantel, rolde een sigaret en stak die aan. Toen drukte ik de sigaret uit op de haard, gooide haar in het vuur, legde mijn hoofd op mijn arm en kreunde.

Wat was ik stom geweest! Ik was Florence' leven binnengedrongen, te vol van mijn eigen kleine verbittering om haar grote verdriet op te merken. Ik had me aan haar en haar broer opgedrongen en gedacht dat ik slim en charmant was. Ik had gedacht dat ik mijn stempel op hun huis drukte en het tot het mijne maakte. Ik had geloofd dat ik een rol speelde in het ene verhaal, terwijl het al die tijd een ander verhaal was geweest – terwijl ik al die tijd alleen maar onbenullig overdeed wat de fascinerende Lilian zo goed en intelligent vóór mijn tijd had gedaan! Ik keek de kamer rond, naar de blauw geverfde wanden, het oerlelijke vloerkleed, de portretten. Plotseling zag ik wat ze in werkelijkheid waren: onderdelen van een altaar ter nagedachtenis aan Lilian, dat ik volkomen onbewust had verzorgd. Ik pakte het footootje van Eleanor Marx – maar het was natuurlijk niet Eleanor Marx die ik zag. Zíj was het, met de trekken van Eleanor Marx. Ik draaide de foto om en las de achterkant: *F.B., mijn kameraad*, stond er in letters met grote halen, *mijn kameraad voor altijd. L.V.*

Ik kreunde nog harder. Ik wilde die rotfoto samen met mijn half opgerookte saffie in de haard smijten – ik moest hem snel terugsteken in de lijst voor ik het deed. Ik was jaloers, op Lilian! Ik was jaloerser dan ik ooit op iemand was geweest! Niet vanwege het huis, niet vanwege Cyril, of zelfs maar Ralph – die aardig voor me was geweest, maar om haar had gehuild en vol droefenis zijn handen had gewrongen toen ze lag te sterven – maar vanwege Florence. Want het was bovenal Florence die me Lilians verhaal had gegeven en tegelijk voor altijd had ontnomen. Ik dacht aan mijn gezwoeg van de laatste maanden. Ik had Florence niet dik en gelukkig gemaakt, zoals ik had gedacht: het was slechts de tijd geweest die haar verdriet minder diep en haar herinneringen minder scherp had gemaakt. *Weet je nog dat we hadden afgesproken elkaar te ontmoeten*, had ze me vanavond gevraagd, *en dat je niet kwam...?* Haar ogen hadden geglinsterd toen ze het vroeg, want ik had haar die avond, twee jaar geleden, een geweldige gunst bewezen door niet te komen opdagen.

Ik had haar een geweldige gunst bewezen – en mezelf, zo meende ik nu, een hele slechte dienst. Ik dacht weer terug aan de manier waarop ik die avond, en de avonden daarop, had doorgebracht. Ik dacht terug aan alle wellustige genoegens van het Felicity Place – alle pakken, diners, wijn, *poses plastiques*. Ik zou ze op dat moment allemaal hebben ingeruild voor de kans om in Lilians plaats bij de saaie lezing te zijn, met Florence' reebruine ogen vol fascinatie op mij gericht!

18

In de dagen en weken na Florence' trieste onthulling werd ik me ervan bewust dat de dingen in de Quilter Street sterk veranderd waren. Florence zelf leek vrolijker, luchthartiger – alsof ze zich had bevrijd van een zware last door mij haar verhaal te vertellen, en nu de ledematen rekte die verkrampt en verlamd waren geweest en de rug strekte die gebogen was geweest. Nog steeds was ze zo nu en dan somber, en nog steeds maakte ze eenzame wandelingen en kwam ze melancholiek gestemd terug. Maar nu probeerde ze dat niet meer te verbergen of de oorzaak ervan te verbloemen – zo vertelde ze me dat ze dan (wat ik had kunnen raden) naar Lilians graf ging. Mettertijd begon ze zelfs regelmatig over haar gestorven vriendin te praten. 'Wat zou Lilian daar om gelachen hebben!' zei ze dan, of: 'Ach, was Lily er maar, dan hadden we het haar kunnen vragen, want ze had het vast geweten.'

Haar nieuwe, zachtere gemoedstoestand had een uitwerking op ons allemaal. De sfeer in ons kleine huis – die ik daarvoor altijd heel aangenaam had gevonden, maar die zoals ik nu zag was verstikt door de herinnering aan Lilian en door het verdriet van Ralph en Florence – leek op te klaren. Het was alsof we niet de mist en vrieskou van de winter in gingen, maar de lente, met al haar mildheid en zoete geuren. Ik zag Ralph naar zijn zus kijken als ze lachte of neuriede of Cyril vastpakte en kietelde, en dan was zijn blik zacht, en soms boog hij zich voorover en kuste hij haar blij op haar wang. Ook Cyril zelf leek de verandering te voelen en op te fleuren.

Ik, daarentegen, werd steeds neerslachtiger, gereserveerder en kribbiger.

Ik kon het niet helpen. Het was alsof Florence met het afwerpen van haar oude last mij met een nieuwe had opgezadeld. Mijn gevoelens – op de avond van haar bekentenis zo merkwaardig gemengd – leken met het verstrijken van de weken alleen maar vreemder en tegenstrijdiger te worden. Ik had medelijden met haar gehad en ik was even blij als haar broer dat ze nu zo opgewekt was. Ik was ook verheugd en geroerd dat ze me uiteindelijk in vertrouwen had genomen en me alles had verteld. Maar o, wat wilde ik graag dat het een ander verhaal was geweest! Ik zou de tragische Lilian nooit mogen en moest mijn chagrijn verbijten als er zo eerbiedig over haar gesproken werd. Misschien stelde ik me haar voor als Kitty – en ik zag zeker het gezicht van Walter voor me als ik aan haar laffe vriend dacht. Maar de gedachte dat zij Florence' passie opriep, dat zij nacht na nacht naast haar sliep en nooit zelfs maar haar gezicht naar haar vriendin keerde om haar op de mond te kussen, maakte me heet en duizelig. Waarom had Florence zoveel om haar gegeven? Ik staarde dan naar het gezicht van Eleanor Marx – ik kon het verwarde idee dat het in werkelijkheid Lilians gezicht was, niet van me afzetten – tot het begon te draaien voor mijn ogen. Ze was zo anders dan ik – had Florence me dat niet zelf gezegd? Ze had gezegd dat ze verschrikkelijk blij was dat ik zo anders was dan Lilian! Ze bedoelde, neem ik aan, dat Lilian intelligent en goed was, dat ze de betekenis van woorden als 'coöperatief' kende en dat dus niet hoefde te vragen. Maar ik – wat was ik? Ik was alleen schoon en netjes.

Nou, volgens mij ben ik na die avond nooit meer zo heel schoon geweest. Lilians bonte vloerkleed heb ik in ieder geval nooit meer geklopt – maar wel heb ik geglimlacht wanneer mensen erop stapten en er een duivels genoegen in geschept om de kleuren te zien vervagen.

Maar dan stelde ik me Lilian in het paradijs voor, waar ze nog meer tapijten weefde, zodat Florence er op een dag op kon komen zitten en haar hoofd tegen haar knie vlijen. Ik stelde me voor dat ze de boekenplanken vol stapelde met verhandelingen en dichtbundels, zodat zij en Florence ze zij aan zij wandelend konden lezen. Ik zag haar ergens in een achterafkeukentje in de hemel een fornuis aansteken, zodat ik iets had om de oesters te stoven terwijl zij en Florence elkaars hand vasthielden.

Ik ging op Florence' handen letten – dat had ik nooit eerder gedaan – en me voorstellen wat ík ze niet allemaal had laten doen als ik in Lilians plaats was geweest...

Nogmaals, ik kon het niet helpen. Ik had mezelf wijsgemaakt dat Florence een soort heilige was, met de wazige, onbestemde lichaamsdelen, gevoelens en verlangens van een heilige. Maar nu ze me het verhaal van haar eigen grote liefde had verteld, was het alsof ze zich plotseling zonder gewaden aan me had vertoond. En ik kon mijn ogen niet losrukken van wat ik zag.

Zo nam ze op een avond – een donkere avond, tamelijk laat, toen Ralph uit was met zijn vakbondsvrienden en Cyril boven rustig sliep – een bad en waste ze haar haar, waarna ze in haar kamerjas in de huiskamer ging zitten en in slaap viel. Ik had haar geholpen haar tobbe met zeepwater leeg te gooien in het privaat en was daarna wat melk voor ons gaan opwarmen, en toen ik terugkeerde met de bekers, trof ik haar slapend aan voor het vuur. Ze zat enigszins gedraaid, haar hoofd was achterovergevallen, haar armen waren slap en zwaar en haar handen lagen losjes gevouwen in haar schoot. Ze ademde diep, bijna snurkend.

Ik stond voor haar met de dampende bekers. Ze had de handdoek van haar hoofd genomen en haar haar lag uitgespreid over het stukje kant op de rug van de stoel, als het aureool van een Vlaamse madonna. Ik denk niet dat ik haar haar ooit zo vol en los had gezien en keek er nu lange tijd naar. Ik herinnerde me dat ik het ooit saai kastanjebruin had gevonden, maar het was niet kastanjebruin, er zaten duizenden schakeringen van goud, bruin en koper in. Terwijl het droogde, zette het uit en krulde het, werd het steeds weelderiger en kreeg het steeds meer glans.

Mijn blik ging van haar haar naar haar gezicht – naar haar wimpers, naar haar brede roze mond, naar haar kaaklijn en de lichte verdikking eronder. Ik keek naar haar handen – ik herinnerde me dat ik in de Green Street had gezien hoe ze ermee in de warme juniluche sloeg. Ik herinnerde me dat ik even later haar hand in de mijne nam – ik herinnerde me nog precies de druk van haar vingers in hun warme, linnen handschoen tegen de mijne. Vanavond waren haar handen roze en nog een beetje gerimpeld van het bad. Haar nagels – waarop ze, zoals ik me nu herinnerde, ooit had gebeten – waren schoon en zonder bijtsporen.

Ik keek naar haar hals. Die was glad en heel wit. Eronder – net zichtbaar in de openvallende V van de hals van haar kamerjas – was een aanzet van de beginnende welving van een borst.

Ik keek – en keek – en voelde een eigenaardige beweging in mijn eigen borst, een soort wriemelen of draaien of samentrekken dat ik daar al duizend jaar niet gevoeld leek te hebben. Het werd haast onmiddellijk gevolgd door een soortgelijke gewaarwording een stuk lager... De bekers melk begonnen te trillen, totdat ik bang was te gaan morsen. Ik draaide me om en zette ze voorzichtig op de eettafel. En toen sloop ik heel stil de kamer uit.

Met iedere stap die ik van haar vandaan zette, werd de beweging bij mijn hart en tussen mijn benen nadrukkelijker: ik voelde me als een buikspreker die zijn protesterende poppen opsloot in een kist. Eenmaal in de keuken leunde ik tegen een muur – ik beefde nog steeds verschrikkelijk. Ik ging niet terug naar de huiskamer, totdat ik Florence een halfuur later wakker hoorde worden en hoorde uitroepen dat ik de bekers melk die ik op tafel had laten staan, koud en vellerig had laten worden. En zelfs toen was ik nog zo opgewonden en beverig dat ze naar me keek en vroeg: 'Wat is er met jou aan de hand?' en ik moest antwoorden: 'Niets, niets...' – waarbij ik de hele tijd vermeed te kijken naar de blanke V van bollend vlees onder haar hals, want ik wist dat ik, als ik er nog eens naar keek, wel naar haar toe moest gaan en het kussen.

Ik was naar de Quilter Street gekomen om normaal te worden. Nu was ik een grotere pot dan ooit. Toen ik dat eenmaal voor mezelf had erkend en om me heen begon te kijken, zag ik dat ik omgeven was door potten en kon ik niet geloven dat me dat niet eerder was opgevallen. Twee van Florence' vriendinnen van de liefdadigheid waren, zo leek het, geliefden; ik neem aan dat ze hen over mij had ingelicht, want de volgende keer dat ze langskwamen, bekeken ze me volgens mij heel anders. En Annie Page: de eerstvolgende keer dat ik haar zag, legde ze haar arm om mijn schouder en zei: 'Nancy! Florrie zegt me dat je een neefje bent! Lieverd, ik was stomverbaasd en zielsblij...'

En al was mijn verwarrende nieuwe interesse in Florence nog zo lastig, het was wel heerlijk om mijn lusten weer helemaal te voelen ontwaken – met mijn pottendelen weer helemaal ingevet en sissend als een locomotief onder stoom. Op een nacht droomde ik dat ik in mijn oude garde-uniform het Leicester Square af liep, mijn haar geknipt in militaire stijl en een handschoen achter de knopen van mijn broek (een van Florence' handschoenen zelfs: ik kon er nooit meer zonder te blozen naar kijken). Ik had dat soort dromen al eerder gehad op de Quilter Street – natuurlijk zonder het detail van de handschoen. Maar bij het wakker worden voelde ik ditmaal een tinteling op mijn hoofdhuid en een prikkeling aan de binnenzijde van mijn dijen die niet weg wilden gaan, en met een soort weerzin voelde ik aan mijn saaie krulletjes en mijn bloemetjesjurk. Die dag ging ik naar de markt van Whitechapel, en op de terugweg naar huis bleef ik talmen voor de etalage van een herenmodezaak, waarbij mijn voorhoofd en mijn vingertoppen vegen van zweet en verlangen op het glas achterlieten...

En toen dacht ik: Waarom niet? Ik ging naar binnen – misschien dacht de kleermaker dat ik voor mijn broer winkelde – en kocht een bevertienen broek, een paar onderbroeken en een overhemd, een stel bretels en veterschoenen. Terug in de Quilter Street klopte ik aan bij een meisje dat voor een penny haar knipte en zei: 'Knip het eraf, knip het er allemaal af, voor ik me bedenk!' Ze knipte de krullen weg, en – potten willen nogal eens sentimenteel doen over hun kapsel, maar de sensatie staat me nog levendig voor de geest – het was niet alsof ze haren knipte, het was alsof ik een paar vleugels onder mijn schouderbladen had waar huid overheen was gegroeid, en zij ze lossneed...

Florence kwam die avond verstrooid thuis en leek nauwelijks op te merken of ik al dan niet haar op mijn hoofd had, al zei Ralph op hoopvolle toon: 'Kijk eens wat een leuk kapsel!' Ze zag me ook niet in mijn bevertienen broek: ik had besloten die omwille van de buren alleen te dragen bij mijn huishoudelijke werk, en iedere avond als ze thuiskwam van Stratford, had ik me weer omgekleed in mijn jurk en een schort voorgedaan. Maar toen kwam ze op een dag vroeg thuis. Ze kwam door de achterdeur via de tuin achter de keuken, en ik stond het raam te lappen. Het was een groot raam, in ruitjes verdeeld: ik had zeepsop op de ruitjes gedaan en was ze nu een voor een schoon aan het vegen. Ik droeg de bevertienen broek en het overhemd – de kraag had ik niet omgedaan – mijn mouwen waren opgerold tot boven mijn ellebogen, mijn armen waren vuil en mijn vingernagels zwart. De holte van mijn hals was klam en mijn bovenlip nat – ik pauzeerde even om die af te vegen. Mijn haar had ik plat ge-kamd, maar nu was het losgeschud: een lange voorlok viel steeds in mijn ogen, die ik dan moest wegblazen met uitgestoken lip of opzij vegen met mijn pols. Ik had alle ruitjes schoongemaakt, behalve dat voor mijn gezicht. En toen ik daarover veegde, schrok ik op, want aan de andere kant stond Florence, roerloos. Ze had haar jas aan en haar hoedje op, en haar tasje hing over haar arm. Maar ze staarde naar me alsof – tja, sinds ik voor het eerst in een avondjurk voor Kitty had ge-paradeerd zonder te weten waarom ze bloosde als ze naar me keek, had ik te veel bewonderende blikken gehad om niet te weten waarom Florence, die me, met mijn bevertienen broek en mijn korte kapsel stond op te nemen, nu bloosde.

Maar net als Kitty leek ze haar verlangen niet alleen aangenaam maar ook pijnlijk te vinden. Toen ze mijn blik ving, boog ze haar hoofd en liep het huis in. En alles dat ze eruit kon krijgen, was: 'Wat glanst dat raam, zeg!' En al was het heerlijk te weten dat ik – einde-lijk, en volkomen onopzettelijk! – haar aandacht en begeerte had ge-wekt, en al had ik in het ogenblik dat haar blik de mijne ontmoette, gevoeld hoe mijn nieuwe hartstocht zich kenbaar maakte en de hare opriep, en al duizelde het me nog zo van begeerte en lust, ik stond evenzeer te trillen van de zenuwen als van de lust.

Hoe dan ook, toen ik haar naderhand weer zag, waren haar ogen dof en wilde ze me niet aankijken. En ik dacht weer: Waarom zou ze ook ooit om me geven, zolang ze nog treurt om iemand als Lilian?

En zo leefden we voort, en het werd steeds kouder. Kerstmis bracht ik niet door in de Quilter Street, maar in het Freemantle House, waar Florence een diner voor haar meisjes had georganiseerd en extra handen nodig had om de gans te bedruipen en af te wassen. Op ou-dejaarsavond brachten we een dronk uit op 1895 en nog een op 'af-wezige vrienden' – ze bedoelde natuurlijk Lilian. Ik had haar nooit verteld over alle vrienden die ík had verloren. In januari vierden we de verjaardag van Ralph. Die viel, heel griezelig, op dezelfde datum als die van Diana, en terwijl ik glimlachte toen ik hem zijn cadeautjes zag openmaken, moest ik denken aan de buste van Antinoüs en vroeg ik me af of die nog steeds zijn kille blikken richtte naar de warme activiteiten aan het Felicity Place, en of Diana er ooit naar keek en dan aan mij moest denken.

Maar inmiddels voelde ik me zo thuis in Bethnal Green, dat ik amper kon geloven dat ik ooit ergens anders had gewoond of dat de dagelijkse werkzaamheden aan de Quilter Street niet mijn leven uitmaakten. Ik was gewend geraakt aan het lawaai van de buren en de herrie op straat. Ik nam één keer per week een bad, net als Florence en Ralph, en stelde me de rest van de tijd tevreden met een kom water; Diana's badkamer was een vreemde, verre herinnering voor me geworden – als het paradijs na de zondeval. Ik hield mijn haar kort. Ik droeg mijn broek, zoals ik me had voorgenomen, onder het huishoudelijk werk – althans, de eerste maand of zo: daarna hadden alle buren me er weleens in gezien, en aangezien ik in de buurt bekend kwam te staan als een echte broekendraagster, leek het overbodig om 's avonds de broek te verwisselen voor een jurk. Niemand scheen zich eraan te storen. In sommige huizen in Bethnal Green was het immers een luxe om welke kleren dan ook te hebben en je zag geregeld vrouwen in de jasjes van hun man en soms een man met een omslagdoek. De dochters van mevrouw Monks naast ons renden gillend weg als ze me zagen. De vakbondscollega's van Ralph zaten me tijdens hun discussies weleens op te nemen om vervolgens de draad van hun verhaal kwijt te raken. Maar Ralph zelf kwam soms de trap af lopen met een overhemd of een flanellen vest en mompelde dan: 'Ik heb dit gevonden, Nance, onder in mijn kast en ik vroeg me af, zou jij iets aan het ding hebben...?'

En Florence – wel, steeds vaker leek ik haar te betrappen op de blik waarmee ze die dag door het raam naar me had gestaard, maar altijd – altijd – keek ze weg en kwam er een sombere blik in haar ogen. Ik wilde haar blik vasthouden, maar ik wist niet hoe ik dat moest aanleggen. Ik had me uitdagend gedragen voor Diana. Ik had schaamteloos geflirt met Zena. Maar bij Florence was het alsof ik weer achttien was, tobberig en nerveus – bang haar kwijnende verdriet te verstoren. Waren we maar mietjes, dacht ik dan. Was ik maar weer een schandknaap en zij een zenuwachtige kerel uit Soho, dan kon ik haar gewoon naar een morsig donker plekje brengen en daar haar broek losknopen...

Maar we waren geen mietjes, we waren slechts een stel blozende potten, die aarzelden tussen begeerte en de daad terwijl de winter voorbijgleed en het jaar langzaam ouder werd – en Eleanor Marx bleef aan de muur hangen, ernstig, slordig en leeftijdloos.

De verandering kwam in februari, op een heel normale dag. Ik ging naar Whitechapel, naar de markt – zoals ik zo vaak deed. Toen ik thuiskwam, liep ik via de tuin. De achterdeur stond op een kiertje, en dus ging ik zonder geluid te maken het huis binnen. Terwijl ik mijn pakjes op de keukenvloer legde, hoorde ik stemmen in de kamer – die van Florence en Annie. De tussendeuren stonden allemaal op een kier en ik kon hen prima horen: 'Ze werkt bij een drukker,' zei Annie. 'De mooiste vrouw die je ooit hebt gezien.'

'Ach, Annie, dat zeg je altijd.'

'Nee, héús. Ze zat aan een bureau met een pagina tekst voor zich en de zon scheen op haar, zodat ze er stralend uitzag. Toen ze haar ogen naar me opsloeg, stak ik mijn hand naar haar uit. Ik zei: "Bent u Sue Bridehead? Ik heet Jude..."'

Florence lachte: ze hadden allemaal net het nieuwste hoofdstuk van die roman gelezen, in een tijdschrift. Annie zou dat grapje vast niet hebben gemaakt als ze had geweten hoe het verhaal afliep. Nu zei Florence: 'En wat zei ze daarop? Dat ze het niet zeker wist, maar dacht dat Sue Bridehead misschien in het andere kantoor werkte...?'

'Helemaal niet. Wat ze zei was: *Halleluja!* Daarna nam ze mijn hand en – o, toen wist ik absoluut zeker dat ik verliefd was!'

Flo lachte weer – maar op een nadenkende manier. Even later prevelde ze iets dat ik niet verstond, maar dat haar vriendin aan het lachen maakte. Toen zei Annie, nog steeds met een lach in haar stem: 'Hoe gáát het toch met die knappe neef?'

Neef? dacht ik, terwijl ik naar het fornuis liep om mijn handen te warmen. Welke neef bedoelt ze? Ik voelde me geen luistervink. Ik hoorde Florence protesteren. 'Ze is mijn neef niet,' zei ze – ze zei het heel duidelijk. 'Ze is mijn neef niet, dat weet je best.'

'Niet je neef?' riep Annie toen. 'Zo'n meisje – met zulk haar – dat in je huiskamer loopt te knorrepotten in een zeemleren broek, als een regelrechte kleine metselaar...'

Daarna kon het me niet meer schelen dat ik de luistervink speelde, ik liep snel en geluidloos naar de gang om alles nog beter te kunnen horen. Florence lachte weer.

388

'Heus waar,' zei ze, 'ze is mijn neef niet.'

'Waarom niet? Waarom toch niet? Florrie, je bent hopeloos. Het is abnormaal wat je doet. Het is... alsof je een rosbief in de keukenkast hebt en alleen maar broodkorsten eet met water. Ik bedoel: als je geen neef van haar maakt, dan moet je echt aan je vriendinnen denken en haar doorgeven aan iemand die het wel doet.'

'Jíj krijgt haar niet!'

'Ik hoef niemand meer nu ik Sue Bridehead heb gevonden. Maar zie je wel, je geeft toch om haar!'

'Natuurlijk geef ik om haar,' zei Florence zachtjes. Nu luisterde ik zo intens dat ik meende te kunnen horen dat ze met haar ogen knipperde en haar lippen tuitte.

'Nou dan! Neem haar morgenavond mee naar de Kit' – ik wist zeker dat ze dat zei. 'Neem haar mee naar de Kit. Dan kan jij kennismaken met mijn juffrouw Raymond...'

'Ik weet het niet,' antwoordde Florence. Op die woorden volgde een stilte. En toen Annie weer sprak, was dat op een iets andere toon.

'Je kunt niet eeuwig om haar blijven treuren,' zei ze. 'Ze zou nooit gewild hebben dat...'

Florence protesteerde. 'Van iemand houden,' zei ze, 'is niet hetzelfde als een kanarie in een kooi houden, hoor. Als je een geliefde verliest, kun je niet gewoon weer een nieuwe gaan halen.'

'Laat ik nou gedacht hebben dat dat precies is wat jij moest doen!'

'Dat is wat jíj doet, Annie.'

'Maar Florence – je kunt toch de deur van de kooi open laten staan, op een kiertje... In je eigen voorkamer slaat een nieuwe kanarie met zijn mooie kopje tegen de tralies.'

'Stel dat ik de nieuwe binnenlaat,' zei Flo toen, 'en er dan achter kom dat ik er niet evenveel om geef als om de oude? Stel – O!' Ik hoorde een bons. 'Dat je me zo ver hebt gekregen, háár te vergelijken met een kanariepietje!' Ik wist dat ze Lilian bedoelde, niet mij, en ik draaide mijn hoofd af en wenste dat ik niet had geluisterd. In de huiskamer bleef het een paar seconden stil, en ik hoorde Florence haar lepeltje in haar kopje roeren. Toen, voordat ik op mijn tenen naar de keuken was teruggelopen, kwam haar stem weer, maar tamelijk zachtjes.

'Maar denk je dat het waar is, wat je zei over de nieuwe kanarie en de tralies...?'

Mijn voet bleef op dat moment haken achter een bezem, die op de grond viel, en ik moest roepen en in mijn handen klappen, alsof ik net was thuisgekomen. Annie riep me naar binnen en zei dat er thee was. Florence leek haar ogen naar me op te slaan, een beetje peinzend.

Annie ging daarna algauw weg en Florence wijdde zich de hele avond aan haar papierwinkel: ze had sinds kort een bril en doordat de hele avond het licht van het vuur erin weerkaatste, kon ik zelfs niet zien welke richting haar blikken op gingen – naar mij of naar haar boeken. We wensten elkaar op de gebruikelijke manier welterusten, maar toen konden we allebei de slaap niet vatten. Ik hoorde haar bed boven kraken van haar gewoel, en één keer ging ze naar buiten, naar het privaat. Ik dacht dat ze even bleef staan voor mijn deur, om te luisteren naar mijn gesnurk. Ik riep haar niet.

De volgende morgen was ik te moe om haar erg goed op te nemen. Maar toen ik de pan met spek op het fornuis zette, kwam ze naar me toe. Ze ging heel dicht bij me staan en zei toen heel zachtjes – misschien opdat haar broer, die in de kamer aan de overkant van de gang was, haar niet zou horen: 'Nance, ga je vanavond met me mee uit?'

'Vanavond?' zei ik met een geeuw, en met een frons naar het spek dat ik te nat in een te hete pan had gelegd, waardoor het ging sissen en walmen. 'Waarheen? Toch niet weer leden werven?'

'Geen leden, nee. Helemaal geen werk zelfs, maar... plezier.'

'Plezier!' Dat woord had ik nog nooit uit haar mond gehoord, en plotseling leek het een verschrikkelijk zinnelijk woord. Misschien dacht zij dat ook, want ze bloosde een beetje, pakte een lepeltje en begon ermee te spelen.

'Bij de Cable Street is een café,' vervolgde ze, 'met een dameszaal. De meisjes noemen het "de Kit"...'

'O ja?'

Ze keek me één keer aan en keek toen weer weg. 'Ja. Annie is er ook, zegt ze, met een nieuwe vriendin. En misschien Ruth en Nora.'

'Ruth en Nora ook!' zei ik luchtig; het waren de twee meisjes die geliefden bleken te zijn. 'Dus potten onder elkaar.'

Tot mijn verrassing knikte ze heel ernstig: 'Ja.'

Potten onder elkaar! De gedachte wond me op. Het was twaalf maanden geleden dat ik voor het laatst een avond had doorgebracht in een kamer vol vrouwengeliefden: ik wist niet zeker of ik het nog kon. Wat moest ik aantrekken? Welke pose zou ik aannemen? *Allemaal potten!* Wat zouden ze van me vinden? En wat zouden ze van Florence vinden?

'Ga je ook,' vroeg ik, 'als ik niet ga?'

'Ik denk het wel...'

'Dan ga ik zeker,' zei ik – en moest snel kijken naar de pan met walmend spek, en kon dus niet zien of ze blij, tevreden of onverschillig keek.

Ik had een zenuwachtige dag, ging mijn weinige saaie jurken en rokken na in de hoop er een of ander vergeten potterig juweeltje tussen te vinden. Natuurlijk zat er niets tussen, behalve mijn bevertienen broek met vlekken van het werk, maar die vond ik – ook al zou ze in de Cavendish Club misschien een ware sensatie hebben veroorzaakt – te gedurfd voor een East End-publiek, dus die schoof ik spijtig terzijde en koos een rok met een herenoverhemd en een kraag met stropdas. Het overhemd en de kraag waste en steef ik zelf, spoelde ze in blauwsel om ze helderwit te maken. De stropdas was van zijde – heel mooie zijde, met slechts een kleine onvolkomenheid in het weefsel, die Ralph had meegebracht uit zijn atelier – en ik had hem bij een joodse kleermaker laten naaien. Het was blauwe zijde, die mijn ogen goed deed uitkomen.

Ik verkleedde me natuurlijk pas nadat we de eettafel hadden afgeruimd, en dat deed ik – de arme Ralph en Cyril waren naar de keuken verbannen, terwijl ik me waste en aankleedde voor het huiskamervuur – met een soort nerveuze opwinding, een haast misselijkmakende vrolijkheid. Want ook al trok ik een rok, een korset en een onderrok aan, ik voelde me zoals een jongeman die zich kleedde voor zijn liefje. En al de tijd dat ik mijn kostuum dichtknoopte en zonder iets te zien met mijn boordknoopje en stropdas prutste, hoorde ik boven mijn hoofd een gekraak van vloerplanken en geruis van stoffen, totdat ik uiteindelijk nauwelijks meer kon geloven dat het niet mijn liefje was dat zich daarboven voor mij kleedde.

Toen ze ten slotte de huiskamerdeur openduwde en de kamer binnenkwam, stond ik even met knipperende ogen naar haar te kijken, helemaal van mijn apropos. Ze had haar werkjurk verwisseld voor een overhemdbloes, een vest en een rok. De rok was van de een of andere zware winterstof, maar met een damastpruimkleur die heel warm aandeed. Het vest was een tint lichter van kleur, de overhemdbloes bijna rood. Bij haar hals was een broche gespeld: een paar flinters granaat in een gouden zetting. Het was de eerste keer in een heel jaar dat ik haar in iets anders zag dan in haar stemmige zwarte en bruine pakjes, en ze leek een metamorfose te hebben ondergaan. Het rood en de damastpruimkleur accentueerden de gloed van haar lippen, de gouden glans van haar krullende haar, de blankheid van haar hals en handen en het roze en de bleke halvemaantjes van haar duimnagels.

'Je ziet er heel knap uit,' zei ik verlegen. Ze bloosde.

'Ik ben,' zei ze, 'te dik geworden voor al mijn nieuwere kleren...' Toen keek ze naar mijn eigen kledij. 'Wat zie jij er mooi uit. Wat staat die stropdas je goed, hè? Behalve dat hij scheef zit. Hier.' Ze kwam naar me toe en pakte de knoop om hem recht te trekken. Meteen begon de hartslag in mijn hals tegen haar vingers te kloppen, en ik begon vruchteloos aan mijn heupen te friemelen op zoek naar een stel zakken waarin ik mijn handen kon stoppen. 'Wat ben je toch een nerveusje,' zei ze lief, alsof ze het tegen Cyril had, maar het viel me op dat haar wangen nog even rood waren – en ook haar stem was niet helemaal vast.

Ten slotte was ze klaar bij mijn hals en deed toen weer een stap terug.

'Alleen nog mijn haar,' zei ik. Ik pakte twee borstels, doopte ze in mijn waterkan en kamde mijn haar uit mijn gezicht tot het plat en glad was. Toen deed ik makassarolie op mijn handpalmen – ik had inmiddels makassarolie – en streek ermee over mijn hoofd totdat het haar vet voelde en de kleine, oververhitte kamer bezwangerd was met de geur. En al die tijd stond Florence tegen de post van de huiskamerdeur geleund naar me te kijken, en toen ik klaar was, lachte ze.

'Nee maar, wat een stel schoonheden!' Dat was Ralph, die op dat moment door de gang kwam met Cyril aan zijn voeten. 'We herkennen ze niet, hè, zoon van me?' Cyril stak zijn armen omhoog naar Florence en zij tilde hem op met een kreun. Ralph legde zijn hand op haar schouder en zei op een veel zachtere toon: 'Wat zie je er goed uit, Flo, het is al meer dan een jaar geleden dat je er zo goed uitzag.' Ze hield bevallig haar hoofd schuin. Even hadden ze kunnen doorgaan voor een ridder en zijn dame op een of ander middeleeuws portret. Toen keek Ralph in mijn richting en glimlachte. En ik wist op dat moment niet van wie ik meer hield – van zijn zuster of van hem.

'Denk je dat het wel zal gaan met Cyril?' vroeg Florence bezorgd, toen ze het kind aan Ralph had overhandigd en haar jas begon dicht te knopen.

'Ik dacht van wel,' zei haar broer.

'We komen niet laat terug.'

'Kom zo laat terug als je wilt, we zullen ons geen zorgen maken. Wees alleen voorzichtig. Het zijn gevaarlijke straten waar je doorheen moet...'

De tocht van Bethnal Green naar de Cable Street voerde ons inderdaad langs enkele van de gevaarlijkste, armste, smerigste buurten van de stad en kon, normaal gesproken, nooit erg vrolijk zijn. Ik kende de weg, want ik had hem vaak met Florence gelopen. Ik wist welke sloppen het akeligst waren, welke fabrieken hun arbeiders het hardst afpeigerden, welke huurkazernes de treurigste en hopelooste families herbergden. Maar die avond waren we – zoals Florence zelf had toegegeven – samen uit voor ons plezier, en al lijkt het misschien vreemd om te zeggen, onze tocht was heel plezierig en leek ons te voeren door een heel ander landschap dan anders. We kwamen langs ballententen en volkstheaters, koffiehuizen en kroegen: vanavond waren het niet zulke sombere en akelige oorden als anders, maar straalden ze van licht en kleur, bruisten van gelach en geschreeuw en geurden naar bier en soep en jus. We zagen verliefde paartjes en meisjes met kersen op hun hoed en lippen in bijpassende kleur. We zagen kinderen gebogen over warme, walmende zakjes met pens en varkenspoot en gepofte aardappel. Wie wist naar wat voor trieste huizen ze misschien zouden terugkeren, binnen een uur of twee? Maar voorlopig lag er een vreemd soort glans over hen, en over de straten zelf – de Diss Street, Sclater Street, Hare Street, Fashion Street, Plumbers Row, Coke Street, Pinckin Street en Little Pearl Street – waarin ze liepen.

'Wat lijkt de stad vanavond vrolijk!' zei Florence verbaasd.

Dat is om jou, wilde ik antwoorden, om jou en je nieuwe kledij. Maar ik glimlachte alleen naar haar en nam haar arm. Toen: 'Kijk die jas eens!' zei ik, terwijl we een jongen passeerden in een geel vilten jasje dat in de schaduwen van de Brick Lane helder oplichtte als een lantaarn. 'Ik heb ooit een meisje gekend, ach, wat zou zij die jas mooi hebben gevonden...'

Niet lang daarna waren we in de Cable Street. Daar sloegen we links af, toen rechts, en aan het eind van die weg zag ik de kroeg waar we, naar ik aannam, heen gingen: een laag gebouwtje met een plat dak en boven de deur een paarse gaslamp en een opzichtig uithangbord – het Fregat – dat me eraan herinnerde hoe dicht onze wandeling ons bij de Theems had gebracht.

'Deze kant op,' zei Florence verlegen. Ze voerde me voorbij de deur en om het gebouw heen naar een kleinere, donkerdere ingang aan de achterkant. Hier voerde een heel steile en verraderlijk uitziende trap ons naar beneden, naar wat ooit een kelder moest zijn geweest. Aan de voet van de trap was een matglazen deur, en daarachter lag de ruimte – de Kit was de naam, herinnerde ik me – waarvoor we waren gekomen.

Het was geen grote ruimte, maar het was er heel erg donker en het kostte me enige tijd om de breedte en hoogte te peilen, om langs de lichte plekken – het knapperende vuur, de gaslampen, het glanzende koper, glas, spiegelglas en tin bij de toog – in de schemerige poelen ertussen te kijken. Er waren, schat ik, zo'n twintig mensen. Ze zaten in een rij van zitjes of stonden tegen de bar geleund, of bijeen in de verste, lichtste hoek, rond wat een biljarttafel leek. Ik staarde niet al te lang naar hen, want natuurlijk keken ze bij onze binnenkomst allemaal op, en ik voelde me merkwaardig bleu ten opzichte van hen en hun mening.

Ik hield dan ook mijn hoofd omlaag en volgde Florence naar de toog. Daar stond een vrouw met een vierkante kin achter, die met een doek een bierglas schoonveegde. Toen ze ons zag komen, zette ze het glas neer, legde de theedoek uit handen en glimlachte.

'Ha, Florence! Wat fantastisch om je hier weer te zien! En wat zie je er florissant uit!' Ze stak haar hand uit, nam Florence' vingers in de hare en bekeek haar vergenoegd. Toen wendde ze zich tot mij.

'Dit is mijn vriendin, Nancy Astley,' zei Flo, heel verlegen. 'Dit is mevrouw Swindles, die hier achter de toog staat.' Mevrouw Swindles en ik knikten en glimlachten naar elkaar. Ik ontdeed me van mijn jas en hoed en haalde mijn vingers door mijn haar. En toen ze me dat zag doen, trok ze haar wenkbrauwen enigszins op, en ik hoopte dat ze net als Annie Page zou denken: *Nou, die Florence heeft een leuke nieuwe neef!*

'Wat wil je drinken, Nance?' vroeg Florence me toen. Ik zei dat het me niet uitmaakte, en zij aarzelde, vroeg toen om twee warme rum. 'Laten we ermee naar een zitje gaan.' We liepen de ruimte door – er lag zand op de vloerplanken en onder het lopen maakten onze schoenen knerpende geluiden – naar een tafel tussen twee banken. We gingen tegenover elkaar zitten en roerden suiker door onze rum.

'Je bent hier dus ooit stamgast geweest?' vroeg ik Flo.

'Ik ben hier in geen tijden geweest...'

'O nee?'

'Niet sinds de dood van Lily. Het is een beetje aapjes kijken om eerlijk te zijn. Ik had er de moed niet voor...'

Ik staarde in mijn rum. Plotseling barstte in het zitje achter mij een gelach los waar ik van opschrok.

'Ik zei,' klonk een meisjesstem, '"dát soort dingen doe ik alleen met mijn vriendinnen, meneer." "Emily Pettinger," zei hij, "zei dat zij je anderhalf uur lang gewoon mocht neuken" – wat een leugen is, maar dit terzijde. "Gewoon neuken is één ding, meneer," en dit iets heel anders. Als u wilt dat ik haar...' – op dat moment moest ze een gebaar hebben gemaakt – '"dan zult u me ervoor moeten betalen, en niet weinig ook."'

'En deed-ie dat?' zei een andere stem. De eerste spreekster zweeg even, misschien om een slokje uit haar glas te nemen. Toen: 'Verdomd als de schoft niet een hand in zijn zak stak en een soeverein tevoorschijn haalde, die op tafel legde, hartstikke brutaal...'

Ik keek naar Florence, en zij lachte. 'Meisjes van plezier,' zei ze. 'De helft van de meisjes die hier komen zijn hoer. Vind je het erg?'

Hoe zou ik dat erg kunnen vinden, terwijl ik zelf ooit een meisje van plezier was geweest – nou ja, een jongen van plezier? Ik schudde mijn hoofd.

'Vind jíj het erg?' vroeg ik haar.

'Nee, ik vind het alleen erg dat ze het moeten doen...'

Ik luisterde niet: ik ging helemaal op in het verhaal van de hoer. Ze zei nu: 'We neukten een halfuur gewoon en gingen toen fluweeltippen terwijl die vent toekeek. Toen pakte Susie een stel vampers, en...'

Ik keek weer naar Florence en fronste. 'Zijn het Fransen of zo?' vroeg ik. 'Ik snap niets van wat ze zeggen.' En dat kon ik ook niet, want in al mijn tijd op straat had ik dat soort woorden nog nooit gehoord. Ik zei: '*Fluweeltippen*, wat betekent dat? Het klinkt als iets wat je in een theater zou doen...'

Florence bloosde. 'Je kunt het proberen, maar ik denk dat de presentator je eruit smijt...' Toen, terwijl ik nog steeds fronste, deed ze haar lippen van elkaar, toonde me het puntje van haar tong en wierp een heel snelle blik op mijn schoot. Ik had haar zoiets nog nooit zien doen, en ik was vreselijk verrast en vreselijk opgewonden. Het hadden net zo goed haar lippen kunnen zijn die ze naar mij had gebogen. Ik voelde mijn onderbroek vochtig en mijn wangen knalrood worden en ik moest mijn blik afwenden van haar hartstochtelijke blik om mijn verwarring te verbergen.

Ik keek naar mevrouw Swindles aan de toog en naar de tinnen pullen die in een lange glimmende rij boven haar hingen. En toen keek ik naar het groepje mensen aan de biljarttafel. En toen, na enkele tellen, nam ik hen eens beter op. Ik zei tegen Florence: 'Ik dacht dat je zei dat het hier allemaal potten waren? Er zijn daar kerels.'

'Kerels? Weet je het zeker?' Ze keerde zich naar de richting waarin ik wees en staarde met mij naar de biljartspelers. Het was een ruig stelletje en de helft was gekleed in broek met vest en had een gevangeniskapsel. Maar toen Florence hen goed bekeek, lachte ze. 'Kerels?' zei ze weer. 'Dat zijn geen kerels! Nancy, hoe kom je erbij?'

Ik knipperde met mijn ogen en keek weer. Nu zag ik het ook... Dat waren geen mannen, maar meisjes; het waren meisjes – en ze waren net als ik...

Ik slikte. Ik zei: 'Leven ze als mannen, die meisjes?'

Florence haalde haar schouders op, zonder te merken dat ik met schorre stem sprak. 'Sommige wel, geloof ik. De meeste kleden zich zoals ze willen en trekken zich niets aan van wat anderen van hen vinden.' Ze ving mijn blik op. 'Ik dacht eigenlijk, weet je, dat jij ook zoiets gedaan had...'

'Zou je me erg dom vinden,' antwoordde ik, 'als ik je vertelde dat ik dacht dat ik de enige was...?'

Haar blik werd toen zachter. 'Wat ben je toch een rare!' zei ze teder. 'Je hebt nog nooit fluweel getipt...'

'Ik zei niet dat ik het nooit heb gedaan, hoor, alleen dat ik het nooit zo heb genoemd.'

'Nou. Jij gebruikt ook allerlei eigenaardige woorden. Je schijnt nog nooit een pot in een broek te hebben gezien. Heus, Nance, soms... soms denk ik dat jij als volwassene geboren bent – zoals Venus in de schelp, op het schilderij...'

Ze bracht een vinger naar de zijkant van haar glas om een druppel gesuikerde rum op te vangen en legde die vinger toen op haar lip. Ik voelde mijn keel nog schorder worden en mijn hart een vreemd soort sprongetje maken. Toen snoof ik en staarde weer naar de potten in broek naast de biljarttafel.

'Te bedenken,' zei ik even later, 'dat ik net zo goed mijn bevertien had kunnen aantrekken...' Florence lachte.

We zaten nog wat aan onze rum te nippen. Er arriveerden meer vrouwen en de ruimte werd warmer, lawaaiiger en heel rokerig. Ik ging naar de toog om onze glazen te laten bijvullen en toen ik ermee terugliep naar ons zitje, trof ik daar Annie aan, met Ruth en Nora en nog een knap, blond meisje, dat aan me werd voorgesteld als juffrouw Raymond. 'Juffrouw Raymond werkt in een drukkerij,' zei Annie, en ik moest net doen alsof ik verrast was. Toen ze na ongeveer een halfuur op zoek ging naar het toilet, zette Annie ons op andere plaatsen, zodat zij naast haar kwam te zitten.

'Snel, snel!' riep ze. 'Ze is zo terug! Nancy, daar!' Ik kreeg een plaats tussen Florence en de muur, en een paar heerlijke ogenblikken lang liet ik de andere vrouwen praten om te genieten van de druk van haar damastpruimkleurige dij tegen mijn eigen, minder kleurige, slankere dij. Ieder keer dat ze zich naar mij toedraaide, voelde ik haar adem op mijn wang, warm, suikerig en geurend naar de rum.

De avond verstreek; ik begon te denken dat ik nog nooit zo'n plezierige avond had gehad. Ik blikte naar Ruth en Nora en zag hen tegen elkaar aanleunen en lachen. Ik keek naar Annie: ze had haar hand op juffrouw Raymonds schouder gelegd, haar ogen op haar gezicht gericht. Ik keek naar Florence, en zij lachte. 'Alles goed, Venus?' vroeg ze. Haar haar was losgesprongen uit de spelden en krulde rond haar kraag.

Toen begon Nora een van die serieuze verhalen – 'Vandaag kwam dat meisje op kantoor, moet je horen...' – en ik gaapte en keek de andere kant op, naar de biljartspelers, en ik zag tot mijn grote verbazing dat het hele groepje vrouwen zich van de tafel had afgekeerd en naar mij staarde. Ze leken het over mij te hebben – één knikte, een andere schudde haar hoofd en weer een andere wierp een steelse blik op me en stampte nadrukkelijk met haar biljartkeu op de vloer. Ik begon me een beetje opgelaten te voelen: misschien – wie weet? – had ik een of andere pottenregel doorbroken door hier te komen met kort haar en in een rok. Ik keek de andere kant op, en toen ik weer keek, maakte een van de vrouwen zich los uit de groep en liep doelbewust op ons zitje af. Het was een grote vrouw, met tot haar ellebogen opgerolde mouwen. Op haar arm zat een ruwe tatoeage, zo groen en vlekkerig dat het net zo goed een blauwe plek had kunnen zijn. Ze kwam bij ons zitje, legde de getatoeëerde arm over de achterkant en leunde voorover om mij in de ogen te kijken.

'Pardon, schat,' zei ze heel hard. 'Maar mijn maat Jenny beweert dat jij die Nan King bent, die met Kitty Butler in het variété werkte. Ik heb gewed om een shilling dat je het niet bent. Kun jij ons uit de brand helpen?'

Ik keek snel de tafel rond. Florence en Annie hadden enigszins verrast opgekeken. Nora had haar verhaal onderbroken en zei nu glimlachend: 'Als ik jou was, zou ik dit uitbuiten, Nance. Misschien zit er wel een gratis drankje voor je in.' Juffrouw Raymond lachte. Niemand geloofde dat ik echt Nan King zou kunnen zijn, en ikzelf had die geschiedenis natuurlijk vijf jaar lang weggestopt, ontkend dat ik haar ooit was geweest.

Maar de rum, de warmte, mijn nieuwe, onuitgesproken hartstocht leken op mij te werken als olie in een verroest slot. Ik draaide me weer naar de vrouw. 'Ik ben bang,' zei ik, 'dat je je weddenschap verloren hebt. Ik bén Nan King.' Het was de waarheid, en toch voelde ik me een leugenaar – alsof ik zojuist had gezegd: 'Ik bén Lord Roseberry.' Ik keek niet naar Florence – maar uit mijn ooghoek zag ik dat haar mond openviel. Ik keek naar de getatoeëerde vrouw en haalde lichtjes mijn schouders naar haar op. Zij had op haar beurt een pas achteruit gedaan en gaf nu een klap op ons zitje, zodat het heen en weer schudde. Lachend riep ze naar haar vriendin: 'Jenny, je hebt je shilling gewonnen! De griet zegt dat ze inderdaad Nan King is!'

Op haar woorden slaakte de groep aan de biljarttafel een kreet en de halve kroeg viel stil. De meisjes van plezier in het zitje naast ons stonden op om naar me te gapen. Ik hoorde aan iedere tafel fluisteren: 'Nan King, dat is Nan King daar!' De vriendin van de getatoeëerde pot – Jenny – kwam naar me toe gestapt en stak haar hand naar me uit.

'Juffrouw King,' zei ze. 'Zodra u binnenkwam, wist ik dat u het was. Wat was dat een heerlijke tijd toen ik naar u en juffrouw Butler ging kijken, in het Paragon!'

'Heel vriendelijk van u,' zei ik, terwijl ik haar hand aannam. Intussen ving ik Florence' blik op.

'Nance,' vroeg ze, 'wat is dit allemaal? Heb je echt in het variété gestaan? Waarom heb je dat nooit gezegd?'

'Het was allemaal zo lang geleden...' Ze schudde haar hoofd en nam me op.

'U bedoelt toch niet dat u niet wist dat uw vriendin daar een ster was?' vroeg Jenny toen ze dat hoorde.

'We wisten niet dat ze een ster was,' zei Annie.

'Zij en Kitty Butler – wat een span! Zo'n stel charmeurs is er nooit meer geweest...'

'Charmeurs!' zei Florence.

'Ja, natuurlijk,' ging Jenny voort. En toen: 'Wacht even – ik dacht dat daar het bewijs hing...' Ze baande zich door de menigte starende vrouwen een weg naar de toog en daar zag ik haar een blik wisselen met het barmeisje, daarna gebaren naar de wand achter de omgekeerde flessen. Daar hing een vaal stuk groen laken waar honderd oude briefjes en ansichtkaarten op waren geprikt. Ik zag mevrouw Swindles een ogenblik zoeken tussen de lagen opkrullende papieren en er vervolgens iets kleins en kreukeligs uit trekken. Dat overhandigde ze aan Jenny. Binnen de kortste keren lag het voor mijn neus en keek ik naar een foto: Kitty en ik, vaag maar onmiskenbaar, in wijde broek en met een strohoed op ons hoofd. Mijn hand lag op haar schouder en tussen mijn vingers stak een onaangestoken sigaret.

Ik bleef kijken naar de foto. Het gewicht en de geur van dat pak en het gevoel van Kitty's schouder onder mijn hand stonden me nog heel helder voor de geest. Niettemin was het alsof ik in het verleden van iemand anders keek, en ik huiverde.

Toen werd de ansichtkaart weggegrist, eerst door Florence – die haar hoofd erover boog en haar haast even aandachtig bestudeerde als ik – toen door Ruth en Nora, en Annie en juffrouw Raymond, en ten slotte door Jenny die de kaart doorgaf aan haar vriendinnen.

'Dat wij die nog hadden hangen,' zei ze. 'Ik herinner me de griet nog die hem daar ophing: ze was helemaal weg van u – u was eigenlijk altijd een favoriet in de Kit. Ze had hem gekregen van een dame in de Burlington Arcade. Wist u dat daar een dame was die dat soort plaatjes verkocht aan geïnteresseerde grieten?' Ik schudde mijn hoofd – verbaasd dat ik zo vaak de Burlington Arcade op en af was gedrenteld op zoek naar geïnteresseerde kérels, en die dame nooit had opgemerkt.

'Wat een verrassing, juffrouw King,' riep toen iemand anders, 'om u híer aan te treffen...' Er ging een gemompel op onder de aanwezigen toen tot hen doordrong wat dit inhield. 'Ik kan niet zeggen dat ik me nooit heb afgevraagd wat er van haar was geworden,' hoorde ik iemand zeggen. Daarna boog Jenny zich weer naar me toe en hield haar hoofd schuin.

'Hoe zit het met juffrouw Butler, als ik vragen mag? Ik hoorde dat zijzelf ook een beetje een pot is.'

'Dat klopt,' zei een ander meisje, 'dat heb ik ook gehoord.'

Ik aarzelde. Toen: 'Dat hebt u dan verkeerd gehoord,' zei ik. 'Ze is geen pot.'

'Niet een klein beetje...?'

'Helemaal niet.'

Jenny haalde haar schouders op. 'Nou, dat is dan jammer.'

Ik keek naar mijn schoot, plotseling overstuur. Maar het ergste moest nog komen, want een van de meisjes van plezier wrong zich tussen Ruth en Nora en riep: 'O, juffrouw King, wilt u niet een liedje voor ons zingen?' Haar roep werd overgenomen door een tiental kelen – 'O ja, juffrouw King, alstublieft!' – en als in een vreselijke droom kwam er plotseling, schijnbaar uit het niets, een gammele oude piano tevoorschijn rollen over de zanderige vloerplanken. Meteen ging een vrouw erachter zitten, kraakte met haar knokkels en speelde een rammelende toonladder.

'Heus,' zei ik, 'dat kan ik niet!' Ik keek schichtig in de richting van Florence – ze zat me op te nemen alsof ze mijn gezicht nooit eerder had gezien. Jenny riep achteloos: 'Ach, toe nou, Nan, wees een sportieve meid, voor de grietjes in de Kit. Hoe ging dat liedje ook weer, dat je zong – over knipogen naar de mooie dames met in je hand een soeverein...?'

Eén stem begon het liedje te zingen, en toen nog een en nog een. Annie had een teug bier genomen en stikte er nu bijna in. 'Mijn god!' zei ze, haar mond afvegend. 'Heb jij dat gezongen? Dan heb ik je een keer in het Holborn Empire gezien! Je gooide een chocoladen muntje naar mij – het was half gesmolten van de warmte in je zak – ik heb het opgegeten en dacht dat ik het bestierf! O, Náncy!'

Ik staarde naar haar en beet op mijn lip. De biljartspelers hadden allemaal hun keu neergezet en gingen rond de piano staan. De pianist speelde de akkoorden van het liedje en zo'n twintig vrouwen zongen het. Het was een dwaas liedje, maar ik herinnerde me hoe Kitty steeds hoger ging kwelen bij het refrein en het wijsje zoet liet vloeien, alsof de dwaze frasen op haar tong in honing veranderden. Het klonk heel anders, hier in deze ruige kelder – maar het had ook een zekere waarachtigheid en een geheel eigen, nieuwe zoetheid. Ik luisterde naar de luidruchtige meisjes en merkte dat ik begon mee te neuriën... Binnen de kortste keren zat ik geknield op mijn bank en zong met hen mee. En naderhand juichten en klapten ze voor me, en ik moest mijn hoofd op mijn arm leggen en op mijn lip bijten om de tranen tegen te houden.

Toen begonnen ze een ander liedje te zingen – niet een van mij en Kitty, maar een nieuw liedje dat ik niet kende en dus niet kon meezingen. Ik ging weer zitten en liet mijn hoofd tegen het beschot van het zitje vallen. Bij onze tafel arriveerde een meisje met een varkenspastei op een bord, gestuurd door mevrouw Swindles en 'van het huis'. Een tijdje zat ik aan de korst te plukken en werd wat kalmer. Ruth en Nora zaten nu met hun ellebogen op tafel en hun handen onder hun kin naar me te staren, hun verhaal vergeten. In de stilten van het nieuwe liedje hoorde ik Annie aan juffrouw Raymond uitleggen: 'Nee, heus, we hadden geen idee. Stond op Florries stoep met een blauw oog en een bosje waterkers, en is nooit meer weggegaan. Stille waters hebben diepe gronden...'

Florence zelf had haar gezicht naar mij toe gewend, haar ogen waren in de schaduw.

'Was je echt beroemd?' vroeg ze me, terwijl ik een sigaret vond en opstak. 'Heb je echt gezongen?'

'Gezongen en gedanst. En één keer geacteerd in een kerstvoorstelling in het Britannia.' Ik gaf een klap op mijn dij. '"Mijne heren, waar is de Prins, onze meester."' Zij lachte, maar ik niet.

'Wat zou ik je graag hebben gezien! Wanneer was dat allemaal?'

Ik dacht even na, toen: 'In achttien negenentachtig,' zei ik.

Ze stak haar lip naar voren. 'O. Stakingen dat hele jaar: geen tijd voor het variété. Eén avond heb ik volgens mij voor het Britannia gestaan, geld inzamelen voor de dokwerkers...' Ze glimlachte. 'Ik had wel trek gehad in een chocoladen soeverein.'

'Nou, ik had je er zeker een toegeworpen...'

Ze hief het glas naar haar lippen, dacht toen aan iets anders. 'Wat is er gebeurd,' vroeg ze, 'dat je bij het theater bent weggegaan? Als het zo goed ging, waarom ben je er dan mee gestopt? Wat heb je gedaan?'

Ik had weliswaar sommige dingen bekend, maar ik was niet klaar om alles te bekennen. Ik duwde mijn bord in haar richting. 'Eet jij mijn pastei maar op,' zei ik. Daarna boog ik langs haar heen en riep naar het andere eind van de tafel: 'Hé, Annie. Geef me eens een sigaret. Deze is waardeloos.'

'Nou, aangezien je een beróémdheid bent...'

Florence at de pastei, daarbij geholpen door Ruth. De zangers bij de piano werden moe en schor en gingen terug naar hun biljart. De meisjes van plezier in het zitje naast ons stonden op en speldden hun hoeden vast; ze gingen aan het werk, neem ik aan, in de gewone kroegen van Wapping en Limehouse. Nora geeuwde, en in navolging van haar moesten we allemaal geeuwen, en Florence slaakte een zucht.

'Zullen we gaan?' vroeg ze. 'Volgens mij is het al heel laat.'

'Het is bijna twaalf uur,' zei juffrouw Raymond. We gingen staan om onze jassen dicht te knopen.

'Ik wil nog even iets zeggen tegen mevrouw Swindles,' zei ik, 'om haar te bedanken voor mijn pastei.' En nadat ik dat gedaan had – en onderweg door een half dozijn vrouwen was vastgegrepen en gegroet – wandelde ik naar de biljarthoek en knikte naar Jenny.

'Jij ook goedenavond,' zei ik. 'Ik ben blij dat je je shilling hebt gewonnen.'

Ze nam mijn hand en schudde die. 'Goedenavond, juffrouw King! De shilling valt in het niet bij het plezier dat u hier was.'

'Zien we je nog eens, Nan?' riep haar vriendin met de tatoeage toen. Ik knikte: 'Ik hoop van wel.'

'Maar de volgende keer moet je een echt liedje voor ons zingen, in je eentje, met je hele herenkloffie aan.'

'O ja, dat moet u doen!'

Ik gaf geen antwoord, glimlachte alleen, en liep van hen weg. Toen dacht ik aan iets en wenkte Jenny weer.

'Die foto,' zei ik zachtjes, toen ze bij me stond. 'Denk je... zou mevrouw Swindles het erg vinden... denk je dat ik die zou mogen hebben, voor mezelf?' Ze stak meteen haar hand in haar zak, trok de verkreukte en vergeelde foto eruit en overhandigde me die.

'Neemt u 'm maar,' zei ze. Daarna kon ze zich niet bedwingen me enigszins verbaasd te vragen: 'Hebt u er dan zelf geen? Ik zou denken...'

'Onder ons gezegd en gezwegen,' zei ik, 'ik ben halsoverkop uit het vak gestapt. Ik ben heel wat spullen verloren en heb daar tot vandaag nooit zo bij stilgestaan. Maar dit...' Ik keek neer op de foto. 'Nou, dit kleine souvenir kan toch geen kwaad?'

'Hopelijk niet, nee,' antwoordde ze vriendelijk. Daarna keek ze langs me heen naar Florence en de anderen. 'Uw meisje staat op u te wachten,' zei ze met een glimlach. Ik stopte de foto in mijn jaszak.

'Ja, ja,' zei ik afwezig. 'Ja, ja.'

Ik liep naar mijn vriendinnen. We baanden ons een weg door de volle ruimte en hezen ons naar boven over de verraderlijke trap de bijtende kou van de februarinacht in. Buiten het Fregat was de straat donker en stil. Van de Cable Street kwam echter een ver kabaal. Net als wij begonnen de klanten van alle andere kroegen en chiquere tenten van het West End teut aan de thuisweg.

'Zijn er nooit problemen,' vroeg ik toen we wegliepen, 'tussen de vrouwen van de Kit en de mensen uit de buurt of vandalen?'

Annie zette haar kraag op tegen de kou, stak vervolgens haar arm door die van juffrouw Raymond. 'Soms,' zei ze. 'Soms. Een keer heeft een stel jongens een varken een hoedje opgezet en het beest de keldertrap af gekieperd.'

'Nee!'

'Ja,' zei Nora. 'En een keer hebben ze een vrouw de kop in geslagen tijdens een vechtpartij.'

'Maar dat ging over een meisje,' zei Florence geeuwend, 'en de klap kwam van de man van het meisje...'

'Het punt is,' zei Annie, 'dat het in deze buurt zo'n mengelmoes is, met al die joden en laskaren, Duitsers en Polen, socialisten, anarchisten, heilssoldaten... De mensen verbazen zich nergens over.'

Op hetzelfde moment kwamen er echter twee kerels uit een huis aan het eind van de straat die, toen ze ons zagen – Annie gearmd met juffrouw Raymond, Ruth met haar hand in Nora's zak en Florence en ik schouder aan schouder – begonnen te grommen en sneren. Een van hen rochelde toen we langs hem liepen en spoog. De andere kromde zijn hand voor het kruis van zijn broek en schreeuwde en lachte.

Annie keek achter zich naar mij en haalde haar schouders op. Om ons allemaal aan het lachen te krijgen zei juffrouw Raymond: 'Ik vraag me af of ze een vrouw ooit voor míj de kop inslaan...'

'Alleen haar hart, juffrouw Raymond,' riep ik galant, en smaakte de voldoening zowel Annie als Florence fronsend mijn kant op te zien kijken.

Onze groep slonk onderweg, want in Whitechapel verlieten Ruth en Nora ons om een aapje naar hun appartement in de City te pakken, en in Shoreditch, waar juffrouw Raymond woonde, keek Annie naar de punt van haar schoen en zei: 'Tja, het is zo laat, ik denk dat ik juffrouw Raymond even naar huis breng. Loop maar door zonder mij, ik haal jullie wel in...'

Dus toen waren alleen Florence en ik nog over. We liepen snel, omdat het zo koud was, en Florence greep mijn arm en trok me heel dicht tegen zich aan. Aan het eind van de Quilter Street bleven we staan, net zoals ik had gedaan toen ik er de eerste keer kwam, om een blik te werpen op de griezelige, donkere torens van de Columbia Market en omhoog te turen naar de sterrenloze, maanloze, door mist en rook verstikte Londense hemel.

'Ik denk niet dat Annie ons nog inhaalt,' mompelde Florence, terugkijkend in de richting van Shoreditch.

'Nee,' zei ik, 'vast niet...'

Toen we het huis binnengingen, leek het heel warm en bedompt.

Maar toen we onze jas hadden uitgetrokken en het privaat hadden bezocht, kregen we het algauw koud. Ralph had mijn rolbed voor me opgemaakt en een briefje aan de schouw bevestigd met de mededeling dat in het fornuis een pot thee voor ons stond. En hij stond er: dik en bruin als jus, maar we dronken hem toch – we gingen met onze bekers terug naar de huiskamer, waar het het warmst was en hielden onze handen voor de laatste paar gloeiende kolen in de assige haard.

De stoelen waren weggeduwd om ruimte te maken voor mijn bed. Dus daarop gingen we nu, nogal verlegen, naast elkaar zitten. Toen we dat deden, verrolde het een stukje op zijn wieltjes, en Florence lachte. De lamp op de tafel brandde laag, maar verder was de kamer heel donker. We zaten van onze thee te nippen en naar de kolen te staren; nu en dan verschoof de as een beetje op het rooster en maakten de kolen een plofgeluid. 'Wat lijkt het stil,' zei Florence zachtjes, 'na de Kit!'

Ik had mijn knieën opgetrokken onder mijn kin – het bed stond heel laag bij de grond – en draaide nu mijn wang op mijn knieën en glimlachte naar haar.

'Ik ben blij dat je me daarheen hebt meegenomen,' zei ik. 'Ik geloof niet dat ik zo'n leuke avond heb gehad sinds... nou, ik weet het niet meer.'

'O nee?'

'Nee. Want weet je, de helft van mijn plezier was om te zien hoe vrolijk jij was...'

Ze lachte, en gaapte toen. 'Vond je juffrouw Raymond niet vreselijk knap?'

'Heel knap.' Niet zo knap als jij, wilde ik zeggen, terwijl ik weer keek naar al die trekken die ik ooit niet zo mooi had gevonden. O Flo, niemand is zo knap als jij!

Maar ik zei het niet. En intussen had ze geglimlacht. 'Ik herinner me een ander meisje waarmee Annie ooit ging. We lieten ze bij ons overnachten, omdat Annie in die tijd samenwoonde met haar zus. Ze sliepen hier, en Lilian en ik waren boven. En ze maakten zoveel kabaal dat mevrouw Monks langskwam om te vragen of er iemand niet goed was geworden. We moesten zeggen dat Lily kiespijn had – terwijl zij in feite door alles heen had geslapen, met mij naast zich...'

Ze was zachter gaan praten. Ik trok mijn stropdas los: de gedachte aan Flo naast Lilian in bed, geprikkeld tot vergeefse hartstocht, stemde me bitter, maar maakte me als altijd ook heel heet. Ik zei: 'Was het niet moeilijk, het bed te delen met iemand van wie je op die manier hield?'

'Het was verschrikkelijk moeilijk! Maar ook heerlijk!'

'Heb je haar nooit... nooit gekust?'

'Soms kuste ik haar als ze sliep. Ik kuste haar haar. Ze had mooi haar...'

Ineens herinnerde ik me levendig hoe ik naast Kitty lag, in de tijd voor we met elkaar vrijden. Ik zei, op iets andere toon: 'Keek je naar haar gezicht terwijl ze lag te dromen... en hoopte je dat ze van jou droomde?'

'Ik stak altijd een kaars aan, alleen om die reden!'

'Hunkerde je er niet naar haar aan te raken als ze naast je lag?'

'Ik dacht dat ik het zou doen ook! Ik was er doodsbenauwd voor.'

'Heb je dan niet soms jezelf aangeraakt – en gewenst dat het haar vingers waren...?'

'O, en me er dan voor geschaamd! Een keer schoof ik tegen haar aan in bed en zei zij, in haar slaap: "*Jim!*" – Jim was de naam van haar vriend. En toen zei ze het weer: "*Jim!*" En op een toon die ik niet van haar kende. Ik wist niet of ik erom moest huilen of wat dan ook. Maar eigenlijk wilde ik, o Nance! Eigenlijk wilde ik dat ze zou doorslapen, als een meisje in trance, zodat ik haar kon aanraken en zij zou denken dat ik hem was en dat ze dan weer zou roepen met die stem...!'

Ze hield haar adem in. In de haard viel met een ratelend geluid een stuk kool omlaag, maar ze keek er niet naar, en ik evenmin. We zaten maar naar elkaar te staren: het was alsof haar woorden, die zo warm waren, onze blikken met elkaar hadden versmolten en we ze niet los konden rukken. Ik zei, haast lachend: 'Jim! Jim!' Ze knipperde met haar ogen en leek te huiveren. En toen huiverde ik ook. En toen zei ik gewoon: 'O, Flo...'

En toen leek, als door de een of andere magische kracht buiten ons om, de ruimte tussen onze lippen in te krimpen en daarna te verdwijnen, en we kusten elkaar. Ze hief haar hand om mijn mondhoek aan te raken, en toen schoven haar vingers tussen onze tegen elkaar gedrukte lippen – ze smaakten nog steeds naar suiker. En ik begon zo heftig te trillen dat ik in mijn vuisten moest knijpen en tegen mezelf zeggen: Hou nu eens op met trillen! Straks denkt ze nog dat je nog nooit gekust bent!

Maar toen ik mijn handen naar haar uitstrekte, voelde ik dat zij net zo hevig trilde. En toen ik even later mijn vingers van haar hals naar de welving van haar borsten verplaatste, spartelde ze als een vis – glimlachte en boog dichter naar me toe. 'Harder drukken!' zei ze.

Toen vielen we samen achterover op het bed – het rolde nog een paar centimeter over het vloerkleed – en ik maakte de knoopjes van haar overhemd los, drukte mijn gezicht tegen haar boezem en zoog aan een van haar tepels, door het katoen van haar onderjurk, tot de tepel hard werd en zij begon te verstijven en te hijgen. Ze bracht weer haar handen naar mijn hoofd en trok het omhoog om me te kussen. Ik ging op haar liggen en bewoog, en voelde haar onder mij bewegen, voelde haar borsten tegen die van mij, tot ik wist dat ik zou flauwvallen als ik niet klaarkwam – maar toen draaide ze me om, trok mijn rok omhoog, deed haar hand tussen mijn benen en streelde zo langzaam, zo zachtjes, zo prikkelend dat ik weer hoopte dat ik helemaal niet klaar zou komen...

Ten slotte voelde ik haar hand tot rust komen op mijn allernatste plekje en ze blies in mijn oor. 'Wil je,' fluisterde ze toen, 'dat ik naar binnen ga?' Het was zo'n lieve, zo'n hoffelijke vraag dat ik bijna huilde. 'O!' zei ik, en ze kuste me weer. En even later voelde ik haar in me bewegen, eerst met één vinger, toen met twee, dacht ik, toen drie... Ten slotte had ze, nadat ze een moment druk had gezet, haar hele hand in me, tot aan de pols. Ik denk dat ik het uitschreeuwde – ik denk dat ik trilde en hijgde en schreeuwde om het geraffineerde draaien van haar vuist te voelen, het krommen en strekken van haar lieve vingers onder mijn schoot...

Toen ik mijn hoogtepunt bereikte, voelde ik een vloed, en ik zag dat ik haar arm van vingertoppen tot elleboog nat had gemaakt met mijn afscheiding – en dat zij van de weeromstuit was klaargekomen en slap en zwaar tegen me aan lag, haar eigen rokken vochtig. Ze trok haar hand naar buiten – wat me opnieuw deed rillen – en ik pakte die vast, trok haar gezicht naar me toe en kuste haar. En daarna bleven we heel stil liggen, met onze lichamen stevig tegen elkaar aangedrukt totdat we, als afkoelende stoommachines, niet meer schokten en tot rust kwamen.

Toen ze ten slotte overeind kwam, knalde ze met haar hoofd tegen de eettafel: we hadden zonder het te merken het rolbed van de ene naar de andere kant van de kamer gestoten. Ze lachte. We stroopten onze kleren af en ze draaide de lamp uit, en we gingen in onze klamme onderrok onder de dekens liggen. Toen ze in slaap viel, legde ik mijn handen om haar wangen en kuste de blauwe plek op haar voorhoofd.

Ik werd wakker en merkte dat het nog nacht was, maar iets lichter. Ik wist niet waarvan ik wakker was geworden, maar toen ik om me heen keek, zag ik dat Flo een beetje hoger tegen haar kussen zat en naar me staarde, kennelijk klaarwakker. Ik pakte haar hand weer en kuste die, en ik voelde een soort slinger in mijn buik. Ze glimlachte, maar de glimlach had iets triests waar ik koud van werd.

'Wat is er?' mompelde ik. Ze streelde over mijn haar.

'Ik dacht alleen...'

'Wat?' Ze wilde niet antwoorden. Ik ging naast haar rechtop zitten, zelf nu ook klaarwakker. 'Wát, Flo?'

'Ik keek naar je in het donker: ik heb je nooit eerder zien slapen. Je leek wel een vreemde. En toen dacht ik: Je bént ook een vreemde voor me...'

'Een vreemde? Hoe kun je dat nou zeggen? Je woont al meer dan een jaar met me samen.'

'En gisteravond,' antwoordde ze, 'ontdekte ik pas dat je ooit een variétéster bent geweest! Hoe kun je zoiets geheimhouden? Waarom zou je dat willen? Wat heb je nog meer gedaan waar ik niets van weet? Misschien heb je zelfs wel in de gevangenis gezeten. Misschien ben je wel gek geweest. Misschien heb je wel in het leven gezeten!'

Ik beet op mijn lip. Maar toen herinnerde ik me dat ze helemaal niet moeilijk had gedaan over de meisjes van plezier in de Kit en zei snel: 'Flo, ik heb ooit getippeld. Daar ga je me toch niet om haten?'

Ze trok direct haar hand weg. 'Getippeld! Mijn god! Natuurlijk ga ik je niet haten, maar... o, Nance! Te bedenken dat jij een van die trieste meisjes was...'

'Ik was niet triest,' zei ik, en keek weg. 'En om je de waarheid te zeggen, ik... tja, ik was ook niet echt een meisje.'

'Geen meisje?' zei ze. 'Hoe kan dat nou?'

Ik schraapte met mijn nagel over de zijden rand van de deken. Moest ik mijn verhaal vertellen – het verhaal dat ik zo lang geheim had gehouden? Ik zag haar hand op het laken, en terwijl ik weer een schuiver in mijn buik voelde, herinnerde ik me haar vingers die me voorzichtig openden en haar vuist in me die langzaam draaide...

Ik haalde diep adem. 'Ben je ooit,' zei ik, 'in Whitstable geweest?'

Eenmaal begonnen ontdekte ik dat ik niet meer kon stoppen. Ik vertelde haar alles – over mijn leven als oestermeisje, over Kitty Butler voor wie ik mijn familie had verlaten en die mij op haar beurt had verlaten voor Walter Bliss. Ik vertelde haar over mijn verdwaasde tijd, mijn maskerade, mijn leven bij mevrouw Milne en Grace in de Green Street, waar ze me voor het eerst had gezien. En ten slotte vertelde ik haar over Diana en het Felicity Place en Zena.

Toen ik was uitgepraat, was het bijna licht. De huiskamer leek kouder dan ooit. Tijdens mijn hele lange verhaal had Florence niets gezegd. Er was een frons op haar gezicht verschenen toen ik over mijn schandknapentijd was begonnen, en daarna had de frons zich verdiept. Nu was hij heel diep.

'Je wilde toch weten,' zei ik, 'welke geheimen ik had...'

Ze keek weg. 'Ik had niet gedacht dat het er zoveel zouden zijn.'

'Je zei dat je me niet zou haten, om mijn schandknapentijd.'

'Ik kan me zo moeilijk voorstellen dat je dat allemaal gedaan hebt... voor je plezier. En... o, Nance, wat een wreed soort plezier!'

'Het is heel lang geleden.'

'En al die mensen die je hebt gekend – en toch heb je geen vrienden.'

'Ik heb ze allemaal achter me gelaten.'

'Je familie. Toen je hier kwam, zei je dat je familie je eruit had gegooid. Maar jíj hebt hén eruit gegooid! Wat zullen ze inzitten over je! Denk je nooit aan ze?'

'Soms, soms.'

'En de mevrouw die zo dol op je was, in de Green Street. Komt het nooit bij je op eens langs te gaan bij haar en haar dochter?'

'Ze zijn verhuisd, en ik heb wel geprobeerd ze te vinden. En trouwens, ik schaamde me, omdat ik ze verwaarloosd had...'

'Ze verwaarloosd voor die... hoe heette ze ook weer?'

'Diana.'

'Diana. Gaf je dan zo ontzettend veel om haar?'

'Of ik om haar gaf?' Ik leunde op mijn elleboog. 'Ik haatte haar! Ze was een soort duivelin! Ik heb je toch verteld...'

'En toch bleef je zo lang bij haar...'

Plotseling was het alsof ik stikte in mijn eigen verhaal en in de betekenissen die ze erin legde. 'Ik kan het niet uitleggen,' zei ik. 'Ze had me in haar macht. Ze was rijk. Ze had... dingen.'

'Eerst vertelde je me dat je er door een vent was uitgesmeten. Toen zei je dat het een dame was. Ik dacht dat je een meisje had verloren...'

'Ik had ook een meisje verloren, maar dat was Kitty, jaren daarvoor.'

'En Diana was rijk en heeft je een blauw oog en een snee in je wang bezorgd, en dat pikte je. En toen smeet ze je eruit omdat jij... haar dienstmeisje zoende.' Haar stem was steeds harder geworden. 'Wat is er met háár gebeurd?'

'Ik weet het niet. Ik weet het niet!'

We lagen een poosje in stilte, en het bed leek plotseling vreselijk klein. Florence staarde naar het oplichtende vierkant van het gordijn voor het raam en ik keek naar haar, voelde me ellendig. Toen ze een vinger naar haar mond bracht om op haar nagel te bijten, hief ik mijn hand op om haar tegen te houden. Maar zij duwde mijn arm weg en maakte aanstalten om op te staan.

'Waar ga je naartoe?' vroeg ik.

'Naar boven. Ik wil even wat nadenken.'

'Nee!' gilde ik, en die gil wekte Cyril, boven in zijn wiegje, die om zijn moeder begon te roepen. Ik greep de pols van Florence en doof voor de kreten van het kindje trok ik haar terug en duwde haar op het bed. 'Ik weet wat je gaat doen,' zei ik. 'Je gaat aan Lilian zitten denken!'

'Ik móét wel aan Lilian denken!' antwoordde ze triest. 'Ik móét wel. En jij... jij bent precies hetzelfde, alleen heb ik dat nooit geweten. Zeg me niet... zeg me niet dat je niet aan haar dacht, aan Kitty, vannacht, toen je me kuste!'

Ik haalde diep adem – maar toen aarzelde ik. Want het was waar, ik kon het niet zeggen. Het was Kitty die ik het eerst en het heftigst had gekust. En het was alsof ik sindsdien de vorm of de kleur of de smaak van haar kussen op mijn lippen had gehad. Al de kwakken en tranen van de jankende sodemieters in Soho, alle wijn en klamme liefkozingen van het Felicity Place, hadden die kussen nooit helemaal weg kunnen wassen. Ik had het altijd geweten – maar het had nooit iets uitgemaakt bij Diana of bij Zena. Waarom zou het dan iets uitmaken bij Florence?

Waarom zou het iets uitmaken aan wie zij dacht als ze mij kuste?

'Ik weet alleen,' zei ik ten slotte, 'dat het onze dood was geweest als we vannacht niet met elkaar hadden gevreeën. En als je me nu vertelt dat we nooit meer zullen vrijen na deze ene keer, die zo geweldig was...!'

Ik hield haar nog steeds op het bed gedrukt en Cyril huilde nog steeds, maar als door een wonder bedaarde hij – en Florence ontspande zich op haar beurt in mijn armen en keerde haar gezicht naar mij toe.

'Ik heb je altijd gezien,' zei ze zachtjes, 'als een Venus in een schelp. Ik heb nooit gedacht aan de liefjes die je had voordat je hier kwam...'

'Waarom zou je dan nu aan ze denken?'

'Omdat jíj dat ook doet! Stel dat Kitty weer zou komen opdagen en je vroeg om bij haar terug te komen?'

'Dat gebeurt niet. Kitty is verdwenen, Flo, net als Lilian. Geloof me, er is meer kans op dat zíj terugkomt!' Ik begon te lachen. 'En dan mag je naar haar terug en zeg ik niets. En als Kitty mij komt halen, kun jij hetzelfde doen. En dan zijn we allebei in ons paradijs – en kunnen we naar elkaar zwaaien, ieder vanaf zijn eigen wolk. Maar Flo, mogen we tot die tijd doorgaan met kussen en gewoon blij zijn?'

Dit was misschien een tamelijk merkwaardige liefdesverklaring, maar wij waren dan ook meisjes met merkwaardige geschiedenissen – meisjes met een verleden als een doos met een slecht passend deksel. We moesten die dragen, maar heel voorzichtig. We zouden het wel rooien, dacht ik, terwijl Florence zuchtte en ten slotte haar hand naar mij uitstrekte. We zouden het wel rooien, zolang de deksels op de dozen bleven.

19

Die middag brachten we het rolbed terug naar de zolder – ik denk dat de wieltjes voorgoed scheef zaten – en ik verhuisde mijn nachtspullen naar de kamer van Florence en legde mijn nachtjapon onder haar kussen. We deden dat toen Ralph weg was. En toen hij thuiskwam en keek naar de plek waar het bed rechtop had gestaan en toen naar ons, met onze blozende gezichten, omwalde ogen en gezwollen lippen, knipperde hij een tiental malen met zijn ogen en slikte, ging zitten en hield een nummer van *Justice* voor zijn gezicht. Maar toen hij die avond opstond om naar bed te gaan, kuste hij me heel hartelijk. Ik keek naar Florence.

'Waarom heeft Ralph eigenlijk geen liefje?' vroeg ik, toen hij weg was. Zij haalde haar schouders op.

'De meisjes hebben kennelijk geen belangstelling voor hem. Iedere pottenvriendin van mij is half verliefd op hem, maar gewone meisjes – tja! Hij valt op het tengere type, maar de laatste verruilde hem voor een bokser.'

'Arme Ralph,' zei ik. Toen: 'Hij is buitengewoon ruimdenkend over jouw... neigingen. Vind je niet?'

Ze kwam op de leuning van mijn stoel zitten. 'Hij heeft lang de tijd gehad om eraan te wennen,' zei ze.

'Heb je ze dan altijd gehad?'

'Nou, ik denk dat er altijd wel een of twee meisjes waren, ergens in de buurt. Moeder heeft er nooit hoogte van gekregen. En Janet kan het niet schelen – die zegt dat er dan meer kerels voor haar overblijven. Maar Frank' – dat was de oudere broer die van tijd tot tijd met zijn gezin op bezoek kwam – 'Frank vond het vroeger nooit prettig dat er meisjes voor mij kwamen. Hij heeft me er ooit over aangesproken, dat ben ik nooit vergeten. Hij zou het niet leuk vinden om jou hier aan te treffen.'

'Als je wilt, doen we alsof het niet zo is,' zei ik. 'We kunnen het rolbed terughalen en net doen of...'

Ze week achteruit, alsof ik haar had uitgevloekt. 'Doen alsof? Doen alsof in mijn eigen huis? Als mijn manier van leven Frank niet bevalt, hoeft hij niet meer te komen. Hij en ieder ander die er zo over denkt. Zou je willen dat mensen denken dat we ons schamen?'

'Nee, nee. Het was alleen zo dat Kitty...'

'Ach, Kitty! Kitty! Hoe meer je me over dat mens vertelt, hoe minder ik haar mag. Het idee dat je je door haar zo lang verkrampt en schuldig hebt gevoeld, terwijl je 'm had kunnen smeren, je geweldig had kunnen vermaken, als een echte, vrolijke pot...'

'Zonder Kitty Butler was ik helemaal geen pot geweest,' zei ik, meer gekwetst door haar woorden dan ik wilde laten blijken.

Ze nam me op: ik had mijn broek aan. 'Dát,' zei ze, 'weiger ik te geloven. Vroeg of laat zou je toch wel een vrouw hebben ontmoet.'

'Als ik getrouwd was met Freddy, ja, en tien kinderen had. Jóú had ik zeker niet ontmoet.'

'Nou, dan heb ik tenminste íets aan Kitty Butler te danken.'

De naam, zo hardop uitgesproken, werkte nog steeds een beetje op mijn zenuwen en prikkelde ze. Ik denk dat ze het wist. Maar nu zei ik luchtig: 'Dat is zo. Onthoud dat. Ik heb iets waardoor je het wel zult onthouden...' Ik ging naar mijn jaszak en haalde er de foto van Kitty en mij uit, die ik had gekregen van Jenny in de Kit, en zette die neer in de boekenkast, onder de andere portretten. 'Jouw Lilian,' zei ik, 'vond het misschien opwindend om naar Eleanor Marx te kijken. Verstandige meisjes prikten vijf jaar geleden foto's van mij op hun slaapkamerwand.'

'Hou op met pochen,' antwoordde ze. 'Al dat gepraat over het variété. Voor míj heb je nooit een liedje gezongen.'

Ze was op mijn plek in de leunstoel gaan zitten, en nu ging ik naar haar toe en porde met mijn knieën tegen de hare. '*Op ieder potje,*' zong ik – het was een oud liedje – '*past een deksel.*'

Ze lachte. 'Is dat een liedje dat je met Kitty zong?'

'Absoluut niet! Kitty zou dat niet hebben gedurfd, voor het geval er een echte pot in het publiek zat die de grap zou snappen en denken dat wij het meenden.'

413

'Zing eens een liedje voor me dat je met Kitty zong.'

'Tja...' Ik wist niet of ik dat wel zo'n goed idee vond, maar ik zong een paar regels van ons liedje over de soevereinen en daarbij paradeerde ik door de huiskamer en gooide mijn bevertienen benen in de lucht. Toen ik ophield, schudde ze haar hoofd.

'Ze had trots op je moeten zijn!' zei ze zachtjes. 'Als ik haar was geweest...' Ze maakte haar zin niet af, maar stond op, kwam naar me toe en trok mijn overhemd opzij, waar het loshing bij de hals, en kuste de huid daaronder, tot ik trilde.

Ooit had ik haar kuis gevonden als een gipsen heilige, ooit had ik haar gewoon gevonden. Maar nu was ze niet kuis – ze was heerlijk schaamteloos en open en willig, en die schaamteloosheid deed haar stralen, als een soort politoer. Ik kon niet naar haar kijken zonder haar te willen aanraken. Ik kon de glans op haar roze lippen niet zien zonder naar haar toe te willen stappen en er mijn mond op te drukken. Ik kon niet kijken naar haar hand als die werkeloos op een tafel lag, of een pen of een kopje vasthield of wat voor alledaagse bezigheid ook verrichtte, zonder te verlangen haar hand in mijn eigen hand te nemen en de knokkels te kussen, of mijn tong naar de palm te brengen, of die tegen het kruis in mijn broek te drukken. Ik stond dan in een volle kamer naast haar en voelde dat de haren op mijn armen overeind gingen staan – en zag dat zij ook kippenvel kreeg en dat haar wangen warm werden, en dan wist ik dat ze evenveel naar mij verlangde als ik naar haar. Maar zij schiep er ook een verschrikkelijk genoegen in om de bezoeken van haar vriendinnen te verlengen – ze nog een tweede kop thee te geven en dan een derde – en al die tijd keek ik toe, gekweld en vochtig.

'Je hebt mij tweeënhalf jaar laten wachten,' zei ze op een keer tegen me. Ik was haar gevolgd naar de keuken en had mijn bevende armen om haar heen geslagen terwijl zij de ketel op het fornuis zette. 'Het zal je geen kwaad doen om nog een uurtje te wachten tot de huiskamer leeg is...' Maar toen ze op een andere avond weer zoiets zei, betastte ik haar door de plooien van haar rok tot haar stem het begaf – en toen trok ze me de keukenkast in, stak een bezem voor de deur en liefkoosden we elkaar tussen de pakken meel en blikjes stroop terwijl de ketel floot, de keuken één grote stoomwolk werd en

Annie uit de huiskamer riep wat we in hemelsnaam uitspookten?

We waren namelijk allebei zo lang ongekust gebleven dat we niet meer konden stoppen als we eenmaal weer waren begonnen te kussen.

We stonden versteld van onze eigen schaamteloosheid.

'Ik hield je voor een van die verschrikkelijke onwillige meisjes,' zei ze me op een avond, ongeveer twee weken na ons bezoek aan de Kit.

'Een van die droog-wrijf-over-de-heup-en-raak-me-niet-aan-types...'

'Bestaan dat soort meisjes?' vroeg ik haar.

Ze kreeg een kleur. 'Nou, ik ben er met één of twee naar bed geweest...'

Het idee dat zij met verschillende meisjes naar bed was geweest – met zoveel meisjes dat ze hen in categorieën kon verdelen, zoals vissoorten – was verbazingwekkend en opwindend. Ik legde mijn hand op haar – we lagen naast elkaar, naakt ondanks de kou, want we hadden een stomend heet bad genomen en waren daar nog steeds warm en tintelig van – en streelde haar, van de holte van haar hals naar de holte van haar kruis. Toen streelde ik haar weer en voelde een siddering door haar heen gaan.

'Wie had ooit gedacht dat ik je zo zou aanraken en zo tegen je zou praten!' zei ik tegen haar – fluisterend, want Cyril lag naast ons te slapen in zijn wieg. 'Ik was ervan overtuigd dat je preuts en bleu zou zijn. Ik was ervan overtuigd dat je verlegen zou zijn. Hoe kon het ook anders, dacht ik, met jouw politieke betrokkenheid en goedheid!'

Ze lachte. 'Het is het Leger des Heils niet, hoor,' antwoordde ze, 'het socialisme.'

'Nee, misschien niet...'

Toen zeiden we niets meer, zoenden en fluisterden alleen. Maar de volgende avond kwam ze met een boek en liet me dat lezen. Het was *Op weg naar democratie*, het gedicht van Edward Carpenter. En terwijl ik de pagina's omsloeg, met Florence warm naast me, werd ik nat.

'Keek je hier altijd in met Lilian?' vroeg ik haar.

Ze knikte. 'Ze vond het prettig als ik het haar voorlas wanneer we in bed lagen. Ze zal wel niet geweten hebben hoe moeilijk dat soms voor me was...'

Misschien wist ze het wel, dacht ik – en het idee maakte me nog natter. Ik gaf haar het boek. 'Lees het me nu voor,' zei ik.

'Je hebt het al gelezen.'

'Lees me de passages voor die je haar altijd voorlas...'

Ze aarzelde en deed het toen, en terwijl ze lag te prevelen, stak ik mijn hand tussen haar benen en betastte haar, en hoe harder ik streelde, hoe onvaster haar stem werd.

'Er bestaan boeken die speciaal hiervoor zijn geschreven,' zei ik tegen haar, terugdenkend aan de vele keren dat ik net zoiets had liggen doen met Diana – vermoedelijk in dezelfde nachten dat Florence had liggen kronkelen naast Lilian. 'Zal ik niet zo'n boek voor je kopen? Het was vast niet meneer Carpenters bedoeling dat zijn gedicht op deze manier werd genoten.'

Ze drukte haar lippen op mijn hals. 'O, ik denk dat meneer Carpenter het wel goed zou vinden.'

Ze had het boek op haar borst laten vallen. Nu duwde ik het opzij en rolde op haar.

'En dit,' zei ik met mijn heupen bewegend, 'draagt echt bij tot de sociale revolutie?'

'Nou en of!'

Ik schoof naar beneden. 'En dit ook?'

'O, zeker!'

Ik gleed onder het laken. 'En dit dan?'

'Ó.'

'Mijn god,' zei ik even later. 'Te bedenken dat ik al die jaren deel heb uitgemaakt van de socialistische samenzwering en dat nu pas weet...'

Sindsdien lag *Op weg naar democratie* voortdurend naast het bed, en zoals Florence, wanneer het huis stil was, soms tegen me zei: 'Zing eens een liedje voor me, in je bevertien, neef...', zo fluisterde ik haar tijdens het eten of een wandeling soms toe: 'Zullen we van-avond *democratisch* doen, Flo...?' Natuurlijk waren er bepaalde liedjes – 'Liefjes en Echtgenotes' was daar een van – die ik nooit voor haar zou hebben gezongen. En *Grashalmen* bleef, zo viel me op, beneden, op de boekenplank onder de foto's van Eleanor Marx en Kitty. Ik vond het niet erg. Waarom ook? We hadden een soort overeenkomst gesloten. We hadden afgesproken dat we voor altijd zouden kussen. We hadden nooit gezegd: *Ik hou van je.*

'Is het niet heerlijk om verliefd te zijn in de lente?' vroeg Annie ons op een avond in april. Zij en juffrouw Raymond waren nu geliefden en brachten lange uren door in onze huiskamer, zuchtend in aanbidding van elkaars charmes. 'Ik was vandaag op een fabriek, en het was de meest naargeestige en vervallen bouwval die je ooit hebt gezien. Maar ik kwam terecht op de binnenplaats en daar groeide een katjeswilg – een heel gewone oude katjeswilg, maar met een beetje gele zon erop, en hij leek zo op mijn lieve Emma dat ik een moment lang overwoog op de grond te zinken, hem te kussen en te wenen.'

Florence snoof: 'Ze hadden nooit vrouwen in overheidsdienst moeten toelaten. Dat heb ik altijd al gezegd. Wenen bij een katjeswilg? Zulke onzin heb ik mijn hele leven nog niet gehoord. Ik vraag me weleens af hoe Emma het met jou uithoudt. Ik zou misselijk worden als Nancy me vergeleek met een tak katjes.'

'Ach, schaam je! Nancy, heb jij nooit Florries gezicht gezien in een chrysant of een roos?'

'Nog nooit,' zei ik. 'Maar bij een viskar in Whitechapel was gisteren een bot te koop en die leek griezelig veel op Florence. Ik had hem bijna mee naar huis genomen...'

Annie nam juffrouw Raymonds hand in de hare en staarde ons verbaasd aan. 'Nou,' zei ze, 'jullie twee zijn wel het minst sentimentele stel dat ik ooit heb gekend.'

'Wij zijn te verstandig voor sentimentaliteit, nietwaar, Nance?'

'Te druk, zul je bedoelen,' zei ik met een geeuw.

Florence keek schaapachtig. 'En binnenkort krijgen we het zelfs nog drukker, ben ik bang. Want ik heb mevrouw Macey van het Gilde beloofd dat ik zou helpen met de organisatie van de Arbeiders Manifestatie...'

'O, Florence!' riep ik, 'nee toch!'

'Wat is dat voor iets?' vroeg juffrouw Raymond.

'Een of ander ellendig plan,' zei ik, 'bedacht door alle gilden en bonden van Oost-Londen, om het Victoriapark te laten volstromen met socialisten...'

'Een demonstratie,' onderbrak Florence me. 'Iets geweldigs, als het lukt. Het zal eind mei plaatsvinden. Er zullen tenten zijn en toespraken en kramen, en een optocht. We hopen op bezoekers en sprekers uit heel Engeland – en zelfs een paar uit Duitsland en Frankrijk.'

'En nu heb je gezegd dat je zult helpen met de organisatie. Wat betekent,' zei ik verbitterd tegen juffrouw Raymond, 'dat ze vast veel meer taken op zich heeft genomen dan zou moeten, en dat ik haar zoals gewoonlijk zal moeten helpen – tot diep in de nacht brieven schrijven aan de president van de Hoxtonse Bont- en Leerbewerkersbond, of de Wappingse Vereniging van Kleinmetaal. En dat alles op een moment...' Alles op een moment, wilde ik zeggen, dat ik er alleen maar naar verlangde haar tas met papieren in het vuur te werpen en met haar te liggen zoenen in de gloed.

Ik had het gevoel dat Florence toen een beetje triest naar me keek. Ze zei: 'Je hoeft me niet te helpen, als je er geen zin in hebt.'

'Niet helpen?' riep ik. 'In dit huis?'

En het liep precies zoals ik had gedacht. Florence had duizend taken op zich genomen, en om te voorkomen dat ze zich over de kop werkte, nam ik de helft ervan over – schreef brieven en becijferde bedragen op haar aanwijzing, leverde tassen met affiches en pamfletten af bij armoedige vakbondskantoortjes, bezocht timmerwerkplaatsen en zat tafelkleden, vlaggen en kostuums voor de arbeidersparade te naaien. Ons huis in de Quilter Street werd weer helemaal stoffig, onze maaltijden werden steeds gehaaster en onverzorgder – ik had nu geen tijd om oesters te stoven, maar serveerde ze rauw en we slurpten ze naar binnen onder het werken. De helft van de vlaggen die ik naaide en de helft van de brieven die Florence schreef, zaten onder de drank- en vetvlekken.

Zelfs Ralph werd erin betrokken. Als secretaris van zijn vakbond was hem gevraagd om voor de dag zelf een kleine toespraak te schrijven en die – tussen de grote, belangrijke redes door – uit te spreken. De titel van de toespraak zou zijn 'Waarom socialisme?', en het schrijven en repeteren ervan bezorgden Ralph – die niet graag sprak in het openbaar – de zenuwen. Hij zat uren achtereen aan de eettafel te schrijven, tot zijn arm er pijn van deed – of, vaker nog, somber te staren naar het lege vel voor zich, om vervolgens naar de boekenkast te stormen en in een of andere politieke verhandeling een verwijzing na te gaan, en te vloeken als die uitgeleend of kwijt bleek te zijn. 'Wat is er gebeurd met *De blanke slaven van Engeland*? Wie heeft mijn Sidney Webb geleend? En waar voor den donder is *Op weg naar democratie?*'

Dan gaapten Florence en ik hem aan en schudden ons hoofd. 'Geef het toch op,' zeiden we, 'als je het niet wilt, of denkt dat je het niet kunt. Niemand zal het erg vinden.' Maar dan antwoordde Ralph altijd koppig: 'Nee, nee, het is voor de vakbond. Ik ben er bijna.' Hij keek weer fronsend naar zijn vel papier en kauwde op zijn baard. En ik zag dan hoe hij zich voorstelde dat hij voor een menigte starende gezichten stond, en dan begon hij te zweten en trillen.

Maar in dit geval had ik tenminste het gevoel dat ik kon helpen. 'Laat me eens een stukje van je toespraak horen,' zei ik op een avond toen Florence weg was. 'Vergeet niet dat ik ooit een soort actrice ben geweest. Het maakt niet uit, weet je, of het nu een toneel of een platform is.'

'Dat is waar,' zei hij, verrast over het idee. Toen wapperde hij met zijn vellen. 'Maar ik vind het eng om het voor jou voor te lezen.'

'Ralph! Als je het al eng vindt bij mij, in onze huiskamer, hoe moet het dan in het Victoriapark, met vijfhonderd mensen voor je?' Die gedachte deed hem weer op zijn baard bijten, maar hij hield zijn toespraak voor zich, zoals ik hem had gevraagd, ging voor het raam met de dichte gordijnen staan en schraapte zijn keel.

'"Waarom socialisme?"' begon hij. Ik sprong op.

'Nou, dat is om te beginnen al hopeloos. Je kunt niet zo in je handen staan prevelen en verwachten dat de lui in de engelenbak – ik bedoel, achter in de tent – je kunnen horen.'

'Je bent wel hard, Nancy,' zei hij.

'Daar zul je me uiteindelijk dankbaar voor zijn. Goed, ga recht staan, hef je hoofd op en begin opnieuw. En spreek van híeruit' – ik raakte de gesp op zijn broek aan, en hij maakte een schrikbeweging – 'niet uit je keel. Ga door.'

'"Waarom socialisme?"' las hij opnieuw, met een zware, onnatuurlijke stem. 'Dat is de vraag die ik vanmiddag met u moet bespreken. "Waarom socialisme?" Ik zal mijn antwoord heel kort houden.'

Ik zoog op mijn lip. 'Daar gaat de een of andere grapjas vast "Hoera" op roepen.'

'Nee toch, Nance?'

'Nou en of. Maar je moet je er niet door van je stuk laten brengen, want dan ben je verloren. Ga door, nu, laat de rest eens horen.'

Hij las de toespraak voor – het was niet meer dan een bladzijde of drie – en ik luisterde en fronste.

'Je blijft in het papier praten,' zei ik aan het eind. 'Dan kan niemand je horen. Ze gaan zich vervelen en beginnen onder elkaar te praten. Ik heb het al honderd keer zien gebeuren.'

'Maar ik moet de woorden toch voorlezen,' zei hij. Ik schudde mijn hoofd.

'Je moet ze vanbuiten leren, er zit niets anders op. Je zult het stuk uit je hoofd moeten leren.'

'Wat? Alles?' Hij staarde ellendig naar de bladzijden.

'Dat kost je een dag of twee,' zei ik. Toen legde ik mijn hand op zijn arm. 'Je kunt kiezen, Ralph, dat of anders zullen we je in een gek pak moeten hijsen...'

En zo zwoegden Ralph en ik samen de hele maand april en de helft van mei – want het kostte hem aanzienlijker langer dan een of twee dagen voor hij zelfs maar een kwart van de woorden vanbuiten kende – aan zijn toespraakje, stampten de zinnen in zijn hoofd en bedachten allerhande ezelsbruggetjes om ze daarin te houden. Dan speelde ik de souffleur, de bladzijden in mijn hand, en dreunde Ralph moeizaam de tekst op. Ik liet hem voordragen tijdens het ontbijt, de afwas of als we samen bij het haardvuur zaten. Ik ging voor de keukendeur staan en liet hem de woorden naar me schreeuwen terwijl hij in bad lag.

'Hoe vaak hebt u de economen niet horen zeggen dat Engeland het rijkste land ter wereld is? Als u hun zou vragen wat ze daarmee bedoelen, zouden ze antwoorden... zouden ze antwoorden...'

'Ralph! Ze zouden antwoorden: *Kijk om u heen*...'

'Zouden ze antwoorden: Kijk om u heen, naar onze grootse paleizen en openbare gebouwen, onze landhuizen en onze...'

'Onze fabrieken...'

'Onze fabrieken en ons...'

'Ons *rijk*, Ralph!'

Op den duur kende ík die hele ellendige toespraak natuurlijk vanbuiten en had ik de pagina's er niet meer bij nodig. Maar ook Ralph kende hem op den duur min of meer vanbuiten, struikelde er zonder voorzeggen van het begin tot het eind doorheen en klonk zelfs bijna zinnig.

Intussen naderde de dag van de manifestatie, en we kregen het steeds drukker en moesten steeds sneller werken. En ondanks mijn gemopper zag ik onwillekeurig een beetje uit naar de gebeurtenis en was ik bijna even opgewonden en zenuwachtig als Florence zelf.

'Als het maar niet regent!' zei ze met een sombere blik uit ons slaapkamerraam naar de lucht, de avond voor de bewuste zondag. 'Als het regent, moeten we de parade in een tent houden, en dat heeft niemand gerepeteerd. Of stel dat het onweert? Dan kan niemand de sprekers horen.'

'Het regent niet,' zei ik. 'Maak je niet zo druk.' Maar ze bleef met een frons naar de lucht kijken. En op het laatst ging ik naast haar voor het raam staan en begon zelf naar de wolken te staren.

'Als het maar niet regent,' zei ze weer, en om haar af te leiden ademde ik op het glas en schreef met een vingernagel onze initialen op het beslagen raam: *N.A., F.B., 1895 & Altijd*. Ik tekende er een hart omheen en door het hart een pijl.

Het regende die zondag niet. De hemel boven Bethnal Green was zelfs zo blauw en helder dat het vergeeflijk was te denken dat God zelf een socialist was en de stralende zon een soort zegen uit de hemel. In de Quilter Street stonden we allemaal vroeg op, gingen in bad, wasten ons haar en kleedden ons – het was alsof we ons gereedmaakten voor een bruiloft. Heel hoffelijk besloot ik de menigte niet mijn broek op te dringen – socialisten hadden toch al zo'n slechte naam. In plaats daarvan droeg ik een marineblauw pakje, met rode brandebourgs op de jas, een bijpassende stropdas en een dophoed. Voor een damestenue was het chic. Toch voelde ik mijn rok irritant kriebelen toen ik in afwachting van Flo door de huiskamer ijsbeerde – waar Ralph zich al spoedig bij me voegde: hij had zich in het stijve pak van een kantoorbediende gehesen en plukte voortdurend aan zijn kraag die tegen zijn keel schuurde.

Florence zelf droeg het damastpruimkleurige kostuum dat ik zo mooi vond; op de wandeling vanaf Bethnal Green kocht ik een bloem voor haar en speldde die op haar jasje. Het was een margriet, zo groot als een vuist, die straalde als een lamp wanneer de zon erop viel. 'Zo raak je me,' zei ze tegen me, 'in ieder geval niet kwijt.'

Het Victoriapark zelf had een totale metamorfose ondergaan. Werklieden hadden het hele weekeinde tenten, podia en kramen opgezet, in iedere boom hingen slierten vlaggetjes en banieren, en standhouders waren al bezig hun kraam in te richten. Florence had wel tien lijsten bij zich met dingen die ze moest doen en haalde die nu tevoorschijn, verdween vervolgens om mevrouw Macey van het Gilde te zoeken. Ralph en ik baanden ons een weg door het woud van vlaggen, op zoek naar de tent waar hij zou spreken. Het bleek de grootste van allemaal: 'Hier kunnen minstens zevenhonderd mensen in!' vertelden de werklieden ons opgewekt, terwijl ze de tent vol stoelen zetten. Die was dus groter dan sommige zalen waar ik had gespeeld, en toen Ralph het hoorde, werd hij lijkbleek en trok zich terug op een bank om zijn toespraak voor de zoveelste maal over te lezen.

Daarna nam ik Cyril mee en zwierf wat rond, keek naar alles wat mijn aandacht trok en maakte hier en daar een praatje met meisjes die ik kende, hielp een handje met wapperende tafelkleden, scheurende dozen, lastige rozetten. Het leek wel dat daar sprekers en stands waren van iedere rare of filantropische instelling en zaak die je maar kon bedenken – vakbondsleden en suffragettes, christian scientists, christen-socialisten, joodse socialisten, Ierse socialisten, anarchisten, vegetariërs... 'Fantastisch, hè?' hoorde ik onder het lopen, van vrienden en vreemden. 'Heb je ooit zoiets gezien?' Een vrouw gaf me een satijnen lint om op mijn hoed te spelden. In plaats daarvan maakte ik het vast aan Cyrils kieltje, en als de mensen hem in de kleuren van de s d f zagen, kwam er een glimlach op hun gezicht en schudden ze zijn hand: 'Hallo, kameraad!'

'Deze dag zal hem altijd bijblijven!' zei een man, terwijl hij Cyrils hoofd aanraakte en hem een penny gaf. Daarna ging hij rechtop staan en keek met stralende ogen om zich heen. 'Deze dag zal ons ongetwijfeld allemaal bijblijven...'

Daar had hij gelijk in. Ik had erover gemopperd tegen Annie en juffrouw Raymond en ik had vlaggen en banieren zitten naaien zonder me erom te bekommeren of de steken scheef waren of dat er vlekken op het satijn kwamen. Maar toen het park begon vol te lopen, de zon steeds feller ging schijnen en de kleuren almaar levendiger werden, keek ik min of meer verbaasd om me heen. 'Als er vijfduizend mensen komen,' had Florence de avond tevoren gezegd, 'zijn we al blij...' Maar toen ik verder wandelde en naar een heuveltje ging om Cyril op mijn schouders te tillen en mijn hand boven mijn ogen hield om het terrein te overzien, dacht ik dat er wel tienmaal zoveel moesten zijn: alle gewone mensen van Oost-Londen, zo leek het wel, waren samengedromd in het Victoriapark, goedgeluimd, zorgeloos en op hun paasbest. Ze kwamen, neem ik aan, evenzeer voor de zon als voor het socialisme. Ze spreidden dekens uit tussen de kramen en de tenten en aten daar hun boterham, lagen er met hun geliefden en kindertjes en gooiden stokken voor hun honden. Maar ik zag hen ook luisteren naar de sprekers bij de kramen – nu eens knikken, dan weer discussiëren, hun wenkbrauwen fronsen over een pamflet, hun naam op een lijst schrijven of een penny uit hun zak vissen voor de een of andere zaak.

Terwijl ik stond te kijken, zag ik een vrouw met kinderen aan haar rokken voorbijkomen – het was mevrouw Fryer, de arme naaister bij wie Florence en ik in het najaar een bezoek hadden afgelegd. Toen ik haar riep, kwam ze met een glimlach naar me toe. 'Ik ben uiteindelijk toch lid van de bond geworden,' zei ze. 'Je maatje heeft me overgehaald...' We stonden een tijdje te kletsen – haar kinderen hadden karamelappels op een stokje en lieten Cyril eraan likken. Toen barstte er muziek los, en de mensen draaiden zich om, roezemoesden en staken hun nek uit, en wij bleven bij elkaar staan, tilden de kinderen omhoog en keken naar de Arbeidersparade – een stoet mannen en vrouwen in de kledij van ieder beroep, met vakbondsbanieren, vlaggen en bloemen. Het duurde een dik halfuur voor de parade voorbij was, en toen brachten de mensen hun vingers naar hun lippen en floten, juichten en klapten. Mevrouw Fryer huilde, want de oudste dochter van haar buurvrouw liep mee, gekleed als het meisje met de zwavelstokjes.

Ik vond het jammer dat Florence niet bij me was en bleef uitkijken naar haar damastpruimkleurige pak en haar margriet, maar hoewel ik zo ongeveer ieder ander vakbondslid tegenkwam dat ooit onze huiskamer betrad, zag ik haar niet één keer. Toen ik haar ten slotte vond, was ze in de sprekerstent; ze had daar de hele middag naar de toespraken geluisterd. 'Heb je het gehoord?' zei ze, toen ze me zag. 'Het schijnt dat Eleanor Marx komt: ik durf de tent niet uit, want dan mis ik misschien haar rede!' Het bleek dat ze niets had gegeten sinds het ontbijt; ik ging bij een kraampje een zakje wulken en een beker gemberbier voor haar kopen. Toen ik terugkwam, trof ik Ralph naast haar, zwetend, nog steeds aan zijn kraag plukkend en bleker dan ooit. Iedere zitplaats in de tent was bezet en er moesten zelfs mensen staan. Het was smoorheet en de hitte maakte iedereen rusteloos en humeurig. Eén spreker had zojuist iets impopulairs gezegd en was van het podium gejoeld.

'Ze zullen jou niet uitjoelen, Ralph,' zei ik. Maar toen ik zag dat hij zich echt ellendig voelde, pakte ik zijn arm, liet Cyril bij Florence en bracht hem naar buiten, waar het koeler was. 'Kom op, rook een sigaretje met me. Je moet het publiek niet laten zien dat je zenuwachtig bent.'

We stonden vlak achter een flap van de tent – een stel mannen van Ralphs fabriek kwam voorbij en hief de hand naar ons op – en ik stak twee sigaretten voor ons aan. Ralphs vingers trilden toen hij zijn sigaret aannam en hij liet die bijna vallen, glimlachte toen verontschuldigend: 'Je zult me wel een dwaas vinden.'

'Helemaal niet! Ik weet nog hoe bang ík mijn eerste avond was. Ik dacht dat ik moest overgeven.'

'Daarnet dacht ik ook dat ik moest overgeven.'

'Dat denkt iedereen en niemand moet echt overgeven.' Dat was niet helemaal waar: ik had heel wat zenuwachtige artiesten zich zien bukken over kommen en blusemmers aan de rand van het toneel. Maar dat vertelde ik Ralph natuurlijk niet.

'Heb je ooit gespeeld voor een heel lastig publiek, Nance?' vroeg Ralph me nu.

'Wat?' zei ik. 'In één theater – de Deacon's in Islington – was er vóór ons een slechte komiek, en een stel kerels sprong het toneel op en hield hem ondersteboven boven de voetlichten om zijn haar in de fik te steken.' Ralph knipperde een paar keer met zijn ogen toen hij dat hoorde, wierp toen snel een blik in de tent, als om zich ervan te vergewissen dat daar nergens open vuur was waar een vijandig publiek hem eventueel in kon mieteren. Toen keek hij misselijk naar zijn sigaret en gooide die op de grond.

'Als je er niets op tegen hebt,' zei hij, 'ga ik mijn toespraak nog eens doornemen.' En voor ik mijn mond kon opendoen om hem daarvan af te brengen, was hij weggeglipt en stond ik in mijn eentje te roken.

Ik vond het niet erg. Het was nog steeds aangenamer buiten de tent dan erin. Ik stak de sigaret tussen mijn lippen, sloeg mijn armen over elkaar en leunde een beetje achterover tegen het zeildoek. Toen sloot ik mijn ogen en koesterde me in de zon. Daarna nam ik de sigaret uit mijn mond en geeuwde.

En terwijl ik dat deed, klonk bij mijn schouder een vrouwenstem die me deed schrikken.

'Nou! Nancy King is wel zo ongeveer de laatste die ik op een arbeidersmanifestatie zou verwachten.'

Ik opende mijn ogen, liet mijn sigaret vallen, draaide me naar de vrouw en slaakte een kreet.

'Zena! O! Ben jij het?'

Het was inderdaad Zena: ze stond naast me, molliger en nog mooier dan de laatste keer dat ik haar zag, en met een rode jas aan en een bedelarmband om. 'Zena!' zei ik weer. 'O! Wat fijn je te zien.' Ik nam haar hand en drukte die, en zij lachte.

'Ik heb vandaag zowat ieder meisje ontmoet dat ik ken,' zei ze. 'En toen zag ik die ene tegen een tentflap staan met een saffie in haar mond en ik dacht: Jee, is dat niet die ouwe Nan King? Wat een giller, als zij het was na al die tijd – en dan ook nog hier! En ik kwam een beetje dichterbij en toen zag ik dat korte haar en wist ik zeker dat jij het was.'

'O, Zena! Ik was ervan overtuigd dat ik nooit meer iets van je zou horen.'

Daarop keek ze een beetje schaapachtig, en toen herinnerde ik me alles, drukte haar hand nog steviger en zei op heel andere toon: 'Je hebt wel lef, hoor! Na me in die toestand te hebben achtergelaten, destijds in Kilburn. Ik dacht dat ik het niet zou overleven.'

Nu wierp ze theatraal haar hoofd in haar nek. 'Nou! Je hebt me behoorlijk belazerd, hoor, met dat geld.'

'Ik weet het. Wat was ik een gemeen klein loeder! Je zult de kolonies wel nooit gehaald hebben...'

Ze trok een rimpel in haar neus. 'Mijn vriendin die naar Australië was gegaan, is teruggekomen. Ze zei dat het daar vol grote ruige kerels zit, en die willen geen hospita's, die willen een vrouw om mee te trouwen. Daarna ben ik van gedachten veranderd. Uiteindelijk ben ik nu heel gelukkig in Stepney.'

'Woon je nu in Stepney? Maar dan zijn we bijna buren! Ik woon in

Bethnal Green. Met mijn geliefde. Kijk, daar is ze.' Ik legde mijn hand op haar schouder en wees naar de volle tent. 'Die bij het podium, met het kindje op haar arm.'

'Wat,' zei ze, 'toch niet Flo Banner, die in het meisjeshuis werkt!'

'Ken je haar dan?'

'Ik heb een paar maatjes die in het Freemantle House hebben gewoond, en die hebben het altijd over die geweldige Flo Banner! Je weet natuurlijk wel dat de helft van de grieten daar dolverliefd op haar is...'

'Op Florence? Weet je dat zeker?'

'Nou en of!' We keken weer de tent in. Florence stond nu rechtop met een papier naar de spreker op het podium te zwaaien. Zena lachte. 'Stel je voor, jij en Flo Banner!' zei ze. 'Ik weet zeker dat je je bij háár geen fratsen kunt veroorloven.'

'Dat is zo,' antwoordde ik, terwijl ik nog steeds naar Florence keek en me nog steeds verwonderde over wat Zena me had verteld. 'Dat pikt ze niet.'

We liepen weer de zon in. 'En hoe gaat het met jou?' vroeg ik haar toen. 'Ik wed dat je een meisje hebt, hè?'

'Jawel,' zei ze verlegen. 'Ik heb er zelfs twee, en ik kan niet kiezen...'

'Twee! Mijn god!' Ik stelde me voor dat ik twee geliefden als Florence had: bij de gedachte voelde ik een hevig verlangen en begon ik te geeuwen.

'Eéntje is hier ergens in de buurt,' zei Zena. 'Ze is lid van een vakbond en – daar is ze! Máúd!' Bij haar kreet keek een meisje in een bruin-blauw geblokte jas om en slenterde naar ons toe. Zena nam haar arm, en het meisje glimlachte.

'Dit is juffrouw Skinner,' zei Zena tegen mij. Daarna, tegen haar geliefde: 'Maud, dit is Nan King, de variétézangeres.' Juffrouw Skinner – die een jaar of negentien was en op de avond dat ik mijn laatste applaus in het Brit in ontvangst nam, nog in korte rok rondliep – keek me beleefd aan en stak haar hand uit. Zena vervolgde: 'Juffrouw King woont samen met Flo Banner...' En direct verstevigde zich juffrouw Skinners greep en werden haar ogen groot.

'Flo Banner?' zei ze, op precies dezelfde toon als Zena. 'Flo Banner, van het Gilde? O! Ik vraag me af – ik heb hier ergens het programma van vandaag – denkt u, juffrouw King, dat u haar kunt overhalen het voor me te signeren?'

'Signeren!' zei ik. Ze had een papier tevoorschijn gehaald met de volgorde van de toespraken en de indeling van de kramen en hield het me voor, met trillende handen. Ik zag nu dat Florence' naam, samen met een of twee andere namen, in de lijst van organisators stond afgedrukt. 'Tja,' zei ik. 'Tja. U kunt het haar best zelf vragen, hoor: daar staat ze...'

'O, dat durf ik niet!' antwoordde juffrouw Skinner. 'Daar ben ik te verlegen voor...'

Uiteindelijk pakte ik het papier en zei dat ik zou doen wat ik kon. En juffrouw Skinner keek vreselijk dankbaar, ging toen haar vriendinnen vertellen dat ze mij had ontmoet.

'Ze is wel een beetje romantisch, hè?' zei Zena, die weer een rimpel in haar neus trok. 'Misschien laat ik haar zitten voor de ander, maar...' Ik schudde mijn hoofd, keek nog eens naar het papier en stopte het toen in de zak van mijn rok.

Een tijdje kletsten we nog wat en toen zei Zena: 'Dus je bent heel gelukkig in Bethnal Green? 't Is wel wat anders dan vroeger...'

Ik trok een grimas. 'Ik denk niet graag aan die tijd, Zena. Ik ben helemaal veranderd.'

'Dat zal wel. Maar die Diana Lethaby – nou! Je zult haar wel gezien hebben?'

'Diana?' Ik schudde mijn hoofd. 'Geen sprake van! Dacht je dat ik na dat rotfeest nog naar het Felicity Place zou teruggaan...?'

Zena staarde me aan. 'Weet je het dan niet? Diana is hier...'

'Hier? Onmogelijk!'

'Nou en of! Ik zeg je, iedereen is vanmiddag hier – en zij ook. Ze staat daarginds bij de tafel van een krant of een tijdschrift. Ik zag haar en ik ging bijna van m'n stokje!'

'Mijn god.' Diana, hier! Het was een afschuwelijke gedachte – maar toch... Nou, ze zeggen niet voor niets dat oude beren nooit het dansen verleren dat hun bazinnen ze met de zweep hebben bijgebracht: zodra haar hatelijke naam viel, had ik een vage prikkeling gevoeld. Ik keek nog eens de tent in, en zag dat Florence weer overeind was gekomen en nog steeds naar het podium gebaarde. Daarna wendde ik me tot Zena. 'Wil je me laten zien waar?' vroeg ik.

Ze wierp me één waarschuwend soort blik toe, toen nam ze me bij de arm en leidde me door de menigte naar de zwemvijver, en daar bleef ze staan achter een bosje.

'Kijk, daar,' zei ze zachtjes. 'Bij die tafel. Zie je haar?' Ik knikte. Ze stond naast een uitstalling – van het vrouwenblad *Shafts*, dat ze soms hielp uitgeven – en praatte met een andere dame, een dame die weleens een van degenen kon zijn geweest die als Sappho naar het gekostumeerde bal was gekomen. De dame droeg een suffragettesjerp over haar boezem. Diana was gekleed in het grijs en haar hoed had een sluier – hoewel die op dit moment omhoog was geslagen. Ze was arrogant en knap als altijd. Ik staarde naar haar en er kwam een heel levendige herinnering bij me boven – aan mezelf, naast haar uitgestrekt met parels om mijn heupen; aan het bed, dat leek te kantelen; aan het schuren van het leer terwijl ze schrijlings op me zat te wiegen.

'Wat denk je dat ze zou doen,' vroeg ik aan Zena, 'als ik ernaartoe ging?'

'Dat laat je uit je hoofd!'

'Waarom? Ze heeft toch helemaal geen macht meer over me.' Maar op datzelfde moment keek ik naar haar en voelde dat hondse weer over me komen – of honds is misschien niet het woord ervoor. Het was alsof ze een variétémagnetiseur was en ik een meisje dat met de ogen knipperde, klaar om me op haar verzoek belachelijk te maken voor het publiek...

Zena zei: 'Nou, ik kom voor geen goud in haar buurt...' Maar ik luisterde niet. Ik wierp een snelle blik naar de sprekerstent, kwam daarna achter het bosje vandaan en stapte op de kraam af, onderweg de knoop van mijn stropdas recht trekkend. Ik was nog geen twintig meter van haar vandaan en had een hand geheven om mijn hoed af te nemen, toen zij zich omdraaide en haar ogen naar mij leek op te slaan. Haar blik werd hard, sardonisch en wellustig tegelijk, precies zoals ik me herinnerde. En mijn hart verkrampte in mijn borst – van angst, denk ik – alsof er een haak in was geslagen.

Maar toen opende ze haar mond om te spreken, en wat ze zei, was: 'Reggie! Reggie, hier!' Ik stond perplex. Ergens vlak achter me klonk een barse schreeuw ten antwoord – 'Al goed' – en ik draaide me om en zag een jongen zich een weg banen over het gras, met zijn ogen stuurs op Diana gericht en in zijn handen een besuikerd ijsje dat hij voor zich uit hield en heel voorzichtig aflikte uit angst dat het zou lekken en op zijn broek zou komen. Het was een mooie broek, die opbolde bij het kruis. De jongen zelf was lang en tenger; zijn haar was donker en heel kort geknipt. Hij had een knap gezicht, met lippen roze als die van een meisje...

Toen hij bij Diana aankwam, boog ze zich voorover en trok zijn zakdoek uit zijn zak om er zijn heup mee te deppen – kennelijk had hij toch ijs gemorst. De andere dame bij de kraam keek toe en glimlachte, mompelde vervolgens iets waarvan de mooie jongen moest blozen.

Ik had dit alles met een soort verbazing staan bekijken, maar nu deed ik een stap achteruit en toen nog een. Misschien keek Diana weer op, maar dat weet ik niet: ik bleef niet staan om dat te zien. Reggie had zijn hand geheven om aan zijn ijsje te likken, zijn manchet was omlaaggeschoven en eronder had ik een polshorloge zien blinken... Ik knipperde met mijn ogen, schudde mijn hoofd, rende terug naar het bosje waar Zena nog steeds stond te gluren en verborg mijn gezicht tegen haar schouder.

Toen ik weer naar Diana keek, door het gebladerte heen, had ze haar arm in die van Reggie gestoken; hun hoofden waren dicht bij elkaar en ze lachten. Ik keek Zena aan, en zij beet op haar lip.

'Alleen de duivels gedijen in deze wereld, verdomme,' zei ze. Maar toen beet ze weer op haar lip en giechelde.

Ik lachte ook, even. Toen wierp ik nog een verbitterde blik in de richting van de kraam en zei: 'Nou, ik hoop dat ze krijgt wat ze verdient!'

Zena hield haar hoofd schuin. 'Wie?' vroeg ze. 'Diana, of...'

Ik trok een grimas en gaf geen antwoord.

We wandelden terug naar de sprekerstent, en Zena zei dat ze op zoek ging naar Maud.

'Van nu af zijn we vriendinnen, hè?' vroeg ik, terwijl we elkaar de hand schudden.

Ze knikte. 'Je moet me in ieder geval aan juffrouw Banner voorstellen. Dat zou ik fijn vinden.'

'Ja, nou... kom dan op zijn minst eens langs om haar te vertellen dat je me vergeven hebt: ze vindt dat ik je onmenselijk heb behandeld.'

Ze glimlachte – toen viel haar oog op iets en ze draaide haar hoofd. 'Daar is mijn andere geliefde,' zei ze snel. Ze gebaarde naar een breedgeschouderde, potterig uitziende vrouw die ons met een frons observeerde terwijl we aan het praten waren. Zena trok een gezicht. 'Ze speelt graag de neef, die...'

'Ze ziet er inderdaad een beetje woest uit. Ga maar naar haar toe: ik heb geen zin in weer een blauw oog.'

Ze glimlachte en drukte mijn hand. En ik zag haar naar de vrouw toe stappen, haar wang kussen en vervolgens met haar in het gedrang van de mensen tussen de kramen verdwijnen. Ik dook de tent weer in. Het was daar voller en warmer dan ooit, rokerig, de gezichten van de mensen zaten onder het zweet en hun ogen waren gelig waar het licht van de zon door het tentdoek erop viel. Op het podium stuntelde een vrouw met hese stem door een toespraak, en een tiental mensen in het publiek stond overeind met haar te argumenteren. Florence zat weer op haar plaats voor het podium met een spartelende Cyril op haar schoot. Annie en juffrouw Raymond zaten naast haar met een mooi blondharig meisje dat ik niet kende. Ralph zat bij hen in de buurt, met een glimmend voorhoofd en een gezicht stijf van de angst.

Naast Florence was een lege stoel, en nadat ik me er een weg naartoe had gebaand over het gras, ging ik daar zitten en nam het kindje van haar over.

'Waar was je?' vroeg ze boven het geschreeuw uit. 'Het was hier verschrikkelijk. Er is een troep jongens binnengekomen die eropuit zijn de boel op stelten te zetten. Die arme Ralph moet zo spreken; hij is zo verhit van de zenuwen dat je een ei op hem kunt bakken.'

Ik liet Cyril op mijn knie wippen. 'Flo,' zei ik, 'je gelooft nooit wie ik net heb gezien!'

'Wie?' vroeg ze. Toen werden haar ogen groot. 'Eleanor Marx toch niet?'

'Nee, nee... niet zo iemand! Het was Zena, dat meisje dat ik kende bij Diana Lethaby. En haar niet alleen, maar Diana zelf ook! Allebei hier, tegelijk, hoe vind je dat? Goeie genade, toen ik Diana weer zag, dacht ik dat ik doodging!' Ik schudde Cyril tot hij begon te krijsen.

Maar het gezicht van Florence betrok.

'Mijn god!' zei ze, en ik kromp ineen van de toon. 'Kunnen we niet eens van een socialistische manifestatie genieten zonder dat jouw ellendige verleden het komt verpesten. Je hebt vandaag nog naar geen enkele toespraak geluisterd. Je zult ook wel nog geen enkele kraam hebben bekeken. Het enige waar jij oog en aandacht voor hebt, ben jezelf, en de vrouwen die je hebt... de vrouwen die je hebt...'

'De vrouwen die ik heb geneukt, bedoel je toch,' zei ik zacht. Ik keerde me van haar af, oprecht geschrokken en gekwetst; toen werd ik kwaad. 'Nou, ik heb mijn oude geliefden tenminste nog geneukt. Wat meer is dan jij van Lilian kunt zeggen.'

Haar mond viel open en haar ogen begonnen te glinsteren van de tranen. 'Kleine kat dat je bent,' zei ze. 'Hoe kun je zoiets tegen me zeggen?'

'Omdat het me de keel uithangt steeds maar over Lilian te moeten horen, en hoe fantastisch ze wel niet was!'

'Ze wás ook fantastisch,' zei ze. 'Dat wás ze ook. Zij had hier moeten zijn om dit alles mee te maken, niet jij! Zij had het allemaal wel begrepen, maar jij...'

'Je wou zeker dat zij hier was, en niet ik,' flapte ik eruit.

Ze staarde me aan, met tranen aan haar wimpers. Ik voelde mijn eigen ogen ook prikken en mijn keel dichtsnoeren. 'Nance,' zei ze op een vriendelijker toon – maar ik hief mijn hand en draaide mijn gezicht af.

'We hadden het toch afgesproken?' zei ik, terwijl ik probeerde de bitterheid uit mijn stem te weren. En vervolgens, toen ze niet antwoordde: 'God weet dat er plekken zijn waar ik liever was dan hier!'

Ik zei het om haar te pijn te doen, maar toen ze opstond en wegliep met haar vingers voor haar ogen, voelde ik een verschrikkelijke spijt. Ik stak mijn hand in mijn zak om een zakdoek te pakken. Wat ik eruit trok, was het programma dat juffrouw Skinner me had gegeven om door Flo te laten signeren. Ik zat ernaar te staren, verbijsterd door de plotselinge wending die de middag had genomen. En al die tijd sprak de vrouw op het podium hees voort, argumenterend met de querulanten in het publiek – de atmosfeer leek bezwangerd met geschreeuw en rook en rancune.

Ik keek op. Florence stond bij de zeildoeken wand naast Annie en juffrouw Raymond. Ze schudde haar hoofd toen ze naar voren bogen om hun hand op haar arm te leggen. Toen Annie een stapje opzij deed, ving ik haar blik op, en ze kwam met een voorzichtige glimlach op me af.

'Weet je nu nog niet dat je geen ruzie moet maken met Florrie,' zei ze, terwijl ze naast me kwam zitten. 'Ik ken niemand met zo'n scherpe tong.'

'Ze zegt de waarheid,' zei ik verdrietig. 'En die is nu eenmaal scherp.' Ik zuchtte. Toen, om van onderwerp te veranderen, vroeg ik: 'Heb je een fijne dag gehad, Annie?'

'Ja,' zei ze. 'Het was allemaal geweldig.'

'En wie is dat meisje bij jouw Emma?' Ik knikte in de richting van de blondharige vrouw naast juffrouw Raymond.

'Dat is mevrouw Costello,' zei ze, 'de zus van Emmie, die weduwe is.'

'O!' Ik had van haar gehoord, maar niet gedacht dat ze zo jong en mooi zou zijn. 'Wat is ze knap. Wat jammer dat ze niet een van ons is. Is er geen hoop?'

'Absoluut niet, ben ik bang. Maar het is een schoonheid. Haar man was ontzettend aardig, en Emma vreest dat ze nooit meer zo iemand vindt. De enige mannen die haar het hof willen maken, blijken boksers te zijn...'

Ik glimlachte mat: juffrouw Costello interesseerde me niet echt. Terwijl Annie praatte, bleef ik blikken naar Florence werpen. Ze stond nu aan de andere kant van de tent, een zakdoek in haar vingers geklemd, maar haar wangen droog en wit. Hoe lang en doordringend ik ook naar haar keek, ze beantwoordde mijn blik niet.

Ik had bijna besloten om naar haar toe te gaan, toen er plotseling tumult ontstond. De dame op het podium had haar toespraak beëindigd en het publiek klapte niet van harte. Dit betekende natuurlijk dat het tijd was voor Ralphs toespraak. Annie en ik draaiden ons om en zagen hem onzeker naast het kleine podium heen en weer drentelen en toen, nadat zijn naam was afgeroepen, de treden op struikelen en voor op het platform gaan staan.

Ik keek naar Annie en maakte een grimas, en zij beet op haar lip. De tent was iets rustiger, maar niet veel. De meeste serieuze toehoorders van die middag leken vermoeid geraakt en hielden het kennelijk voor gezien. Hun plaatsen waren ingenomen door leeglopers, geeuwende vrouwen en nog meer jonge lawaaischoppers.

Voor dit ongeïnteresseerde publiek stond Ralph nu zijn keel te schrapen. Hij had, zo zag ik, zijn toespraak in zijn hand – om in te kijken als hij zijn tekst kwijt was, nam ik aan. Het zweet liep tappelings van zijn voorhoofd, zijn nek was stijf. Ik wist dat zijn stem, met zo'n stijve en gespannen keel, nooit tot achter in de tent zou reiken.

Na nog een kuchje begon hij.

'"Waarom socialisme?" Dat is de vraag die ik vanmiddag met u moet bespreken.' Annie en ik zaten op de derde rij en zelfs wij konden hem nauwelijks horen. Uit de menigte mannen en vrouwen achter ons klonk een roep – 'Harder!' – en een golf van gelach. Ralph kuchte nog eens en toen hij weer sprak was zijn stem luider, maar ook heel erg hees.

'"Waarom socialisme?" Ik zal mijn antwoord heel kort houden.'

'Dat is tenminste iets!' riep een man daarop – zoals ik al had verwacht – en Ralph blikte even schichtig de tent rond, helemaal van zijn apropos. Ik zag tot mijn ontzetting dat hij de draad kwijt was en moest kijken naar de tekst in zijn handen. Er viel een akelige stilte terwijl hij zocht waar hij gebleven was, en toen hij weer sprak, deed hij dat natuurlijk in het papier, precies zoals in de huiskamer van de Quilter Street.

'Hoe vaak,' zei hij, 'hebt u de economen niet horen zeggen dat Engeland het rijkste land ter wereld is...?' Ik merkte dat ik met hem mee declameerde, hem aanspoorde. Maar hij stotterde en mompelde en moest een of twee keer zijn tekst in het licht houden om die te kunnen lezen. Inmiddels was het publiek begonnen te steunen en te zuchten en te wiebelen. Ik zag dat de voorzitter, die achter op het podium zat, overwoog naar hem toe te stappen en hem te zeggen harder te praten of op te houden. Ik zag Florence, bleek en geagiteerd bij de aanblik van haar schutterende broer – haar eigen verdriet even helemaal vergetend. Ralph begon aan een passage met allerlei cijfers: 'Tweehonderd jaar geleden,' las hij, 'waren het Britse land en vermogen vijfhonderd miljoen pond waard, vandaag de dag is het... is het...' Hij hield de tekst weer scheef, maar toen stond een kerel op en schreeuwde: 'Wat ben je, man? Een socialist of een schoolmeester?' En hierop klapte Ralph ineen alsof hij een stomp in zijn maag had gehad. Annie fluisterde: 'O, nee! Arme Ralph! Ik kan het niet aanzien!'

'Ik ook niet,' zei ik. Ik sprong overeind, duwde haar Cyril in handen en holde toen met twee treden tegelijk de trap aan de zijkant van het podium op. De voorzitter zag me aankomen en kwam half overeind om me tegen te houden, maar ik wuifde hem weg en stapte resoluut naar de zwetende, ineengeklapte Ralph.

'O, Nance,' zei hij, het huilen nader dan het lachen. Ik pakte zijn arm stevig vast en zorgde dat hij voor de menigte bleef staan. Ze waren even stilgevallen – uit pure verrukking, denk ik, dat ik Ralph zo dramatisch te hulp schoot. Nu maakte ik gebruik van de stilte om mijn stem in een soort gebrul over hun hoofden te laten schallen.

'Dus jullie geven niet om getallen?' riep ik, de toespraak oppakkend waar Ralph was blijven steken. 'Misschien is het moeilijk om in miljoenen te denken, welnu, laten we dan eens in duizenden denken. Neem het getal drieduizend. Waar heb ik het over, denkt u? Het salaris van de burgemeester?' Er werd gegiecheld: een aantal jaren geleden was er een flink schandaal geweest over het salaris van de burgemeester. Nu richtte ik me dankbaar tot de giechelaars. 'Nee mevrouw,' zei ik, 'Ik heb het niet over ponden, zelfs niet over shillings. Ik heb het over personen. Ik heb het over het aantal mannen, vrouwen en kinderen die wonen in de armenhuizen van Londen – van Londen! – de rijkste stad in het rijkste land, in het rijkste rijk van de hele wereld! Op dit moment, nu ik spreek...'

In die trant ging ik door, en het gegiechel nam af. Ik had het over alle paupers in het land, en over alle mensen in Bethnal Green die dat jaar zouden sterven in een bed van een armenhuis. 'Bent ú het die sterft in een armenhuis, meneer?' riep ik – ik voegde een paar retorische stijlbloempjes van mezelf toe aan de rede. 'Bent ú het, juffrouw? Of úw oude moeder? Of dit kleine joch?' Het kleine joch begon te huilen.

Toen: 'Hoe oud zullen we waarschijnlijk zijn, als we sterven?' vroeg ik. Ik wendde me tot Ralph – hij staarde met onverholen verbazing naar me – en ik riep zo luid dat het publiek het kon horen: 'Wat is de gemiddelde leeftijd, meneer Banner, waarop de mannen en vrouwen van Bethnal Green doodgaan?'

Hij staarde me nog even stomverbaasd aan en riep daarna, toen ik

hem in zijn arm kneep: 'Negenentwintig!' Ik vond het niet luid genoeg. 'Hoe oud?' schreeuwde ik – alsof ik een komiek was met Ralph
als mijn aangever – en hij riep het getal nog eens, harder dan daarvoor: 'Negenentwintig!'

'Negenentwintig,' zei ik tegen het publiek. 'En als ik een dame
was, meneer Banner? Als ik woonde in Hampstead of... of St John's
Wood, heel comfortabel leefde van mijn aandelen in Bryant and
May? Wat is de gemiddelde leeftijd waarop dergelijke dames sterven?'

'Vijfenvijftig,' zei hij prompt. 'Vijfenvijftig! Bijna twee keer zo
hoog.' Hij herinnerde zich zijn toespraak en nu, op mijn stilzwijgen-
de aanmoediging, ging hij ermee door, met een stem die al snel bijna
zo krachtig was als de mijne. 'Want op iedere persoon die doodgaat
in de deftige buurten van de stad, gaan er vier dood in het East End.
Veel van hen zullen sterven aan ziekten die hun deftige buren heel
goed weten te voorkomen of behandelen. Of ze worden gedood door
machines, in hun werkplaatsen. Of misschien gaan ze eenvoudigweg
dood van de honger. Ja, een of twee mensen in Londen zullen nog
deze nacht doodgaan louter en alleen van de honger...

En dat alles na tweehonderd jaar waarin – zoals alle economen u
zullen vertellen – Groot-Brittannië twintigmaal zo rijk is geworden!
Dat alles in de rijkste stad op aarde!'

Hierop klonken enkele kreten, maar ik wachtte tot die waren weggestorven, voor ik de toespraak weer oppakte waar hij was gebleven.
En toen ik ten slotte sprak, deed ik dat zacht, zodat de mensen naar
voren moesten leunen en hun wenkbrauwen fronsen om me te
horen. 'Hoe komt dat?' vroeg ik. 'Komt het doordat arbeiders
verkwisters zijn? Omdat wij ons geld liever uitgeven aan gin, porter,
bezoeken aan het variété, tabak en gokken, dan aan vlees voor onze
kinderen en brood voor onszelf? Dit soort dingen wordt allemaal geschreven en gezegd door rijke mensen. Zijn ze daarom waar? De
waarheid is merkwaardig, als het aankomt op rijken die over de
armen praten. Ga maar na: als wij inbreken bij een rijke, noemt hij
ons dieven en stuurt ons naar de gevangenis. Als wij een voet op zijn
landgoed zetten, zijn we indringers en stuurt hij zijn honden op ons
af! Als wij wat van zijn goud nemen, zijn we zakkenrollers. Als wij
hem geld laten betalen om zijn goud terug te krijgen, zijn we zwen-
delaars en oplichters!

Maar wat is de rijkdom van de rijke anders dan diefstal, onder een andere naam? De rijke besteelt zijn rivalen. Hij steelt het land en zet er een muur omheen. Hij steelt onze gezondheid, onze vrijheid. Hij steelt de vruchten van ons werk en verplicht ons die terug te kopen van hem! Noemt hij dat diefstal en slavendrijverij en zwendel? Nee, dat heet ondernemen en zakelijk inzicht en kapitalisme. Dat heet natuur.

Maar is het natuurlijk dat zuigelingen sterven door gebrek aan melk? Is het natuurlijk dat vrouwen tot diep in de nacht rokken en jassen naaien in benauwde, bedompte ateliers? Dat mannen en jongens omkomen of verminkt raken voor de kolen in jullie haarden? Dat bakkers moeten stikken tijdens het bakken van jullie brood?'

Onder het spreken was ik harder gaan praten en nu brulde ik.

'Vinden jullie dat natuurlijk? Vinden jullie dat rechtvaardig?'

'Nee,' klonk het gelijktijdig uit honderd kelen. 'Nee! Nee!'

'Dat vinden socialisten ook niet!' schreeuwde Ralph: hij had zijn tekst tussen zijn vingers verkreukeld en schudde er nu mee naar het publiek. 'We hebben er genoeg van om rijkdom en vermogen direct in de zakken van de nietsnutten en de rijken te zien vloeien! We willen geen deel van de rijkdom – het beetje dat de rijke ons van tijd tot tijd toewerpt. We willen een heel andere maatschappij! We willen dat het geld wordt gebruikt, niet bewaard voor de winst! We willen dat de zuigelingen van de werkende vrouwen gedijen – en dat de armenhuizen worden afgebroken, omdat niemand ze meer nodig heeft!'

Er werd gejuicht, en hij hief zijn handen. 'Jullie juichen nu,' zei hij, 'maar het is heel makkelijk om te juichen als het zulk schitterend weer is. Maar jullie moeten meer doen dan juichen. Jullie moeten hándelen. Degenen onder jullie die werken – mannen én vrouwen – word lid van een vakbond! Degenen onder jullie die mogen stemmen – stem! Stem om jullie eigen mensen in het parlement te krijgen. En voer campagne voor jullie vrouwvolk – voor jullie zusters en dochters en vrouwen – dat zij ook mogen stemmen, om jullie te helpen!'

'Ga vanavond naar huis,' ging ik verder, terwijl ik weer een paar passen naar voren deed, 'en stel jezelf de vraag die meneer Banner jullie vandaag heeft gesteld: *Waarom socialisme?* En jullie zullen merken dat jullie hetzelfde antwoord moeten geven als wij. "Omdat het Britse volk," zullen jullie zeggen, "heeft geleden onder het kapitalistische systeem en het pachtstelsel en er alleen maar armer, zieker, ellendiger en banger op is geworden. Omdat de toestand van de zwakste klassen niet verbetert door liefdadigheid en onbeduidende hervormingen – niet door belastingen, niet door de ene kapitalistische regering na de andere te kiezen, zelfs niet door het Hogerhuis af te schaffen! – maar door het land en de industrie over te dragen aan de mensen die er werken. Omdat socialisme het enige systeem is voor een eerlijke samenleving: een samenleving waarin het goede der aarde wordt verdeeld, niet onder de nietsnutten van de wereld, maar onder de werkers" – onder jullie zelf: jullie die de rijke rijk hebben gemaakt en als dank voor jullie arbeid alleen maar ziek en hongerig zijn gehouden!'

Er was een korte stilte en toen barstte het applaus los. Ik keek naar Ralph – zijn wangen waren nu rood en zijn wimpers nat van de tranen – greep toen zijn hand en hief die omhoog. En toen het gejuich eindelijk wegstierf, keek ik naar Florence, die bij Annie en Cyril was gaan staan en naar me keek met haar vingers aan haar lippen.

Achter ons kwam de voorzitter op ons af om ons de hand te schudden. Daarna verlieten we het podium en waren we plotseling omringd door glimlachende gezichten en felicitaties en nog meer applaus.

'Wat een triomf!' riep Annie, die op ons af kwam om ons als eerste te begroeten. 'Ralph, je was fantastisch!'

Ralph bloosde. 'Het kwam helemaal door Nancy,' zei hij verlegen. Annie grijnsde en keerde zich naar mij. 'Bravo!' zei ze. 'Wat een succes! Als ik een bloem had gehad, had ik je die toegeworpen!' Maar ze kon niet meer zeggen, want achter haar kwam een oudere dame, die zich nu naar voren drong om mijn aandacht te trekken. Het was mevrouw Macey van het Coöperatieve Vrouwengilde.

'M'n beste,' zei ze. 'Hartelijk gefeliciteerd! Wat een prachtige toespraak! Ze zeggen dat je actrice was, ooit...?'

'Zeggen ze dat?' zei ik. 'Nou, dat klopt.'

'We kunnen het ons niet veroorloven dergelijke talenten in onze gelederen te hebben en ze niet te gebruiken. Beloof me dat je nog eens voor ons zult spreken. Eén echt charismatische spreker kan wonderen verrichten bij een weifelachtig publiek.'

'Ik zal met alle plezier voor u spreken,' zei ik. 'Maar u moet dan wel de toespraak schrijven...'

'Natuurlijk! Natuurlijk!' Ze sloeg haar handen ineen en hief haar ogen op. 'O! Ik zie bijeenkomsten en debatten voor me – wie weet zelfs een lezingentournee!' Daarop staarde ik haar een ogenblik in echte paniek aan. Toen merkte ik dat iemand naast mij mijn aandacht zocht, draaide me om en zag Emma's zus, mevrouw Costello, geestdriftig en opgewonden.

'Wat een prachtige toespraak!' zei ze verlegen. 'Ik was tot tranen geroerd.' Haar mooie gezicht was inderdaad bleek en ernstig, haar ogen groot, blauw en stralend. Ik dacht weer wat ik eerder had gedacht – hoe jammer het was dat ze geen pot was... Maar toen herinnerde ik me wat Annie over haar had gezegd: dat ze haar lieve man had verloren en op zoek was naar een andere.

'Wat aardig van u,' zei ik ernstig. 'Maar, weet u, het is eigenlijk meneer Banner die uw lof verdient, want hij heeft de hele toespraak geschreven.' Terwijl ik het zei, strekte ik mijn hand uit naar Ralph en trok hem dichterbij. 'Ralph,' zei ik, 'dit is mevrouw Costello, de zuster van juffrouw Raymond, die weduwe is. Ze heeft heel erg genoten van je toespraak.'

'Dat is zo,' zei mevrouw Costello. Ze stak haar hand uit en Ralph nam die in zijn hand en keek haar toen met knipperende ogen aan. 'Ik heb de wereld altijd zo vreselijk onrechtvaardig gevonden,' vervolgde ze, 'maar voelde me, tot vandaag, machteloos om hem te veranderen...'

Ze hielden nog steeds elkaars hand vast, maar merkten dat niet. Ik liet hen alleen en ging weer naar Annie, juffrouw Raymond en Florence. Annie legde haar hand op mijn schouder.

'Een lezingentournee, hè?' zei ze. 'Nee maar!' Daarna wendde ze zich tot Flo: 'En wat vind jij daarvan?'

Florence had niet meer naar me geglimlacht sinds ik van het podium was gestapt, en ze glimlachte ook nu niet. Toen ze eindelijk haar mond opendeed, had ze een droeve, ernstige en bijna verbijsterde uitdrukking op haar gezicht – alsof ze verbaasd was over haar eigen bitterheid.

'Dat zou ik geweldig vinden,' zei ze, 'als ik het gevoel had dat Nancy haar toespraken echt meende en ze niet alleen maar na zei als een... als een domme papegaai.'

Annie keek pijnlijk getroffen naar juffrouw Raymond, en zei toen:

438

'O Florrie, schaam je...' Ik zei niets, maar staarde Florence een ogenblik doordringend aan, keek toen de andere kant op – mijn plezier in de toespraak, in het gejuich van het publiek, verdween helemaal, en het werd me droef om het hart.

De tent was nu rustig: er was geen spreker op het podium en de mensen gebruikten de pauze om naar buiten te slenteren, het zonlicht en de drukte op het veld in. Juffrouw Raymond zei opgewekt: 'Zullen we allemaal gaan zitten?' Maar toen we naar een rij lege stoelen gingen, kwam een klein meisje aangetrippeld dat mijn aandacht trok.

'Neem me niet kwalijk, juffrouw,' zei ze. 'Bent u de griet wat de lezing heeft gegeven?' Ik knikte. 'D'r is d'r een dame pal buiten de tent, vraagt of u alstublieft effe met d'r wou komen praten.'

Annie lachte en trok haar wenkbrauwen op. 'Nog een aanbod voor een lezingentournee misschien?' zei ze.

Ik keek naar het meisje en aarzelde.

'Een dame, zeg je?'

'Ja, juffrouw,' zei ze resoluut. 'Een dame. In hele chique kleren, met d'r ogen helemaal verborgen achter een hoed met een sluier d'r aan.'

Ik schrok, en keek snel naar Florence. Een dame met een sluier: dat kon maar één persoon zijn. Diana moest me uiteindelijk toch hebben gezien en mijn toespraak hebben gehoord, en nu zocht ze me – wie wist om welke enge reden? Ik rilde bij het idee. Toen het meisje wegliep, draaide ik me om en keek haar na, en Florence verschoof in haar stoel en keek met me mee. In de hoek van de tent was een vierkant van zonlicht, waar het zeildoek was teruggetrokken bij wijze van ingang – het was zo fel dat ik mijn ogen moest dichtknijpen om ernaar te kijken en knipperde. Aan de rand van het vierkant van licht stond een vrouw. Haar gezicht ging schuil, zoals het meisje had gezegd, achter een brede hoed en een netje. Terwijl ik haar opnam, hief ze haar handen naar haar sluier en sloeg die op. En toen zag ik haar gezicht.

'Waarom ga je niet naar haar toe?' hoorde ik Florence ijzig zeggen. 'Ze is vast hier om te vragen of je naar St John's Wood terug wilt komen. Daar hoef je nooit meer aan het socialisme te denken...'

Ik draaide me naar haar toe, en toen ze zag hoe bleek mijn wangen waren, veranderde haar uitdrukking.

'Het is niet Diana,' fluisterde ik. 'O, Flo! Het is niet Diana...'

Het was Kitty.

Ik bleef even staan, helemaal van de kaart. Ik had vandaag al twee oude geliefden gezien, en daar stond de derde – of liever, de eerste: mijn eerste liefde, mijn enige ware liefde, mijn echte liefde, mijn grootste liefde – de liefde die mijn hart zo finaal gebroken had dat het nooit meer echt op gang gekomen leek...

Ik ging naar haar toe, zonder nog een blik op Florence te werpen, bleef voor haar staan en wreef in mijn ogen vanwege de zon – zodat ze, toen ik weer naar haar keek, omringd leek door duizend dansende lichtpuntjes.

'Nan,' zei ze, en ze glimlachte nogal nerveus. 'Je bent me toch niet vergeten?' Haar stem beefde enigszins, zoals haar stem soms had gebeefd van de hartstocht. Haar uitspraak was veel zuiverder, met iets minder kleur dan ik me herinnerde.

'Jou vergeten?' zei ik toen, eindelijk mijn stem hervindend. 'Nee. Ik ben alleen heel verrast je te zien.' Ik staarde haar aan en slikte. Haar ogen waren even bruin als altijd, haar wimpers even donker, haar lippen even roze... Maar ze was veranderd, ik had het meteen gezien. Naast haar mond en bij haar ogen waren een of twee rimpels die getuigden van de jaren die waren verstreken sinds we geliefden waren geweest. En ze had haar haar laten groeien, dat nu in een grote, glanzende pompadoer boven haar oren golfde. Met de rimpels en het haar zag ze er niet meer uit als een heel mooie jongen: ze zag er, in de woorden van het meisje dat ze naar me toe had gestuurd, als een dame uit.

Zoals ik haar opnam, zo staarde zij naar mij. Ten slotte zei ze: 'Je lijkt erg veranderd sinds ik je de laatste keer zag...'

Ik haalde mijn schouders op. 'Natuurlijk. Ik was toen negentien. Nu ben ik vijfentwintig.'

'Vijfentwintig over twee weken,' antwoordde ze, en haar lip trilde een beetje. 'Dat heb ik namelijk onthouden.'

Ik voelde dat ik bloosde en kon haar geen antwoord geven. Ze keek langs me de tent in. 'Je kunt je voorstellen hoe verrast ik was,' zei ze, 'toen ik daarnet hier naar binnen keek en jou op het podium zag spreken. Ik had nooit gedacht dat je zou belanden op een platform in een tent met een toespraak over de rechten van de arbeiders!'

'Ik evenmin,' zei ik. Toen moest ik lachen, en zij ook. 'Waarom ben jij eigenlijk hier?' vroeg ik haar toen.

'Ik woon op kamers in Bow. Iedereen zei al de hele week dat ik op zondag naar het park moest, want daar ging iets geweldigs gebeuren.'

'Zeiden ze dat?'

'Ja nou!'

'En... ben je hier helemaal alleen?'

Ze keek gauw de andere kant op. 'Ja. Walter is op dit moment in Liverpool. Hij is weer als impresario gaan werken; hij heeft aandelen in een theater daar en heeft een huis voor ons gehuurd. Ik ga naar hem toe als het huis klaar is.'

'En werk je nog steeds in het variété?'

'Niet zoveel meer. We... we hadden samen een nummer...'

'Weet ik,' zei ik. 'Ik heb jullie gezien. In het Middlesex.'

Haar ogen werden groot. 'Die keer dat je Billy-Boy hebt ontmoet? O, Nan, als ik geweten had dat je keek! Toen Bill terugkwam en zei dat hij je had gezien...'

'Ik kon het niet lang aanzien,' zei ik.

'Waren we dan zo slecht?' Ze glimlachte, maar ik schudde mijn hoofd: 'Dat was het niet...' Haar glimlach verflauwde.

Een moment later zei ik: 'Dus je werkt niet meer zoveel? Hoe komt dat?'

'Tja, Walter heeft het nu druk met zijn impresariowerk. En ook... tja, we hebben er geen ruchtbaarheid aan gegeven, maar ik ben erg ziek geweest.' Ze aarzelde. 'Ik zou een kind krijgen...'

De gedachte stond me tegen, in ieder opzicht. 'Wat naar voor je,' zei ik.

Ze haalde haar schouders op. 'Walter was teleurgesteld. Maar we zijn het nu helemaal vergeten. Het betekent alleen dat ik niet meer zo sterk ben als vroeger...'

We zwegen. Ik keek even naar de mensen, toen weer naar Kitty. Ze had een kleur gekregen. Nu zei ze: 'Nan, Bill zei me dat je, toen hij je die keer tegenkwam, was gekleed... nou ja, als een jongen.'

'Dat was zo. Helemaal als een jongen.' Ze lachte en fronste tegelijk, in onbegrip.

'Hij zei ook dat je woonde bij een... bij een...'

'Bij een dame, ja.'

Ze bloosde nog heviger. 'En... ben je nog steeds bij haar?'

'Nee, ik... ik woon nu samen met een meisje, in Bethnal Green.'

'O!'

Ik aarzelde – maar toen deed ik hetzelfde als ik twee uur geleden met Zena had gedaan. Ik schoof in de schaduw van de tent, en Kitty kwam me achterna. 'Dat is ze, daar,' zei ik, met een knik naar de stoelen voor het podium. 'Het meisje met het kleine jongetje.'

Annie en juffrouw Raymond waren weggegaan en Florence zat nu alleen. Toen ik naar haar gebaarde, keek ze mijn kant op en staarde vervolgens somber naar Kitty. Kitty reageerde met een zacht 'O' en toen met een nerveuze glimlach. 'Dat is Flo,' zei ik, 'de socialiste die me bij dit alles betrokken heeft...' Intussen zette Florence haar hoed af; meteen begon Cyril aan haar haarspelden te trekken en de krullen om zijn vingers te winden. Ze werd rood van zijn getrek. Ik keek nog even naar haar, zag haar toen weer naar Kitty kijken. En toen ik me naar Kitty wendde, zag ik dat zij haar ogen op mij had gevestigd en dat de uitdrukking op haar gezicht heel vreemd was.

'Ik kan mijn ogen niet van je afhouden,' zei ze met een onzekere glimlach. 'Toen je wegliep, was ik er eerst van overtuigd dat je zou terugkomen. Waar ben je heen gegaan? Wat heb je gedaan? We hebben alles in het werk gesteld om je te vinden. En toen ik niets meer van je hoorde, was ik ervan overtuigd dat ik je nooit meer zou zien. Ik dacht... o, Nan, ik dacht dat je jezelf wat had aangedaan.'

Ik slikte. 'Jíj hebt me wat aangedaan, Kitty. Jíj hebt me wat aangedaan.'

'Ik weet het, nu. Denk je dat ik het niet weet? Ik schaam me zelfs om met je te praten. Ik heb zo'n spijt van wat er gebeurd is.'

'Je hoeft geen spijt meer te hebben,' zei ik onbeholpen. Maar ze ging door alsof ze me niet gehoord had: dat ze zoveel spijt had, dat het zo verschrikkelijk verkeerd was wat ze had gedaan. Dat ze zoveel spijt, zoveel spijt had...

Uiteindelijk schudde ik mijn hoofd. 'Ach!' zei ik. 'Wat doet het er allemaal nog toe? Helemaal niets!'

'Nee?' zei ze. Ik voelde dat mijn hart begon te bonzen. Toen ik geen antwoord gaf, alleen naar haar bleef staren, kwam ze een stap dichterbij en begon heel snel en zacht te praten. 'O, Nan, ik heb zo vaak bedacht dat ik je zou vinden en wat ik dan tegen je zou zeggen, dat ik nu niet kan gaan zonder het te zeggen!'

'Ik wil het niet horen,' zei ik, plotseling in paniek. Ik geloof dat ik zelfs mijn handen tegen mijn oren drukte, om haar gefluister maar niet te horen. Maar ze greep mijn arm en praatte door, recht in mijn gezicht.

'Je moet het horen! Je moet het weten. Je moet niet denken dat wat ik heb gedaan gemakkelijk was, dat ik het gedaan heb zonder na te denken. Je moet niet denken dat het... mijn hart niet heeft gebroken.'

'Waarom heb je het dan gedaan?'

'Omdat ik een dwaas was! Omdat ik dacht dat mijn leven op het toneel belangrijker voor me was dan wat ook. Omdat ik dacht dat ik een ster zou worden. Omdat ik natuurlijk nooit had gedacht dat ik je echt, echt kwijt zou raken...' Ze aarzelde. Buiten de tent was het nog steeds een drukte van belang: kinderen renden gillend rond, standhouders stonden te roepen en te betogen, vlaggen en pamfletten wapperden in het meiwindje. Ze haalde diep adem. Ze zei: 'Nan, kom bij me terug.'

Kom bij me terug... Iets in me stelde zich direct voor haar open, schoot op haar af als een speld op een magneet. Ik geloof dat datzelfde iets in me opnieuw op haar af zou schieten – voor altijd op haar af zou blijven schieten als ze me bleef vragen.

Een ander iets in me moest toen ergens aan denken, en denkt daar nog steeds aan.

'Bij jou terugkomen?' zei ik. 'Terwijl je nog steeds Walters vrouw bent?'

'Dat betekent allemaal niets,' zei ze snel. 'Er is nu niets meer... niet zoiets... tussen hem en mij. Als we alleen maar een beetje voorzichtig zijn...'

'Voorzichtig!' zei ik: ik kromp ineen bij het woord. 'Voorzichtig! Voorzichtig! Meer heb je me nooit gegeven. We waren zo voorzichtig dat we net zo goed dood konden zijn!' Ik rukte me van haar los. 'Ik heb nu een nieuw meisje, dat zich niet schaamt dat ze mijn geliefde is.'

Maar Kitty kwam dichterbij en greep weer mijn arm. 'Dat meisje met het kindje?' zei ze, met een knik naar de tent. 'Je houdt niet van haar, dat zie ik aan je gezicht. Niet zoals je van mij hield. Weet je niet meer hoe het was? Jij was van mij vóór je van iemand anders was. Je hoort bij mij. Je hoort niet bij haar en haar soort, met hun stomme politieke kletspraat. Kijk naar je kleren, wat zijn ze lelijk en goedkoop. Kijk naar die lui om ons heen: je bent uit Whitstable weggegaan om te ontsnappen aan dat soort lui!'

Ik staarde haar een ogenblik stomverbaasd aan. Daarna deed ik wat ze wilde en keek rond in de tent – naar Annie en juffrouw Raymond, naar Ralph die nog steeds blozend en met knipperende ogen naar mevrouw Costello keek, naar Nora en Ruth die naast het podium stonden met enkele andere meisjes die ik herkende van de Kit. In een stoel aan de andere kant van de tent – ik had haar niet eerder opgemerkt – zat Zena, met haar arm door die van haar breedgeschouderde geliefde. Vlak bij hen stonden enkele vakbondsvrienden van Ralph – ze knikten toen ze me zagen kijken en hieven hun glazen. En te midden van hen allemaal zat Florence. Haar hoofd was nog gebogen naar de grijpende vingers van Cyril: hij had haar haar tot op haar schouder getrokken en ze had haar handen geheven om zijn vingers los te trekken. Ze had een rode kleur en glimlachte. Maar terwijl ze glimlachte, sloeg ze haar ogen naar me op, en ik zag er tranen in – misschien alleen door Cyrils getrek – en achter de tranen een soort zwaarmoedigheid die ik er nooit eerder in had gezien.

Ik kon haar glimlach niet beantwoorden. Maar toen ik me weer naar Kitty wendde, was mijn blik effen en toen ik sprak, was mijn stem volkomen beheerst.

'Je vergist je,' zei ik. 'Ik hoor nu hier: dit zijn mijn lui. En wat mijn lieve Florence betreft, ik houd meer van haar dan ik kan zeggen, en dat besef ik nu pas.'

Ze liet mijn arm los en deed een pas achteruit, alsof ze was geslagen. 'Je zegt die dingen alleen maar om me pijn te doen,' zei ze ademloos, 'omdat je nog steeds gekwetst bent...'

Ik schudde mijn hoofd. 'Ik zeg die dingen omdat ze waar zijn. Vaarwel, Kitty.'

'Nan!' schreeuwde ze, toen ik aanstalten maakte van haar weg te lopen. Ik draaide me om.

'Noem me niet zo,' zei ik kriegel. 'Niemand noemt me meer zo. Zo heet ik niet en zo heb ik nooit geheten.'

Ze slikte en kwam toen weer op me af, en zei op een zachtere, meer timide toon: 'Goed dan, Nancy. Luister naar me: ik heb nog steeds al je spullen. Alle spullen die je op Stamford Hill hebt achtergelaten.'

'Ik hoef ze niet,' zei ik meteen. 'Houd ze maar of gooi ze weg: het kan me niets schelen.'

'Er zijn brieven, van je familie! Je vader is naar Londen gekomen om je te zoeken. Zelfs nu nog sturen ze me brieven om te vragen of ik iets heb gehoord...'

Mijn vader! Ik had een visioen gehad, toen ik Diana zag, van mijzelf op een zijden bed. Nu zag ik een nog levendiger beeld van mijn vader, met de voorschoot tot op zijn schoenen. Ik zag mijn moeder, mijn broer en Alice. Ik zag de zee. Mijn ogen begonnen te prikken, alsof er zout in zat.

'De brieven kun je me opsturen,' zei ik schor. Ik dacht: Ik ga ze schrijven en vertellen over Florence. En als ze bezwaren hebben – nou, dan weten ze in ieder geval dat het goed met me gaat, dat ik gelukkig ben...

Nu kwam Kitty dichterbij en sprak met nog zachtere stem: 'Het geld is er ook nog,' zei ze. 'We hebben alles bewaard. Nan, je hebt bijna zevenhonderd pond!'

Ik schudde mijn hoofd; ik was het geld vergeten. 'Ik kan het nergens aan uitgeven,' zei ik eenvoudig. Maar toen ik het zei, moest ik denken aan Zena, die ik haar geld had ontnomen, en ik dacht ook weer aan Florence – ik stelde me voor hoe ze zevenhonderd pond in de liefdadigheidsbusjes van East London zou gooien, munt voor munt.

Zou ze daardoor van me gaan houden, meer dan van Lilian?

'Het geld kun je me ook sturen,' zei ik ten slotte tegen Kitty. En ik gaf haar mijn adres, en ze knikte en zei dat ze het zou onthouden.

Daarna staarden we elkaar aan. Haar lippen waren vochtig en stonden iets van elkaar, en ze was bleek geworden, zodat haar sproeten zichtbaar werden. Onwillekeurig dacht ik terug aan die avond in het Canterbury Palace, toen ik haar voor het eerst had ontmoet en erachter kwam dat ik van haar hield, en zij mijn hand had gekust en me 'Zeemeermin' had genoemd, en onoorbare gedachten over me had. Misschien herinnerde zij het zich ook, want nu zei ze: 'Moet het dan zo eindigen? Mag ik je niet meer zien? Je zou me kunnen komen opzoeken...'

Ik schudde mijn hoofd. 'Kijk eens hoe ik eruitzie,' zei ik. 'Kijk mijn haar eens. Wat zouden je buren zeggen als ik bij jou op bezoek kwam? Je zou niet met mij over straat durven lopen, bang dat de een of andere kerel iets zou roepen!'

Ze bloosde en haar wimpers trilden. 'Je bent veranderd,' zei ze weer. En ik antwoordde eenvoudig: 'Ja, Kitty, ik ben veranderd.'

Ze hief haar handen om haar sluier omlaag te doen. 'Vaarwel,' zei ze.

Ik knikte. Ze draaide zich om. En terwijl ik haar stond na te kijken, merkte ik dat ik een beetje pijn had, als van duizend helende wonden.

Zo gemakkelijk kan ik je niet laten gaan! dacht ik. Terwijl ze nog heel dichtbij was, ging ik in de zon staan en keek om me heen. Op het gras naast de tent lag een soort bloemenkrans of boog – een onderdeel van een uitstalling dat was losgeraakt en weggegooid. Er zaten rozen op; ik bukte en plukte er een, riep een jongen die in de buurt stond te niksen, gaf hem de bloem en een penny en vertelde hem wat hij moest doen. Toen ging ik weer in de schaduw van de tent staan, achter de schuine wand van het zeildoek, en keek. De jongen rende naar Kitty. Ik zag dat ze zich omdraaide toen hij haar riep en toen vooroverboog om te luisteren naar zijn boodschap. Hij stak de roos naar haar uit en wees terug naar de plek waar ik verscholen stond. Ze draaide haar gezicht naar me toe en nam toen de bloem aan. De jongen holde meteen weg om zijn penny uit te geven, maar zij bleef doodstil staan, met de roos voor zich in haar gehandschoende vingers geklemd, haar gesluierde hoofd lichtjes heen en weer bewegend terwijl ze me probeerde te ontwaren. Ik geloof niet dat ze me zag, maar ze moet hebben geraden dat ik keek, want na een minuut gaf ze een soort knikje in mijn richting – een heel klein, heel triest, heel spookachtig toneelbuiginkje. Daarna draaide ze zich om en algauw ging ze op in de menigte.

Ik draaide me ook om en ging terug de tent in. Het eerst zag ik Zena, op weg naar de zonneschijn buiten, daarna Ralph en mevrouw Costello, die heel langzaam naast elkaar liepen. Ik bleef niet staan om met hen te praten. Ik glimlachte alleen en liep toen doelbewust naar de rij stoelen waarin ik Florence had achtergelaten.

Maar toen ik daar kwam, was Florence er niet. En toen ik om me heen keek, zag ik haar nergens.

'Annie,' riep ik – want zij en juffrouw Raymond stonden inmiddels bij de groep potten naast het podium – 'Annie, waar is Flo?'

Annie keek de tent rond en haalde toen haar schouders op. 'Een minuut geleden was ze hier nog,' zei ze. 'Ik heb haar niet zien weggaan.' De tent had maar één uitgang: ze moest me zijn gepasseerd terwijl ik Kitty nakeek, te zeer in beslag genomen om haar op te merken...

Ik voelde mijn hart overslaan en plotseling had ik het gevoel dat ik, als ik Florence niet meteen vond, haar voor altijd zou verliezen. Ik rende van de tent naar het grasveld en keek wild om me heen. Ik herkende mevrouw Macey in de menigte en liep op haar toe. Had zij Florence gezien? Nee. Ik zag mevrouw Fryer weer: Had zíj Florence gezien? Ze dacht haar net nog te hebben gezien, met de kleine jongen op weg naar Bethnal Green...

Ik bleef niet staan om haar te bedanken, maar begon te hollen – baande me een weg door de mensenmassa, struikelend en vloekend en zwetend van de paniek en de haast. Ik kwam weer langs de kraam van *Shafts* – keek ditmaal niet opzij om te zien of Diana er nog steeds stond, met haar nieuwe jongen – maar liep gestaag door, speurend naar een glimp van Florence' jasje of glanzende haar of van Cyrils sjerp.

Uiteindelijk had ik de grootste drukte achter me gelaten en bevond ik me in het westelijke deel van het park, bij de roeivijver. Hier, zonder acht te slaan op de toespraken en debatten die in de tenten en rondom de kramen plaatsvonden, zaten jongens en meisjes in bootjes of waren aan het zwemmen, gillend en spetterend en pret makend. Hier stond ook een aantal banken, en op één daarvan – ik schreeuwde het bijna uit toen ik het zag! – zat Florence, met Cyril een stukje voor zich, die zijn handen en de volant van zijn rokje in het water van de vijver doopte. Ik bleef even staan om op adem te komen, mijn hoed af te zetten en over mijn klamme voorhoofd en slapen te vegen. Toen liep ik langzaam naar hen toe.

Cyril zag me het eerst, en zwaaide en riep. Bij zijn kreet keek Florence op, ontmoette mijn blik en hapte naar lucht. Ze had de margriet van haar revers gehaald en draaide die rond in haar vingers. Ik ging naast haar zitten en legde mijn arm over de rugleuning van de bank, zodat mijn hand langs haar schouder streek.

'Ik dacht,' zei ik ademloos, 'dat ik je kwijt was...'

Ze staarde naar Cyril. 'Ik zag je praten met Kitty.'

'Ja.'

'Je zei... je zei dat ze nooit terug zou komen.' Ze keek verschrikkelijk bedroefd.

'Het spijt me, Flo. Het spijt me zo! Ik weet dat het niet eerlijk is, dat zij wel terug is gekomen en dat Lilian nooit...'

Ze draaide haar hoofd. 'Kwam ze echt... vragen of je terugkwam?'

Ik knikte. Toen: 'Zou je het erg vinden,' vroeg ik zachtjes, 'als ik wegging?'

'Als je wegging?' Ze slikte. 'Ik dacht dat je al weg was. Ik zag een blik in je ogen...'

'En vond je het erg?' vroeg ik weer. Ze staarde naar de bloem tussen haar vingers.

'Ik besloot het park te verlaten en naar huis te gaan. Ik had niets meer om voor te blijven – zelfs niet Eleanor Marx! Ik was tot hier gekomen toen ik dacht: Wat moet ik thuis, zonder jou...?' Ze draaide de margriet nog een keer rond, en twee of drie bloemblaadjes vielen eraf en hechtten zich aan de wol van haar rok. Ik keek nog een keer het veld rond, vervolgens naar haar en begon toen tegen haar te praten, zachtjes en ernstig, alsof ik voor mijn leven pleitte.

'Flo,' zei ik, 'je had gelijk met wat je zei over die toespraak die ik met Ralph hield. Het was niet mijn toespraak. Ik meende de woorden niet – althans toen niet, toen ik ze uitsprak.' Ik stokte, bracht een hand naar mijn hoofd. 'O! Ik heb het gevoel dat ik al mijn hele leven andermans toespraken opzeg. Nu ik zelf een toespraak wil houden, weet ik amper hoe het moet.'

'Als je erover inzit hoe je me moet vertellen dat je weggaat...'

'Ik zit erover in,' zei ik, 'hoe ik je moet vertellen dat ik van je hou, hoe ik je moet zeggen dat je alles voor me betekent, dat jij en Ralph en Cyril mijn familie zijn die ik nooit in de steek kan laten – ook al ben ik zo onverschillig geweest tegen mijn echte familie.' Mijn stem werd schor. Ze keek me aan, maar zei niets, dus stamelde ik voort. 'Kitty heeft mijn hart gebroken – ik dacht altijd dat ze het had vermoord! Ik dacht altijd dat alleen zij het kon repareren. En dus heb ik vijf jaar lang gewenst dat ze terugkwam. Vijf jaar lang heb ik nauwelijks aan haar durven denken, uit angst dat ik dan gek werd van verdriet. Nu is ze komen opdagen en heeft ze alles gezegd waarvan ik heb gedroomd. En ik ontdek dat mijn hart al is gerepareerd, door jou. Zij heeft me dat duidelijk gemaakt. Dát was de blik die je in mijn ogen zag.' Ik ging met mijn hand naar mijn wang omdat daar iets kriebelde, en ik merkte dat het tranen waren. 'O, Flo!' zei ik toen. 'Zeg alleen... zeg alleen dat ik van je mag houden en bij je mag blijven, dat ik je liefje en je kameraad mag zijn. Ik weet dat ik Lily niet ben...'

'Nee, je bent Lily niet,' zei ze. 'Ik dacht dat ik wist wat dat betekende – maar dat wist ik helemaal niet, totdat ik jou naar Kitty zag staren en dacht dat ik je zou verliezen. Ik mis Lily al zo lang dat ieder verlangen een verlangen naar haar leek te zijn. Maar ach! Hoe anders leek dat verlangen toen ik wist dat ik naar jou verlangde, alleen naar jou, alleen naar jou...'

Ik schoof dichter naar haar toe. Het papier in mijn zak knisperde, en ik herinnerde me de romantische juffrouw Skinner en alle meisjes zonder vrienden in het Freemantle House die volgens Zena dolverliefd op Flo waren. Ik opende mijn mond om het haar te vertellen, bedacht toen dat ik het niet zou doen, nog niet – voor het geval ze het niet had gemerkt. In plaats daarvan keek ik weer het park rond, naar het gedrang van de blije mensen, naar de tenten en kramen, de linten, vlaggen en banieren: in mijn ogen kwam het door Florence' passie, en haar passie alleen, dat het hele park bruiste. Ik draaide me weer naar haar toe, nam haar hand in de mijne, plette de margriet tussen onze vingers en boog me – onverschillig voor de blikken van de mensen – voorover en kuste haar.

Cyril zat nog steeds gehurkt, met zijn volants in de vijver. De namiddagzon wierp lange schaduwen over het geplette en vertrapte gras. Uit de sprekerstent klonken gedempt gejuich en klaterend applaus.